**Bilingual Dic**

# English-Slovak
# Slovak-English
# Dictionary

Compiled by
**Zuzana Horvathova**

STAR Foreign Language BOOKS

ISBN : 978 1 908357 55 7



First Edition : 2011
Second Edition : 2014
Third Edition : 2015
Fourth Edition : 2018

Published by

**STAR Foreign Language BOOKS**

56, Langland Crescent
Stanmore HA7 1NG, U.K.
info@starbooksuk.com
www.starbooksuk.com

Printed in India at
Star Print-O-Bind, New Delhi-110 020

# About this Dictionary

Developments in science and technology today have narrowed down distances between countries, and have made the world a small place. A person living thousands of miles away can learn and understand the culture and lifestyle of another country with ease and without travelling to that country. Languages play an important role as facilitators of communication in this respect.

To promote such an understanding, **STAR Foreign Language BOOKS** has planned to bring out a series of bilingual dictionaries in which important English words have been translated into other languages, with Roman transliteration in case of languages that have different scripts. This is a humble attempt to bring people of the word closer through the medium of language, thus making communication easy and convenient.

Under this series of *one-to-one dictionaries*, we have published almost 50 languages, the list of which has been given in the opening pages. These have all been compiled and edited by teachers and scholars of the relative languages.

Publishers

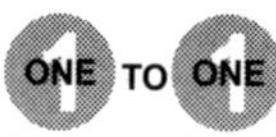


## Bilingual Dictionaries in this Series

| | |
|---|---|
| English-Afrikaans / Afrikaans-English | Abraham Venter |
| English-Albanian / Albanian-English | Theodhora Blushi |
| English-Amharic / Amharic-English | Girun Asanke |
| English-Arabic / Arabic-English | Rania-al-Qass |
| English-Bengali / Bengali-English | Amit Majumdar |
| English-Bosnian / Bosnian-English | Boris Kazanegra |
| English-Bulgarian / Bulgarian-English | Vladka Kocheshkova |
| English-Cantonese / Cantonese-English | Nisa Yang |
| English-Chinese (Mandarin) / Chinese (Mandarin)-Eng | Y. Shang & R. Yao |
| English-Croatian / Croatain-English | Vesna Kazanegra |
| English-Czech / Czech-English | Jindriska Poulova |
| English-Dari / Dari-English | Amir Khan |
| English-Dutch / Dutch-English | Lisanne Vogel |
| English-Estonian / Estonian-English | Lana Haleta |
| English-Farsi / Farsi-English | Maryam Zaman Khani |
| English-French / French-English | Aurélie Colin |
| English-Gujarati / Gujarati-English | Sujata Basaria |
| English-German / German-English | Bicskei Hedwig |
| English-Greek / Greek-English | Lina Stergiou |
| English-Hindi / Hindi-English | Sudhakar Chaturvedi |
| English-Hungarian / Hungarian-English | Lucy Mallows |
| English-Italian / Italian-English | Eni Lamllari |
| English-Korean / Korean-English | Mihee Song |
| English-Latvian / Latvian-English | Julija Baranovska |
| English-Levantine Arabic / Levantine Arabic-English | Ayman Khalaf |
| English-Lithuanian / Lithuanian-English | Regina Kazakeviciute |
| English-Nepali / Nepali-English | Anil Mandal |
| English-Norwegian / Norwegian-English | Samuele Narcisi |
| English-Pashto / Pashto-English | Amir Khan |
| English-Polish / Polish-English | Magdalena Herok |
| English-Portuguese / Portuguese-English | Dina Teresa |
| English-Punjabi / Punjabi-English | Teja Singh Chatwal |
| English-Romanian / Romanian-English | Georgeta Laura Dutulescu |
| English-Russian / Russian-English | Katerina Volobuyeva |
| English-Serbian / Serbian-English | Vesna Kazanegra |
| English-Sinhalese / Sinhalese-English | Naseer Salahudeen |
| English-Slovak / Slovak-English | Zuzana Horvathova |
| English-Slovenian / Slovenian-English | Tanja Turk |
| English-Somali / Somali-English | Ali Mohamud Omer |
| English-Spanish / Spanish-English | Cristina Rodriguez |
| English-Swedish / Swedish-English | Madelene Axelsson |
| English-Tagalog / Tagalog-English | Jefferson Bantayan |
| English-Tamil / Tamil-English | Sandhya Mahadevan |
| English-Thai / Thai-English | Suwan Kaewkongpan |
| English-Turkish / Turkish-English | Nagme Yazgin |
| English-Ukrainian / Ukrainian-English | Katerina Volobuyeva |
| English-Urdu / Urdu-English | S. A. Rahman |
| English-Vietnamese / Vietnamese-English | Hoa Hoang |
| English-Yoruba / Yoruba-English | O. A. Temitope |

More languages in print

**STAR Foreign Language BOOKS**

# ENGLISH-SLOVAK

# A

**a** *a.* člen
**aback** *adv.* nečakane
**abaction** *n* unesenie
**abactor** *n* zlodej
**abandon** *v.t.* opustiť
**abase** *v.t.* ponížiť
**abasement** *n* poníženie
**abash** *v.t.* zahanbiť
**abate** *v.t.* zmenšiť sa
**abatement** *n.* zmenšenie
**abbey** *n.* opátstvo
**abbreviate** *v.t.* skracovať
**abbreviation** *n* skratka
**abdicate** *v.t,* odstúpiť
**abdication** *n* odstup
**abdomen** *n* brucho
**abdominal** *a.* brušná
**abduct** *v.t.* uniesť
**abduction** *n* únos
**abed** *adv.* na lôžku
**aberrance** *n.* odchýlka
**abet** *v.t.* napomáhať
**abetment** *n.* napomáhanie
**abeyance** *n.* neplatenie
**abhor** *v.t.* nenávidieť
**abhorrence** *n.* nenávisť
**abide** *v.i* zniesť
**abiding** *a* trvalý
**ability** *n* schopnosť
**abject** *a.* úbohý
**ablaze** *adv.* v plameňoch
**ablactate** *v. t* odstaviť
**ablactation** *n* odstavenie
**able** *a* schopný
**ablepsy** *n* slepota
**ablush** *adv* červenavý
**ablution** *n* čistenie
**abnegate** *v. t* odoprieť si
**abnegation** *n* odoprenie
**abnormal** *a* nenormálny
**aboard** *adv* na palube
**abode** *n* bydlisko
**abolish** *v.t* zrušiť
**abolition** *v* zrušenie
**abominable** *a* odporný
**aboriginal** *a* domorodý
**aborigines** *n. pl* domorodci
**abort** *v.i* potratiť
**abortion** *n* potrat
**abortive** *adv* abortívne
**abound** *v.i.* prekypovať
**about** *adv* okolo
**about** *prep* o
**above** *adv* hore
**above** *prep.* nad
**abreast** *adv* vedľa seba
**abridge** *v.t* skrátiť
**abridgement** *n* skrátenie
**abroad** *adv* v zahraničí
**abrogate** *v. t.* zrušiť
**abrupt** *a* náhly
**abruption** *n* strohosť
**abscess** *n* absces
**absonant** *adj* nezhodný
**abscond** *v.i* skryť sa
**absence** *n* neprítomnosť
**absent** *a* neprítomný
**absent** *v.t* neprísť
**absolute** *a* úplný
**absolutely** *adv* úplne
**absolve** *v.t* zbaviť
**absorb** *v.t* pohltiť
**abstain** *v.i.* zdržať sa
**abstract** *a* abstraktný
**abstract** *n* výťah
**abstract** *v.t* urobiť výťah
**abstraction** *n.* abstrakcia
**absurd** *a* nezmyselný
**absurdity** *n* nezmyselnosť
**abundance** *n* hojnosť
**abundant** *a* hojný

**abuse** *v.t.* nadávať
**abuse** *n* urážka
**abusive** *a* urážlivý
**abutted** *v* susediť
**abyss** *n* priepasť
**academic** *a* akademický
**academy** *n* akadémia
**acarpous** *adj.* neplodný
**accede** *v.t.* pristúpiť
**accelerate** *v.t* zrýchliť
**acceleration** *n* zrýchlenie
**accent** *n* prízvuk
**accent** *v.t* prízvukovať
**accept** *&* prijať
**acceptable** *a* prijateľný
**acceptance** *n* prijatie
**access** *n* prístup
**accession** *n* nástup
**accessory** *n* doplnok
**accident** *n* nehoda
**accidental** *a* náhodný
**accipitral** *adj* jastrabí
**acclaim** *v.t* vyhlásiť
**acclaim** *n* vyhlásenie
**acclamation** *n* aklamácia
**acclimatise** *v.t* aklimatizovať sa
**accommodate** *v.t* ubytovať
**accommodation** *n.* ubytovanie
**accompaniment** *n* sprievodný jav
**accompany** *v.t.* sprevádzať
**accomplice** *n* spolupáchateľ
**accomplish** *v.t.* dosiahnuť
**accomplished** *a* dosiahnutý
**accomplishment** *n.* uskutočnenie
**accord** *v.t.* súhlasiť
**accord** *n.* súhlas
**accordingly** *adv.* podľa toho
**account** *n.* konto
**account** *v.t.* považovať
**accountable** *a* zodpovedný
**accountancy** *n.* účtovníctvo
**accountant** *n.* účtovník
**accredit** *v.t.* akreditovať
**accrementition** *n* prirastanie
**accrete** *v.t.* zrastať
**accrue** *v.i.* narastať
**accumulate** *v.t.* hromadiť
**accumulation** *n* hromadenie
**accuracy** *n.* presnosť
**accurate** *a.* presný
**accursed** *a.* prekliaty
**accusation** *n* obvinenie
**accuse** *v.t.* obviniť
**accused** *n.* obvinený
**accustom** *v.t.* zvyknúť si
**accustomed** *a.* zvyknutý
**ace** *n* eso
**acentric** *adj* excentrický
**acephalous** *adj.* acefálny
**acephalus** *n.* acefalus
**acetify** *v.* octovať
**ache** *n.* bolesť
**ache** *v.i.* bolieť
**achieve** *v.t.* dosiahnuť
**achievement** *n.* dosiahnutie
**achromatic** *adj* farboslepý
**acid** *a* kyslý
**acid** *n* kyselina
**acidity** *n.* kyslosť
**acknowledge** *v.* priznať
**acknowledgement** *n.* uznanie
**acne** *n* akné
**acorn** *n.* žaluď
**acoustic** *a* sluchový
**acoustics** *n.* akustika
**acquaint** *v.t.* oboznámiť
**acquaintance** *n.* známosť
**acquest** *n* získaná vec
**acquiesce** *v.i.* zmieriť sa
**acquiescence** *n.* zmierenie
**acquire** *v.t.* získať
**acquirement** *n.* získanie
**acquisition** *n.* nadobudnutie
**acquit** *v.t.* oslobodiť

**acquittal** *n.* oslobodenie
**acre** *n.* aker
**acreage** *n.* výmera
**acrimony** *n* trpkosť
**acrobat** *n.* akrobat
**across** *adv.* krížom
**across** *prep.* cez
**act** *n.* čin
**act** *v.i.* konať
**acting** *n.* herectvo
**action** *n.* akcia
**activate** *v.t.* aktivovať
**active** *a.* aktívny
**activity** *n.* aktivita
**actor** *n.* herec
**actress** *n.* herečka
**actual** *a.* skutočný
**actually** *adv.* v skutočnosti
**acumen** *n.* prezieravosť
**acute** *a.* akútny
**adage** *n.* príslovie
**adamant** *a.* nástojčivý
**adamant** *n.* nástojčivý
**adapt** *v.t.* prispôsobiť
**adaptation** *n.* prispôsobenie
**adays** *adv* dnes
**add** *v.t.* pridať
**addict** *v.t.* závisieť
**addict** *n.* narkoman
**addiction** *n.* závislosť
**addition** *n.* spočítavanie
**additional** *a.* dodatočný
**addle** *adj* pokaziť sa
**address** *v.t.* adresovať
**address** *n.* adresa
**addressee** *n.* adresát
**adduce** *v.t.* uviesť
**adept** *n.* odborník
**adept** *a.* skúsený
**adequacy** *n.* adekvátnosť
**adequate** *a.* adekvátny
**adhere** *v.i.* lepiť
**adherence** *n.* lipnutie
**adhesion** *n.* oddanosť
**adhesive** *n.* lepidlo
**adhesive** *a.* lepiaci
**adhibit** *v.t.* uviesť
**adieu** *n.* zbohom
**adieu** *interj.* adié
**adiure** *v.t.* prisahať
**adjacent** *a.* susedný
**adjective** *n.* adjektívum
**adjoin** *v.t.* susediť
**adjourn** *v.t.* odročiť
**adjournment** *n.* odročenie
**adjudge** *v.t.* posudzovať
**adjunct** *n.* dodatok
**adjuration** *n* prísaha
**adjust** *v.t.* prispôsobiť
**adjustment** *n.* prispôsobenie
**administer** *v.t.* spravovať
**administration** *n.* administratíva
**administrative** *a.* administratívny
**administrator** *n.* administrátor
**admirable** *a.* obdivuhodný
**admiral** *n.* admirál
**admiration** *n.* obdiv
**admire** *v.t.* obdivovať
**admissible** *a.* prípustný
**admission** *n.* vstup
**admit** *v.t.* pripustiť
**admittance** *n.* vstup
**admonish** *v.t.* napomenúť
**admonition** *n.* napomenutie
**adnascent** *adj.* prirastený
**ado** *n.* okolky
**adobe** *n.* nepálená tehla
**adolescence** *n.* dospievanie
**adolescent** *a.* dospievajúci
**adopt** *v.t.* adoptovať
**adoption** *n* adopcia
**adorable** *a.* rozkošný
**adoration** *n.* zbožňovanie
**adore** *v.t.* zbožňovať

**adorn** *v.t.* ozdobiť
**adscititious** *adj* neodvodený
**adscript** *adj.* písaný zároveň s iným
**adulation** *n* pochlebovanie
**adult** *a* dospelý
**adult** *n.* dospelý
**adulterate** *v.t.* falšovať
**adulteration** *n.* falšovanie
**adultery** *n.* cudzoložstvo
**advance** *v.t.* postúpiť
**advance** *n.* postup
**advancement** *n.* postup
**advantage** *n.* výhoda
**advantage** *v.t.* zvýhodniť
**advantageous** *a.* výhodný
**advent** *n.* advent
**adventure** *n* dobrodružstvo
**adventurous** *a.* dobrodružný
**adverb** *n.* príslovka
**adverbial** *a.* príslovkové určenie
**adversary** *n.* protivník
**adverse** *a* nepriateľský
**adversity** *n.* nepriazeň
**advert** *v.* zmieniť sa
**advertise** *v.t.* reklamovať
**advertisement** *n* reklama
**advice** *n* rada
**advisable** *a.* rozumný
**advisability** *n* rozumnosť
**advise** *v.t.* radiť
**advocacy** *n.* obhajoba
**advocate** *n* obhajca
**advocate** *v.t.* obhajovať
**aerial** *a.* vzdušný
**aerial** *n.* anténa
**aeriform** *adj.* vzduchový
**aerify** *v.t.* prevzdušniť
**aerodrome** *n* letisko
**aeronautics** *n.pl.* aeronautika
**aeroplane** *n.* lietadlo
**aesthetic** *a.* estetický
**aesthetics** *n.pl.* estetika
**aestival** *adj* letný
**afar** *adv.* neďaleko
**affable** *a.* prívetivý
**affair** *n.* aféra
**affect** *v.t.* postihnúť
**affectation** *n* pretvárka
**affection** *n.* náklonnosť
**affectionate** *a.* láskyplný
**affidavit** *n* prísažné vyhlásenie
**affiliation** *n.* pričlenenie
**affinity** *n* spriaznenosť
**affirm** *v.t.* tvrdiť
**affirmation** *n* tvrdenie
**affirmative** *a* kladný
**affix** *v.t.* afix
**afflict** *v.t.* postihnúť
**affliction** *n.* utrpenie
**affluence** *n.* hojnosť
**affluent** *a.* hojný
**afford** *v.t.* dovoliť si
**afforest** *v.t.* zalesniť
**affray** *n* bitka
**affront** *v.t.* uraziť
**affront** *n* urážka
**afield** *adv.* na mieste
**aflame** *adv.* žiariaci
**afloat** *adv.* na vode
**afoot** *adv.* v pohybe
**afore** *prep.* pred
**afraid** *a.* vyľakaný
**afresh** *adv.* čerstvo
**after** *prep.* po
**after** *adv* neskôr
**after** *conj.* potom
**after** *a* neskorší
**afterwards** *adv.* neskôr
**again** *adv.* znova
**against** *prep.* proti
**agamist** *n* agamista
**agape** *adv.,* dokorán
**agaze** *adv* uprene

**age** *n.* vek
**aged** *a.* starý
**agency** *n.* agentúra
**agenda** *n.* program
**agent** *n* agent
**aggravate** *v.t.* zhoršiť
**aggravation** *n.* zhoršenie
**aggregate** *v.t.* zhrnúť
**aggression** *n* útok
**aggressive** *a.* agresívny
**aggressor** *n.* agresor
**aggrieve** *v.t.* zarmútiť
**aghast** *a.* zdesený
**agile** *a.* čulý
**agility** *n.* čulosť
**agitate** *v.t.* rozrušiť
**agitation** *n* rozrušenie
**agist** *v.t.* pásť dobytok
**aglow** *adv.* planúc
**agnus** *n* jahňa
**ago** *adv.* dávno
**agog** *adj.* dychtivý
**agonist** *n* agonista
**agonize** *v.t.* zvíjať sa
**agony** *n.* agónia
**agronomy** *n.* agronómia
**agoraphobia** *n.* agorafóbia
**agrarian** *a.* roľnícky
**agree** *v.i.* súhlasiť
**agreeable** *a.* príjemný
**agreement** *n.* dohoda
**agricultural** *a* poľnohospodársky
**agriculture** *n* poľnohospodárstvo
**agriculturist** *n.* poľnohospodár
**ague** *n* horúčka
**ahead** *adv.* vpredu
**aheap** *adv* na kope
**aid** *n* pomoc
**aid** *v.t* pomôcť
**aigrette** *n* egrét
**ail** *v.t.* slabnúť
**ailment** *n.* choroba
**aim** *n.* zámer
**aim** *v.i.* mieriť
**air** *n* vzduch
**aircraft** *n.* lietadlo
**airy** *a.* vzdušný
**ajar** *adv.* otvorený
**akin** *a.* príbuzný
**alacrious** *adj* životaschopný
**alacrity** *n.* životaschopnosť
**alamort** *adj.* smrteľný
**alarm** *n* poplach
**alarm** *v.t* varovať
**alas** *interj.* bohužiaľ
**albeit** *conj.* aj keď
**albion** *n* Anglicko
**album** *n.* album
**albumen** *n* bielko
**alchemy** *n.* alchýmia
**alcohol** *n* alkohol
**ale** *n* tmavé pivo
**alegar** *n* pivný ocot
**alert** *a.* ostražitý
**alertness** *n.* ostražitosť
**algebra** *n.* algebra
**alias** *n.* prezývka
**alias** *adv.* alias
**alibi** *n.* alibi
**alien** *a.* cudzí
**alienate** *v.t.* odcudziť
**aliferous** *adj.* okrídlený
**alight** *v.i.* zostúpiť
**align** *v.t.* vyrovnať
**alignment** *n.* vyrovnanie
**alike** *a.* podobný
**alike** *adv* podobne
**aliment** *n.* výživné
**alimony** *n.* alimenty
**alin** *adj* najmladší
**aliquot** *n.* alikvót
**alive** *a* živý
**alkali** *n* žieravina
**all** *a.* celý

**all** *n* celok
**all** *adv* celkom
**all** *pron* všetko
**allay** *v.t.* utíšiť
**allegation** *n.* tvrdenie
**allege** *v.t.* vypovedať
**allegiance** *n.* oddanosť
**allegorical** *a.* alegorický
**allegory** *n.* alegória
**allergy** *n.* alergia
**alleviate** *v.t.* zmierniť
**alleviation** *n.* zmiernenie
**alley** *n.* aleja
**alliance** *n.* spojenectvo
**alligator** *n* aligátor
**alliterate** *v.* použiť aliteráciu
**alliteration** *n.* aliterácia
**allocate** *v.t.* vyčleniť
**allocation** *n.* vyčlenenie
**allot** *v.t.* prideliť
**allotment** *n.* prídel
**allow** *v.t.* dovoliť
**allowance** *n.* príspevok
**alloy** *n.* zliatina
**allude** *v.i.* robiť narážky
**alluminate** *v.t.* aluminovať
**allure** *v.t.* lákať
**allurement** *n* kúzlo
**allusion** *n* narážka
**allusive** *a.* plný narážok
**ally** *v.t.* spojiť sa
**ally** *n.* spojenec
**almanac** *n.* almanach
**almighty** *a.* všemocný
**almond** *n.* mandľa
**almost** *adv.* takmer
**alms** *n.* almužna
**aloft** *adv.* vysoko hore
**alone** *a.* sám
**along** *adv.* ďalej
**along** *prep.* po
**aloof** *adv.* v diaľke
**aloud** *adv.* nahlas
**alp** *n.* alpy
**alpha** *n* alfa
**alphabet** *n.* abeceda
**alphabetical** *a.* abecedný
**alphonsion** *n.* alfonsion
**alpinist** *n* alpinista
**already** *adv.* už
**also** *adv.* taktiež
**altar** *n.* oltár
**alter** *v.t.* zmeniť
**alteration** *n* zmena
**altercation** *n.* hádka
**alternate** *a.* striedavý
**alternate** *v.t.* striedať
**alternative** *n.* možnosť
**alternative** *a.* alternatívny
**although** *conj.* hoci
**altimeter** *n* altimeter
**altitude** *n.* nadmorská výška
**altivalent** *adj* altivalentný
**alto** *n* alt
**altogether** *adv.* celkom
**aluminium** *n.* hliník
**alumna** *n* študentka
**always** *adv* vždy
**alveary** *n* vonkajší zvukovod
**alvine** *adj.* brušný
**am** som
**amalgam** *n* amalgám
**amalgamate** *v.t.* zlúčiť sa
**amalgamation** *n* zlúčenie
**amass** *v.t.* hromadiť
**amateur** *n.* amatér
**amatory** *adj* milostný
**amauriosis** *n* amauróza
**amaze** *v.t.* udiviť
**amazement** *n.* prekvapenie
**ambassador** *n.* ambasádor
**amberite** *n.* amberit
**ambient** *adj.* okolitý
**ambiguity** *n.* dvojzmyselnosť

**ambiguous** *a.* dvojzmyselný
**ambition** *n.* ctižiadosť
**ambitious** *a.* ctižiadostivý
**ambry** *n.* špajza
**ambulance** *n.* sanitka
**ambulant** *adj* chodiaci
**ambulate** *v.t* chodiť
**ambush** *n.* vpád
**ameliorate** *v.t.* zlepšovať
**amelioration** *n.* zlepšenie
**amen** *interj.* amen
**amenable** *a* prístupný
**amend** *v.t.* pozmeniť
**amendment** *n.* pozmeňovací návrh
**amends** *n.pl.* kompenzácie
**amenorrhoea** *n* amenorea
**amiability** *n.* prívetivosť
**amiable** *a.* prívetivý
**amicable** *adj.* priateľský
**amid** *prep.* medzi
**amiss** *adv.* nevhodne
**amity** *n.* priateľstvo
**ammunition** *n.* munícia
**amnesia** *n* amnézia
**amnesty** *n.* amnestia
**among** *prep.* medzi
**amongst** *prep.* medzi
**amoral** *a.* nemorálny
**amount** *n* čiastka
**amount** *v.i* činiť
**amount** *v.* rovnať sa
**amorous** *a.* milostný
**amour** *n* láska
**ampere** *n* ampér
**amphibious** *adj* obojživelný
**amphitheatre** *n* amfiteáter
**ample** *a.* hojný
**amplification** *n* rozšírenie
**amplifier** *n* zosilňovač
**amplify** *v.t.* rozviesť
**amuck** *adv.* v amoku
**amulet** *n.* amulet
**amuse** *v.t.* rozveseliť
**amusement** *n* pobavenie
**an** *art* neurčitý člen
**anabaptism** *n* anabaptizmus
**anachronism** *n* anachronizmus
**anaclisis** *n* podpora
**anadem** *n* anadém
**anaemia** *n* anémia
**anaesthesia** *n* anestézia
**anaesthetic** *n.* anestetický
**anal** *adj.* análny
**analogous** *a.* analogický
**analogy** *n.* analógia
**analyse** *v.t.* rozobrať
**analysis** *n.* rozbor
**analyst** *n* analytik
**analytical** *a* analytický
**anamnesis** *n* anamnéza
**anamorphous** *adj* anamorfózny
**anarchism** *n.* anarchizmus
**anarchist** *n* anarchista
**anarchy** *n* anarchia
**anatomy** *n.* anatómia
**ancestor** *n.* predok
**ancestral** *a.* zdedený
**ancestry** *n.* pôvod
**anchor** *n.* kotva
**anchorage** *n* zakotvenie
**ancient** *a.* staroveký
**ancon** *n* laketʼ
**and** *conj.* a
**androphagi** *n.* kanibal
**anecdote** *n.* anekdota
**anemometer** *n* vetromer
**anew** *adv.* odznova
**anfractuous** *adj* vykrútený
**angel** *n* anjel
**anger** *n.* hnev
**angina** *n* angína
**angle** *n.* uhoľ
**angle** *n* loviť na udicu

**angry** *a.* nahnevaný
**anguish** *n.* úzkosť
**angular** *a.* hranatý
**anigh** *adv.* poblíž
**animal** *n.* zviera
**animate** *v.t.* oživiť
**animate** *a.* živý
**animation** *n* animácia
**animosity** *n* nepriateľstvo
**animus** *n* animus
**aniseed** *n* aníz
**ankle** *n.* členok
**anklet** *n* náramok na nohu
**annalist** *n.* kronikár
**annals** *n.pl.* anály
**annectant** *adj.* spájajúci
**annex** *v.t.* pričleniť
**annexation** *n* pričlenenie
**annihilate** *v.t.* zničiť
**annihilation** *n* skaza
**anniversary** *n.* výročie
**announce** *v.t.* oznámiť
**announcement** *n.* oznámenie
**annoy** *v.t.* obťažovať
**annoyance** *n.* hnev
**annual** *a.* ročný
**annuitant** *n* vlastník renty
**annuity** *n.* ročná splátka
**annul** *v.t.* anulovať
**annulet** *n* anulet
**anoint** *v.t.* namazať
**anomalous** *a* nepravidelný
**anomaly** *n* nepravidelnosť
**anon** *adv.* čochvíľa
**anonymity** *n.* anonymita
**anonymity** *n.* anonymita
**anonymous** *a.* neznámy
**another** *a* ďalší
**answer** *n* odpoveď
**answer** *v.t* odpovedať
**answerable** *a.* zodpovedný
**ant** *n* mravec
**antacid** *adj.* antacidný
**antagonism** *n* antagonizmus
**antagonist** *n.* antagonista
**antagonize** *v.t.* pohnevať si
**antarctic** *a.* antarktický
**antecede** *v.t.* predchádzať
**antecedent** *n.* predchodca
**antecedent** *a.* predošlí
**antedate** *n* skorší dátum
**antelope** *n.* antilopa
**antenatal** *adj.* predpôrodný
**antennae** *n.* tykadlo
**antenuptial** *adj.* predsvadobný
**anthem** *n* hymnus
**anthology** *n.* antológia
**anthropoid** *adj.* antropoidný
**anti** *pref.* anti
**anti-aircraft** *a.* protilietadlový
**antic** *n* starožitnosť
**anticardium** *n* nadbruško
**anticipate** *v.t.* očakávať
**anticipation** *n.* očakávanie
**antidote** *n.* protijed
**antinomy** *n.* antimón
**antipathy** *n.* antipatia
**antiphony** *n.* antifón
**antipodes** *n.* protinožci
**antiquarian** *a.* starožitný
**antiquarian** *n* starožitník
**antiquary** *n.* starožitníctvo
**antiquated** *a.* zastaraný
**antique** *a.* starožitnosť
**antiquity** *n.* starobylosť
**antiseptic** *n.* antiseptikum
**antiseptic** *a.* antiseptický
**antithesis** *n.* antitéza
**antitheist** *n* ateista
**antler** *n.* paroh
**antonym** *n.* antonymum
**anus** *n.* konečník
**anvil** *n.* nákova
**anxiety** *a* úzkosť

**anxious** *a.* plný úzkosti
**any** *a.* akýkoľvek
**any** *adv.* trochu
**anyhow** *adv.* ledabolo
**apace** *adv.* rýchlo
**apart** *adv.* oddelene
**apartment** *n.* byt
**apathy** *n.* ľahostajnosť
**ape** *n* opica
**ape** *v.t.* opičiť sa
**aperture** *n.* otvor
**apex** *n.* vrchol
**aphorism** *n* aforizmus
**apiary** *n.* úľ
**apiculture** *n.* apikultúra
**apish** *a.* opičí
**apnoea** *n* zástava dychu
**apologize** *v.i.* ospravedlniť sa
**apologue** *n* alegória
**apology** *n.* ospravedlnenie
**apostle** *n.* apoštol
**apostrophe** *n.* apostrof
**apotheosis** *n.* zbožňovanie
**apparatus** *n.* zariadenie
**apparel** *n.* odev
**apparel** *v.t.* obliecť
**apparent** *a.* zjavný
**appeal** *n.* žiadosť
**appeal** *v.t.* odvolať sa
**appear** *v.i.* objaviť sa
**appearance** *n* vzhľad
**appease** *v.t.* zmierniť
**appellant** *n.* odvolávajúci sa
**append** *v.t.* pripojiť
**appendage** *n.* prídavok
**appendicitis** *n.* apendicitída
**appendix** *n.* slepé črevo
**appendix** *n.* dodatok
**appetence** *n.* žiadanie
**appetent** *adj.* chtivý
**appetite** *n.* apetít
**appetite** *n.* apetít
**appetizer** *n* predjedlo
**applaud** *v.t.* tlieskať
**applause** *n.* aplauz
**apple** *n.* jablko
**appliance** *n.* zariadenie
**applicable** *a.* vhodný
**applicant** *n.* žiadateľ
**application** *n.* žiadosť
**apply** *v.t.* žiadať
**appoint** *v.t.* určiť
**appointment** *n.* stretnutie
**apportion** *v.t.* rozdeliť
**apposite** *adj* výstižný
**apposite** *a.* výstižný
**appositely** *adv* výstižne
**approbate** *v.t* schváliť
**appraise** *v.t.* odhadnúť
**appreciable** *a.* pozoruhodný
**appreciate** *v.t.* oceniť
**appreciation** *n.* ocenenie
**apprehend** *v.t.* zatknúť
**apprehension** *n.* pochopenie
**apprehensive** *a.* obávajúci sa
**apprentice** *n.* učeň
**apprise** *v.t.* oznámiť
**approach** *v.t.* priblížiť sa
**approach** *n.* prístup
**approbation** *n.* schválenie
**appropriate** *v.t.* vyhradiť
**appropriate** *a.* vhodný
**appropriation** *n.* vyhradenie
**approval** *n.* súhlas
**approve** *v.t.* súhlasiť
**approximate** *a.* približný
**apricot** *n.* marhuľa
**appurtenance** *n* dodatok
**apron** *n.* zástera
**apt** *a.* náchylný
**aptitude** *n.* nadanie
**aquarium** *n.* akvárium
**aquarius** *n.* Vodnár
**aqueduct** *n* akvadukt

**arable** *adj* orný
**arbiter** *n.* rozhodca
**arbitrary** *a.* arbitrážny
**arbitrate** *v.t.* rozhodnúť
**arbitration** *n.* arbitráž
**arbitrator** *n.* arbiter
**arc** *n.* oblúk
**arcade** *n* arkáda
**arch** *n.* klenba
**arch** *v.t.* klenúť sa
**arch** *a* šibalský
**archaic** *a.* archaický
**archangel** *n* archanjel
**archbishop** *n.* arcibiskup
**archer** *n* lukostrelec
**architect** *n.* architekt
**architecture** *n.* architektúra
**archives** *n.pl.* archív
**Arctic** *n* Arktída
**ardent** *a.* nadšený
**ardour** *n.* nadšenie
**arduous** *a.* namáhavý
**area** *n* oblasť
**areca** *n* areka
**arefaction** *n* akt schnutia
**arena** *n* aréna
**argil** *n* íl
**argue** *v.t.* hádať sa
**argument** *n.* hádka
**argute** *adj* ostrý
**arid** *adj.* vyprahnutý
**aries** *n* Baran
**aright** *adv* správne
**aright** *adv.* správne
**arise** *v.i.* vzniknúť
**aristocracy** *n.* šľachta
**aristocrat** *n.* aristokrat
**aristophanic** *adj* aristofanický
**arithmetic** *n.* aritmetika
**arithmetical** *a.* aritmetický
**ark** *n* archa
**arm** *n.* rameno
**arm** *v.t.* vyzbrojiť
**armada** *n.* armáda
**armament** *n.* výzbroj
**armature** *n.* armatúra
**armistice** *n.* prímerie
**armlet** *a* pásik na rukáve
**armour** *n.* brnenie
**armoury** *n.* zbrojnica
**army** *n.* armáda
**around** *prep.* okolo
**around** *adv* okolo
**arouse** *v.t.* zobudiť
**arraign** *v.* obžalovať
**arrange** *v.t.* usporiadať
**arrangement** *n.* dohoda
**arrant** *n.* úplný
**array** *v.t.* zoradiť
**array** *n.* zoradenie
**arrears** *n.pl.* nedoplatok
**arrest** *v.t.* zatknúť
**arrest** *n.* zatknutie
**arrival** *n.* príchod
**arrive** *v.i.* prísť
**arrogance** *n.* arogancia
**arrogant** *a.* arogantný
**arrow** *n* šíp
**arrowroot** *n.* maranta
**arsenal** *n.* zbrojnica
**arsenic** *n* arzén
**arson** *n* podpaľačstvo
**art** *n.* umenie
**artery** *n.* tepna
**artful** *a.* rafinovaný
**arthritis** *n* zápal kĺbov
**artichoke** *n.* artičok
**article** *n* predmet
**articulate** *a.* článkovaný
**artifice** *n.* mystifikácia
**artificial** *a.* umelý
**artillery** *n.* delostrelectvo
**artisan** *n.* remeselník
**artist** *n.* umelec

**artistic** *a.* umelecký
**artless** *a.* prirodzený
**as** *adv.* ako
**as** *conj.* ako
**as** *pron.* ako
**asafoetida** *n.* asa fetyda
**asbestos** *n.* azbest
**ascend** *v.t.* stúpať
**ascent** *n.* vzostup
**ascertain** *v.t.* zistiť
**ascetic** *n.* askétik
**ascetic** *a.* askétický
**ascribe** *v.t.* pripísať
**ash** *n.* popol
**ashamed** *a.* zahanbený
**ashore** *adv.* na brehu
**aside** *adv.* bokom
**aside** *n.* poznámka prenesená mimochodom
**asinine** *adj.* sprostý
**ask** *v.t.* pýtať sa
**asleep** *adv.* spiaci
**aspect** *n.* ohľad
**asperse** *v.* ohovárať
**aspirant** *n.* ašpirant
**aspiration** *n.* túžba
**aspire** *v.t.* snažiť sa
**ass** *n.* somár
**assail** *v.* napadnúť
**assassin** *n.* vrah
**assassinate** *v.t.* zavraždiť
**assassination** *n* vražda
**assault** *n.* prepadnutie
**assault** *v.t.* prepadnúť
**assemble** *v.t.* zhromaždiť
**assembly** *n.* zhromaždenie
**assent** *v.i.* súhlasiť
**assent** *n.* súhlas
**assert** *v.t.* tvrdiť
**assess** *v.t.* odhadnúť
**assessment** *n.* odhad
**asset** *n.* prínos
**assibilate** *v.* asybilovať
**assign** *v.t.* prideliť
**assignee** *n.* kurátor
**assimilate** *v.* prispôsobiť sa
**assimilation** *n* asimilácia
**assist** *v.t.* pomôcť
**assistance** *n.* pomoc
**assistant** *n.* asistent
**associate** *v.t.* spojiť sa
**associate** *a.* pridružený
**associate** *n.* spoločník
**association** *n.* spoločnosť
**assoil** *v.t.* absolvovať
**assort** *v.t.* roztriediť
**assuage** *v.t.* zmierniť
**assume** *v.t.* predpokladať
**assumption** *n.* predpoklad
**assurance** *n.* uistenie
**assure** *v.t.* uistiť
**astatic** *adj.* nestály
**asterisk** *n.* hviezdička
**asterism** *n.* súhvezdie
**asteroid** *adj.* asteroid
**asthma** *n.* astma
**astir** *adv.* v pohybe
**astonish** *v.t.* udiviť
**astonishment** *n.* údiv
**astound** *v.t* udiviť
**astray** *adv.*, nesprávne
**astrologer** *n.* astrológ
**astrology** *n.* astrológia
**astronaut** *n.* astronaut
**astronomer** *n.* astronóm
**astronomy** *n.* astronómia
**asunder** *adv.* na čiastky
**asylum** *n* azyl
**at** *prep.* predpona miesta
**atheism** *n* ateizmus
**atheist** *n* ateista
**athirst** *adj.* smädný
**athlete** *n.* atlét
**athletic** *a.* atletický

**athletics** *n.* atletika
**athwart** *prep.* cez
**atlas** *n.* atlas
**atmosphere** *n.* atmosféra
**atoll** *n.* atol
**atom** *n.* atóm
**atomic** *a.* atómový
**atone** *v.i.* spovedať sa
**atonement** *n.* pokánie
**atrocious** *a.* odporný
**atrocity** *n* zverstvo
**attach** *v.t.* pripojiť
**attache** *n.* pridelenec
**attachment** *n.* pripojenie
**attack** *n.* útok
**attack** *v.t.* útočiť
**attain** *v.t.* dosiahnuť
**attainment** *n.* dosiahnutie
**attaint** *v.t.* odsúdiť na smrť
**attempt** *v.t.* pokúsiť sa
**attempt** *n.* pokus
**attend** *v.t.* zúčasniť sa
**attendance** *n.* dochádzka
**attendant** *n.* účasník
**attention** *n.* pozornosť
**attentive** *a.* pozorný
**attest** *v.t.* overiť
**attire** *n.* odev
**attire** *v.t.* obliecť
**attitude** *n.* postoj
**attorney** *n.* advokát
**attract** *v.t.* priťahovať
**attraction** *n.* príťažlivosť
**attractive** *a.* príťažlivý
**attribute** *v.t.* prisudzovať
**attribute** *n.* vlastnosť
**auction** *n* aukcia
**auction** *v.t.* vydražiť
**audible** *a* počuteľný
**audience** *n.* publikum
**audit** *n.* audit
**audit** *v.t.* revidovať účty
**auditive** *adj.* auditačný
**auditor** *n.* audítor
**auditorium** *n.* hľadisko
**auger** *n.* vrták
**aught** *n.* nula
**augment** *v.t.* zvýšiť
**augmentation** *n.* zväčšenie
**August** *n.* August
**august** *n* vznešený
**aunt** *n.* teta
**auriform** *adj.* mušľovitý
**aurilave** *n.* sávka na čistenie ucha
**aurora** *n* žiara
**auspicate** *v.t.* augurovať
**auspice** *n.* patronát
**auspicious** *a.* vhodný
**austere** *a.* prísny
**authentic** *a.* pravý
**author** *n.* autor
**authoritative** *a.* rozkazovačný
**authority** *n.* autorita
**authorize** *v.t.* schváliť
**autobiography** *n.* autobiografia
**autocracy** *n* autokracia
**autocrat** *n* autokrat
**autocratic** *a* autokratický
**autograph** *n.* autogram
**automatic** *a.* automatický
**automobile** *n.* automobil
**autonomous** *a* samosprávny
**autumn** *n.* jeseň
**auxiliary** *a.* pomocný
**auxiliary** *n.* pomocník
**avale** *v.t.* znížiť
**avail** *v.t.* byť platný
**available** *a* dosptupný
**avarice** *n.* chamtivosť
**avenge** *v.t.* pomstiť sa
**avenue** *n.* alej
**average** *n.* priemer
**average** *a.* priemerný
**average** *v.t.* vypočítať priemer

**averse** *a.* majúci nechuť
**aversion** *n.* odpor
**avert** *v.t.* odvrátiť
**aviary** *n.* voliéra
**aviation** *n.* letectvo
**aviator** *n.* letec
**avid** *adj.* chtivý
**avidity** *adv.* nenásytnosť
**avidly** *adv* nenásytne
**avoid** *v.t.* vyhnúť sa
**avoidance** *n.* vyhnutie sa
**avow** *v.t.* priznať sa
**avulsion** *n.* vytrhnutie
**await** *v.t.* očakávať
**awake** *v.t.* zobudiť sa
**awake** *a* zobudený
**award** *v.t.* oceniť
**award** *n.* cena
**aware** *a.* vedomý si
**away** *adv.* preč
**awe** *n.* úcta
**awful** *a.* hrozný
**awhile** *adv.* na krátko
**awkward** *a.* nemiestny
**axe** *n.* sekera
**axis** *n.* os
**axle** *n.* náprava

**babble** *n.* bľabot
**babble** *v.i.* bľabotanie
**babe** *n.* kočka
**babel** *n* chaos
**baboon** *n.* pavian
**baby** *n.* bábätko
**bachelor** *n.* starý mládenec
**back** *n.* chrbát
**back** *adv.* späť
**backbite** *v.t.* ohovárať
**backbone** *n.* chrbtová kosť
**background** *n.* pozadie
**backhand** *n.* bekhend
**backslide** *v.i.* vrátiť sa
**backward** *a.* spätný
**backward** *adv.* pospiatky
**bacon** *n.* slanina
**bacteria** *n.* baktéria
**bad** *a.* zlý
**badge** *n.* odznak
**badger** *n.* jazvec
**badly** *adv.* zle
**badminton** *n.* bedminton
**baffle** *v. t.* zmiasť
**bag** *n.* taška
**bag** *v. i.* dávať do vreca
**baggage** *n.* batožina
**bagpipe** *n.* gajdy
**bail** *n.* kaucia
**bail** *v. t.* prepustiť
**bailable** *a.* možný prepustiť
**bailiff** *n.* súdny úradník
**bait** *n* návnada
**bait** *v.t.* dať návnadu
**bake** *v.t.* piecť
**baker** *n.* pekár
**bakery** *n* pekáreň
**balance** *n.* rovnováha
**balance** *v.t.* udržiavať rovnováhu
**balcony** *n.* balkón
**bald** *a.* plešivý
**bale** *n.* stoha
**bale** *v.t.* baliť stohy
**baleful** *a.* zlovestný
**baleen** *n.* veľrybia kostica
**ball** *n.* lopta
**ballad** *n.* balada
**ballet** *sn.* balet
**balloon** *n.* balón
**ballot** *n* hlasovací lístok
**ballot** *v.i.* tajne hlasovať
**balm** *n.* balzam

**balsam** *n.* balzam
**bam** *n.* buchnutie
**bamboo** *n.* bambus
**ban** *n.* zákaz
**ban** *n* zakázať
**banal** *a.* banálny
**banana** *n.* banán
**band** *n.* stuha
**bandage** ~*n.* obväz
**bandage** *v.t* obviazať
**bandit** *n.* lupič
**bang** *v.t.* udrieť
**bang** *n.* rana
**bangle** *n.* indický náramok
**banish** *v.t.* vyhostiť
**banishment** *n.* vyhostenie
**banjo** *n.* bendžo
**bank** *n.* banka
**bank** *v.t.* uložiť do banky
**banker** *n.* bankár
**bankrupt** *n.* v bankrote
**bankruptcy** *n.* bankrot
**banner** *n.* transparent
**banquet** *n.* banket
**banquet** *v.t.* pohostiť
**bantam** *n.* druh kuraťa
**banter** *v.t.* žartovať
**banter** *n.* žartovanie
**bantling** *n.* dieťa
**banyan** *n.* figa
**baptism** *n.* krst
**baptize** +*v.t.* krstiť
**bar** *n.* bar
**bar** *v.t* zavrieť na závoru
**barb** *n.* barb
**barbarian** *a.* barbarský
**barbarian** *n.* barbar
**barbarism** *n.* barbarstvo
**barbarity** *n* barbarstvo
**barbarous** *a.* barbarský
**barbed** *a.* uštipačný
**barber** *n.* holič
**bard** *n.* poet
**bare** *a.* holý
**bare** *v.t.* odhaliť
**barely** *adv.* sotva
**bargain** *n.* výhodná kúpa
**bargain** *v.t.* dohodnúť sa
**barge** *n.* plavidlo
**bark** *n.* brechot
**bark** *v.t.* brechať
**barley** *n.* jačmeň
**barn** *n.* stodola
**barnacles** *n* svojnožci
**barometer** *n* barometer
**barouche** *n.* voz
**barrack** *n.* kasárne
**barrage** *n.* priehrada
**barrator** *ns.* výtržník
**barrel** *n.* barel
**barren** *n* neplodný
**barricade** *n.* barikáda
**barrier** *n.* ohrada
**barrister** *n.* advokát
**barter1** *v.t.* viesť výmenný obchod
**barter2** *n.* výmenný obchod
**barton** *n.* kraj
**basal** *adj.* minimálny
**base** *n.* základňa
**base** *a.* založený
**base** *v.t.* mať základňu
**baseless** *a.* neopodstatnený
**basement** *n.* suterén
**bashful** *a.* plachý
**basial** *n.* baštový
**basic** *a.* hlavný
**basil** *n.* bazalka
**basin** *n.* umývadlo
**basis** *n.* základ
**bask** *v.i.* slniť sa
**basket** *n.* kôš
**baslard** *n.* dýka
**bass** *n.* basa

**bastard** *n.* bastard
**bastard** *a* nemanželský
**bat** *n* netopier
**bat** *n* kriketová pálka
**bat** *v. i* zahnať sa kriketovou pálkou
**batch** *n* jedna dávka
**bath** *n* vaňa
**bathe** *v. t* kúpať sa
**baton** *n* taktovka
**batsman** *n.* hráč kriketu
**battalion** *n* batalión
**battery** *n* batéria
**battle** *n* bitka
**battle** *v. i.* bojovať
**bawd** *n.* prostitútka
**bawl** *n.i.* vykrikovať
**bawn** *n.* obranný plot
**bay** *n* záliv
**bayard** *n.* bajard
**bayonet** *n* bodák
**be** *v.t.* byť
**be** *pref.* pomocné sloveso
**beach** *n* pláž
**beacon** *n* vatra
**bead** *n* korálik
**beadle** *n.* kostolník
**beak** *n* zobák
**beaker** *n* pohár
**beam** *n* brvno
**beam** *v. i* žiariť
**bean** *n.* fazuľa
**bear** *n* medveď
**bear** *v.t* niesť
**beard** *n* brada
**bearing** *n* chovanie
**beast** *n* zviera
**beastly** *a* brutálny
**beat** *v. t.* biť
**beat** *n* úder
**beautiful** *a* krásny
**beautify** *v. t* skrášliť
**beauty** *n* krása
**beaver** *n* bobor
**because** *conj.* pretože
**beck** *n.* beck
**beckon** *v.t.* prikývnuť
**beckon** *v. t* lákať
**become** *v. i* stať sa
**becoming** *a* slušivý
**bed** *n* posteľ
**bedevil** *v. t* frustrovať
**bedding** *n.* posteľná bielizeň
**bedight** *v.t.* obliecť
**bed-time** *n.* čas na spanie
**bee** *n.* včela
**beech** *n.* buk
**beef** *n* hovädzina
**beehive** *n.* úľ
**beer** *n* pivo
**beet** *n* cukrová repa
**beetle** *n* chrobák
**befall** *v. t* postihnúť
**before** *prep* pred
**before** *adv.* predtým
**before** *conj* skôr než
**beforehand** *adv.* vopred
**befriend** *v. t.* skamarátiť sa
**beg** *v. t.* žobrať
**beget** *v. t* splodiť
**beggar** *n* žobrák
**begin** *n* začať
**beginning** *n.* začiatok
**begird** *v.t.* obkľúčiť
**beguile** *v. t* oklamať
**behalf** *n* v mene
**behave** *v. i.* správať sa
**behaviour** *n* správanie
**behead** *v. t.* sťať hlavu
**behind** *adv* vzadu
**behind** *prep* za
**behold** *v. t* zočiť
**being** *n* bytie
**belabour** *v. t* napadnúť

**belated** *adj.* oneskorený
**belch** *v. t* grgnúť
**belch** *n* grgnutie
**belief** *n* viera
**believe** *v. t* veriť
**bell** *n* zvon
**belle** *n* kráska
**bellicose** *a* bojachtivý
**belligerency** *n* agresivita
**belligerent** *a* agresívny
**belligerent** *n* bojujúca strana
**bellow** *v. i* bučať
**bellows** *n.* mechy
**belly** *n* brucho
**belong** *v. i* patriť
**belongings** *n.* majetok
**beloved** *a* milovaný
**beloved** *n* milovaný
**below** *adv* dolu
**below** *prep* pod
**belt** *n* opasok
**belvedere** *n* belvedér
**bemask** *v. t* zamaskovať
**bemire** *v. t* zablatiť
**bemuse** *v. t* omráčiť
**bench** *n* lavica
**bend** *n* zákruta
**bend** *v. t* ohnúť
**beneath** *adv* naspodu
**beneath** *prep* pod
**benefaction** *n.* dobročinnosť
**benefice** *n* benefícium
**beneficial** *a* užitočný
**benefit** *n* úžitok
**benefit** *v. t.* priniesť úžitok
**benevolence** *n* zhovievavoť
**benevolent** *a* zhovievavý
**benight** *v. t* sčernať
**benign** *adj* láskavý
**benignly** *adv* láskavo
**benison** *n* požehnanie
**bent** *n* sklon
**bequeath** *v. t.* odkázať
**bereave** *v. t.* pripraviť o niečo
**bereavement** *n* bolestná strata
**berth** *n* prístavisko
**beside** *prep.* pri
**besides** *prep* okrem
**besides** *adv* okrem toho
**beslaver** *v. t* zotročiť
**besiege** *v. t* obliehať
**bestow** *v. t* poskytnúť
**bestrew** *v. t* pohádzať
**bet** *v.i* staviť
**bet** *n* stávka
**betel** *n* betel
**betray** *v.t.* zradiť
**betrayal** *n* zrada
**betroth** *v. t* zasnúbiť
**betrothal** *n.* zásnuby
**better** *a* lepší
**better** *adv.* radšej
**better** *v. t* prilepšiť si
**betterment** *n* prilepšenie
**between** *prep* medzi
**beverage** *n* nápoj
**bewail** *v. t* oplakávať
**beware** *v.i.* dať pozor
**bewilder** *v. t* popliesť
**bewitch** *v.t* uhranúť
**beyond** *prep.* za
**beyond** *adv.* na druhej strane
**bi** *pref* bi
**biangular** *adj.* biangulárny
**bias** *n* zaujatosť
**bias** *v. t* ovplyvniť
**biaxial** *adj* dvojsečný
**bibber** *n* pijan
**bible** *n* biblia
**bibliography** +*n* životopis
**bibliographer** *n* bibliograf
**bicentenary** *adj* dvakrát do roka
**biceps** *n* biceps
**bicker** *v. t* dohadovať sa

**bicycle** *n.* bicykel
**bid** *v.t* popriať
**bid** *n* ponuka
**bidder** *n* dražiteľ
**bide** *v. t* čakať
**biennial** *adj* dvojročne
**bier** *n* podstavec
**big** *a* veľký
**bigamy** *n* bigamia
**bight** *n* uzoľ na lane
**bigot** *n* pobožnostkár
**bigotry** *n* pobožnostkárstvo
**bile** *n* žlč
**bilingual** *a* dvojjazyčný
**bill** *n* účet
**billion** *n* bilión
**billow** *n* vlnenie
**billow** *v.i* vlnobiť
**biliteral** *adj* bilaterálny
**bilk** *v. t.* podvádzať
**bimenasl** *adj* dvojkovový
**bimonthly** *adj.* dvojmesačný
**binary** *adj* dvojkový
**bind** *v.t* spútať
**binding** *a* záväzný
**binocular** *n.* ďalekohľad
**biographer** *n* životopisec
**biography** *n* životopis
**biologist** *n* biológ
**biology** *n* biológia
**bioscope** *n* bioskop
**biped** *n* bipédia
**birch** *n.* breza
**bird** *n* vták
**birdlime** *n* lep na vtáky
**birth** *n.* pôrod
**biscuit** *n* sušienka
**bisect** *v. t* rozdvojiť
**bisexual** *adj.* bisexuálny
**bishop** *n* biskup
**bison** *n* bizón
**bisque** *n* omáčka
**bit** *n* kúsok
**bitch** *n* suka
**bite** *v. t.* hrýzť
**bite** *n* sústo
**bitter** *a* horký
**bi-weekly** *adj* dvojtýždňový
**bizarre** *adj* bizarný
**blab** *v. t. & i* prezradiť
**black** *a* čierny
**blacken** *v. t.* sčernieť
**blackmail** *n* vydieranie
**blackmail** *v.t* vydierať
**blacksmith** *n* kováč
**bladder** *n* mechúr
**blade** *n.* čepeľ
**blain** *n* opuchlina
**blame** *v. t* viniť
**blame** *n* vina
**blanch** *v. t. & i* bieliť
**bland** *adj.* pokojný
**blank** *a* prázdny
**blank** *n* prázdne miesto
**blanket** *n* deka
**blare** *v. t* trúbiť
**blast** *n* nápor
**blast** *v.i* vyhodiť do vzduchu
**blaze** *n* plameň
**blaze** *v.i* plápolať
**bleach** *v. t* bieliť
**blear** *v. t* zakaliť
**bleat** *n* bečanie
**bleat** *v. i* bečať
**bleb** *n* pľuzgier
**bleed** *v. i* krvácať
**blemish** *n* kaz
**blend** *v. t* miešať
**blend** *n* zmes
**bless** *v. t* požehnať
**blether** *v. i* bľabotať
**blight** *n* ochrnutie lícneho nervu
**blind** *a* slepý
**blindage** *n* zbroj

**blindfold** *v. t* zaviazať oči
**blindness** *n* slepota
**blink** *v. t. & i* žmurkať
**bliss** *n* blaho
**blister** *n* pľuzgier
**blizzard** *n* fujavica
**bloc** *n* blok
**block** *n* kváder
**block** *v.t* zatarasiť
**blockade** *n* blokáda
**blockhead** *n* hlupák
**blood** *n* krv
**bloodshed** *n* krviprelievanie
**bloody** *a* krvavý
**bloom** *n* kvet
**bloom** *v.i.* kvitnúť
**blossom** *n* kvet
**blossom** *v.i* kvitnúť
**blot** *n.* machuľa
**blot** *v. t* robiť machule
**blouse** *n* blúzka
**blow** *v.i.* fúkať
**blow** *n* fúkanie
**blue** *n* modrá farba
**blue** *a* modrá
**bluff** *v. t* klamať
**bluff** *n* bluf
**blunder** *n* veľká chyba
**blunder** *v.i* chybiť
**blunt** *a* tupý
**blur** *n* zamazať
**blurt** *v. t* vytárať
**blush** *n* rumenec
**blush** *v.i* červenať sa
**boar** *n* diviak
**board** *n* tabuľa
**board** *v. t.* zadebniť
**boast** *v.i* chváliť sa
**boast** *n* chvastanie
**boat** *n* loď
**boat** *v.i* naľodiť sa
**bodice** *n* živôtik
**bodily** *a* telesný
**bodily** *adv.* v celku
**body** *n* telo
**bodyguard** *n.* strážca
**bog** *n* močiar
**bog** *v.i* zapadnúť
**bogle** *n* strašidlo
**bogus** *a* podvrh
**boil** *n* var
**boil** *v.i.* variť
**boiler** *n* kotol
**bold** *a.* odvážny
**boldness** *n* odvaha
**bolt** *n* skrutka
**bolt** *v. t* splašiť sa
**bomb** *n* bomba
**bomb** *v. t* bombardovať
**bombard** *v. t* bombardovať
**bombardment** *n* bombardovanie
**bomber** *n* bombardér
**bonafide** *adv* v dobrej viere
**bonafide** *a* bez zlého úmyslu
**bond** *n* puto
**bondage** *n* otročenie
**bone** *n.* kosť
**bonfire** *n* vatra
**bonnet** *n* čepček
**bonten** *n* brazílske druh piva
**bonus** *n* odmena
**book** *n* kniha
**book** *v. t.* rezervovať
**book-keeper** *n* účtovník
**book-mark** *n.* záložka
**book-seller** *n* kníhkupec
**book-worm** *n* knihomoľ
**bookish** *n.* akademik
**booklet** *n* brožúrka
**boon** *n* služba
**boor** *n* neotesanec
**boost** *n* zvýšenie
**boost** *v. t* zvýšiť
**boot** *n* čižmy

**booth** *n* stánok
**booty** *n* korisť
**booze** *v. i* chľastať
**border** *n* okraj
**border** *v.t* hraničiť
**bore** *v. t* nudiť sa
**bore** *n* nudný človek
**born** *v.* narodený
**born rich** *adj.* narodený bohatý
**borne** *adj.* rodený
**borrow** *v. t* požičať
**bosom** *n* prsia
**boss** *n* šéf
**botany** *n* botanika
**botch** *v. t* sfušovať
**both** *a* obaja
**both** *pron* obaja
**both** *conj* obe
**bother** *v. t* rozrušiť
**botheration** *n* otravovanie
**bottle** *n* fľaša
**bottler** *n* výrobca fliaš
**bottom** *n* dno
**bough** *n* konár
**boulder** *n* balvan
**bouncer** *n* vyhadzovač
**bound** *n.* skok
**boundary** *n* hranica
**bountiful** *a* štedrý
**bounty** *n* odmena
**bouquet** *n* kytica
**bout** *n* ľoď
**bow** *v. t* klaňať sa
**bow** *n* poklona
**bow** *n* luk
**bowel** *n.* črevo
**bower** *n* budoár
**bowl** *n* misa
**bowl** *v.i* nadhadzovať loptu
**box** *n* krabica
**boxing** *n* box
**boy** *n* chlapec
**boycott** *v. t.* bojkotovať
**boycott** *n* bojkot
**boyhood** *n* chlapčenský
**brace** *n* výstuž
**bracelet** *n* náramok
**brag** *v. i* chvastať sa
**brag** *n* chvastanie
**braille** *n* slepecké písmo
**brain** *n* mozog
**brake** *n* brzda
**brake** *v. t* brzdiť
**branch** *n* konár
**brand** *n* značka
**brandy** *n* brandy
**brangle** *v. t* dohadovať sa
**brass** *n.* mosadz
**brave** *a* odvážny
**bravery** *n* odvaha
**brawl** *v. i. & n* vadiť sa
**bray** *n* vrešťanie
**bray** *v. i* vrešťať
**breach** *n* porušenie
**bread** *n* chlieb
**breaden** *v. t. & i* zamiesť chlieb
**breadth** *n* rozsah
**break** *v. t* rozbiť
**break** *n* trhlina
**breakage** *n* zlomenie
**breakdown** *n* porucha
**breakfast** *n* raňajky
**breakneck** *n* krkolomný kúsok
**breast** *n* prsník
**breath** *n* dych
**breathe** *v. i.* dýchať
**breeches** *n.* zadok
**breed** *v.t* rozmnožovať sa
**breed** *n* plemeno
**breeze** *n* vánok
**breviary** *n.* breviár
**brevity** *n* krátkosť
**brew** *v. t.* variť
**brewery** *n* pivovar

**bribe** *n* úplatok
**bribe** *v. t.* podplatiť
**brick** *n* tehla
**bride** *n* nevesta
**bridegroom** *n.* ženích
**bridge** *n* most
**bridle** *n* uzda
**brief** *a.* krátky
**brigade** *n.* brigáda
**brigadier** *n* brigadier
**bright** *a* jasný
**brighten** *v. t* rozjasniť
**brilliance** *n* dokonalosť
**brilliant** *a* dokonalý
**brim** *n* okraj
**brine** *n* soľný roztok
**bring** *v. t* priniesť
**brinjal** *n* baklažán
**brink** *n.* kraj
**brisk** *adj* čulý
**bristle** *n* štetina
**british** *adj* britský
**brittle** *a.* krehký
**broad** *a* široký
**broadcast** *n* vysielanie
**broadcast** *v. t* vysielať
**brocade** *n* brokát
**broccoli** *n.* brokolica
**brochure** *n* brožúrka
**brochure** *n* brožúra
**broker** *n* maklér
**brood** *n* mláďatá z jedného hniezda
**brook** *n.* potok
**broom** *n* metla
**bronze** *n. & adj* bronz, bronzový
**broth** *n* vývar
**brothel** *n* verejný dom
**brother** *n* brat
**brotherhood** *n* bratstvo
**brow** *n* brva
**brown** *a* hnedý
**brown** *n* hnedá farba
**browse** *n* listovať
**bruise** *n* modrina
**bruit** *n* šelest
**brush** *n* hrebeň
**brustle** *v. t* šumieť
**brutal** *a* brutálny
**brute** *n* surovec
**bubble** *n* bublina
**bucket** *n* vedro
**buckle** *n* spona
**bud** *n* puk
**budge** *v. i. & n* pohnúť sa
**budget** *n* rozpočet
**buff** *n* čelenka
**buffalo** *n.* byvol
**buffoon** *n* šašo
**bug** *n.* chrobák
**bugle** *n* trúbka
**build** *v. t* stavať
**build** *n* stavba
**building** *n* budova
**bulb** *n.* žiarovka
**bulk** *n* množstvo
**bulky** *a* objemný
**bull** *n* býk
**bulldog** *n* buldog
**bull's eye** *n* volské oko
**bullet** *n* náboj
**bulletin** *n* vestník
**bullock** *n* vôl
**bully** *n* šikan
**bully** *v. t.* šikanovať
**bulwark** *n* bašta
**bumper** *n.* nárazník
**bumpy** *adj* hrboľatý
**bunch** *n* zväzok
**bundle** *n* batoh
**bungalow** *n* domček
**bungle** *v. t* zbabrať
**bungle** *n* zmätok
**bunk** *n* kója

**bunker** *n* bunker
**buoy** *n* bója
**buoyancy** *n* živosť
**burden** *n* bremeno
**burdcn** *v. t* zaťažiť
**burdensome** *a* ťaživý
**bureau** *n.* písací stôl
**Bureacuracy** *n.* byrokracia
**bureaucrat** *n* byrokrat
**burglar** *n* zlodej
**burglary** *n* lúpež
**burial** *n* pohreb
**burk** *v. t* udusiť
**burn** *v. t* horieť
**burn** *n* popálenina
**burrow** *n* nora
**burst** *v. i.* prasknúť
**burst** *n* prasknutie
**bury** *v. t.* pochovať
**bus** *n* autobus
**bush** *n* krík
**business** *n* obchod
**businessman** *n* podnikateľ
**bustle** *v. t* naháňať sa
**busy** *a* zaneprázdnený
**but** *prep* okrem
**but** *conj.* ale
**butcher** *n* mäsiar
**butcher** *v. t* zabiť
**butter** *n* maslo
**butter** *v. t* namasliť
**butterfly** *n* motýľ
**buttermilk** *n* podmaslie
**buttock** *n* zadok
**button** *n* gombík
**button** *v. t.* zapnúť na gombík
**buy** *v. t.* kúpiť
**buyer** *n.* kupec
**buzz** *v. i* bzučať
**buzz** *n.* bzučanie
**by** *prep* pri
**by** *adv* okolo
**bye-bye** *interj.* dovidenia
**by-election** *n* doplňovacie voľby
**bylaw, bye-law** *n* nariadenie
**bypass** *n* obchádzka
**by-product** *n* vedľajší produkt
**byre** *n* stodola
**byword** *n* stelesnenie

# C

**cab** *n.* taxík
**cabaret** *n.* kabaret
**cabbage** *n.* kapusta
**cabin** *n.* kajuta
**cabinet** *n.* skrinka
**cable** *n.* lano
**cable** *v. t.* kábelovať
**cache** *n* skladisko
**cachet** *n* punc
**cackle** *v. i* kotkodákať
**cactus** *n.* kaktus
**cad** *n* grobian
**cadet** *n.* kadet
**cadge** *v. i* vyžobrať si
**cadmium** *n* kadmium
**cafe** *n.* kaviareň
**cage** *n.* klietka
**cain** *n* platba nie peniazmi
**cake** *n.* torta
**calamity** *n.* pohroma
**calcium** *n* vápnik
**calculate** *v. t.* vypočítať
**calculator** *n* kalkulačka
**calculation** *n.* výpočet
**calendar** *n.* kalendár
**calf** *n.* teľa
**call** *v. t.* zavolať
**call** *n.* volanie
**caller** *n* volajúci
**calligraphy** *n* kaligrafia

**calling** *n.* volanie
**callow** *adj* neoperený
**callous** *a.* necitlivý
**calm** *n.* tichý
**calm** *n.* ticho
**calm** *v. t.* utíšiť
**calmative** *adj* upokojujúci
**calorie** *n.* kalória
**calumniate** *v. t.* ohovárať
**camel** *n.* ťava
**camera** *n.* fotoaparát
**camlet** *n* kamelot
**camp** *n.* tábor
**camp** *v. i.* stanovať
**campaign** *n.* kampaň
**camphor** *n.* gáfor
**can** *n.* plechovka
**can** *v. t.* môcť
**can** *v.* konzervovať
**canal** *n.* prieplav
**canard** *n* novinárska kačica
**cancel** *v. t.* zrušiť
**cancellation** *n* zrušenie
**cancer** *n.* rakovina
**candid** *a.* úprimný
**candidate** *n.* kandidát
**candle** *n.* sviečka
**candour** *n.* úprimnosť
**candy** *n.* cukrík
**candy** *v. t.* osladiť
**cane** *n.* trstina
**cane** *v. t.* trestať palicou
**canister** *n.* plechovica
**cannon** *n.* delo
**cannonade** *n. v. & t* kanonádovať
**canon** *n* cirkevný zákon
**canopy** *n.* baldachýn
**canteen** *n.* jedáleň
**canter** *n* cval
**canton** *n* kantón
**cantonment** *n.* ubytovanie
**canvas** *n.* plachtovina
**canvass** *v. t.* agitovať
**cap** *n.* čiapka
**cap** *v. t.* prikryť
**capability** *n.* schopnosť
**capable** *a.* schopný
**capacious** *a.* priestorný
**capacity** *n.* kapacita
**cape** *n.* plášť
**capital** *n.* hlavné mesto
**capital** *a.* hlavný
**capitalist** *n.* kapitalista
**capitulate** *v. t* vzdať sa
**caprice** *n.* vrtoch
**capricious** *a.* rozmarný
**capricorn** *n* Kozorožec
**capsicum** *n* paprika
**capsize** *v. i.* prevrátiť sa
**capsular** *adj* kapsulárny
**captain** *n.* kapitán
**captaincy** *n.* kapitánstvo
**caption** *n.* titul
**captivate** *v. t.* upútať
**captive** *n.* zajatec
**captive** *a.* zajatý
**captivity** *n.* zajatie
**capture** *v. t.* zajať
**capture** *n.* zajatie
**car** *n.* auto
**carat** *n.* karát
**caravan** *n.* karavan
**carbide** *n.* karbid
**carbon** *n.* uhlík
**card** *n.* karta
**cardamom** *n.* kardamón
**cardboard** *n.* kartón
**cardiacal** *adjs* srdečný
**cardinal** *a.* podstatný
**cardinal** *n.* kardinál
**care** *n.* starostlivosť
**care** *v. i.* starať sa
**career** *n.* kariéra
**careful** *a* opatrný

**careless** *a.* nepozorný
**caress** *v. t.* pohladiť
**cargo** *n.* náklad
**caricature** *n.* karikatúra
**carious** *adj* spráchnivený
**carl** *n* silný muž
**carnage** *n* krviprelievanie
**carnival** *n* karneval
**carol** *n* koleda
**carpal** *adj* zápästný
**carpenter** *n.* tesár
**carpentry** *n.* stolárstvo
**carpet** *n.* koberec
**carriage** *n.* koč
**carrier** *n.* doručovateľ
**carrot** *n.* mrkva
**carry** *v. t.* nosiť
**cart** *n.* kára
**cartage** *n.* dovoz
**carton** *n* kartón
**cartoon** *n.* karikatúra
**cartridge** *n.* náboj
**carve** *v. t.* vyrezať
**cascade** *n.* kaskáda
**case** *n.* prípad
**cash** *n.* hotovosť
**cash** *v. t.* preplatiť
**cashier** *n.* pokladník
**casing** *n.* obal
**cask** *n* sud
**casket** *n* skrinka
**cassette** *n.* kazeta
**cast** *v. t.* hodiť
**cast** *n.* obsadenie
**caste** *n* kasta
**castigate** *v. t.* karhať
**casting** *n* odliatok
**cast-iron** *n* liatinový
**castle** *n.* hrad
**castor oil** *n.* ricínový olej
**castral** *adj* kastrálny
**casual** *a.* ľahostajný
**casualty** *n.* obeť
**cat** *n.* mačka
**catalogue** *n.* katalóg
**cataract** *n.* šedý zákal
**catch** *v. t.* chytiť
**catch** *n.* chytenie
**categorical** *a.* rozhodný
**category** *n.* kategória
**cater** *v. i* dodávať potraviny
**caterpillar** *n* húsenica
**cathedral** *n.* katedrála
**catholic** *a.* katolícky
**cattle** *n.* dobytok
**cauliflower** *n.* karfiol
**causal** *adj.* kauzálny
**causality** *n* kauzalita
**cause** *n.* príčina
**cause** *v.t* spôsobiť
**causeway** *n* zvýšená cesta
**caustic** *a.* žieravý
**caution** *n.* opatrnosť
**caution** *v. t.* varovať
**cautious** *a.* opatrný
**cavalry** *n.* jazdectvo
**cave** *n.* jaskyňa
**cavern** *n.* veľká jaskyňa
**cavil** *v. t* predhadzovať
**cavity** *n.* dutina
**caw** *n.* krákanie
**caw** *v. i.* krákať
**cease** *v. i.* prestať
**ceaseless** *~a.* ustavičný
**cedar** *n.* céder
**ceiling** *n.* strop
**celebrate** *v. t. & i.* osláviť
**celebration** *n.* oslava
**celebrity** *n* slávna osobnosť
**celestial** *adj* nebeský
**celibacy** *n.* celibát
**celibacy** *n.* bezženstvo
**cell** *n.* bunka
**cellar** *n* pivnica

**cellular** *adj* bunečný
**cement** *n.* cement
**cement** *v. t.* stmeliť
**cemetery** *n.* cintorín
**cense** *v. t* zacítiť
**censer** *n* kaditelnica
**censor** *n.* cenzor
**censor** *v. t.* cenzorovať
**censorious** *adj* kritický
**censorship** *n.* cenzúra
**censure** *n.* kritika
**censure** *v. t.* kritizovať
**census** *n.* sčítanie ľudu
**cent** *n* cent
**centenarian** *n* storočný
**centenary** *n.* sté výročie
**centennial** *adj.* sté výročie
**center** *n* centrum
**centigrade** *a.* stupeň Celzia
**centipede** *n.* stonožka
**central** *a.* centrálny
**centre** *n* stred
**centrifugal** *adj.* odstredivý
**centuple** *n. & adj* stonásobný
**century** *n.* storočie
**ceramics** *n* keramika
**cerated** *adj.* voskovaný
**cereal** *n.* obilnina
**cereal** *a* obilný
**cerebral** *adj* mozgový
**eremonial** *a.* obradný
**ceremonious** *a.* obradný
**ceremony** *n.* obrad
**certain** *a* istý
**certainly** *adv.* iste
**certainty** *n.* istota
**certificate** *n.* certifikát
**certify** *v. t.* potvrdiť
**cerumen** *n* úšný maz
**cesspool** *n.* žumpa
**chain** *n* reťaz
**chair** *n.* stolička
**chairman** *n* predseda
**chaice** *n* chaice
**chaise** *n* kočiar
**challenge** *n.* výzva
**challenge** *v. t.* vyzvať
**chamber** *n.* komora
**chamberlain** *n* komorník
**champion** *n.* šampión
**champion** *v. t.* bojovať
**chance** *n.* šanca
**chancellor** *n.* kancelár
**chancery** *n* kancelársky súd
**change** *v. t.* meniť sa
**change** *n.* zmena
**channel** *n* prieplav
**chant** *n* spievať
**chaos** *n.* chaos
**chaotic** *adv.* chaotický
**chapel** *n.* kaplnka
**chapter** *n.* kapitola
**character** *n.* povaha
**charge** *v. t.* účtovať
**charge** *n.* poplatok
**chariot** *n* dvojkolesový voz
**charitable** *a.* láskavý
**charity** *n.* dobročinnosť
**charm1** *n.* šarm
**charm2** *v. t.* okúzliť
**chart** *n.* tabuľka
**charter** *n* charta
**chase1** *v. t.* naháňať
**chase2** *n.* naháňačka
**chaste** *a.* cudný
**chastity** *n.* cudnosť
**chat1** *n.* rozhovor
**chat2** *v. i.* rozprávať sa
**chatter** *v. t.* trkotať
**chauffeur** *n.* šofér
**cheap** *a* lacný
**cheapen** *v. t.* zlacnieť
**cheat** *v. t.* podvádzať
**cheat** *n.* podvodník

**check** *v. t.* kontrolovať
**check** *n* kontrola
**checkmate** *n* šachmat
**cheek** *n* líce
**cheep** *v. i* pišťať
**cheer** *n.* volanie na slávu
**cheer** *v. t.* volať na slávu
**cheerful** *a.* veselý
**cheerless** *a* nudný
**cheese** *n.* syr
**chemical** *a.* chemický
**chemical** *n.* chemikália
**chemise** *n* ženské šaty
**chemist** *n.* lekáreň
**chemistry** *n.* chémia
**cheque** *n.* šek
**cherish** *v. t.* opatrovať
**cheroot** *n* viržínska cigara
**chess** *n.* šach
**chest** *n* hruď
**chestnut** *n.* gaštan
**chew** *v. t* žuť
**chevalier** *n* rytier
**chicken** *n.* kurča
**chide** *v. t.* dohovárať
**chief** *a.* hlavný
**chieftain** *n.* náčelník
**child** *n* dieťa
**childhood** *n.* detstvo
**childish** *a.* detský
**chill** *n.* nachladnutie
**chilli** *n.* čili paprička
**chilly** *a* chladný
**chiliad** *n.* milénium
**chimney** *n.* komín
**chimpanzee** *n.* šimpanz
**chin** *n.* brada
**china** *n.* porcelán
**chirp** *v.i.* švitoriť
**chirp** *n* cvrlikanie
**chisel** *n* dláto
**chisel** *v. t.* dlabať
**chit** *n.* účet
**chivalrous** *a.* rytiersky
**chivalry** *n.* rytierstvo
**chlorine** *n* chlorín
**chloroform** *n* chloroform
**choice** *n.* výber
**choir** *n* zbor
**choke** *v. t.* dusiť sa
**cholera** *n.* cholera
**chocolate** *n* čokoláda
**choose** *v. t.* vybrať si
**chop** *v. t* posekať
**chord** *n.* akord
**choroid** *n* cievovka
**chorus** *n.* refrén
**Christ** *n.* Kristus
**Christendom** *n.* kresťanstvo
**Christian** *n* kresťan
**Christian** *a.* kresťanský
**Christianity** *n.* kresťanstvo
**Christmas** *n* Vianoce
**chrome** *n* chróm
**chronic** *a.* chronický
**chronicle** *n.* kronika
**chronology** *n.* chronika
**chronograph** *n* chronograf
**chuckle** *v. i* chichotať sa
**chum** *n* kamoš
**church** *n.* kostol
**churchyard** *n.* cintorín
**churl** *n* neotesanec
**churn** *v. t. & i.* mútiť
**churn** *n.* maselnica
**cigar** *n.* cigara
**cigarette** *n.* cigareta
**cinema** *n.* kino
**cinnabar** *n* rumelka
**cinnamon** *n* škorica
**cipher, cipher** *n.* šifra
**circle** *n.* kruh
**circuit** *n.* okruh
**circumfluence** *n.* obtekanie

**circumspect** *adj.* obozretný
**circular** *a* kruhový
**circular** *n.* obežník
**circulate** *v. i.* obiehať
**circulation** *n* obeh
**circumference** *n.* obvod
**circumstance** *n* okolnosť
**circus** *n.* cirkus
**cist** *n* cista
**citadel** *n.* bašta
**cite** *v. t* recitovať
**citizen** *n* štátny občan
**citizenship** *n* občianstvo
**citric** *adj.* citrónový
**city** *n* mesto
**civic** *a* občiansky
**civics** *n* občianska výchova
**civil** *a* občiansky
**civilian** *n* civilista
**civilization** *n.* civilizácia
**civilize** *v. t* civilizovať sa
**clack** *n. & v. i* klepať
**claim** *n* nárok
**claim** *v. t* uplatniť nárok
**claimant** *n* žiadateľ
**clamber** *v. i* vyliezť
**clamour** *n* hluk
**clamour** *v. i.* volať
**clamp** *n* svorka
**clandestine** *adj.* tajný
**clap** *v. i.* tlieskať
**clap** *n* potlesk
**clarify** *v. t* objasniť
**clarification** *n* objasnenie
**clarion** *n.* zvuk trúbky
**clarity** *n* jasnoť
**clash** *n.* náraz
**clash** *v. t.* zraziť sa
**clasp** *n* spona
**class** *n* trieda
**classic** *a* klasický
**classic** *n* klasické dielo
**classical** *a* klasický
**classification** *n* triedenie
**classify** *v. t* triediť
**clause** *n* klauzula
**claw** *n* pazúr
**clay** *n* hlina
**clean** čistý
**clean** *v. t* čistiť
**cleanliness** *n* čistota
**cleanse** *v. t* vypláchnuť
**clear** *a* priehľadný
**clear** *v. t* vyjasniť
**clearance** *n* likvidácia
**clearly** *adv* jasne
**cleft** *n* trhlina
**clergy** *n* duchovenstvo
**clerical** *a* úradnícky
**clerk** *n* úradník
**clever** *a.* múdry
**clew** *n.* klbko
**click** *n.* cvaknutie
**client** *n..* klient
**cliff** *n.* útes
**climate** *n.* klíma
**climax** *n.* vyvrcholenie
**climb1** *n.* výstup
**climb** *v.i* liezť
**cling** *v. i.* priľnúť
**clinic** *n.* klinika
**clink** *n.* cinknutie
**cloak** *n.* plášť
**clock** *n.* hodiny
**clod** *n.* hruda
**cloister** *n.* ambit
**close** *n.* koniec
**close** *a.* blízky
**close** *v. t* zavrieť
**closet** *n.* skriňa
**closure** *n.* zatvorenie
**clot** *n.* zrazenina
**clot** *v. t* zraziť
**cloth** *n* látka

**clothe** *v. t* obliecť
**clothes** *n.* šaty
**clothing** *n* obliekanie
**cloud** *n.* oblak
**cloudy** *a* oblačno
**clove** *n* strúčik
**clown** *n* klaun
**club** *n* klub
**clue** *n* kľúč
**clumsy** *a* nemotorný
**cluster** *n* zhluk
**cluster** *v. i.* nakopiť sa
**clutch** *n* spojka
**clutter** *v. t* zovrieť
**coach** *n* autobus
**coachman** *n* kočiš
**coal** *n* uhlie
**coalition** *n* zoskupenie
**coarse** *a* hrubý
**coast** *n* pobrežie
**coat** *n* kabát
**coating** *n* natieranie
**coax** *v. t* prehovoriť
**cobalt** *n* kobalt
**cobbler** *n* obuvník
**cobra** *n* kobra
**cobweb** *n* pavučina
**cocaine** *n* kokaín
**cock** *n* kohút
**cocker** *v. t* rozmaznávať
**cockle** *v. i* točiť sa
**cock-pit** *n.* kokpit
**cockroach** *n* šváb
**coconut** *n* kokosový orech
**code** *n* kód
**co-education** *n.* koedukácia
**coefficient** *n.* súčiniteľ
**co-exist** *v. i* existovať súčasne
**co-existence** *n* spolunažívanie
**coffee** *n* káva
**coffin** *n* truhla
**cog** *n* zub
**cogent** *adj.* presvedčivý
**cognate** *adj* príbuzný
**cognizance** *n* vedomosť
**cohabit** *v. t* žiť spolu
**coherent** *a* súvislý
**cohesive** *adj* súdržný
**coif** *n* čepiec
**coin** *n* minca
**coinage** *n* mena
**coincide** *v. i* splývať
**coir** *n* kokosové vlákno
**coke** *v. t* koksovať
**cold** *a* studený
**cold** *n* zima
**collaborate** *v. i* spolupracovať
**collaboration** *n* spolupráca
**collapse** *v. i* zrútiť sa
**collar** *n* golier
**colleague** *n* kolega
**collect** *v. t* pozbierať
**collection** *n* vyberanie
**collective** *a* kolektívny
**collector** *n* vyberač
**college** *n* fakulta
**collide** *v. i.* zraziť sa
**collision** *n* zrážka
**collusion** *n* tajná dohoda
**colon** *n* hrubé črevo
**colon** *n* dvojbodka
**colonel** *n.* plukovník
**colonial** *a* koloniálny
**colony** *n* kolónia
**colour** *n* farba
**colour** *v. t* farbiť
**colter** *n* predradlička
**column** *n* stĺp
**coma** *n.* kóma
**comb** *n* hrebeň
**combat1** *n* boj
**combat** *v. t.* bojovať
**combatant1** *n* vojak
**combatant** *a.* vojenský

**combination** *n* zlúčenina
**combine** *v. t* zlúčiť
**come** *v. i.* prísť
**comedian** *n.* komediant
**comedy** *n.* komédia
**comet** *n* kométa
**comfit** *n.* plnený cukrík
**comfortl** *n.* pohodlie
**comfort** *v. t* utešiť
**comfortable** *a* pohodlný
**comic** *a* humorný
**comic** *n* časopis
**comical** *a* smiešny
**comma** *n* čiarka
**command** *n* rozkaz
**command** *v. t* rozkázať
**commandant** *n* veliteľ
**commander** *n* veliteľ
**commemorate** *v. t.* pripomínať pamiatku
**commemoration** *n.* oslava pamiatky
**commence** *v. t* začať
**commencement** *n* začiatok
**commend** *v. t* chváliť
**commendable** *a.* chvályhodný
**commendation** *n* čestné uznanie
**comment** *v. i* komentovať
**comment** *n* poznámka
**commentary** *n* komentár
**commentator** *n* komentátor
**commerce** *n* obchod
**commercial** *a* obchodný
**commiserate** *v. t* poľutovať
**commission** *n.* provízia
**commissioner** *n.* komisár
**commissure** *n.* škára
**commit** *v. t.* spáchať
**committee** *n* výbor
**commodity** *n.* komodita
**common** *a.* bežný
**commoner** *n.* plebejec
**commonplace** *a.* všedný
**commonwealth** *n.* spoločenstvo
**commotion** *n* zmätok
**commove** *v. t* podnietiť
**communal** *a* spoločný
**commune** *v. t* komúna
**communicate** *v. t* oznámiť
**communication** *n.* oznam
**communiqué** *n.* oznámenie
**communism** *n* komunizmus
**community** *n.* spoločenstvo
**commute** *v. t* dochádzať
**compact** *a.* hustý
**compact** *n.* pudrenka
**companion** *n.* spoločník
**company** *n.* spoločnosť
**comparative** *a* porovnávací
**compare** *v. t* porovnávať
**comparison** *n* porovnanie
**compartment** *n.* oddelenie
**compass** *n* kompas
**compassion** *n* zľutovanie
**compel** *v. t* prinútiť
**compensate** *v.t* vyrovnať
**compensation** *n* vyrovnanie
**compete** *v. i* súťažiť
**competence** *n* schopnosť
**competent** *a.* schopný
**competition** *n.* súťaž
**competitive** *a* súťaživý
**compile** *v. t* zostavovať
**complacent** *adj.* samoľúby
**complain** *v. i* sťažovať sa
**complaint** *n* sťažnosť
**complaisance** *n.* ochota
**complaisant** *adj.* ochotný
**complement** *n* doplnok
**complementary** *a* doplnkový
**complete** *a* úplný
**complete** *v. t* doplniť
**completion** dokončenie
**complex** *a* zložitý

**complex** *n* celok
**complexion** *n* pleť
**compliance** *n.* súhlas
**compliant** *adj.* povoľný
**complicate** *v. t* komplikovať
**complication** *n.* komplikácia
**compliment** *n.* poklona
**compliment** *v. t* blahopriať
**comply** *v. i* vyhovieť
**component** *adj.* komponentný
**compose** *v. t* zložiť
**composition** *n* komponovanie
**compositor** sadzač
**compost** *n* kompost
**composure** *n.* vyrovnanosť
**compound** *n* zlúčenina
**compound** *a* zložený
**compound** *n* zložka
**compound** *v. i* narásť
**compounder** *n.* urovnávač
**comprehend** *v. t* pochopiť
**comprehension** *n* chápanie
**comprehensive** *a* úplný
**compress** *v. t.* stlačiť
**compromise** *n* kompromis
**compromise** *v. t* skladať sa
**compulsion** *n* donútenie
**compulsory** *a* povinný
**compunction** *n.* výčitky svedomia
**computation** *n.* počítanie
**compute** *v.t.* počítať
**comrade** *n.* kamarát
**conation** *n.* snaha
**concave** *adj.* konkávny
**conceal** *v. t.* zatajiť
**concede** *v.t.* pripustiť
**conceit** *n* namyslenosť
**conceive** *v. t* pochopiť
**concentrate** *v. t* sústrediť sa
**concentration** *n.* sústredenie
**concept** *n* predstava
**conception** *n* predstava
**concern** *v. t* týkať sa
**concern** *n* vec
**concert** *n.* koncert
**concert2** *v. t* koncertovať
**concession** *n* ústupok
**conch** *n.* mušľa
**conciliate** *v.t.* získať si
**concise** *a* stručný
**conclude** *v. t* ukončiť
**conclusion** *n.* záver
**conclusive** *a* nezvratný
**concoct** *v. t* zmiešať
**concoction** *n.* zmiešanie
**concord** *n.* zhoda
**concrescence** *n.* zrast
**concrete** *n* betón
**concrete** *a* konkétny
**concrete** *v. t* betónovať
**concubinage** *n.* konkubinát
**concubine** *n* konkubína
**conculcate** *v.t.* rozšliapnuť
**condemn** *v. t.* odsúdiť
**condemnation** *n* odsúdenie
**condense** *v. t* skvapalniť
**condite** *v.t.* zavárať
**condition** *n* stav
**conditional** *a* podmienený
**condole** *v. i.* vyjadriť sústrasť
**condolence** *n* sústrasť
**condonation** *n.* prepáčenie
**conduct** *n* riadenie
**conduct** *v. t* previesť
**conductor** *n* dirigent
**cone** *n.* kužeľ
**confectioner** *n* cukrár
**confectionery** *n* sladkosť
**confer** *v. i* rokovať
**conference** *n* rokovanie
**confess** *v. t.* priznať sa
**confession** *n* priznanie
**confidant** *n* dôverník

**confide** *v. i* zdôveriť sa
**confidence** *n* sebadôvera
**confident** *a.* sebaistý
**confidential** *a.* tajný
**confine** *v. t* obmedziť
**confinement** *n.* väzenie
**confirm** *v. t* potvrdiť
**confirmation** *n* potvrdenie
**confiscate** *v. t* zhabať
**confiscation** *n* zhabanie
**conflict** *n.* konflikt
**conflict** *v. i* odporovať si
**confluence** *n* sútok
**confluent** *adj.* splývavý
**conformity** *n.* zhoda
**conformity** *n.* konformizmus
**confraternity** *n.* bratstvo
**confrontation** *n.* konfrontácia
**confuse** *v. t* zmiasť
**confusion** *n* zmätok
**confute** *v.t.* usvedčiť
**conge** *n.* prepustenie
**congenial** *a* príjemný
**conglutinat** *v.t.* zlepiť sa
**congratulate** *v. t* blahoželať
**congratulation** *n* blahoželanie
**congress** *n* kongres
**conjecture** *n* domienka
**conjecture** *v. t* domievať sa
**conjugal** *a* manželský
**conjugate** *v.t. & i.* časovať
**conjunct** *adj.* spojený
**conjunctiva** *n.* spojka
**conjuncture** *n.* konjuktúra
**conjure** *v.t.* vyčarovať
**conjure** *v.i.* zaprisahať
**connect** *v. t.* spojiť
**connection** *n* spojenie
**connivance** *n.* tichý súhlas
**conquer** *v. t* dobyť
**conquest** *n* dobytie
**conscience** *n* svedomie
**conscious** *a* pri vedomí
**consecrate** *v.t.* vysvätiť
**consecutive** *adj.* nasledujúci
**consecutively** *adv* nasledujúc
**consensus** *n.* súhlas
**consent** *n.* súhlas
**consent** *v. i* súhlasiť
**consent3** *v.t.* dovoliť
**consequence** *n* následok
**consequent** *a* následný
**conservative** *a* tradičný
**conservative** *n* konzervativec
**conserve** *v. t* šetriť
**consider** *v. t* zvážiť
**aconsiderable** *a* značný
**considerate** *a.* pozorný
**consideration** *n* ohľad
**considering** *prep.* považovaný
**consign** *v.t.* odoslať
**consign** *v. t.* odoslať
**consignment** *n.* zásielka
**consist** *v. i* spočívať
**consistence,-cy** *n.* zásadovosť
**consistent** *a* zásadný
**consolation** *n* útecha
**console** *v. t* utešiť
**consolidate** *v. t.* zosilnieť
**consolidation** *n* konsolidácia
**consonance** *n.* súzvuk
**consonant** *n.* spoluhláska
**consort** *n.* manžel
**conspectus** *n.* konspekt
**conspicuous** *a.* viditeľný
**conspiracy** *n.* sprisahanie
**conspirator** *n.* sprisahanec
**conspire** *v. i.* sprisahať sa
**constable** *n* policajt
**constant** *a* stály
**constellation** *n.* súhvezdie
**constipation** *n.* zápcha
**constituency** *n* volebný obvod
**constituent** *n.* volič

**constituent** *adj.* základný
**constitute** *v. t* tvoriť
**constitution** *n* ústava
**constrict** *v.t.* škrtiť
**construct** *v. t.* stavať
**construction** *n* stavba
**consult** *v. t* radiť sa
**consultation** *n* porada
**consume** *v. t* konzumovať
**consumption** *n* spotreba
**consumption** *n* suchoty
**contact** *n.* kontakt
**contact** *v. t* spojiť sa
**contagious** *a* nákazlivý
**contain** *v.t.* obsahovať
**contaminate** *v.t.* znečistiť
**contemplate** *v. t* uvažovať
**contemplation** *n* rozjímanie
**contemporary** *a* moderný
**contempt** *n* opovrhnutie
**contemptuous** *a* opovržlivý
**contend** *v. i* zápasiť
**content** *a.* spokojný
**content** *v. t* uspokojiť
**content** *n* obsah
**content** *n.* spokojnosť
**contention** *n* tvrdenie
**contentment** *n* spokojnosť
**contest** *v. t* uchádzať sa
**contest** *n.* zápas
**context** *n* súvislosť
**continent** *n* kontinent
**continental** *a* vnútrozemský
**contingency** *n.* možnosť
**continual** *adj.* neustály
**continuation** *n.* pokračovanie
**continue** *v. i.* pokračovať
**continuity** *n* plynulosť
**continuous** *a* nepretržitý
**contour** *n* obrys
**contra** *pref.* proti
**contraception** *n.* antikoncepcia
**contract** *n* zmluva
**contract** *v. t* zaviazať sa
**contrapose** *v.t.* postaviť proti sebe
**contractor** *n* podnikateľ
**contradict** *v. t* protirečiť
**contradiction** *n* protirečenie
**contrary** *a* opačný
**contrast** *v. t* kontrastovať
**contrast** *n* opak
**contribute** *v. t* prispieť
**contribution** *n* príspevok
**control** *n* ovládanie
**control** *v. t* ovládať
**controller** *n.* regulátor
**controversy** *n* spor
**contuse** *v.t.* odrieť
**conundrum** *n.* hlavolam
**convene** *v. t* zhromaždiť sa
**convener** *n* zvolávateľ
**convenience** *n.* vhodnosť
**convenient** *a* vyhovujúci
**convent** *n* kláštor
**convention** *n.* konvencie
**conversant** *a* zhovorčivý
**conversant** *adj.* zhovorčivý
**conversation** *n* rozhovor
**converse** *v.t.* hovoriť
**conversion** *n* zmena
**convert** *v. t* zmeniť
**convert** *n* konvertita
**convey** *v. t.* dopraviť
**conveyance** *n* prevoz
**convict** *v. t.* usvedčiť
**convict** *n* väzeň
**conviction** *n* odsúdenie
**convince** *v. t* presvedčiť
**convivial** *adj.* veselý
**convocation** *n.* zvolanie
**convoke** *v.t.* zvolať
**convolve** *v.t.* zvinúť sa
**coo** *n* hrkútanie
**coo** *v. i* hrkútať

**cook** *v. t* variť
**cook** *n* kuchár
**cooker** *n* sporák
**cool** *a* chladný
**cool** *v. i.* schladiť
**cooler** *n* chladič
**coolie** *n* kuli
**co-operate** *v. i* spolupracovať
**co-operation** *n* spolupráca
**co-operative** *a* kooperatívny
**co-ordinate** *a.* priraďovací
**co-ordinate** *v. t* zladiť
**co-ordination** *n* koordinácia
**coot** *n.* hlupák
**co-partner** *n* spolupartner
**cope** *v. i* poradiť si
**coper** *n.* výčapná loď
**copper** *n* meď
**coppice** *n.* mládza
**coprology** *n.* skatológia
**copulate** *v.i.* kopulovať
**copy** *n* kópia
**copy** *v. t* urobiť kópiu
**coral** *n* koral
**cord** *n* povraz
**cordial** *a* srdečný
**corbel** *n.* krákorec
**cordate** *adj.* srdcovitý
**core** *n.* jadrovník
**coriander** *n.* koriander
**Corinth** *n.* Korint
**cork** *n.* korok
**cormorant** *n.* kormorán
**corn** *n* zrno
**cornea** *n* rohovka
**corner** *n* roh
**cornet** *n.* kornet
**cornicle** *n.* rímsa
**coronation** *n* korunovácia
**coronet** *n.* korunka
**corporal** *a* telesný
**corporate** *adj.* spoločný
**corporation** *n* spoločnosť
**corps** *n* zbor
**corpse** *n* mŕtvola
**correct** *a* správny
**correct** *v. t* opraviť
**correction** *n* oprava
**correlate** *v.t.* harmonizovať
**correlation** *n.* korelácia
**correspond** *v. i* zhodovať sa
**correspondence** *n.* korešpondencia
**correspondent** *n.* dopisovateľ
**corridor** *n.* koridor
**corroborate** *v.t.* potvrdiť
**corrosive** *adj.* korózny
**corrupt** *v. t.* skaziť
**corrupt** *a.* úplatný
**corruption** *n.* skaza
**cosier** *n.* kosier
**cosmetic** *a.* kozmetický
**cosmetic** *n.* kozmetička
**cosmic** *adj.* kozmický
**cost** *v.t.* stáť
**cost** *n.* cena
**costal** *adj.* rebrový
**cote** *n.* koterec
**costly** *a.* drahý
**costume** *n.* kostým
**cosy** *a.* útulný
**cot** *n.* postieľka
**cottage** *n* chalupa
**cotton** *n.* bavlník
**couch** *n.* gauč
**cough** *n.* kašeľ
**cough** *v. i.* kašlať
**council** *n.* rada
**councillor** *n.* radný
**counsel** *n.* žalobca
**counsel** *v. t.* radiť sa
**counsellor** *n.* poradca
**count** *n.* spočítanie
**count** *v. t.* počítať

**countenance** *n.* výraz tváre
**counter** *n.* pult
**counter** *v. t* čeliť
**counteract** *v.t.* pôsobiť proti
**countercharge** *n.* protiútok
**counterfeit** *a.* falšovať
**counterfeiter** *n.* falšovateľ
**countermand** *v.t.* odvolať
**counterpart** *n.* náprotivok
**countersign** *v. t.* potvrdiť
**countess** *n.* grófka
**countless** *a.* nespočítateľný
**country** *n.* krajina
**county** *n.* kraj
**coup** *n.* ťah
**couple** *n* pár
**couple** *v. t* spojiť
**couplet** *n.* dvojveršie
**coupon** *n.* kupón
**courage** *n.* odvaha
**courageous** *a.* odvážny
**courier** *n.* doručiteľ
**course** *n.* kurz
**court** *n.* súd
**court** *v. t.* uchádzať sa
**courteous** *a.* zdvorilý
**courtesan** *n.* kurtizána
**courtesy** *n.* zdvorilosť
**courtier** *n.* nápadník
**courtship** *n.* dvorenie
**courtyard** *n.* nádvorie
**cousin** *n.* bratranec
**covenant** *n.* zmluva
**cover** *v. t.* prikryť
**cover** *n.* pokrývka
**coverlet** *n.* pokrývka
**covet** *v.t.* dychtiť
**cow** *n.* krava
**cow** *v. t.* zastrašiť
**coward** *n.* zbabelec
**cowardice** *n.* zbabelosť
**cower** *v.i.* krčiť sa
**cozy** útulný
**crab** *n* krab
**crack** *n* puklina
**crack** *v. i* puknúť
**cracker** *n* suchár
**crackle** *v.t.* praskať
**cradle** *n* kolíska
**craft** *n* umenie
**craftsman** *n* remeselník
**crafty** *a* ľstivý
**cram** *v. t* pchať
**crambo** *n.* hra na veršovačky
**crane** *n* žeriav
**crankle** *v.t.* kľučka
**crash** *v. i* naraziť
**crash** *n* zrážka
**crass** *adj.* necitlivý
**crate** *n.* prepravka
**crave** *v.t.* túžiť
**craw** *n.* hrvoľ
**crawl** *v. t* plaziť sa
**crawl** *n* lezenie
**craze** *n* mánia
**crazy** *a* bláznivý
**creak** *v. i* škrípať
**creak** *n* škripot
**cream** *n* smotana
**crease** *n* záhyb
**create** *v. t* stvoriť
**creation** *n* výtvor
**creative** *adj.* kreatívny
**creator** *n* tvorca
**creature** *n* tvor
**credible** *a* dôveryhodný
**credit** *n* úver
**creditable** *a* úctyhodný
**creditor** *n* veriteľ
**credulity** *adj.* dôverčivosť
**creed** *n.* krédo
**creed** *n* vyznanie
**creek** *n.* zátoka
**creep** *v. i* zakrádať sa

**creeper** *n* popínavá rastlina
**cremate** *v. t* spopolniť
**cremation** *n* spopolnenie
**crest** *n* hrebienok
**crevet** *n.* kelímok
**crew** *n.* posádka
**crib** *n.* postieľka
**cricket** *n* kriket
**crime** *n* zločin
**crimp** *n* okraj
**crimple** *v.t.* zmačkať
**criminal** *n* zločinec
**criminal** *a* zločinný
**crimson** *n* karmín
**cringe** *v. i.* schúliť sa
**cripple** *n* mrzák
**crisis** *n* kríza
**crisp** *a* krehký
**criterion** *n* kritérium
**critic** *n* kritik
**critical** *a* kritický
**criticism** *n* kritika
**criticize** *v. t* kritizovať
**croak** *n.* kvákanie
**crockery** *n.* riad
**crocodile** *n* krokodíl
**croesus** *n.* zbohatlík
**crook** *a* podvodník
**crop** *n* plodina
**cross** *v. t* prejsť
**cross** *n* krížik
**cross** *a* nahnevaný
**crossing** *n.* križovatka
**crotchet** *n.* štvrťová nota
**crouch** *v. i.* kvoknúť si
**crow** *n* vrana
**crow** *v. i* kikiríkať
**crowd** *n* dav
**crown** *n* koruna
**crown** *v. t* korunovať
**crucial** *adj.* rozhodujúci
**crude** *a* surový
**cruel** *a* krutý
**cruelty** *n* krutosť
**cruise** *v.i.* plaviť sa
**cruiser** *n* krížnik
**crumb** *n* omrvinka
**crumble** *v. t* mrviť sa
**crump** *adj.* rana
**crusade** *n* križiacka výprava
**crush** *v. t* drviť
**crust** *n.* kôrka
**crutch** *n* barla
**cry** *n* plač
**cry** *v. i* plakať
**cryptography** *n.* kryptografia
**crystal** *n* krištáľ
**cub** *n* mláďa
**cube** *n* kocka
**cubical** *a* kubický
**cubiform** *adj.* kubický
**cuckold** *n.* paroháč
**cuckoo** *n* kukučka
**cucumber** *n* uhorka
**cudgel** *n* kyjak
**cue** *n* podnet
**cuff** *n* manžeta
**cuff** *v. t* sfackať
**cuisine** *n.* kuchyňa
**cullet** *n.* drvina
**culminate** *v.i.* vrcholiť
**culpable** *a* trestuhodný
**culprit** *n* vinník
**cult** *n* sekta
**cultivate** *v. t* obrábať
**cultrate** *adj.* mečovitý
**cultural** *a* kultúrny
**culture** *n* kultúra
**culvert** *n.* stoka
**cunning** *a* prefíkaný
**cunning** *n* prefíkanosť
**cup** *n.* šálka
**cupboard** *n* kredenc
**cupid** *n* amor

**cupidity** *n* chtivosť
**curable** *a* liečiteľný
**curative** *a* liečivý
**curb** *n* kontrola
**curb** *v. t* brzdiť
**curcuma** *n.* kurkuma
**curd** *n* tvaroh
**cure** *n* liek
**cure** *v. t.* liečiť
**curfew** *n* zákaz vychádzania
**curiosity** *n* zvedavosť
**curious** *a* zvedavý
**curl** *n.* kučera
**currant** *n.* hrozienko
**currency** *n* mena
**current** *n* prúd
**current** *a* súčasný
**curriculum** *n* osnova
**curse** *n* prekliatie
**curse** *v. t* preklínať
**cursory** *a* zbežný
**curt** *a* úsečný
**curtail** *v. t* skrátiť
**curtain** *n* záclona
**curve** *n* krivka
**curve** *v. t* kriviť sa
**cushion** *n* vankúš
**cushion** *v. t* stlmiť
**custard** *n* puding
**custodian** *n* poručník
**custody** *v* opatrovanie
**custom** *n.* zvyk
**customary** *a* obvyklý
**customer** *n* zákazník
**cut** *v. t* rezať
**cut** *n* porezanie
**cutis** *n.* koža
**cuvette** *n.* kyveta
**cycle** *n* kolobeh
**cyclic** *a* cyklický
**cyclist** *n* cyklista
**cyclone** *n.* cyklón
**cyclostyle** *n* cyklostyl
**cyclostyle** *v. t* cyklostylovať
**cylinder** *n* valec
**cynic** *n* cynik
**cypher cypress** *n* cypher cypress

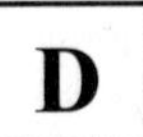

# D

**dabble** *v. i.* fušovať
**dacoit** *n.* bandita
**dacoity** *n.* lúpežné prepadnutie
**dad, daddy** *n* ocko
**daffodil** *n.* narcis
**daft** *adj.* tupý
**dagger** *n.* dýka
**daily** *a* denný
**daily** *adv.* denne
**daily** *n.* denník
**dainty** *a.* pôvabný
**dainty** *n.* delikatesa
**dairy** *n* mliekareň
**dais** *n.* podstavec
**daisy** *n* sedmokráska
**dale** *n* dolina
**dam** *n* priehrada
**damage** *n.* škoda
**damage** *v. t.* poškodiť
**dame** *n.* Dáma
**damn** *v. t.* prekliať
**damnation** *n.* prekliatie
**damp** *a* vlhký
**damp** *n* vlhko
**damp** *v. t.* navlhčiť
**damsel** *n.* milosťslečna
**dance** *n* tanec
**dance** *v. t.* tancovať
**dandelion** *n.* púpava
**dandle** *v.t.* húpať na kolenách
**dandruff** *n* lupiny
**dandy** *n* švihák

**danger** *n.* nebezpečenstvo
**dangerous** *a* nebezpečný
**dangle** *v. t* húpať sa
**dank** *adj.* zatuchnutý
**dap** *v.i.* loviť
**dare** *v. i.* odvážiť sa
**daring** *n.* odvaha
**daring** *a* odvážny
**dark** *a* tmavý
**dark** *n* tma
**darkle** *v.i.* striehnuť vo tme
**darling** *n* miláčik
**darling** *a* milovaný
**dart** *n.* šípka
**dash** *v. i.* hnať sa
**dash** *n* skok
**date** *n* dátum
**date** *v. t* určiť vek
**daub** *n.* mazanica
**daub** *v. t.* zamazať
**daughter** *n* dcéra
**daunt** *v. t* zastrašiť
**dauntless** *a* neohrozený
**dawdle** *v.i.* motať sa
**dawn** *n* úsvit
**dawn** *v. i.* brieždiť sa
**day** *n* deň
**daze** *n* omámenie
**daze** *v. t* omámiť
**dazzle** *n* oslniť
**dazzle** *v. t.* oslepiť
**deacon** *n.* diakon
**dead** *a* mŕtvy
**deadlock** *n* mŕtvy bod
**deadly** *a* smrteľný
**deaf** *a* hluchý
**deal** *n* dohoda
**deal** *v. i* rozdať
**dealer** *n* obchodník
**dealing** *n.* jednanie
**dean** *n.* dekan
**dear** *a* drahý
**dearth** *n* drahota
**death** *n* smrť
**debar** *v. t.* zabrániť
**debase** *v. t.* ponížiť
**debate** *n.* debata
**debate** *v. t.* diskutovať
**debauch** *v. t.* skorumpovať
**debauch** *n* zhýralosť
**debauchee** *n* hýrivec
**debauchery** *n* zhýralosť
**debility** *n* slabosť
**debit** *n* debet
**debit** *v. t* zapísať
**debris** *n* trosky
**debt** *n* dlh
**debtor** *n* dlžník
**decade** *n* desaťročie
**decadent** *a* dekadentný
**decamp** *v. i* stratiť sa
**decay** kazenie
**decay** *v. i* kaziť sa
**decease** *n* úmrtie
**decease** *v. i* umrieť
**deceit** *n* podvod
**deceive** *v. t* oklamať
**december** *n* december
**decency** *n* slušnosť
**decennary** *n.* desaťročie
**decent** *a* mravný
**deception** *n* podvod
**decide** *v. t* rozhodnúť sa
**decillion** *n.* decilión
**decimal** *a* desatinný
**decimate** *v.t.* zničiť
**decision** *n* rozhodnutie
**decisive** *a* rozhodujúci
**deck** *n* paluba
**deck** *v. t* ozdobiť
**declaration** *n* vyhlásenie
**declare** *v. t.* vyhlásiť
**decline** *n* pokles
**decline** *v. t.* klesať

**declivous** *adj.* zvažujúci sa
**decompose** *v. t.* hniť
**decomposition** *n.* hnilobný rozklad
**decontrol** *v.t.* zbaviť kontroly
**decorate** *v. t* vyzdobiť
**decoration** *n* výzdoba
**decorum** *n* slušnosť
**decrease** *v. t* zmenšiť
**decrease** *n* zmenšenie
**decree** *n* edikt
**decree** *v. i* nariadiť
**decrement** *n.* dekrement
**dedicate** *v. t.* venovať
**dedication** *n* zasvätenie
**deduct** *v.t.* odpočítať
**deed** *n* čin
**deem** *v.i.* považovať
**deep** *a.* hlboký
**deer** *n* jeleň
**defamation** *n* hanobenie
**defame** *v. t.* hanobiť
**default** *n.* neplnenie
**defeat** *n* porážka
**defeat** *v. t.* poraziť
**defect** *n* chyba
**defence** *n* obrana
**defend** *v. t* brániť
**defendant** *n* obžalovaný
**defensive** *adv.* obranný
**deference** *n* úcta
**defiance** *n* vzdor
**deficit** *n* deficit
**deficient** *adj.* nedostatočný
**defile** *n.* priesmyk
**define** *v. t* definovať
**definite** *a* určitý
**definition** *n* definícia
**deflation** *n.* spľasnutie
**deflect** *v.t. & i.* odkloniť sa
**deft** *adj.* obratný
**degrade** *v. t* ponížiť
**degree** *n* stupeň
**dehort** *v.i.* odradiť
**deist** *n.* deista
**deity** *n.* Boh
**deject** *v. t* deprimovať
**dejection** *n* depresia
**delay** *v.t. & i.* odkladať
**delibate** *v.t.* uvážiť
**deligate1** *n* obviazanie
**delegate** *v. t* previesť
**delegation** *n* delegácia
**delete** *v. t* vymazať
**deliberate** *v. i* uvažovať
**deliberate** *a* zámerný
**deliberation** *n* úvaha
**delicate** *a* krehký
**delicious** *a* lahodný
**delight** *n* potešenie
**delight** *v. t.* potešiť
**deliver** *v. t* doručiť
**delivery** *n* doručenie
**delta** *n* delta
**delude** *n.t.* klamať sa
**delusion** *n.* klamanie
**demand** *n* požiadavka
**demand** *v. t* žiadať
**demarcation** *n.* vymedzenie hranice
**dement** *v.t* dohnať k šialenstvu
**demerit** *n* chyba
**democracy** *n* demokracia
**democratic** *a* demokratický
**demolish** *v. t.* demolovať
**demon** *n.* démon
**demonetize** *v.t.* demonetizovať
**demonstrate** *v. t* dokázať
**demonstration** *n.* demonštrácia
**demoralize** *v. t.* demoralizovať
**demur** *n* námietka
**demur** *v. t* vzniesť námietky
**demurrage** *n.* zdržanie
**den** *n* brloh

**dengue** *n.* horúčka dengue
**denial** *n* popretie
**denote** *v. i* označiť
**denounce** *v. t* odsúdiť
**dense** *a* hustý
**density** *n* hustota
**dentist** *n* zubár
**denude** *v.t.* zbaviť
**denunciation** *n.* verejné odsúdenie
**deny** *v. t.* poprieť
**depart** *v. i.* odísť
**department** *n* oddelenie
**departure** *n* odchod
**depauperate** *v.t.* zbaviť biedy
**depend** *v. i.* závisieť
**dependant** *n* závislá osoba
**dependence** *n* závislosť
**dependent** *a* závislý
**depict** *v. t.* zobraziť
**deplorable** *a* odsúdeniahodný
**deploy** *v.t.* rozmiestniť
**deponent** *n.* svedok
**deport** *v.t.* deportovať
**depose** *v. t* zosadiť
**deposit** *n.* záloha
**deposit** *v. t* zložiť zálohu
**depot** *n* sklad
**depreciate** *v.t.i.* bagatelizovať
**depredate** *v.t.* drancovať
**depress** *v. t* deprimovať
**depression** *n* depresia
**deprive** *v. t* zbaviť
**depth** *n* hĺbka
**deputation** *n* delegácia
**depute** *v. t* delegovať
**deputy** *n* zástupca
**derail** *v. t.* vykoľajiť
**derive** *v. t.* odvodiť
**descend** *v. i.* zostupovať
**descendant** *n* potomok
**descent** *n.* zostupovanie
**describe** *v. t* opísať
**description** *n* opis
**descriptive** *a* popisný
**desert** *v. t.* opustiť
**desert** *n* púšť
**deserve** *v. t.* zaslúžiť si
**design** *v. t.* navrhnúť
**design** *n.* návrh
**desirable** *a* žiaduci
**desire** *n* túžba
**desire** *v.t* priať si
**desirous** *a* chtivý
**desk** *n* písací stôl
**despair** *n* beznádej
**despair** *v. i* strácať nádej
**desperate** *a* beznádejný
**despicable** *a* opovrhnutiahodný
**despise** *v. t* opovrhovať
**despot** *n* despota
**destination** *n* cieľ cesty
**destiny** *n* osud
**destroy** *v. t* zničiť
**destruction** *n* ničenie
**detach** *v. t* oddeliť
**detachment** *n* nezaujatosť
**detail** *n* podrobnosť
**detail** *v. t* podrobne popísať
**detain** *v. t* zadržať
**detect** *v. t* objaviť
**detective** *a* detektívny
**detective** *n.* detektív
**determination** *n.* odhodlanosť
**determine** *v. t* určiť
**dethrone** *v. t* zosadiť panovníka
**develop** *v. t.* narásť
**development** *n.* rozvoj
**deviate** *v. i* odchýliť sa
**deviation** *n* odchýlka
**device** *n* zariadenie
**devil** *n* diabol
**devise** *v. t* navrhnúť
**devoid** *a* nemajúci

**devote** *v. t* venovať
**devotee** *n* ctiteľ
**devotion** *n* oddanosť
**devour** *v. t* hltať
**dew** *n.* rosa
**diabetes** *n* cukrovka
**diagnose** *v. t* určiť diagnózu
**diagnosis** *n* diagnóza
**diagram** *n* diagram
**dial** *n.* ciferník
**dialect** *n* nárečie
**dialogue** *n* dialóg
**diameter** *n* priemer
**diamond** *n* diamant
**diarrhoea** *n* hnačka
**diary** *n* denník
**dice** *n.* kocka
**dice** *v. i.* nakrájať na kocky
**dictate** *v. t* diktovať
**dictation** *n* diktát
**dictator** *n* diktátor
**diction** *n* dikcia
**dictionary** *n* slovník
**dictum** *n* výrok
**didactic** *a* didaktický
**die** *v. i* umrieť
**die** *n* lisovadlo
**diet** *n* diéta
**differ** *v. i* líšiť sa
**difference** *n* rozdiel
**different** *a* rozdielny
**difficult** *a* ťažký
**difficulty** *n* obtiažnosť
**dig** *n* drgnutie
**dig** *v.t.* ryť
**digest** *v. t.* tráviť
**digest** *n.* prehľad
**digestion** *n* trávenie
**digit** *n* číslica
**dignify** *v.t* poctiť
**dignity** *n* dôstojnosť
**dilemma** *n* dilema
**diligence** *n* pracovitosť
**diligent** *a* pracovitý
**dilute** *v. t* zriediť
**dilute** *a* zriedený
**dim** *a* matný
**dim** *v. t* stlmiť
**dimension** *n* rozmer
**diminish** *v. t* zmenšiť sa
**din** *n* hluk
**dine** *v. t.* stolovať
**dinner** *n* večera
**dip** *n.* namočenie
**dip** *v. t* namočiť
**diploma** *n* diplom
**diplomacy** *n* diplomacia
**diplomat** *n* diplomat
**diplomatic** *a* diplomatický
**dire** *a* hrozný
**direct** *a* priamy
**direct** *v. t* adresovať
**direction** *n* smer
**director** *n.* riaditeľ
**directory** *n* zoznam
**dirt** *n* špina
**dirty** *a* špinavý
**disability** *n* postihnutie
**disable** *v. t* zmrzačiť
**disabled** *a* telesne postihnutý
**disadvantage** *n* nevýhoda
**disagree** *v. i* nesúhlasiť
**disagreeable** *a.* nepríjemný
**disagreement** *n.* nezhoda
**disappear** *v. i* zmiznúť
**disappearance** *n* zmiznutie
**disappoint** *v. t.* sklamať
**disapproval** *n* nesúhlas
**disapprove** *v. t* neschvaľovať
**disarm** *v. t* odzbrojiť
**disarmament** *n.* odzbrojenie
**disaster** *n* katastrofa
**disastrous** *a* katastrofálny
**disc** *.n.* kotúč

**discard** *v. t* zahodiť
**discharge** *v. t* prepustiť
**discharge** *n.* výtok
**disciple** *n* nasledovník
**discipline** *n* disciplína
**disclose** *v. t* prezradiť
**discomfort** *n* nepohodlie
**disconnect** *v. t* odpojiť
**discontent** *n* nespokojnosť
**discontinue** *v. t* prerušiť
**discord** *n* nezhoda
**discount** *n* rabat
**discourage** *v. t.* zabrániť
**discourse** *n* rozhovor
**discourteous** *a* nezdvorilý
**discover** *v. t* objaviť
**discovery** *n.* objav
**discretion** *n* rozvaha
**discriminate** *v. t.* diskriminovať
**discrimination** *n* diskriminácia
**discuss** *v. t.* diskutovať
**disdain** *n* pohŕdanie
**disdain** *v. t.* pohŕdať
**disease** *n* choroba
**disguise** *n* maska
**disguise** *v. t* prestrojiť sa
**dish** *n* misa
**dishearten** *v. t* deprimovať
**dishonest** *a* nečestný
**dishonesty** *n.* nečestnosť
**dishonour** *v. t* potupiť
**dishonour** *n* hanba
**dislike** *v. t* nemať rád
**dislike** *n* nechuť
**disloyal** *a* nelojálny
**dismiss** *v. t.* zavrhnúť
**dismissal** *n* prepustenie
**disobey** *v. t* neposlúchať
**disorder** *n* neporiadok
**disparity** *n* nerovnosť
**dispensary** *n* dispenzár
**disperse** *v. t* rozohnať
**displace** *v. t* nahradiť
**display** *v. t* vystaviť
**display** *n* výstava
**displease** *v. t* neuspokojiť
**displeasure** *n* nechuť
**disposal** *n* odstránenie
**dispose** *v. t* rozmiestniť
**disprove** *v. t* vyvrátiť
**dispute** *n* debata
**dispute** *v. i* pochybovať
**disqualification** *n* diskvalifikácia
**disqualify** *v. t.* diskvalifikovať
**disquiet** *n* znepokojenie
**disregard** *n* ľahostajnosť
**disregard** *v. t* nevšímať si
**disrepute** *n* zlá povesť
**disrespect** *n* neúcta
**disrupt** *v. t* narušiť
**dissatisfaction** *n* nespokojnosť
**dissatisfy** *v. t.* neuspokojiť
**dissect** *v. t* pitvať
**dissection** *n* pitva
**dissimilar** *a* nepodobný
**dissolve** *v.t* rozpustiť
**dissuade** *v. t* odradiť
**distance** *n* vzdialenosť
**distant** *a* vzdialený
**distil** *v. t* destilovť
**distillery** *n* liehovar
**distinct** *a* odlišný
**distinction** *n* odlišnosť
**distinguish** *v. i* rozoznať
**distort** *v. t* skresliť
**distress** *n* strach
**distress** *v. t* rozrušiť
**distribute** *v. t* rozdať
**distribution** *n* distribúcia
**district** *n* kraj
**distrust** *n* nedôvera
**distrust** *v. t.* nedôverovať
**disturb** *v. t* vyrušovať
**ditch** *n* priekopa

**ditto** *n.* úvodzovky
**dive** *v. i* ponoriť sa
**dive** *n* potopenie
**diverse** *a* rozmanitý
**divert** *v. t* odkloniť
**divide** *v. t* rozdeliť
**divine** *a* boží
**divinity** *n* teológia
**division** *n* rozdiel
**divorce** *n* rozvod
**divorce** *v. t* rozviesť
**divulge** *v. t* prezradiť
**do** *v. t* urobiť
**docile** *a* poddajný
**dock** *n.* dok
**doctor** *n* doktor
**doctorate** *n* doktorát
**doctrine** *n* doktrína
**document** *n* dokument
**dodge** *n* finta
**dodge** *v. t* uhnúť sa
**doe** *n* laň
**dog** *n* pes
**dog** *v. t* prenasledovať
**dogma** *n* dogma
**dogmatic** *a* dogmatický
**doll** *n* bábika
**dollar** *n* dolár
**domain** *n* doména
**dome** *n* kupola
**domestic** *a* vnútorný
**domestic** *n* slúžka
**domicile** *n* trvalé bydlisko
**dominant** *a* dominantný
**dominate** *v. t* vládnuť
**domination** *n* vláda
**dominion** *n* nadvláda
**donate** *v. t* darovať
**donation** *n.* dar
**donkey** *n* osol
**donor** *n* darca
**doom** *n* skaza
**doom** *v. t.* odsúdiť
**door** *n* dvere
**dose** *n* dávka
**dot** *n* bodka
**dot** *v. t* dať bodku
**double** *a* dvojitý
**double** *v. t.* zdvojnásobiť
**double** *n* dvojník
**doubt** *v. i* pochybovať
**doubt** *n* pochybnosť
**dough** *n* cesto
**dove** *n* holubica
**down** *adv* dolu
**down** *prep* dolu
**down** *v. t* zhltnúť
**downfall** *n* nevýhoda
**downpour** *n* lejak
**downright** *adv* úplne
**downright** *a* úplný
**downward** *a* klesajúci
**downward** *adv* smerom dole
**downwards** *adv* smerom dole
**dowry** *n* veno
**doze** *n.* spánok
**doze** *v. i* driemať
**dozen** *n* tucet
**draft** *v. t* načrtnúť
**draft** *n* náčrt
**draftsman** *a* návrhár
**drag** *n* nuda
**drag** *v. t* ťahať sa
**dragon** *n* drak
**drain** *n* odtok
**drain** *v. t* odvodniť
**drainage** *n* odvodnenie
**dram** *n* dúšok
**drama** *n* divadelná hra
**dramatic** *a* dramatický
**dramatist** *n* dramatik
**draper** *n* obchodník s textilom
**drastic** *a* drastický
**draught** *n* prievan

**draw** *v.t* kresliť
**draw** *n* kresba
**drawback** *n* nedostatok
**drawer** *n* zásuvka
**drawing** *n* kresba
**drawing-room** *n* prijímacia miestnosť
**dread** *n* strach
**dread** *v.t* strachovať sa
**dread** *a* hrozný
**dream** *n* sen
**dream** *v. i.* snívať
**drench** *v. t* premočiť
**dress** *n* odev
**dress** *v. t* obliecť
**dressing** *n* zálievka
**drill** *n* vrták
**drill** *v. t.* vŕtať
**drink** *n* nápoj
**drink** *v. t* piť
**drip** *n* kvapka
**drip** *v. i* kvapkať
**drive** *v. t* šoférovať
**drive** *n* cesta
**driver** *n* šofér
**drizzle** *n* mrholenie
**drizzle** *v. i* mrholiť
**drop** *n* kvapka
**drop** *v. i* spadnúť
**drought** *n* sucho
**drown** *v.i* utopiť sa
**drug** *n* droga
**druggist** *n* lekárnik
**drum** *n* bubon
**drum** *v.i.* bubnovať
**drunkard** *n* opilec
**dry** *a* suchý
**dry** *v. i.* vysušiť
**dual** *a* dvojaký
**duck** *n.* kačica
**duck** *v.i.* skloniť sa
**due** *a* náležitý
**due** *n* to čo patrí
**due** *adv* priamo
**duel** *n* súboj
**duel** *v. i* stretnúť sa v súboji
**duke** *n* vojvoda
**dull** *a* nudný
**dull** *v. t.* utlmiť
**duly** *adv* riadne
**dumb** *a* nemý
**dunce** *n* zlý žiak
**dung** *n* hnoj
**duplicate** *a* napodobnený
**duplicate** *n* duplikát
**duplicate** *v. t* napodobniť
**duplicity** *n* dvojtvárnosť
**durable** *a* trvanlivý
**duration** *n* trvanie
**during** *prep* počas
**dusk** *n* súmrak
**dust** *n* prach
**dust** *v.t.* utierať prach
**duster** *n* prachovka
**dutiful** *a* svedomitý
**duty** *n* povinnosť
**dwarf** *n* trpaslík
**dwell** *v. i* prebývať
**dwelling** *n* obydlie
**dwindle** *v. t* zmenšovať sa
**dye** *v. t* zafarbiť
**dye** *n* farba
**dynamic** *a* dynamický
**dynamics** *n.* hnacia sila
**dynamite** *n* dynamit
**dynamo** *n* dynamo
**dynasty** *n* dynastia
**dysentery** *n* úplavica

# E

**each** *a* každý
**each** *pron.* každý
**eager** *a* dychtivý
**eagle** *n* orol
**ear** *n* ucho
**early** *adv* skoro
**early** *a* skorý
**earn** *v. t* zarobiť si
**earnest** *a* úprimný
**earth** *n* zem
**earthen** *a* hlinený
**earthly** *a* pozemský
**earthquake** *n* zemetrasenie
**ease** *n* ľahkosť
**ease** *v. t* uľahčiť
**east** *n* východ
**east** *adv* východne
**east** *a* východný
**easter** *n* Veľká noc
**eastern** *a* východný
**easy** *a* ľahký
**eat** *v. t* jesť
**eatable** *n.* chutný
**eatable** *a* chutný
**ebb** *n* odliv
**ebb** *v. i* ustupovať
**ebony** *n* eben
**echo** *n* ozvena
**echo** *v. t* ozývať sa
**eclipse** *n* zatmenie
**economic** *a* ekonomický
**economical** *a* ekonomický
**economics** *n.* ekonomika
**economy** *n* ekonómia
**edge** *n* kraj
**edible** *a* jedlý
**edifice** *n* stavba
**edit** *v. t* pripraviť na vydanie
**edition** *n* vydanie
**editor** *n* redaktor
**editorial** *a* redaktorský
**editorial** *n* úvodník
**educate** *v. t* vychovať
**education** *n* vzdelanie
**efface** *v. t* vymazať
**effect** *n* účinok
**effect** *v. t* uskutočniť
**effective** *a* účinný
**effeminate** *a* zoženštený
**efficacy** *n* účinnosť
**efficiency** *n* účinnosť
**efficient** *a* účinný
**effigy** *n* figúra
**effort** *n* úsilie
**egg** *n* vajce
**ego** *n* ego
**egotism** *n* egotizmus
**eight** *n* osem
**eighteen** *a* osemnásť
**eighty** *n* osemdesiat
**either** *a.,* jeden alebo druhý
**either** *adv.* tiež nie
**eject** *v. t.* vyhodiť
**elaborate** *v. t* rozpracovať
**elaborate** *a* rozpracovaný
**elapse** *v. t* uplynúť
**elastic** *a* pružný
**elbow** *n* lakeť
**elder** *a* starší
**elder** *n* baza
**elderly** *a* starší
**elect** *v. t* zvoliť
**election** *n* voľby
**electorate** *n* voliči
**electric** *a* elektrický
**electricity** *n* elektrina
**electrify** *v. t* elektrifikovať
**elegance** *n* elegancia
**elegant** *adj* elegantný
**elegy** *n* elégia
**element** *n* prvok

**elementary** *a* základný
**elephant** *n* slon
**elevate** *v. t* povzniesť
**elevation** *n* povýšenie
**eleven** *n* jedenásť
**elf** *n* škriatok
**eligible** *a* majúci nárok
**eliminate** *v. t* odstrániť
**elimination** *n* vylúčenie
**elope** *v. i* utiecť
**eloquence** *n* výrečnosť
**eloquent** *a* výrečný
**else** *a* iný
**else** *adv* inde
**elucidate** *v. t* objasniť
**elude** *v. t* uniknúť
**elusion** *n* únik
**elusive** *a* nepolapiteľný
**emancipation** *n.* oslobodenie
**embalm** *v. t* balzamovať
**embankment** *n* hrádza
**embark** *v. t* nalodiť sa
**embarrass** *v. t* uviesť do rozpakov
**embassy** *n* veľvyslanectvo
**embitter** *v. t* roztrpčiť
**emblem** *n* symbol
**embodiment** *n* stelesnenie
**embody** *v. t.* stelesniť
**embolden** *v. t.* posmeliť
**embrace** *v. t.* obajť
**embrace** *n* objatie
**embroidery** *n* výšivka
**embryo** *n* zárodok
**emerald** *n* smaragd
**emerge** *v. i* objaviť sa
**emergency** *n* stav núdze
**eminance** *n* vyvýšenina
**eminent** *a* slávny
**emissary** *n* emisár
**emit** *v. t* vydať
**emolument** *n* služobné výhody
**emotion** *n* cit
**emotional** *a* citový
**emperor** *n* cisár
**emphasis** *n* dôraz
**emphasize** *v. t* zdôrazniť
**emphatic** *a* dôrazný
**empire** *n* ríša
**employ** *v. t* zamestnať
**employee** *n* zamestnanec
**employer** *n* zamestnávateľ
**employment** *n* zamestnanie
**empower** *v. t* splnomocniť
**empress** *n* cisárovná
**empty** *a* prázdny
**empty** *v* vyprázdniť
**emulate** *v. t* vyrovnať sa
**enable** *v. t* umožniť
**enact** *v. t* ustanoviť
**enamel** *n* glazúra
**enamour** *v. t* očariť
**encase** *v. t* vložiť do púzdra
**enchant** *v. t* očariť
**encircle** *v. t.* obkľúčiť
**enclose** *v. t* ohradiť
**enclosure** *n.* ohrada
**encompass** *v. t* zahŕňať
**encounter** *n.* stretnutie
**encounter** *v. t* stretnúť
**encourage** *v. t* povzbudiť
**encroach** *v. i* zasiahnuť
**encumber** *v. t.* ovešať
**encyclopaedia** *n.* encyklopédia
**end** *v. t* skončiť
**end** *n.* koniec
**endanger** *v. t.* ohroziť
**endear** *v.t* získať si priazeň
**endearment** *n.* náklonnosť
**endeavour** *n* snaha
**endeavour** *v.i* snažiť sa
**endorse** *v. t.* schváliť
**endow** *v. t* dotovať
**endurable** *a* znesiteľný

**endurance** *n.* vytrvalosť
**endure** *v.t.* zniesť
**enemy** *n* nepriateľ
**energetic** *a* energický
**energy** *n.* energia
**enfeeble** *v. t.* oslabiť
**enforce** *v. t.* uplatniť
**enfranchise** *v.t.* oslobodiť
**engage** *v. t* zaujať
**engagement** *n.* zasnúbenie
**engine** *n* motor
**engineer** *n* inžinier
**English** *n* Angličan
**engrave** *v. t* vyryť
**engross** *v.t* zahĺbiť sa
**engulf** *v.t* pohltiť
**enigma** *n* záhada
**enjoy** *v. t* páčiť sa
**enjoyment** *n* potešenie
**enlarge** *v. t* zväčšiť
**enlighten** *v. t.* poučiť
**enlist** *v. t* prihlásiť sa
**enliven** *v. t.* oživiť
**enmity** *n* nepriateľstvo
**ennoble** *v. t.* zušľachiť
**enormous** *a* obrovský
**enough** *a* dostačujúci
**enough** *adv* dosť
**enrage** *v. t* rozzúriť sa
**enrapture** *v. t* očariť
**enrich** *v. t* obohatiť
**enrol** *v. t* zapísať
**enshrine** *v. t* uchovať
**enslave** *v.t.* zotročiť
**ensue** *v.i* vyplynúť
**ensure** *v. t* zaručiť
**entangle** *v. t* zamotať
**enter** *v. t* vstúpiť
**enterprise** *n* podnik
**entertain** *v. t* zabaviť
**entertainment** *n.* zábava
**enthrone** *v. t* dosadiť na trón
**enthusiasm** *n* nadšenie
**enthusiastic** *a* nadšený
**entice** *v. t.* odlákať
**entire** *a* celý
**entirely** *adv* celkom
**entitle** *v. t.* oprávniť
**entity** *n* predmet
**entomology** *n.* entomológia
**entrails** *n.* vnútornosti
**entrance** *n* vchod
**entrap** *v. t.* chytiť
**entreat** *v. t.* prosiť
**entreaty** *n.* prosba
**entrust** *v. t* poveriť
**entry** *n* vstup
**enumerate** *v. t.* vypočítať
**envelop** *v. t* zahaliť
**envelope** *n* obálka
**enviable** *a* závideniahodný
**envious** *a* závistlivý
**environment** *n.* prostredie
**envy** *v* závisť
**envy** *v. t* závidieť
**epic** *n* epos
**epidemic** *n* epidémia
**epigram** *n* epigram
**epilepsy** *n* epilepsia
**epilogue** *n* epilóg
**episode** *n* epizóda
**epitaph** *n* epitaf
**epoch** *n* epocha
**equal** *a* rovnaký
**equal** *v. t* rovnať sa
**equal** *n* rovný
**equality** *n* rovnosť
**equalize** *v. t.* vyrovnať
**equate** *v. t* dať znamienko rovnosti
**equation** *n* rovnica
**equator** *n* rovník
**equilateral** *a* rovnostranný
**equip** *v. t* vybaviť

**equipment** *n* vybavenie
**equitable** *a* spravodlivý
**equivalent** *a* rovnocenný
**equivocal** *a* dvojznačný
**era** *n* éra
**eradicate** *v. t* vyhubiť
**erase** *v. t* vymazať
**erect** *v. t* postaviť
**erect** *a* vzpriamený
**erection** *n* postavenie
**erode** *v. t* erodovať
**erosion** *n* erózia
**erotic** *a* erotický
**err** *v. i* mýliť sa
**errand** *n* vybavovanie
**erroneous** *a* mylný
**error** *n* chyba
**erupt** *v. i* vybuchnúť
**eruption** *n* výbuch
**escape** *n* útek
**escape** *v.i* utiecť
**escort** *n* eskorta
**escort** *v. t* sprevádzať
**especial** *a* zvláštny
**essay** *n.* esej
**essay** *v. t.* pokúsiť sa
**essayist** *n* esejista
**essence** *n* podstata
**essential** *a* podstatný
**establish** *v. t.* založiť
**establishment** *n* založenie
**estate** *n* statok
**esteem** *n* úcta
**esteem** *v. t* vážiť si
**estimate** *n.* odhad
**estimate** *v. t* odhadovať
**estimation** *n* názor
**etcetera** atď.
**eternal** večný
**eternity** *n* večnosť
**ether** *n* éter
**ethical** *a* etický
**ethics** *n.* etika
**etiquette** *n* etiketa
**etymology** *n.* etymológia
**eunuch** *n* eunuch
**evacuate** *v. t* evakuovať
**evacuation** *n* evakuácia
**evade** *v. t* vyhnúť sa
**evaluate** *v. t* oceniť
**evaporate** *v. i* vypariť sa
**evasion** *n* únik
**even** *a* rovný
**even** *v. t* vyrovnať sa
**even** *adv* dokonca
**evening** *n* večer
**event** *n* udalosť
**eventually** *adv.* nakoniec
**ever** *adv* niekedy
**evergreen** *a* vždy zelený
**evergreen** *n* vždyzelený krík
**everlasting** *a.* večný
**every** *a* každý
**evict** *v. t* vysťahovať
**eviction** *n* vysťahovanie
**evidence** *n* dôkaz
**evident** *a.* očividný
**evil** *n* zlo
**evil** *a* zlý
**evoke** *v. t* vyvolať
**evolution** *n* vývoj
**evolve** *v.t* vyvinúť sa
**ewe** *n* ovca
**exact** *a* presný
**exaggerate** *v. t.* zveličiť
**exaggeration** *n.* zveličovanie
**exalt** *v. t* vychvaľovať
**examination** *n.* skúška
**examine** *v. t* vyšetriť
**examinee** *n* skúšaný
**examiner** *n* skúšajúci
**example** *n* príklad
**excavate** *v. t.* vyhĺbiť
**excavation** *n.* výkop

**exceed** *v.t* prekročiť
**excel** *v.i* vynikať
**excellence** *n.* dokonalosť
**excellency** *n* excelencia
**excellent** *a.* vynikajúci
**except** *v. t* vylúčiť
**except** *prep* okrem
**exception** *n* výnimka
**excess** *n* nadbytok
**excess** *a* nadbytočný
**exchange** *n* výmena
**exchange** *v. t* vymeniť
**excise** *n* spotrebná daň
**excite** *v. t* rozrušiť
**exclaim** *v.i* zvolať
**exclamation** *n* výkrik
**exclude** *v. t* vylúčiť
**exclusive** *a* exkluzívny
**excommunicate** *v. t.* exkomunikovať
**excursion** *n.* výlet
**excuse** *v.t* ospravedlniť
**excuse** *n* výhovorka
**execute** *v. t* popraviť
**execution** *n* poprava
**executioner** *n.* kat
**exempt** *v. t.* oslobodiť
**exempt** oslobodený
**exercise** *n.* cvičenie
**exercise** *v. t* cvičiť
**exhaust** *v. t.* vyčerpať
**exhibit** *n.* exponát
**exhibit** *v. t* vystaviť
**exhibition** *n.* výstava
**exile** *n.* vyhnanstvo
**exile** *v. t* poslať do vyhnanstva
**exist** *v.i* existovať
**existence** *n* existencia
**exit** *n.* východ
**expand** *v.t.* rozšíriť sa
**expansion** *n.* rozpínavosť
**ex-parte** *a* jednostranný
**ex-parte** *adv* jednostranne
**expect** *v. t* očakávať
**expectation** *n.* očakávanie
**expedient** *a* výhodný
**expedite** *v. t.* urýchliť
**expedition** *n* výprava
**expel** *v. t.* vyhnať
**expend** *v. t* minúť
**expenditure** *n* výdavky
**expense** *n.* výdavky
**expensive** *a* nákladný
**experience** *n* skúsenosť
**experience** *v. t.* zažiť
**experiment** *n* pokus
**expert** *a* odborný
**expert** *n* odborník
**expire** *v.i.* uplynúť
**expiry** *n* uplynutie
**explain** *v. t.* vysvetliť
**explanation** *n* vysvetlenie
**explicit** *a.* jasný
**explode** *v. t.* vybuchnúť
**exploit** *n* odvážny čin
**exploit** *v. t* vykorisťovať
**exploration** *n* prieskum
**explore** *v.t* preskúmať
**explosion** *n.* výbuch
**explosive** *n.* výbušnina
**explosive** *a* výbušný
**exponent** *n* predstaviteľ
**export** *n* vývoz
**export** *v. t.* vyvážať
**expose** *v. t* vystaviť
**express** *v. t.* vyjadriť
**express** *a* rýchly
**express** *n* rýchlik
**expression** *n.* vyjadrenie
**expressive** *a.* výrazný
**expulsion** *n.* vyhnanie
**extend** *v. t* rozšíriť
**extent** *n.* rozsah
**external** *a* vonkajší

**extinct** *a* vyhynutý
**extinguish** *v.t* zahasiť
**extol** *v. t.* vychvaľovať
**extra** *a* mimoriadny
**extra** *adv* mimoriadne
**extract** *n* výťah
**extract** *v. t* vytiahnuť
**extraordinary** *a.* zvláštny
**extravagance** *n* výstrednosť
**extravagant** *a* výstredný
**extreme** *a* extrémny
**extreme** *n* extrém
**extremist** *n* extrémista
**exult** *v. i* jasať
**eye** *n* oko
**eyeball** *n* očná guľa
**eyelash** *n* riasa
**eyelet** *n* dierka
**eyewash** *n* očné kvapky

# F

**fable** *n.* bájka
**fabric** *n* látka
**fabricate** *v.t* vymyslieť
**fabrication** *n* výmysel
**fabulous** *a* báječný
**facade** *n* priečelie
**face** *n* tvár
**face** *v.t* čeliť
**facet** *n* aspekt
**facial** *a* obličajový
**facile** *a* povrchný
**facilitate** *v.t* uľahčiť
**facility** *n* vybavenie
**fac-simile** *n* fax
**fact** *n* fakt
**faction** *n* frakcia
**factious** *a* neprirodzený
**factor** *n* činiteľ
**factory** *n* továreň
**faculty** *n* schopnosť
**fad** *n* koníček
**fade** *v.i* miznúť
**faggot** *n* mäsová knedlička
**fail** *v.i* zlyhať
**failure** *n* neúspech
**faint** *a* chabý
**faint** *v.i* omdlieť
**fair** *a* prijateľný
**fair** *n.* veľtrh
**fairly** *adv.* dosť
**fairy** *n* víla
**faith** *n* viera
**faithful** *a* verný
**falcon** *n* sokol
**fall** *v.i.* padať
**fall** *n* pád
**fallacy** *n* klam
**fallow** *n* neobrábaný
**false** *a* falošný
**falter** *v.i* ochabovať
**fame** *n* sláva
**familiar** *a* známy
**family** *n* rodina
**famine** *n* hlad
**famous** *a* slávny
**fan** *n* fanúšik
**fanatic** *a* fanatický
**fanatic** *n* fanatik
**fancy** *n* náklonnosť
**fancy** *v.t* mať chuť
**fantastic** *a* senzačný
**far** *adv.* ďaleko
**far** *a* ďaleký
**far** *n* ďiaľka
**farce** *n* fraška
**fare** *n* cestovné
**farewell** *n* rozlúčenie sa
**farewell** *interj.* zbohom
**farm** *n* farma
**farmer** *n* farmár

**fascinate** *v.t* fascinovať
**fascination** *n.* očarenie
**fashion** *n* móda
**fashionable** *a* módny
**fast** *a* rýchly
**fast** *adv* rýchlo
**fast** *n* pôst
**fast** *v.i* postiť sa
**fasten** *v.t* upevniť
**fat** *a* tlstý
**fat** *n* tuk
**fatal** *a* smrteľný
**fate** *n* osud
**father** *n* otec
**fathom** *v.t* uhádnuť
**fathom** *n* siaha
**fatigue** *n* únava
**fatigue** *v.t* unaviť
**fault** *n* vina
**faulty** *a* poškodený
**fauna** *n* fauna
**favour1** *n* láskavosť
**favour** *v.t* favorizovať
**favourable** *a* priaznivý
**favourite** *a* obľúbený
**favourite** *n* obľúbená vec
**fear** *n* strach
**fear** *v.i* obávať sa
**fearful** *a.* obávajúci sa
**feasible** *a* uskutočniteľný
**feast** *n* hostina
**feast** *v.i* pohostiť
**feat** *n* výkon
**feather** *n* pierko
**feature** *n* črta
**February** *n* február
**federal** *a* federálny
**federation** *n* federácia
**fee** *n* poplatok
**feeble** *a* krehký
**feed** *v.t* nakŕmiť
**feed** *n* kŕmenie
**feel** *v.t* cítiť
**feeling** *n* cit
**feign** *v.t* predstierať
**felicitate** *v.t* gratulovať
**felicity** *n* šťastie
**fell** *v.t* zoťať
**fellow** *n* človek
**female** *a* ženský
**female** *n* žena
**feminine** *a* ženský
**fence** *n* plot
**fence** *v.t* oplotiť
**fend** *v.t* starať sa
**ferment** *n* kvasenie
**ferment** *v.t* kvasiť
**fermentation** *n* kvasenie
**ferocious** *a* divoký
**ferry** *n* trajekt
**ferry** *v.t* prepravovať
**fertile** *a* plodný
**fertility** *n* plodnosť
**fertilize** *v.t* oplodniť
**fertilizer** *n* umelé hnojivo
**fervent** *a* vrúcny
**fervour** *n* vrúcnosť
**festival** *n* festival
**festive** *a* veselý
**festivity** *n* zábava
**festoon** *n* girlanda
**fetch** *v.t* ísť a priniesť
**fetter** *n* puto
**fetter** *v.t* nasadiť putá
**feud** *n.* spor
**feudal** *a* feudálny
**fever** *n* horúčka
**few** *a* málo
**fiasco** *n* fiasko
**fibre** *n* vláknina
**fickle** *a* roztržitý
**fiction** *n* beletria
**fictitious** *a* vymyslený
**fiddle** *n* podvod

**fiddle** *v.i* babrať sa
**fidelity** *n* vernosť
**fie** *interj* fuj
**field** *n* pole
**fiend** *n* nadšenec
**fierce** *a* prudký
**fiery** *a* prudký
**fifteen** *n* pätnásť
**fifty** *n.* päťdesiat
**fig** *n* figa
**fight** *n* bitka
**fight** *v.t* biť sa
**figment** *n* výplod
**figurative** *a* obrazný
**figure** *n* číslica
**figure** *v.t* figurovať
**file** *n* kartotéka
**file** *v.t* zaregistrovať
**file** *n* register
**file** *v.t* podať žiadosť
**file** *n* pilník
**file** *v.i.* píliť
**fill** *v.t* naplniť
**film** *n* film
**film** *v.t* filmovať
**filter** *n* filter
**filter** *v.t* filtrovať
**filth** *n* špina
**filthy** *a* špinavý
**fin** *n* plutva
**final** *a* posledný
**finance** *n* financie
**finance** *v.t* financovať
**financial** *a* finančný
**financier** *n* finančník
**find** *v.t* nájsť
**fine** *n* pokuta
**fine** *v.t* pokutovať
**fine** *a* výborne
**finger** *n* prst
**finger** *v.t* dotknúť sa
**finish** *v.t* ukončiť
**finish** *n* záver
**finite** *a* konečný
**fir** *n* jedľa
**fire** *n* oheň
**fire** *v.t* strieľať
**firm** *a* pevný
**firm** *n.* firma
**first** *a* prvý
**first** *n* prvý
**first** *adv* najprv
**fiscal** *a* finančný
**fish** *n* ryba
**fish** *v.i* chytať ryby
**fisherman** *n* rybár
**fissure** *n* trhlina
**fist** *n* päsť
**fistula** *n* fistula
**fit** *v.t* zapadnúť
**fit** vhodný
**fit** *n* záchvat
**fitful** *a* trhaný
**fitter** *n* opravár
**five** *n* päť
**fix** *v.t* opraviť
**fix** *n* oprava
**flabby** *a* ochabnutý
**flag** *n* zástava
**flagrant** *a* nápadný
**flame** *n* plameň
**flame** *v.i* horieť
**flannel** *n* flanel
**flare** *v.i* vzblĺknuť
**flare** *n* záblesk
**flash** *n* záblesk
**flash** *v.t* blýskať
**flask** *n* termoska
**flat** *a* plochý
**flat** *n* byt
**flatter** *v.t* lichotiť
**flattery** *n* lichotenie
**flavour** *n* chuť
**flaw** *n* defekt

**flea** *n.* blcha
**flee** *v.i* utiecť
**fleece** *n* vlna
**fleece** *v.t* ošklbať
**fleet** *n* loďstvo
**flesh** *n* mäso
**flexible** *a* prispôsobivý
**flicker** *n* blikanie
**flicker** *v.t* blikať
**flight** *n* let
**flimsy** *a* chatrný
**fling** *v.t* šmariť
**flippancy** *n* neúctivosť
**flirt** *n* flirt
**flirt** *v.i* flirtovať
**float** *v.i* vznášať sa
**flock** *n* kŕdeľ
**flock** *v.i* zhromaždiť sa
**flog** *v.t* bičovať
**flood** *n* záplava
**flood** *v.t* zaplaviť
**floor** *n* dlážka
**floor** *v.t* uzemniť
**flora** *n* flóra
**florist** *n* kvetinár
**flour** *n* múka
**flourish** *v.i* prospievať
**flow** *n* tok
**flow** *v.i* tiecť
**flower** *n* kvet
**flowery** *a* kvetinový
**fluent** *a* plynulý
**fluid** *a* tekutý
**fluid** *n* tekutina
**flush** *v.i* spláchnuť
**flush** *n* červeň
**flute** *n* flauta
**flute** *v.i* ryhovať
**flutter** *n* nepokoj
**flutter** *v.t* trepotať
**fly** *n* mucha
**fly** *v.i* letieť
**foam** *n* pena
**foam** *v.t* peniť
**focal** *a* fokálny
**focus** *n* stred
**focus** *v.t* zamerať sa
**fodder** *n* krmivo
**foe** *n* nepriateľ
**fog** *n* hmla
**foil** *v.t* prekaziť
**fold** *n* ohyb
**fold** *v.t* zohnúť
**foliage** *n* lístie
**follow** *v.t* nasledovať
**follower** *n* nasledovník
**folly** *n* hlúposť
**foment** *v.t* podnecovať
**fond** *a* nežný
**fondle** *v.t* maznať sa
**food** *n* jedlo
**fool** *n* hlupák
**foolish** *a* hlúpy
**foolscap** *n* kancelársky papier
**foot** *n* noha
**for** *prep* pre
**for** *conj.* pretože
**forbid** *v.t* zakázať
**force** *n* sila
**force** *v.t* nútiť
**forceful** *a* silný
**forcible** *a* násilný
**forearm** *n* predlaktie
**forearm** *v.t* pripraviť
**forecast** *n* predpoveď
**forecast** *v.t* predpovedať
**forefather** *n* predok
**forefinger** *n* ukazovák
**forehead** *n* čelo
**foreign** *a* cudzí
**foreigner** *n* cudzinec
**foreknowledge** *n.* vedomosť
**foreleg** *n* predná noha
**forelock** *n* priečny klin

**foreman** *n* predák
**foremost** *a* popredný
**forenoon** *n* predpoludnie
**forerunner** *n* predchodca
**foresee** *v.t* predvídať
**foresight** *n* predvídanie
**forest** *n* les
**forestall** *v.t* predísť
**forester** *n* lesník
**forestry** *n* lesníctvo
**foretell** *v.t* veštiť
**forethought** *n* prezieravosť
**forever** *adv* naveky
**forewarn** *v.t* vopred upozorniť
**foreword** *n* predslov
**forfeit** *v.t* prísť o niečo
**forfeit** *n* cena za
**forfeiture** *n* strata
**forge** *n* vyhňa
**forge** *v.t* falšovať
**forgery** *n* falzifikát
**forget** *v.t* zabudnúť
**forgetful** *a* zábudlivý
**forgive** *v.t* odpustiť
**forgo** *v.t* zriecť sa
**forlorn** *a* opustený
**form** *n* druh
**form** *v.t.* tvoriť
**formal** *a* oficiálny
**format** *n* formát
**formation** *n* tvorenie
**former** *a* bývalý
**former** *pron* uvedený ako prvý
**formerly** *adv* pôvodne
**formidable** *a* impozantný
**formula** *n* predpis
**formulate** *v.t* formulovať
**forsake** *v.t.* vzdať sa
**forswear** *v.t.* zaprisahať sa
**fort** *n.* pevnosť
**forte** *n.* forte
**forth** *adv.* ďalej
**forthcoming** *a.* nastávajúci
**forthwith** *adv.* ihneď
**fortify** *v.t.* posilniť
**fortitude** *n.* statočnosť
**fort-night** *n.* dva týždne
**fortress** *n.* pevnosť
**fortunate** *a.* šťastný
**fortune** *n.* majetok
**forty** *n.* štyridsať
**forum** *n.* fórum
**forward** *a.* smerujúci vpred
**forward** *adv* vpred
**forward** *v.t* odoslať
**fossil** *n.* skamenelina
**foster** *v.t.* starať sa
**foul** *a.* hnusný
**found** *v.t.* založiť
**foundation** *n.* základy
**founder** *n.* zakladateľ
**foundry** *n.* zlievareň
**fountain** *n.* fontána
**four** *n.* štyri
**fourteen** *n.* štrnásť
**fowl** *n.* hydina
**fowler** *n.* vtáčnik
**fox** *n.* líška
**fraction** *n.* zlomok
**fracture** *n.* zlomenina
**fracture** *v.t* zlomiť
**fragile** *a.* krehký
**fragment** *n.* úlomok
**fragrance** *n.* vôňa
**fragrant** *a.* voňavý
**frail** *a.* krehučký
**frame** *v.t.* rámovať
**frame** *n* rám
**franchise** *n.* licencia
**frank** *a.* úprimný
**frantic** *a.* šialený
**fraternal** *a.* bratský
**fraternity** *n.* bratstvo
**fratricide** *n.* bratovražda

**fraud** *n.* podvod
**fraudulent** *a.* podvodný
**fraught** *a.* obťažný
**fray** *n* hádka
**free** *a.* slobodný
**free** *v.t* oslobodiť
**freedom** *n.* sloboda
**freeze** *v.i.* zamraziť
**freight** *n.* náklad
**French** *a.* francúzsky
**French** *n* Francúz
**frenzy** *n.* ošiaľ
**frequency** *n.* frekvencia
**frequent** *n.* byť častým návštevníkom
**fresh** *a.* čerstvý
**fret** *n.* mrzutosť
**fret** *v.t.* trápiť sa
**friction** *n.* trenie
**Friday** *n.* piatok
**fridge** *n.* chladnička
**friend** *n.* priateľ
**fright** *n.* strach
**frighten** *v.t.* naľakať
**frigid** *a.* frigidný
**frill** *n.* volán
**fringe** *n.* ofina
**fringe** *v.t* lemovať
**frivolous** *a.* ľahkovážny
**frock** *n.* šaty
**frog** *n.* žaba
**frolic** *n.* veselosť
**frolic** *v.i.* veseliť sa
**from** *prep.* od
**front** *n.* predok
**front** *a* predný
**front** *v.t* čeliť
**frontier** *n.* hranica
**frost** *n.* mráz
**frown** *n.* zamračený výraz
**frown** *v.i* mračiť sa
**frugal** *a.* skromný
**fruit** *n.* ovocie
**fruitful** *a.* plodný
**frustrate** *v.t.* frustrovať
**frustration** *n.* frustrácia
**fry** *v.t.* osmažiť
**fry** *n* smažené jedlo
**fuel** *n.* palivo
**fugitive** *a.* na úteku
**fugitive** *n.* utečenec
**fulfil** *v.t.* vyplniť
**fulfilment** *n.* vyplnenie
**full** *a.* plný
**full** *adv.* priamo
**fullness** *n.* plnosť
**fully** *adv.* úplne
**fumble** *v.i.* šmátrať
**fun** *n.* zábava
**function** *n.* funkcia
**function** *v.i* fungovať
**functionary** *n.* funkčný
**fund** *n.* fond
**fundamental** *a.* základný
**funeral** *n.* pohreb
**fungus** *n.* huba
**funny** *n.* smiešny
**fur** *n.* srsť
**furious** *a.* zúrivý
**furl** *v.t.* zvinúť
**furlong** *n.* dvesto metrov
**furnace** *n.* vyhňa
**furnish** *v.t.* zariadiť
**furniture** *n.* nábytok
**furrow** *n.* brázda
**further** *adv.* ďalej
**further** *a* ďalší
**further** *v.t* podporovať
**fury** *n.* zúrivosť
**fuse** *v.t.* dať dohromady
**fuse** *n* poistka
**fusion** *n.* fúzia
**fuss** *n.* zmätok
**fuss** *v.i* znervózňovať sa

**futile** *a.* zbytočný
**futility** *n.* zbytočnosť
**future** *a.* budúci
**future** *n* budúcnosť

**gabble** *v.i.* mrmlať
**gadfly** *n.* ovad
**gag** *v.t.* zapchať ústa
**gag** *n.* vtip
**gaiety** *n.* veselosť
**gain** *v.t.* získať
**gain** *n* zisk
**gainsay** *v.t.* poprieť
**gait** *n.* chôdza
**galaxy** *n.* galaxia
**gale** *n.* víchor
**gallant** *a.* udatný
**gallant** *n* udatník
**gallantry** *n.* rytierstvo
**gallery** *n.* galéria
**gallon** *n.* galón
**gallop** *n.* cval
**gallop** *v.t.* cválať
**gallows** *n.* . šibenica
**galore** *adv.* spústa
**galvanize** *v.t.* galvanizovať
**gamble** *v.i.* riskovať
**gamble** *n* riziko
**gambler** *n.* hazardný hráč
**game** *n.* hra
**game** *v.i* hrať
**gander** *n.* gunár
**gang** *n.* banda
**gangster** *n.* gangster
**gap** *n* medzera
**gape** *v.i.* zízať
**garage** *n.* garáž
**garb** *n.* úbor
**garb** *v.t* odieť sa
**garbage** *n.* odpadky
**garden** *n.* záhrada
**gardener** *n.* záhradník
**gargle** *v.i.* kloktať
**garland** *n.* veniec
**garland** *v.t.* ovešať
**garlic** *n.* cesnak
**garment** *n.* kus odevu
**garter** *n.* podväzok
**gas** *n.* plyn
**gasket** *n.* tesniaca vložka
**gasp** *n.* zhíknutie
**gasp** *v.i* zhíknuť
**gassy** *a.* plynový
**gastric** *a.* žalúdkový
**gate** *n.* brána
**gather** *v.t.* zbierať
**gaudy** *a.* krikľavý
**gauge** *n.* meradlo
**gauntlet** *n.* rukavica
**gay** *a.* radostný
**gaze** *v.t.* hľadieť
**gaze** *n* pohľad
**gazette** *n.* denník
**gear** *n.* pohon
**geld** *v.t.* oslabiť
**gem** *n* drahokam
**gender** *n.* rod
**general** *a.* všeobecný
**generally** *adv.* zvyčajne
**generate** *v.t.* vytvoriť
**generation** *n.* generácia
**generator** *n.* generátor
**generosity** *n.* štedrosť
**generous** *a.* štedrý
**genius** *n.* génius
**gentle** *a.* jemný
**gentleman** *n.* džentlmen
**gentry** *n.* panstvo
**genuine** *a.* úprimný
**geographer** *n.* geograf

**geographical** *a.* geografický
**geography** *n.* geografia
**geological** *a.* geologický
**geologist** *n.* geológ
**geology** *n.* geológia
**geometrical** *a.* geometrický
**geometry** *n.* geometria
**germ** *n.* baktéria
**germicide** *n.* germicíd
**germinate** *v.i.* klíčiť
**germination** *n.* klíčenie
**gerund** *n.* gerundium
**gesture** *n.* posunok
**get** *v.t.* mať
**ghastly** *a.* príšerný
**ghost** *n.* duch
**giant** *n.* obor
**gibbon** *n.* gibon
**gibe** *v.i.* posmievať sa
**gibe** *n* posmech
**giddy** *a.* závratný
**gift** *n.* dar
**gifted** *a.* nadaný
**gigantic** *a.* obrovský
**giggle** *v.i.* chichotať sa
**gild** *v.t.* pozlátiť
**gilt** *a.* pozlátený
**ginger** *n.* zázvor
**giraffe** *n.* žirafa
**gird** *v.t.* opásať si
**girder** *n.* nosník
**girdle** *n.* podväzkový pás
**girdle** *v.t* opásať
**girl** *n.* dievča
**girlish** *a.* dievčenský
**gist** *n.* jadro
**give** *v.t.* dať
**glacier** *n.* ľadovec
**glad** *a.* rád
**gladden** *v.t.* potešiť
**glamour** *n.* pôvab
**glance** *n.* letmý pohľad
**glance** *v.i.* letmo sa pozrieť
**gland** *n.* žľaza
**glare** *n.* zazeranie
**glare** *v.i* zazerať
**glass** *n.* sklo
**glaucoma** *n.* zelený zákal
**glaze** *v.t.* dať glazúru
**glaze** *n* glazúra
**glazier** *n.* sklenár
**glee** *n.* radosť
**glide** *v.t.* kĺzať
**glider** *n.* klzák
**glimpse** *n.* zahliadnutie
**glitter** *v.i.* trblietať sa
**glitter** *n* lesk
**global** *a.* globálny
**globe** *n.* zemeguľa
**gloom** *n.* skľúčenosť
**gloomy** *a.* skľúčený
**glorification** *n.* vychvaľovanie
**glorify** *v.t.* velebiť
**glorious** *a.* slávny
**glory** *n.* sláva
**gloss** *n.* lesk
**glossary** *n.* glosár
**glossy** *a.* lesklý
**glove** *n.* rukavica
**glow** *v.i.* tlieť
**glow** *n* tlenie
**glucose** *n.* glukóza
**glue** *n.* lepidlo
**glut** *v.t.* preplniť
**glut** *n* nadbytok
**glutton** *n.* nenajedenec
**gluttony** *n.* pažravosť
**glycerine** *n.* glycerín
**go** *v.i.* ísť
**goad** *n.* osteň
**goad** *v.t* donútiť
**goal** *n.* gól
**goat** *n.* koza
**gobble** *n.* hudrať

**goblet** *n.* kalich
**god** *n.* boh
**goddess** *n.* bohyňa
**godhead** *n.* božskosť
**godly** *a.* zbožný
**godown** *n.* komora
**godsend** *n.* dar z neba
**goggles** *n.* ochranné okuliare
**gold** *n.* zlato
**golden** *a.* zlatý
**goldsmith** *n.* zlatník
**golf** *n.* golf
**gong** *n.* gong
**good** *a.* dobrý
**good** *n* vec
**good-bye** *interj.* dovidenia
**goodness** *n.* dobrota
**goodwill** *n.* ochota
**goose** *n.* hus
**gooseberry** *n.* egreš
**gorgeous** *a.* jedinečný
**gorilla** *n.* gorila
**gospel** *n.* svätá pravda
**gossip** *n.* klebeta
**gourd** *n.* dyňa
**gout** *n.* dna
**govern** *v.t.* vládnuť
**governance** *n.* guvernérstvo
**governess** *n.* guvernérka
**government** *n.* vláda
**governor** *n.* veliteľ
**gown** *n.* róba
**grab** *v.t.* uchmatnúť
**grace** *n.* gracióznosť
**grace** *v.t.* požehnať
**gracious** *a.* vľúdny
**gradation** *n.* odstupňovanie
**grade** *n.* stupeň
**grade** *v.t* stupňovať
**gradual** *a.* postupný
**graduate** *v.i.* promovať
**graduate** *n* absolvent
**graft** *n.* štep
**graft** *v.t* štepiť
**grain** *n.* zrno
**grammar** *n.* gramatika
**grammarian** *n.* gramatik
**gramme** *n.* gram
**gramophone** *n.* gramofón
**grannary** *n.* sýpka
**grand** *a.* veľkolepý
**grandeur** *n.* veľkoleposť
**grant** *v.t.* splniť
**grant** *n* štipendium
**grape** *n.* hrozno
**graph** *n.* graf
**graphic** *a.* grafický
**grapple** *n.* lodný hák
**grapple** *v.i.* zovrieť
**grasp** *v.t.* uchopiť
**grasp** *n* uchopenie
**grass** *n* tráva
**grate** *n.* strúhadlo
**grate** *v.t* strúhať
**grateful** *a.* vďačný
**gratification** *n.* potešenie
**gratis** *adv.* zdarma
**gratitude** *n.* vďačnosť
**gratuity** *n.* prepitné
**grave** *n.* hrob
**grave** *a.* nebezpečný
**gravitate** *v.i.* gravitovať
**gravitation** *n.* smerovanie
**gravity** *n.* tiaž
**graze** *v.i.* pásť sa
**graze** *n* škrabanec
**grease** *n* mazadlo
**grease** *v.t* mazať
**greasy** *a.* mastný
**great** *a* veľký
**greed** *n.* chtivosť
**greedy** *a.* chtivý
**greek** *n.* grék
**greek** *a* grécky

**green** *a.* zelený
**green** *n* zelená farba
**greenery** *n.* zeleň
**greet** *v.t.* pozdraviť
**grenade** *n.* granát
**grey** *a.* sivý
**greyhound** *n.* chrt
**grief** *n.* žiaľ
**grievance** *n.* sťažovanie
**grieve** *v.t.* žialiť
**grievous** *a.* škodlivý
**grind** *v.i.* mlieť
**grinder** *n.* mlynček
**grip** *v.t.* uchopiť
**grip** *n* uchopenie
**groan** *v.i.* stonať
**groan** *n* ston
**grocer** *n.* obchodník s potravinami
**grocery** *n.* potraviny
**groom** *n.* ženích
**groom** *v.t* upraviť sa
**groove** *n.* ryha
**groove** *v.t* ryhovať
**grope** *v.t.* ohmatávať
**gross** *n.* celkový zisk
**gross** *a* hrubý
**grotesque** *a.* groteskný
**ground** *n.* zem
**group** *n.* skupina
**group** *v.t.* zoskupiť sa
**grow** *v.t.* rásť
**grower** *n.* pestovateľ
**growl** *v.i.* vrčať
**growl** *n* vrčanie
**growth** *n.* rast
**grudge** *v.t.* zdráhať sa
**grudge** *n* odpor
**grumble** *v.i.* hundrať
**grunt** *n.* krochkanie
**grunt** *v.i.* krochkať
**guarantee** *n.* záruka
**guarantee** *v.t* dať záruku
**guard** *v.i.* strážiť
**guard** strážca
**guardian** *n.* poručník
**guava** *n.* guava
**guerilla** *n.* partizán
**guess** *n.* hádanie
**guess** *v.i* hádať
**guest** *n.* hosť
**guidance** *n.* poučenie
**guide** *v.t.* viesť
**guide** *n.* vodca
**guild** *n.* cech
**guile** *n.* podvod
**guilt** *n.* vina
**guilty** *a.* vinný
**guise** *n.* zovňajšok
**guitar** *n.* gitara
**gulf** *n.* záliv
**gull** *n.* čajka
**gull** *n* ťulpas
**gull** *v.t* vlákať
**gulp** *n.* pažerák
**gum** *n.* ďasno
**gun** *n.* zbraň
**gust** *n.* náraz
**gutter** *n.* jarok
**guttural** *a.* odkvapový
**gymnasium** *n.* telocvičňa
**gymnast** *n.* gymnasta
**gymnastic** *a.* gymnastický
**gymnastics** *n.* gymnastika

**habeas corpus** *n.* predvolanie na súd
**habit** *n.* zvyk
**habitable** *a.* obývateľný
**habitat** *n.* miesto výskytu

**habitation** *n.* bývanie
**habituate** *v. t.* navyknúť si
**hack** *v.t.* rezať
**hag** *n.* babizňa
**haggard** *a.* strhaný
**haggle** *v.i.* jednať sa
**hail** *n.* ľadovec
**hail** *v.i* bubnovať
**hail** *v.t* privolať
**hair** *n* vlasy
**hale** *a.* zdravý
**half** *n.* polovica
**half** *a* polovičný
**hall** *n.* sála
**hallmark** *n.* základná vlastnosť
**hallow** *v.t.* posvätiť
**halt** *v. t.* zastaviť
**halt** *n* zastávka
**halve** *v.t.* zmenšiť na polovicu
**hamlet** *n.* priľba
**hammer** *n.* kladivo
**hammer** *v.t* búchať kladivom
**hand** *n* ruka
**hand** *v.t* podať
**handbill** *n.* reklamný letáčik
**handbook** *n.* príručka
**handcuff** *n.* putá
**handcuff** *v.t* spútať
**handful** *n.* hrsť
**handicap** *v.t.* znevýhodniť
**handicap** *n* postihnutie
**handicraft** *n.* zručnosť
**handiwork** *n.* ručná práca
**handkerchief** *n.* vreckovka
**handle** *n.* kľučka
**handle** *v.t* dotýkať sa
**handsome** *a.* príťažlivý
**handy** *a.* vhodný
**hang** *v.t.* zavesiť
**hanker** *v.i.* dychtiť po
**haphazard** *a.* náhodný
**happen** *v.t.* udiať sa
**happening** *n.* udalosť
**happiness** *n.* šťastie
**happy** *a.* šťastný
**harass** *v.t.* obťažovať
**harassment** *n.* obťažovanie
**harbour** *n.* prístav
**harbour** *v.t* poskytnúť prístrešie
**hard** *a.* tvrdý
**harden** *v.t.* tvrdnúť
**hardihood** *n.* smelosť
**hardly** *adv.* ťažko
**hardship** *n.* útrapy
**hardy** *adj.* otužilý
**hare** *n.* zajac
**harm** *n.* ujma
**harm** *v.t* spôsobiť ujmu
**harmonious** *a.* harmonický
**harmonium** *n.* harmónium
**harmony** *n.* harmónia
**harness** *n.* postroj
**harness** *v.t* pripnúť
**harp** *n.* harfa
**harsh** *a.* ostrý
**harvest** *n.* žatva
**haverster** *n.* žnec
**haste** *n.* náhlenie sa
**hasten** *v.i.* náhliť sa
**hasty** *a.* chvatný
**hat** *n.* klobúk
**hatchet** *n.* sekerka
**hate** *n.* nenávisť
**hate** *v.t.* nenávidieť
**haughty** *a.* nadutý
**haunt** *v.t.* strašiť
**haunt** *n* obľúbené miesto
**have** *v.t.* mať
**haven** *n.* útočisko
**havoc** *n.* pohroma
**hawk** *n* jastrab
**hawker** *n* sokoliar
**hawthorn** *n.* hloh
**hay** *n.* seno

**hazard** *n.* risk
**hazard** *v.t* riskovať
**haze** *n.* hmla
**hazy** *a.* hmlistý
**he** *pron.* on
**head** *n.* hlava
**head** *v.t* viesť
**headache** *n.* bolesť hlavy
**heading** *n.* nadpis
**headlong** *adv.* neuvážene
**headstrong** *a.* tvrdohlavý
**heal** *v.i.* zhojiť sa
**health** *n.* zdravie
**healthy** *a.* zdravý
**heap** *n.* kopa
**heap** *v.t* kopiť
**hear** *v.t.* počuť
**hearsay** *n.* klebeta
**heart** *n.* srdce
**hearth** *n.* ohnisko
**heartily** *adv.* srdečne
**heat** *n.* teplota
**heat** *v.t* zohriať
**heave** *v.i.* dvíhať
**heaven** *n.* nebo
**heavenly** *a.* božský
**hedge** *n.* živý plot
**hedge** *v.t* ohradiť živým plotom
**heed** *v.t.* všímať si
**heed** *n* pozornosť
**heel** *n.* päta
**hefty** *a.* mocný
**height** *n.* výška
**heighten** *v.t.* zvýšiť
**heinous** *a.* hnusný
**heir** *n.* dedič
**hell** *a.* pekelný
**helm** *n.* kormidlo
**helmet** *n.* helma
**help** *v.t.* pomôcť
**help** *n* pomoc
**helpful** *a.* nápomocný
**helpless** *a.* bezmocný
**helpmate** *n.* pomocník
**hemisphere** *n.* pologuľa
**hemp** *n.* konope
**hen** *n.* sliepka
**hence** *adv.* teda
**henceforth** *adv.* odteraz
**henceforward** *adv.* odteraz
**henchman** *n.* poskok
**henpecked** *a.* pod papučou
**her** *pron.* jej
**her** *a* jej
**herald** *n.* posol
**herald** *v.t* ohlasovať
**herb** *n.* bylinka
**herculean** *a.* herkulovský
**herd** *n.* stádo
**herdsman** *n.* pastier
**here** tu
**hereabouts** *adv.* tuto
**hereafter** *adv.* odteraz
**hereditary** *n.* dedičný
**heredity** *n.* dedičnosť
**heritable** *a.* dedičný
**heritage** *n.* dedičstvo
**hermit** *n.* pustovník
**hermitage** *n.* pustovňa
**hernia** *n.* prietrž
**hero** *n.* hrdina
**heroic** *a.* hrdinský
**heroine** *n.* hrdinka
**heroism** *n.* hrdinstvo
**herring** *n.* sleď
**hesitant** *a.* váhavý
**hesitate** *v.i.* váhať
**hesitation** *n.* váhanie
**hew** *v.t.* rúbať
**heyday** *n.* vrchol
**hibernation** *n.* prezimovanie
**hiccup** *n.* štikútanie
**hide** *n.* úkryt
**hide** *v.t* skryť

**hideous** *a.* ohavný
**hierarchy** *n.* hierarchia
**high** *a.* vysoký
**highly** *adv.* vysoko
**Highness** *n.* výsosť
**highway** *n.* verejná komunikácia
**hilarious** *a.* bujarý
**hilarity** *n.* bujarosť
**hill** *n.* kopec
**hillock** *n.* pahorok
**him** *pron.* jeho
**hinder** *v.t.* brániť
**hindrance** *n.* prekážka
**hint** *n.* narážka
**hint** *v.i* naznačovať
**hip** *n* bok
**hire** *n.* prenájom
**hire** *v.t* prenajať si
**hireling** *n.* nádenník
**his** *pron.* jeho
**hiss** *n* sykot
**hiss** *v.i* syčať
**historian** *n.* historik
**historic** *a .* historický
**historical** *a.* historický
**history** *n.* história
**hit** *v.t.* udrieť
**hit** *n* úder
**hitch** *n.* zadrhnutie
**hither** *adv.* doteraz
**hitherto** *adv.* až doteraz
**hive** *n.* roj
**hoarse** *a.* chrapľavý
**hoax** *n.* kanadský žartík
**hoax** *v.t* vystreliť si
**hobby** *n.* koníček
**hobby-horse** *n.* palica s konskou hlavou
**hockey** *n.* hokej
**hoist** *v.t.* vztýčiť
**hold** *n.* uchopenie
**hold** *v.t* držať
**hole** *n* jama
**hole** *v.t* vykopať jamu
**holiday** *n.* prázdniny
**hollow** *a.* dutý
**hollow** *n.* dutina
**hollow** *v.t* vyhĺbiť
**holocaust** *n.* holokaust
**holy** *a.* svätý
**homage** *n.* pocta
**home** *n.* domov
**homicide** *n.* vražda
**homoeopath** *n.* homeopat
**homeopathy** *n.* homeopatia
**homogeneous** *a.* rovnorodý
**honest** *a.* čestný
**honesty** *n.* čestosť
**honey** *n.* med
**honeycomb** *n.* včelí plát
**honeymoon** *n.* svadobná cesta
**honorarium** *n.* honorár
**honorary** *a.* čestný
**honour** *n.* česť
**honour** *v. t* uctiť
**honourable** *a.* ctihodný
**hood** *n.* kapucňa
**hoodwink** *v.t.* prejsť cez rozum
**hoof** *n.* kopyto
**hook** *n.* hák
**hooligan** *n.* chuligán
**hoot** *n.* húkanie
**hoot** *v.i* húkať
**hop** *v. i* skákať
**hop** *n* poskok
**hope** *v.t.* dúfať
**hope** *n* nádej
**hopeful** *a.* dúfajúci
**hopeless** *a.* beznádejný
**horde** *n.* horda
**horizon** *n.* horizont
**horn** *n.* roh
**hornet** *n.* sršeň
**horrible** *a.* hrozný

**horrify** *v.t.* vystrašiť
**horror** *n.* horor
**horse** *n.* kôň
**horticulture** *n.* záhradníctvo
**hose** *n.* hadica
**hosiery** *n.* pletenina
**hospitable** *a.* priateľský
**hospital** *n.* nemocnica
**hospitality** *n.* pohostinnosť
**host** *n.* hostiteľ
**hostage** *n.* rukojemník
**hostel** *n.* ubytovňa
**hostile** *a.* nepriateľský
**hostility** *n.* nepriateľstvo
**hot** *a.* horúci
**hotchpotch** *n.* mišmaš
**hotel** *n.* hotel
**hound** *n.* poľovný pes
**hour** *n.* hodina
**house** *n* dom
**house** *v.t* ubytovať
**how** *adv.* ako
**however** *adv.* však
**however** *conj* akokoľvek
**howl** *v.t.* zavýjať
**howl** *n* zavýjanie
**hub** *n.* čap
**hubbub** *n.* ruch
**huge** *a.* ozrutný
**hum** *v. i* bzučať
**hum** *n* bzučanie
**human** *a.* ľudský
**humane** *a.* súcitný
**humanitarian** *a* humanitárny
**humanity** *n.* ľudstvo
**humanize** *v.t.* humanizovať
**humble** *a.* skromný
**humdrum** *a.* všedný
**humid** *a.* vlhký
**humidity** *n.* vlhkosť
**humiliate** *v.t.* ponížiť
**humiliation** *n.* poníženie
**humility** *n.* skromnosť
**humorist** *n.* humorista
**humorous** *a.* smiešný
**humour** *n.* humor
**hunch** *n.* tušenie
**hundred** *n.* sto
**hunger** *n* hlad
**hungry** *a.* hladný
**hunt** *v.t.* poľovať
**hunt** *n* poľovačka
**hunter** *n.* poľovník
**huntsman** *n.* poľovník
**hurdle1** *n.* prekážka
**hurdle2** *v.t* bežať cez prekážky
**hurl** *v.t.* vrhnúť
**hurrah** *interj.* hurá
**hurricane** *n.* hurikán
**hurry** *v.t.* ponáhľať sa
**hurry** *n* zhon
**hurt** *v.t.* bolieť
**hurt** *n* bolesť
**husband** *n* manžel
**husbandry** *n.* poľnohospodárstvo
**hush** *n* ticho
**hush** *v.i* mlčať
**husk** *n.* šupina
**husky** *a.* zachrípnutý
**hut** *n.* chatrč
**hyaena, hyena** *n.* hyena
**hybrid** *a.* hybridný
**hybrid** *n* kríženec
**hydrogen** *n.* vodík
**hygiene** *n.* hygiena
**hygienic** *a.* hygienický
**hymn** *n.* hymna
**hyperbole** *n.* hyperbola
**hypnotism** *n.* hypnotizmus
**hypnotize** *v.t.* hypnotizovať
**hypocrisy** *n.* pokrytectvo
**hypocrite** *n.* pokrytec
**hypocritical** *a.* pokrytecký

**hypothesis** *n.* hypotéza
**hypothetical** *a.* hypotetický
**hysteria** *n.* hystéria
**hysterical** *a.* hysterický

**I** *pron.* ja
**ice** *n.* ľad
**iceberg** *n.* ľadovec
**icicle** *n.* cencúľ
**icy** *a.* ľadový
**idea** *n.* myšlienka
**ideal** *a.* ideálny
**ideal** *n* ideál
**idealism** *n.* idealizmus
**idealist** *n.* idealista
**idealistic** *a.* idealistický
**idealize** *v.t.* idealizovať
**identical** *a.* rovnaký
**indentification** *n.* identifikácia
**identify** *v.t.* identifikovať
**identity** *n.* totožnosť
**ideocy** *n.* hlúposť
**idiom** *n.* idióm
**idiomatic** *a.* idiomatický
**idiot** *n.* idiot
**idiotic** *a.* idiotický
**idle** *a.* nečinný
**idleness** *n.* nečinnosť
**idler** *n.* leňoch
**idol** *n.* modla
**idolater** *n.* modlár
**if** *conj.* ak
**ignoble** *a.* nečestný
**ignorance** *n.* neznalosť
**ignorant** *a.* nevzdelaný
**ignore** *v.t.* nevšímať si
**ill** *a.* chorý
**ill** *adv.* kruto
**ill** *n* zlo
**illegal** *a.* nezákonný
**illegibility** *n.* nečitateľnosť
**illegible** *a.* nečitateľný
**illegitimate** *a.* nemanželský
**illicit** *a.* protiprávny
**illiteracy** *n.* negramotnosť
**illiterate** *a.* negramotný
**illness** *n.* choroba
**illogical** *a.* nelogický
**illuminate** *v.t.* osvetliť
**illumination** *n.* osvetlenie
**illusion** *n.* ilúzia
**illustrate** *v.t.* ilustrovať
**illustration** *n.* ilustrácia
**image** *n.* obraz
**imagery** *n.* metaforika
**imaginary** *a.* zdanlivý
**imagination** *n.* predstavivosť
**imaginative** *a.* vymyslený
**imagine** *v.t.* predstaviť si
**imitate** *v.t.* napodobňovať
**imitation** *n.* napodobňovanie
**imitator** *n.* imitátor
**immaterial** *a.* nepodstatný
**immature** *a.* nezrelý
**immaturity** *n.* nezrelosť
**immeasurable** *a.* nezmerateľn□
**immediate** *a* okamžitý
**immemorial** *a.* prastarý
**immense** *a.* nesmierny
**immensity** *n.* nekonečnosť
**immerse** *v.t.* ponoriť
**immersion** *n.* ponorenie
**immigrant** *n.* prisťahovalec
**immigrate** *v.i.* prisťahovať sa
**immigration** *n.* prisťahovalectvo
**imminent** *a.* blížiaci sa
**immodest** *a.* vystatovačný
**immodesty** *n.* vystatovačnosť
**immoral** *a.* nemorálny
**immorality** *n.* nemravnosť

**immortal** *a.* nesmrteľný
**immortality** *n.* nesmrteľnosť
**immortalize** *v.t.* urobiť nesmrteľným
**immovable** *a.* nehybný
**immune** *a.* odolný
**immunity** *n.* odolnosť
**immunize** *v.t.* očkovať
**impact** *n.* náraz
**impart** *v.t.* dodať
**impartial** *a.* nestranný
**impartiality** *n.* nestrannosť
**impassable** *a.* neprechodný
**impasse** *n.* slepá ulička
**impatience** *n.* netrpezlivosť
**impatient** *a.* netrpezlivý
**impeach** *v.t.* spochybniť
**impeachment** *n.* spochybnenie
**impede** *v.t.* brániť
**impediment** *n.* prekážka
**impenetrable** *a.* nepreniknuteľný
**imperative** *a.* naliehavý
**imperfect** *a.* nedokonalý
**imperfection** *n.* nedokonalosť
**imperial** *a.* cisársky
**imperialism** *n.* cisárstvo
**imperil** *v.t.* ohroziť
**imperishable** *a.* večný
**impersonal** *a.* neosobný
**impersonate** *v.t.* stelesňovať
**impersonation** *n.* stelesnenie
**impertinence** *n.* bezočivosť
**impertinent** *a.* bezočivý
**impetuosity** *n.* impulzívnosť
**impetuous** *a.* impulzívny
**implement** *n.* nástroj
**implement** *v.t.* realizovať
**implicate** *v.t.* zapliesť
**implication** *n.* náznak
**implicit** *a.* nevyslovený
**implore** *v.t.* zaprisahávať
**imply** *v.t.* naznačovať
**impolite** *a.* nezdvorilý
**import** *v.t.* dovážať
**import** *n.* dovoz
**importance** *n.* význam
**important** *a.* významný
**impose** *v.t.* stanoviť
**imposing** *a.* pôsobivý
**imposition** *n.* využitie
**impossibility** *n.* nemožnosť
**impossible** *a.* nemožný
**impostor** *n.* podvodník
**imposture** *n.* podvod
**impotence** *n.* neschopnosť
**impotent** *a.* neschopný
**impoverish** *v.t.* ožobráčiť
**impracticability** *n.* nepoužiteľnosť
**impracticable** *a.* nepoužiteľný
**impress** *v.t.* zapôsobiť
**impression** *n.* dojem
**impressive** *a.* pôsobivý
**imprint** *v.t.* vtlačiť sa
**imprint** *n.* odtlačok
**imprison** *v.t.* uväzniť
**improper** *a.* nevhodný
**impropriety** *n.* neslušnosť
**improve** *v.t.* zlepšiť
**improvement** *n.* zlepšenie
**imprudence** *n.* bezočivosť
**imprudent** *a.* bezočivý
**impulse** *n.* nutkanie
**impulsive** *a.* nepremyslený
**impunity** *n.* beztrestnosť
**impure** *a.* znečistený
**impurity** *n.* znečistenosť
**impute** *v.t.* pripočítať
**in** *prep.* v
**inability** *n.* neschopnosť
**inaccurate** *a.* nepresný
**inaction** *n.* nečinnosť
**inactive** *a.* nečinný
**inadmissible** *a.* neprípustný

**inanimate** *a.* neživý
**inapplicable** *a.* nepoužiteľný
**inattentive** *a.* nepozorný
**inaudible** *a.* nečujný
**inaugural** *a.* inauguračný
**inauguration** *n.* inaugurácia
**inauspicious** *a.* neblahý
**inborn** *a.* vrodený
**incalculable** *a.* nevyčísliteľný
**incapable** *a.* neschopný
**incapacity** *n.* nespôsobilosť
**incarnate** *a.* vtelený
**incarnate** *v.t.* vteliť sa
**incarnation** *n.* vtelenie
**incense** *v.t.* naštvať
**incense** *n.* kadidlo
**incentive** *n.* povzbudenie
**inception** *n.* zrod
**inch** *n.* palec
**incident** *n.* udalosť
**incidental** *a.* sprievodný
**incite** *v.t.* nahovárať
**inclination** *n.* sklon
**incline** *v.i.* prikloniť sa
**include** *v.t.* zahŕňať
**inclusion** *n.* zahrnutie
**inclusive** *a.* kompletný
**incoherent** *a.* nesúvislý
**income** *n.* príjem
**incomparable** *a.* jedinečný
**incompetent** *a.* neschopný
**incomplete** *a* . neúplný
**inconsiderate** *a.* netaktný
**inconvenient** *a.* nevyhovujúci
**incorporate** *v.t.* začleniť
**incorporate** *a.* zahrnutý
**incorporation** *n.* zaradenie
**incorrect** *a.* nesprávny
**incorrigible** *a.* nenapraviteľný
**incorruptible** *a.* neskaziteľný
**increase** *v.t.* narásť
**increase** *n* rast
**incredible** *a.* neuveriteľný
**increment** *n.* nárast
**incriminate** *v.t.* obviniť
**incubate** *v.i.* inkubovať
**inculcate** *v.t.* vštepiť
**incumbent** *n.* farár
**incumbent** *a* úradujúci
**incur** *v.t.* zapríčiniť
**incurable** *a.* nevyliečiteľný
**indebted** *a.* zadĺžený
**indecency** *n.* obscénnosť
**indecent** *a.* obscénny
**indecision** *n.* nerozhodnosť
**indeed** *adv.* naozaj
**indefensible** *a.* neospravedlniteľný
**indefinite** *a.* nejasný
**indemnity** *n.* poistenie
**independence** *n.* nezávislosť
**independent** *a.* nezávislý
**indescribable** *a.* neopísateľný
**index** *n.* zoznam
**Indian** *a.* indický
**indicate** *v.t.* ukázať
**indication** *n.* označenie
**indicative** *a.* oznamovací spôsob
**indicator** *n.* smerovka
**indict** *v.t.* obviniť
**indictment** *n.* obvinenie
**indifference** *n.* ľahostajnosť
**indifferent** *a.* ľahostajný
**indigenous** *a.* autochtónny
**indigestible** *a.* nestráviteľný
**indigestion** *n.* porucha trávenia
**indignant** *a.* rozhorčený
**indignation** *n.* rozhorčenie
**indigo** *n.* indigo
**indirect** *a.* nepriamy
**indiscipline** *n.* nedisciplinovanosť
**indiscreet** *a.* nerozvážny
**indiscretion** *n.* nerozvážnosť

**indiscriminate** *a.* nekritický
**indispensable** *a.* nepostrádateľný
**indisposed** *a.* indisponovaný
**indisputable** *a.* neodškriepiteľný
**indistinct** *a.* nezreteľný
**individual** *a.* jednotlivý
**individualism** *n.* individualizmus
**individuality** *n.* individualita
**indivisible** *a.* nedeliteľný
**indolent** *a.* lenivý
**indomitable** *a.* neskrotný
**indoor** *a.* izbový
**indoors** *adv.* vnútri
**induce** *v.t.* prinútiť
**inducement** *n.* prehováranie
**induct** *v.t.* uviesť do funkcie
**induction** *n.* uvádzanie do funkcie
**indulge** *v.t.* rozmaznať
**indulgence** *n.* vyžívanie sa
**indulgent** *a.* zhovievavý
**industrial** *a.* priemyslový
**industrious** *a.* pracovitý
**industry** *n.* priemysel
**ineffective** *a.* neúčinný
**inert** *a.* nehybný
**inertia** *n.* zotrvačnosť
**inevitable** *a.* nevyhnutný
**inexact** *a.* nepresný
**inexorable** *a.* neúprosný
**inexpensive** *a.* pomerne lacný
**inexperience** *n.* neskúsenosť
**inexplicable** *a.* nevysvetliteľný
**infallible** *a.* neomylný
**infamous** *a.* vykričaný
**infamy** *n.* škandalóznosť
**infancy** *n.* rané detstvo
**infant** *n.* dojča
**infanticide** *n.* zavraždenie dieťaťa po narodení
**infantile** *a.* detinský
**infantry** *n.* pechota
**infatuate** *v.t.* zaslepiť
**infatuation** *n.* zaľúbenosť
**infect** *v.t.* nakaziť
**infection** *n.* nákaza
**infectious** *a.* nákazlivý
**infer** *v.t.* usudzovať
**inference** *n.* usudzovanie
**inferior** *a.* horší
**inferiority** *n.* podradenosť
**infernal** *a.* pekelný
**infinite** *a.* nekonečný
**infinity** *n.* nekonečnosť
**infirm** *a.* vetchý
**infirmity** *n.* vetchosť
**inflame** *v.t.* rozvášniť
**inflammable** *a.* zapálený
**inflammation** *n.* zápal
**inflammatory** *a.* paličský
**inflation** *n.* inflácia
**inflexible** *a.* nepoddajný
**inflict** *v.t.* uvaliť
**influence** *n.* vplyv
**influence** *v.t.* ovplyvniť
**influential** *a.* vplyvný
**influenza** *n.* chrípka
**influx** *n.* prílev
**inform** *v.t.* oznámiť
**informal** *a.* neformálny
**information** *n.* oznam
**informative** *a.* poučný
**informer** *n.* informátor
**infringe** *v.t.* nedodržať
**infringement** *n.* nedodržanie
**infuriate** *v.t.* rozzúriť
**infuse** *v.t.* naplniť
**infusion** *n.* napĺňanie
**ingrained** *a.* hlboko zakorenený
**ingratitude** *n.* nevďačnosť
**ingredient** *n.* prísada
**inhabit** *v.t.* obývať
**inhabitable** *a.* obývateľný
**inhabitant** *n.* obyvateľ

**inhale** *v.i.* vdýchnuť
**inherent** *a.* vlastný
**inherit** *v.t.* dediť
**inheritance** *n.* dedičstvo
**inhibit** *v.t.* obmedziť
**inhibition** *n.* zábrana
**inhospitable** *a.* nehostinný
**inhuman** *a.* neľudský
**inimical** *a.* nepriateľský
**inimitable** *a.* nenapodobiteľný
**initial** *a.* začiatočný
**initial** *n.* iniciála
**initial** *v.t* napísať iniciály
**initiate** *v.t.* podnietiť
**initiative** *n.* rozhodnosť
**inject** *v.t.* vstreknúť
**injection** *n.* injekcia
**injudicious** *a.* nerozvážny
**injunction** *n.* zákaz
**injure** *v.t.* zraniť
**injurious** *a.* škodlivý
**injury** *n.* rana
**injustice** *n.* krivda
**ink** *n.* atrament
**inkling** *n.* zdanie
**inland** *a.* vnútrozemský
**inland** *adv.* vo vnútrozemí
**in-laws** *n.* príbuzní
**inmate** *n.* obyvateľ
**inmost** *a.* najvnútornejší
**inn** *n.* hostinec
**innate** *a.* vrodený
**inner** *a.* vnútorný
**innermost** *a.* najvnútornejší
**innings** *n.* obdobie aktivity
**innocence** *n.* nevinnosť
**innocent** *a.* nevinný
**innovate** *v.t.* inovovať
**innovation** *n.* inovácia
**innovator** *n.* novátor
**innumerable** *a.* nespočetný
**inoculate** *v.t.* očkovať
**inoculation** *n.* očkovanie
**inoperative** *a.* neúčinný
**inopportune** *a.* nevhodný
**input** *n.* vstup
**inquest** *n.* pátranie
**inquire** *v.t.* pýtať sa
**inquiry** *n.* vyšetrovanie
**inquisition** *n.* vyšetrovanie
**inquisitive** *a.* zvedavý
**insane** *a.* duševne chorý
**insanity** *n.* nepríčetnosť
**insatiable** *a.* neukojiteľný
**inscribe** *v.t.* vyryť
**inscription** *n.* nápis
**insect** *n.* hmyz
**insecticide** *n.* insekticíd
**insecure** *a.* ohrozený
**insecurity** *n.* neistota
**insensibility** *n.* necitlivosť
**insensible** *a.* necitlivý
**inseparable** *a.* neoddeliteľný
**insert** *v.t.* vložiť
**insertion** *n.* vloženie
**inside** *n.* vnútro
**inside** *prep.* do
**inside** *a* vnútorný
**inside** *adv.* vnútri
**insight** *n.* náhľad
**insignificance** *n.* nepodstatnosť
**insignificant** *a.* nepodstatný
**insincere** *a.* neúprimný
**insincerity** *n.* neúprimnosť
**insinuate** *v.t.* naznačiť
**insinuation** *n.* narážka
**insipid** *a.* fádny
**insipidity** *n.* fádnosť
**insist** *v.t.* trvať
**insistence** *n.* trvanie
**insistent** *a.* neústupný
**insolence** *n.* bezočivosť
**insolent** *a.* bezočivý
**insoluble** *n.* nerozpustný

**insolvency** *n.* insolventnosť
**insolvent** *a.* neschopný platiť
**inspect** *v.t.* preskúmať
**inspection** *n.* preskúmanie
**inspector** *n.* inšpektor
**inspiration** *n.* inšpirácia
**inspire** *v.t.* inšpirovať
**instability** *n.* nestabilita
**install** *v.t.* inštalovať
**installation** *n.* inštalácia
**instalment** *n.* splátka
**instance** *n.* prípad
**instant** *n.* okamih
**instant** *a.* okamžitý
**instantaneous** *a.* okamžitý
**instantly** *adv.* okamžite
**instigate** *v.t.* podnietiť
**instigation** *n.* podnet
**instil** *v.t.* vštepiť
**instinct** *n.* pud
**instinctive** *a.* pudový
**institute** *n.* ústav
**institution** *n.* spolok
**instruct** *v.t.* dať pokyny
**instruction** *n.* príkaz
**instructor** *n.* učiteľ
**instrument** *n.* nástroj
**instrumental** *a.* inštrumentálny
**instrumentalist** *n.* inštrumentalista
**insubordinate** *a.* nedisciplinovaný
**insubordination** *n.* nedisciplinovanosť
**insufficient** *a.* nedostatočný
**insular** *a.* úzkoprsý
**insularity** *n.* úzkoprsosť
**insulate** *v.t.* izolovať
**insulation** *n.* izolácia
**insulator** *n.* izolačné zariadenie
**insult** *n.* urážka
**insult** *v.t.* uraziť
**insupportable** *a.* neznesiteľný
**insurance** *n.* poistenie
**insure** *v.t.* poistiť
**insurgent** *a.* vzbúrený
**insurgent** *n.* vzbúrenec
**insurmountable** *a.* neprekonateľný
**insurrection** *n.* vzbura
**intact** *a.* neporušený
**intangible** *a.* nehmatateľný
**integral** *a.* neoddeliteľný
**integrity** *n.* bezúhonnosť
**intellect** *n.* rozum
**intellectual** *a.* rozumový
**intellectual** *n.* intelektuál
**intelligence** *n.* inteligencia
**intelligent** *a.* inteligentný
**intelligentsia** *n.* inteligencia
**intelligible** *a.* zrozumiteľný
**intend** *v.t.* zamýšľať
**intense** *a.* silný
**intensify** *v.t.* zvýšiť
**intensity** *n.* intenzita
**intensive** *a.* intenzívny
**intent** *n.* úmysel
**intent** *a.* sústredený
**intention** *n.* úmysel
**intentional** *a.* úmyselný
**intercept** *v.t.* pozastaviť
**interception** *n.* pozastavenie
**interchange** *n.* zámena
**interchange** *v.* vymeniť si
**intercourse** *n.* styk
**interdependence** *n.* vzájomná závislosť
**interdependent** *a.* vzájomne závislý
**interest** *n.* záujem
**interested** *a.* zaujímajúci sa
**interesting** *a.* zaujímavý
**interfere** *v.i.* zasahovať
**interference** *n.* zasahovanie

**interim** *n.* medziobdobie
**interior** *a.* vnútorný
**interior** *n.* vnútrajšok
**interjection** *n.* citoslovce
**interlock** *v.t.* spojiť
**interlude** *n.* obdobie
**intermediary** *n.* medzičlánok
**intermediate** *a.* stredný
**interminable** *a.* zdĺhavý
**intermingle** *v.t.* premiešať sa
**intern** *v.t.* internovať
**internal** *a.* vnútorný
**international** *a.* medzinárodný
**interplay** *n.* súhra
**interpret** *v.t.* chápať
**interpreter** *n.* prekladateľ
**interrogate** *v.t.* vyšetrovať
**interrogation** *n.* vyšetrovanie
**interrogative** *a.* vyšetrovaný
**interrogative** *n* opytovací spôsob
**interrupt** *v.t.* vyrušiť
**interruption** *n.* vyrušenie
**intersect** *v.t.* pretínať sa
**intersection** *n.* pretnutie
**interval** *n.* prestávka
**intervene** *v.i.* zasiahnuť
**intervention** *n.* zásah
**interview** *n.* pohovor
**interview** *v.t.* robiť pohovor
**intestinal** *a.* črevný
**intestine** *n.* vnútornosti
**intimacy** *n.* dôverná známosť
**intimate** *a.* intímny
**intimate** *v.t.* naznačiť
**intimation** *n.* náznak
**intimidate** *v.t.* zastrašiť
**intimidation** *n.* zastrašovanie
**into** *prep.* do
**intolerable** *a.* neznesiteľný
**intolerance** *n.* neznášanlivosť
**intolerant** *a.* neznášanlivý
**intoxicant** *n.* opojný nápoj
**intoxicate** *v.t.* spôsobiť podnapitosť
**intoxication** *n.* opitosť
**intransitive** *a.* *(verb)* neprechodný
**interpid** *a.* nebojácny
**intrepidity** *n.* nebojácnosť
**intricate** *a.* zložitý
**intrigue** *v.t.* zaujať
**intrigue** *n* chytráctvo
**intrinsic** *a.* skutočný
**introduce** *v.t.* zoznámiť
**introduction** *n.* zoznámenie
**introductory** *a.* úvodný
**introspect** *v.i.* pozorovať sa
**introspection** *n.* pozorovanie sa
**intrude** *v.t.* obťažovať
**intrusion** *n.* obťažovanie
**intuition** *n.* tušenie
**intuitive** *a.* intuitívny
**invade** *v.t.* prepadnúť
**invalid** *a.* postihnutý
**invalid** *a.* neplatný
**invalid** *n* invalid
**invalidate** *v.t.* znehodnotiť
**invaluable** *a.* neoceniteľný
**invasion** *n.* vpád
**invective** *n.* výpad
**invent** *v.t.* vynájsť
**invention** *n.* vynález
**inventive** *a.* vynachádzavý
**inventor** *n.* vynálezca
**invert** *v.t.* obrátiť
**invest** *v.t.* investovať
**investigate** *v.t.* vyšetrovať
**investigation** *n.* vyšetrovanie
**investment** *n.* investícia
**invigilate** *v.t.* mať dozor
**invigilation** *n.* dozeranie
**invigilator** *n.* dozorca
**invincible** *a.* nepremožiteľnosť
**inviolable** *a.* nedotknuteľný

**invisible** *a.* neviditeľný
**invitation** *v.* pozvanie
**invite** *v.t.* pozvať
**invocation** *n.* odvolávanie sa
**invoice** *n.* faktúra
**invoke** *v.t.* dovolávať sa
**involve** *v.t.* zapliesť
**inward** *a.* vnútorný
**inwards** *adv.* dovnútra
**irate** *a.* nahnevaný
**ire** *n.* hnev
**Irish** *a.* írsky
**Irish** *n.* Ír
**irksome** *a.* otravný
**iron** *n.* železo
**iron** *v.t.* žehliť
**ironical** *a.* ironický
**irony** *n.* irónia
**irradiate** *v.i.* osvietiť
**irrational** *a.* iracionálny
**irreconcilable** *a.* nezlučiteľný
**irrecoverable** *a.* neopraviteľný
**irrefutable** *a.* nezvratný
**irregular** *a.* nerovnaký
**irregularity** *n.* nepravidelnosť
**irrelevant** *a.* bezvýznamný
**irrespective** *a.* neúctivý
**irresponsible** *a.* nezodpovedný
**irrigate** *v.t.* zavlažiť
**irrigation** *n.* zavlažovanie
**irritable** *a.* podráždený
**irritant** *a.* dráždivý
**irritant** *n.* dráždiaca látka
**irritate** *v.t.* podráždiť
**irritation** *n.* podráždenie
**irruption** *n.* vpád
**island** *n.* ostrov
**isle** *n.* ostrovček
**isobar** *n.* izobara
**isolate** *v.t.* oddeliť
**isolation** *n.* oddelenie
**issue** *v.i.* vydať
**issue** *n.* problém
**it** *pron.* to
**Italian** *a.* taliansky
**Italian** *n.* Talian
**italic** *a.* písaný kurzívou
**italics** *n.* kurzíva
**itch** *n.* svrbenie
**itch** *v.i.* svrbieť
**item** *n.* položka
**ivory** *n.* slonovina
**ivy** *n* brečtan

## J

**jab** *v.t.* bodnúť
**jabber** *v.t.* mlieť
**jack** *n.* hever
**jack** *v.t.* zdvihnúť heverom
**jackal** *n.* šakal
**jacket** *n.* sako
**jade** *n.* nefrit
**jail** *n.* uväznenie
**jailer** *n.* žalárnik
**jam** *n.* zápcha
**jam** *v.t.* zatarasiť
**jar** *n.* džbán
**jargon** *n.* žargón
**jasmine, jessamine** *n.* jazmín
**jaundice** *n.* žltačka
**jaundice** *v.t.* dostať žltačku
**javelin** *n.* kopija
**jaw** *n.* čeľusť
**jay** *n.* sojka
**jealous** *a.* žiarlivý
**jealousy** *n.* žiarlivosť
**jean** *n.* texasky
**jeer** *v.i.* posmievať sa
**jelly** *n.* rôsol
**jeopardize** *v.t.* ohroziť
**jeopardy** *n.* ohrozenie

**jerk** *n.* šklbnutie
**jerkin** *n.* kazajka
**jerky** *a.* trhaný
**jersey** *n.* džerzej
**jest** *n.* žart
**jest** *v.i.* vtipkovať
**jet** *n.* prúdové lietadlo
**Jew** *n.* Žid
**jewel** *n.* drahokam
**jewel** *v.t.* skvostnúť sa
**jeweller** *n.* klenotník
**jewellery** *n.* klenoty
**jingle** *n.* cinkot
**jingle** *v.i.* cengať
**job** *n.* zamestnanie
**jobber** *n.* konateľ
**jobbery** *n.* maklérstvo
**jocular** *a.* veselý
**jog** *v.t.* drgať
**join** *v.t.* spojiť
**joiner** *n.* tesár
**joint** *n.* kĺb
**jointly** *adv.* spolu
**joke** *n.* žart
**joke** *v.i.* žartovať
**joker** *n.* vtipkár
**jollity** *n.* bujarosť
**jolly** *a.* bujarý
**jolt** *n.* náraz
**jolt** *v.t.* natriasať sa
**jostle** *n.* predieranie sa
**jostle** *v.t.* predierať sa
**jot** *n.* ani trocha
**jot** *v.t.* načarbať
**journal** *n.* časopis
**journalism** *n.* novinárstvo
**journalist** *n.* novinár
**journey** *n.* cestovanie
**journey** *v.i.* cestovať
**jovial** *a.* žoviálny
**joviality** *n.* žoviálnosť
**joy** *n.* radosť
**joyful, joyous** *n.* radostný
**jubilant** *a.* jasavý
**jubilation** *n.* jasanie
**jubilee** *n.* výročie
**judge** *n.* sudca
**judge** *v.i.* súdiť
**judgement** *n.* úsudok
**judicature** *n.* súdny dvor
**judicial** *a.* súdny
**judiciary** *n.* súdny dvor
**judicious** *a.* rozumný
**jug** *n.* džbán
**juggle** *v.t.* žonglovať
**juggler** *n.* žonglér
**juice** *n* šťava
**juicy** *a.* šťavnatý
**jumble** *n.* kopa
**jumble** *v.t.* naházdať na kopu
**jump** *n.* skok
**jump** *v.i* skočiť
**junction** *n.* križovatka
**juncture** *n.* bod
**jungle** *n.* džungla
**junior** *a.* mladší
**junior** *n.* mladší
**junk** *n.* haraburdy
**jupiter** *n.* Jupiter
**jurisdiction** *n.* právomoc
**jurisprudence** *n.* právnictvo
**jurist** *n.* znalec práva
**juror** *n.* porotca
**jury** *n.* porota
**juryman** *n.* porotca
**just** *a.* spravodlivý
**just** *adv.* presne
**justice** *n.* spravodlivosť
**justifiable** *a.* ospravedlniteľn
**justification** *n.* oprávnenie
**justify** *v.t.* ospravedlniť
**justly** *adv.* zaslúžene
**jute** *n.* juta
**juvenile** *a.* mladistvý

# K

**keen** *a.* dychtivý
**keenness** *n.* dychtivosť
**keep** *v.t.* ponechať si
**keeper** *n.* dozorca
**keepsake** *n.* darček na pamiatku
**kennel** *n.* útulok
**kerchief** *n.* šatka
**kernel** *n.* jadro plodu
**kerosene** *n.* petrolej
**ketchup** *n.* kečup
**kettle** *n.* varná kanvica
**key** *n.* kľúč
**key** *v.t* naťukať
**kick** *n.* kopnutie
**kick** *v.t.* kopnúť
**kid** *n.* kozľa
**kidnap** *v.t.* uniesť
**kidney** *n.* oblička
**kill** *v.t.* zabiť
**kill** *n.* úlovok
**kiln** *n.* pec
**kin** *n.* príbuzní
**kind** *n.* druh
**kind** *a* láskavý
**kindergarten ;** *n.* škôlka
**kindle** *v.t.* zapáliť
**kindly** *adv.* láskavo
**king** *n.* kráľ
**kingdom** *n.* kráľovstvo
**kinship** *n.* príbuzenstvo
**kiss** *n.* bozk
**kiss** *v.t.* pobozkať
**kit** *n.* náradie
**kitchen** *n.* kuchyňa
**kite** *n.* drak
**kith** *n.* rodina
**kitten** *n.* mačiatko
**knave** *n.* dolník
**knavery** *n.* darebáctvo
**knee** *n.* koleno
**kneel** *v.i.* kľaknúť si
**knife** *n.* nôž
**knight** *n.* rytier
**knight** *v.t.* pasovať na rytiera
**knit** *v.t.* pliesť
**knock** *v.t.* udierať
**knot** *n.* uzol
**knot** *v.t.* uviazať na uzol
**know** *v.t.* vedieť
**knowledge** *n.* vedomosti

# L

**label** *n.* nálepka
**label** *v.t.* označiť nálepkou
**labial** *a.* perný
**laboratory** *n.* laboratórium
**laborious** *a.* prácny
**labour** *n.* práca
**labour** *v.i.* pracovať
**laboured** *a.* vypracovaný
**labourer** *n.* pracovník
**labyrinth** *n.* labyrint
**lac, lakh** *n* veľké množstvo
**lace** *n.* šnúrka
**lace** *v.t.* zašnurovať
**lacerate** *v.t.* trhať
**lachrymose** *a.* plačlivý
**lack** *n.* nedostatok
**lack** *v.t.* chýbať
**lackey** *n.* lokaj
**lacklustre** *a.* nudný
**laconic** *a.* lakonický
**lactate** *v.i.* podávať laktán
**lactometer** *n.* mliekomer
**lactose** *n.* laktóza
**lacuna** *n.* medzera
**lacy** *a.* čipkový
**lad** *n.* mládenec

**ladder** *n.* rebrík
**lade** *v.t.* nakladať
**ladle** *n.* naberačka
**ladle** *v.t.* nabrať
**lady** *n.* žena
**lag** *v.i.* zaostávať
**laggard** *n.* oneskorenec
**lagoon** *n.* lagúna
**lair** *n.* brloh
**lake** *n.* jazero
**lama** *n.* lama
**lamb** *n.* jahňa
**lambaste** *v.t.* zbiť
**lame** *a.* chromý
**lame** *v.t.* zmrzačiť
**lament** *v.i.* nariekať
**lament** *n* nariekanie
**lamentable** *a.* žalostný
**lamentation** *n.* trúchlenie
**lambkin** *n.* jahniatko
**laminate** *v.t.* laminovať
**lamp** *n.* lampa
**lampoon** *n.* hanopis
**lampoon** *v.t.* písať hanopisy
**lance** *n.* kopija
**lance** *v.t.* hodiť kopiju
**lancer** *n.* kopijnik
**lancet** *a.* skalpel
**land** *n.* zem
**land** *v.i.* pristáť
**landing** *n.* medziposchodie
**landscape** *n.* krajina
**lane** *n.* cestička
**language** *n.* reč
**languish** *v.i.* trpieť
**lank** *a.* rovný
**lantern** *n.* lampáš
**lap** *n.* lono
**lapse** *v.i.* zlyhať
**lapse** *n* zlyhanie
**lard** *n.* bravčová masť
**large** *a.* velikánsky
**largesse** *n.* štedrosť
**lark** *n.* žart
**lascivious** *a.* nemravný
**lash** *a.* šľahnutý
**lash** *n* švihnutie
**lass** *n.* dievča
**last1** *a.* posledný
**last** *adv.* posledný
**last** *v.i.* trvať
**last** *n* kopyto
**lastly** *adv.* na koniec
**lasting** *a.* trvalý
**latch** *n.* závora
**late** *a.* neskorý
**late** *adv.* neskoro
**lately** v ostatnom čase
**latent** *a.* skrytý
**lath** *n.* latka
**lathe** *n.* sústruh
**lathe** *n.* bidlo
**lather** *n.* pena
**latitude** *n.* šírka
**latrine** *n.* latrína
**latter** *a.* neskorší
**lattice** *n.* mreža
**laud** *v.t.* velebiť
**laud** *n* velebenie
**laudable** *a.* chválitebný
**laugh** *n.* smiech
**laugh** *v.i* smiať sa
**laughable** *a.* smiešny
**laughter** *n.* smiech
**launch** *v.t.* spustiť
**launch** *n.* štart
**launder** *v.t.* vyprať
**laundress** *n.* pradiarka
**laundry** *n.* práčovňa
**laurel** *n.* rododendrón
**laureate** *a.* laureátny
**laureate** *n* laureát
**lava** *n.* láva
**lavatory** *n.* záchod

**lavender** *n.* levanduľa
**lavish** *a.* bohatý
**lavish** *v.t.* nešetriť
**law** *n.* pravidlo
**lawful** *a.* zákonný
**lawless** *a.* protiprávny
**lawn** *n.* trávnik
**lawyer** *n.* právnik
**lax** *a.* nedbalý
**laxative** *n.* preháňadlo
**laxative** *a* preháňací
**laxity** *n.* nedbanlivosť
**lay** *v.t.* položiť
**lay** *a.* laický
**lay** *n* matrac
**layer** *n.* vrstva
**layman** *n.* laik
**laze** *v.i.* leňošiť
**laziness** *n.* lenivosť
**lazy** *n.* lenivec
**lea** *n.* lúka
**leach** *v.t.* vylúhovať
**lead** *n.* sprevádzanie
**lead** *v.t.* sprevádzať
**lead** *n.* olovo
**leaden** *a.* olovený
**leader** *n.* vodca
**leadership** *n.* vedenie
**leaf** *n.* list
**leaflet** *n.* leták
**leafy** *a.* listnatý
**league** *n.* spolok
**leak** *n.* trhlina
**leak** *v.i.* tiecť
**leakage** *n.* vytekanie
**lean** *n.* chudé mäso
**lean** *v.i.* nakloniť sa
**leap** *v.i.* skočiť
**leap** *n* skok
**learn** *v.i.* učiť sa
**learned** *a.* učený
**learner** *n.* začiatočník
**learning** *n.* učenie
**lease** *n.* zmluva o prenájme
**lease** *v.t.* prenajať
**least** *a.* najmenší
**least** *adv.* najmenej
**leather** *n.* koža
**leave** *n.* dovolenka
**leave** *v.t.* odísť
**lecture** *n.* prednáška
**lecture** *v* prednášať
**lecturer** *n.* prednášajúci
**ledger** *n.* účtovná kniha
**lee** *n.* ochrana
**leech** *n.* pijavica
**leek** *n.* pór
**left** *a.* ľavý
**left** *n.* ľavá strana
**leftist** *n* ľavičiar
**leg** *n.* noha
**legacy** *n.* dedičstvo
**legal** *a.* zákonný
**legality** *n.* zákonnosť
**legalize** *v.t.* legalizovať
**legend** *n.* povesť
**legendary** *a.* povestný
**leghorn** *n.* slamený klobúk
**legible** *a.* čitateľný
**legibly** *adv.* čitateľne
**legion** *n.* légia
**legionary** *n.* legionár
**legislate** *v.i.* vydať zákon
**legislation** *n.* zákonodarstvo
**legislative** *a.* zákonodarný
**legislator** *n.* zákonodarca
**legislature** *n.* zákonodarný zbor
**legitimacy** *n.* zákonnosť
**legitimate** *a.* zákonný
**leisure** *n.* voľno
**leisure** *a* nepracujúci
**leisurely** *a.* nenútený
**leisurely** *adv.* nenútene
**lemon** *n.* citrón

**lemonade** *n.* limonáda
**lend** *v.t.* požičať
**length** *n.* dĺžka
**lengthen** *v.t.* predĺžiť
**lengthy** *a.* rozvláčny
**lenience, leniency** *n.* zhovievavosť
**lenient** *a.* zhovievavý
**lens** *n.* šošovka
**lentil** *n.* šošovica
**Leo** *n.* Lev
**leonine** *a* leví
**leopard** *n.* leopard
**leper** *n.* malomocný
**leprosy** *n.* lepra
**leprous** *a.* leprózny
**less** *a.* menší
**less** *n* menšie množstvo
**less** *adv.* menej
**less** *prep.* bez
**lessee** *n.* nájomca
**lessen** *v.t* zmenšiť
**lesser** *a.* menej
**lesson** *n.* vyučovacia hodina
**lest** *conj.* aby nie
**let** *v.t.* dovoliť
**lethal** *a.* smrteľný
**lethargic** *a.* letargický
**lethargy** *n.* letargia
**letter** *n* list
**level** *n.* rovina
**level** *a* rovný
**level** *v.t.* zrovnať
**lever** *n.* páka
**lever** *v.t.* vypáčiť
**leverage** *n.* vypáčenie
**levity** *n.* ľahkosť
**levy** *v.t.* uvaliť
**levy** *n.* vyberanie poplatkov
**lewd** *a.* žiadostivý
**lexicography** *n.* lexikografia
**lexicon** *n.* slovník
**liability** *n.* záväzok
**liable** *a.* zodpovedný
**liaison** *n.* spolupráca
**liar** *n.* klamár
**libel** *n.* urážka na cti
**libel** *v.t.* uraziť
**liberal** *a.* veľkorysý
**liberalism** *n.* veľkorysosť
**liberality** *n.* štedrosť
**liberate** *v.t.* oslobodiť
**liberation** *n.* oslobodenie
**liberator** *n.* osloboditeľ
**libertine** *n.* zhýralec
**liberty** *n.* sloboda
**librarian** *n.* knihovník
**library** *n.* knižnica
**licence** *n.* povolenie
**license** *v.t.* povoliť
**licensee** *n.* koncesionár
**licentious** *a.* nemorálny
**lick** *v.t.* lízať
**lick** *n* lízanie
**lid** *n.* vrchnák
**lie** *v.i.* ležať
**lie** *v.i* klamať
**lie** *n* klamstvo
**lien** *n.* retenčné právo
**lieu** *n.* miesto
**lieutenant** *n.* nadporučík
**life** *n* život
**lifeless** *a.* bezduchý
**lifelong** *a.* celoživotný
**lift** *n.* zdvihnutie
**lift** *v.t.* zdvihnúť
**light** *n.* svetlo
**light** *a* ľahký
**light** *v.t.* vznietiť sa
**lighten** *v.i.* osvetliť
**lighter** *n.* zapaľovač
**lightly** *adv.* zľahka
**lightening** *n.* blesk
**lignite** *n.* lignit

**like** *a.* rovnaký
**like** *n.* roveň
**like** *v.t.* páčiť sa
**like** *prep* takto
**likelihood** *n.* pravdepodobnosť
**likely** *a.* pravdepodobný
**liken** *v.t.* podobať
**likeness** *n.* podobnosť
**likewise** *adv.* podobne
**liking** *n.* záľuba
**lilac** *n.* orgován
**lily** *n.* ľalia
**limb** *n.* úd
**limber** *v.t.* robiť pružným
**limber** *n* borovica
**lime** *n.* vápno
**lime** *v.t* vápniť
**lime** *n.* lipa
**limelight** *n.* stredobod
**limit** *n.* medza
**limit** *v.t.* obmedziť
**limitation** *n.* obmedzenie
**limited** *a.* obmedzený
**limitless** *a.* neohraničený
**line** *n.* čiara
**line** *v.t.* linajkovať
**line** *v.t.* vystlať
**lineage** *n.* rodokmeň
**linen** *n.* bielizeň
**linger** *v.i.* postávať
**lingo** *n.* žargón
**lingua franca** *n.* lingua franca
**lingual** *a.* jazykový
**linguist** *n.* jazykovedec
**linguistic** *a.* jazykovedný
**linguistics** *n.* jazykoveda
**lining** *n* výstelka
**link** *n.* spojenie
**link** *v.t* spojiť
**linseed** *n.* ľanové semienko
**lintel** *n.* preklad
**lion** *n* lev
**lioness** *n.* levica
**lip** *n.* pera
**liquefy** *v.t.* skvapalňovať
**liquid** *a.* tekutý
**liquid** *n* tekutina
**liquidate** *v.t.* zlikvidovať
**liquidation** *n.* likvidácia
**liquor** *n.* liehovina
**lisp** *v.t.* šušlať
**lisp** *n* šušlanie
**list** *n.* zoznam
**list** *v.t.* urobiť zoznam
**listen** *v.i.* počúvať
**listener** *n.* poslucháč
**listless** *a.* chabý
**lists** *n.* zoznam
**literacy** *n.* gramotnosť
**literal** *a.* doslovný
**literary** *a.* literárny
**literate** *a.* gramotný
**literature** *n.* literatúra
**litigant** *n.* sporná strana
**litigate** *v.t.* súdiť sa
**litigation** *n.* vedenie sporu
**litre** *n.* liter
**litter** *n.* odpadky
**litter** *v.t.* rozhádzať
**litterateur** *n.* intelektuál
**little** *a.* malý
**little** *adv.* málo
**little** *n.* kúsok
**littoral** *a.* pobrežný
**liturgical** *a.* liturgický
**live** *v.i.* žiť
**live** *a.* živý
**livelihood** *n.* živobytie
**lively** *a.* čulý
**liver** *n.* pečeň
**livery** *n.* livrej
**living** *a.* živý
**living** *n* živobytie
**lizard** *n.* jašterica

**load** *n.* náklad
**load** *v.t.* nakladať
**loadstar** *n.* počítačová hra
**loadstone** *n.* magnetovec
**loaf** *n.* bochník
**loaf** *v.i.* povaľovať sa
**loafer** *n.* sandál
**loan** *n.* pôžička
**loan** *v.t.* požičať
**loath** *a.* neochotný
**loathe** *v.t.* nenávidieť
**loathsome** *a.* odporný
**lobby** *n.* vstupná hala
**lobe** *n.* lalok
**lobster** *n.* humár
**local** *a.* miestny
**locale** *n.* lokalita
**locality** *n.* lokalita
**localize** *v.t.* lokalizovať
**locate** *v.t.* určiť miesto
**location** *n.* poloha
**lock** *n.* zámka
**lock** *v.t* zamknúť
**lock** *n* kader
**locker** *n.* skrinka
**locket** *n.* medailón
**locomotive** *n.* lokomotíva
**locus** *n.* miesto
**locust** *n.* kobylka
**locution** *n.* výraz
**lodge** *n.* vrátnica
**lodge** *v.t.* ubytovať sa
**lodging** *n.* ubytovanie
**loft** *n.* povala
**lofty** *a.* vznešený
**log** *n.* kmeň
**logarithim** *n.* logaritmus
**loggerhead** *n.* trubiroh
**logic** *n.* logika
**logical** *a.* logický
**logician** *n.* logik
**loin** *n.* roštenka
**loiter** *v.i.* postávať
**loll** *v.i.* rozvaľovať sa
**lollipop** *n.* lízatko
**lone** *a.* sám
**loneliness** *n.* samota
**lonely** *a.* osamelý
**lonesome** *a.* opustený
**long** *a.* dlhý
**long** *adv* dlho
**long** *v.i* túžiť
**longevity** *n.* dlhovekosť
**longing** *n.* túžba
**longitude** *n.* dĺžka
**look** *v.i* dívať sa
**look** *a* pohľad
**loom** *n* tkáčsky stav
**loom** *v.i.* vynoriť sa
**loop** *n.* slučka
**loop-hole** *n.* otvor
**loose** *a.* voľný
**loose** *v.t.* strácať
**loosen** *v.t.* uvoľniť
**loot** *n.* korisť
**loot** *v.i.* rabovať
**lop** *v.t.* obrezať
**lop** *n.* obrezanie
**lord** *n.* lord
**lordly** *a.* panský
**lordship** *n.* lordstvo
**lore** *n.* tradícia
**lorry** *n.* nákladné auto
**lose** *v.t.* stratiť
**loss** *n.* strata
**lot** *n.* celok
**lot** *n* položka
**lotion** *n.* pleťová voda
**lottery** *n.* lotéria
**lotus** *n.* lotus
**loud** *a.* hlučný
**lounge** *v.i.* posedávať
**lounge** *n.* obývacia izba
**louse** *n.* voš

**lovable** *a.* roztomilý
**love** *n* láska
**love** *v.t.* milovať
**lovely** *a.* milý
**lover** *n.* milenec
**loving** *a.* milujúci
**low** *a.* nízky
**low** *adv.* nízko
**low** *v.i.* dať dole
**low** *n.* spodná hranica
**lower** *v.t.* znížiť
**lowliness** *n.* pokornosť
**lowly** *a.* pokorný
**loyal** *a.* verný
**loyalist** *n.* loajalista
**loyalty** *n.* loajalita
**lubricant** *n.* lubrikant
**lubricate** *v.t.* mazať
**lubrication** *n.* mazanie
**lucent** *a.* žiarivý
**lucerne** *n.* lucerna
**lucid** *a.* jasný
**lucidity** *n.* zrozumiteľnosť
**luck** *n.* šťastie
**luckily** *adv.* našťastie
**luckless** *a.* nevydarený
**lucky** *a.* vydarený
**lucrative** *a.* výnosný
**lucre** *n.* zisk
**luggage** *n.* batožina
**lukewarm** *a.* vlažný
**lull** *v.t.* uspať
**lull** *n.* odpočinok
**lullaby** *n.* uspávanka
**luminary** *n.* svietidlo
**luminous** *a.* svetelný
**lump** *n.* kus
**lump** *v.t.* prehltnúť
**lunacy** *n.* pochabosť
**lunar** *a.* mesačný
**lunatic** *n.* blázon
**lunatic** *a.* šialený
**lunch** *n.* obed
**lunch** *v.i.* obedovať
**lung** *n* pľúcny lalok
**lunge** *n.* skok
**lunge** *v.i* skočiť
**lurch** *n.* tackanie sa
**lurch** *v.i.* tackať sa
**lure** *n.* vidina
**lure** *v.t.* lákať
**lurk** *v.i.* zakrádať sa
**luscious** *a.* zvodný
**lush** *a.* svieži
**lust** *n.* žiadostivosť
**lustful** *a.* žiadostivý
**lustre** *n.* ligot
**lustrous** *a.* ligotavý
**lusty** *a.* silný
**lute** *n.* lutna
**luxuriance** *n.* bujnosť
**luxuriant** *a.* bohatý
**luxurious** *a.* prepychový
**luxury** *n.* prepych
**lynch** *v.t.* lynčovať
**lyre** *n.* lýra
**lyric** *a.* lyrický
**lyric** *n.* báseň
**lyrical** *a.* radostný
**lyricist** *n.* textár

# M

**magical** *a.* čarovný
**magician** *n.* kúzelník
**magisterial** *a.* úradný
**magistracy** *n.* úrad policajného sudcu
**magistrate** *n.* policajný sudca
**magnanimity** *n.* veľkodušnosť
**magnanimous** *a.* veľkodušný
**magnate** *n.* magnát

**magnet** *n.* magnet
**magnetic** *a.* magnetický
**magnetism** *n.* náuka o magnetizme
**magnificent** *a.* veľkolepý
**magnify** *v.t.* zväčšovať
**magnitude** *n.* závažnosť
**magpie** *n.* straka
**mahogany** *n.* mahagón
**mahout** *n.* mahaut
**maid** *n.* panna
**maiden** *n.* dievčina
**maiden** *a* slobodný
**mail** *n.* pošta
**mail** *v.t.* poslať poštou
**mail** *n* pošta
**main** *a* hlavný
**main** *n* hlavný prívod
**mainly** *adv.* hlavne
**mainstay** *n.* hlavná podpora
**maintain** *v.t.* pokračovať
**maintenance** *n.* údržba
**maize** *n.* kukurica
**majestic** *a.* majestátny
**majesty** *n.* kráľovská moc
**major** *a.* väčší
**major** *n* major
**majority** *n.* väčšina
**make** *v.t.* robiť
**make** *n* výrobná značka
**maker** *n.* výrobca
**mal adjustment** *n.* neprispôsobivosť
**mal administration** *n.* zlé spravovanie
**malady** *n.* chyba
**malaria** *n.* malária
**maladroit** *a.* nešikovný
**malafide** *a.* v zlej viere
**malafide** *adv* v zlej viere
**malaise** *n.* nepokojnosť
**malcontent** *a.* nespokojný
**malcontent** *n* rebel
**male** *a.* mužský
**male** *n* muž
**malediction** *n.* kliatba
**malefactor** *n.* zločinec
**maleficent** *a.* škodlivý
**malice** *n.* zlomyseľnosť
**malicious** *a.* zlomyseľný
**malign** *v.t.* ohovárať
**malign** *a* škodlivý
**malignancy** *n.* zlomyseľnosť
**malignant** *a.* zlomyseľný
**malignity** *n.* zloba
**malleable** *a.* kujný
**malmsey** *n.* malvázia
**malnutrition** *n.* podvýživa
**malpractice** *n.* nedbanlivosť
**malt** *n.* slad
**mal-treatment** *n.* týranie
**mamma** *n.* mama
**mammal** *n.* cicavec
**mammary** *a.* prsníkový
**mammon** *n.* mamon
**mammoth** *n.* mamut
**mammoth** *a* mamutí
**man** *n.* muž
**man** *v.t.* dosadiť
**manage** *v.t.* riadiť
**manageable** *a.* zvládnuteľný
**management** *n.* spravovanie
**manager** *n.* riaditeľ
**managerial** *a.* riaditeľský
**mandate** *n.* mandát
**mandatory** *a.* povinný
**mane** *n.* hriva
**manes** *n.* mánovia
**manful** *a.* chlapský
**manganese** *n.* mangán
**manger** *n.* válov
**mangle** *v.t.* drviť
**mango** *n* mango
**manhandle** *v.t.* ručne dopraviť

**manhole** *n.* šachta
**manhood** *n.* mužnosť
**mania** *n* mánia
**maniac** *n.* maniak
**manicure** *n.* manikúra
**manifest** *a.* zrejmý
**manifest** *v.t.* dať najavo
**manifestation** *n.* prejav
**manifesto** *n.* manifest
**manifold** *a.* mnohonásobný
**manipulate** *v.t.* manipulovať
**manipulation** *n.* manipulovanie
**mankind** *n.* ľudstvo
**manlike** *a.* mužský
**manliness** *n* mužnosť
**manly** *a.* mužný
**manna** *n.* manna
**mannequin** *n.* figurína
**manner** *n.* spôsob
**mannerism** *n.* maniera
**mannerly** *a.* vychovaný
**manoeuvre** *n.* manéver
**manoeuvre** *v.i.* manévrovať
**manor** *n.* veľkostatok
**manorial** *a.* panský
**mansion** *n.* rezidencia
**mantel** *n.* výklenok krbu
**mantle** *n* plášť
**mantle** *v.t* prikryť
**manual** *a.* ručný
**manual** *n* príručka
**manufacture** *v.t.* vyrobiť
**manufacture** *n* výroba
**manufacturer** *n* výrobca
**manumission** *n.* prepustenie z otroctva
**manumit** *v.t.* prepustiť
**manure** *n.* hnoj
**manure** *v.t.* hnojiť
**manuscript** *n.* rukopis
**many** *a.* mnohý
**map** *n* mapa
**map** *v.t.* mapovať
**mar** *v.t.* špatiť
**marathon** *n.* maratón
**maraud** *v.i.* plieniť
**marauder** *n.* lúpežník
**marble** *n.* mramor
**march** *n* pochod
**march** *n.* marec
**march** *v.i* pochodovať
**mare** *n.* kobyla
**margarine** *n.* margarín
**margin** *n.* okraj
**marginal** *a.* okrajový
**marigold** *n.* nechtík
**marine** *a.* morský
**mariner** *n.* námorník
**marionette** *n.* bábka
**marital** *a.* manželský
**maritime** *a.* lodný
**mark** *n.* značka
**mark** *v.t* označiť
**marker** *n.* fixka
**market** *n* trh
**market** *v.t* obchodovať
**marketable** *a.* predajný
**marksman** *n.* strelec
**marl** *n.* slieň
**marmalade** *n.* lekvár
**maroon** *n.* signálna raketa
**maroon** *a* tmavogaštanový
**maroon** *v.t* vypustiť signálnu raketu
**marriage** *n.* manželstvo
**marriageable** *a.* vhodný na manželstvo
**marry** *v.t.* oženiť sa
**Mars** *n* Mars
**marsh** *n.* močiar
**marshal** *n* maršal
**marshal** *v.t* zoradiť
**marshy** *a.* močaristý
**marsupial** *n.* vačkovec

**mart** *n.* trh
**marten** *n.* kuna
**martial** *a.* vojenský
**martinet** *n.* punktičkár
**martyr** *n.* umučiť
**martyrdom** *n.* mučeníctvo
**marvel** *n.* div
**marvel** *v.i* čudovať sa
**marvellous** *a.* úžasný
**mascot** *n.* maskot
**masculine** *a.* mužský
**mash** *n.* zemiaková kaša
**mash** *v.t* drviť
**mask** *n.* maska
**mask** *v.t.* maskovať
**mason** *n.* kamenár
**masonry** *n.* murivo
**masquerade** *n.* maškarný bál
**mass** *n.* masa
**mass** *v.i* hromadiť sa
**massacre** *n.* vraždenie
**massacre** *v.t.* vraždiť
**massage** *n.* masáž
**massage** *v.t.* masírovať
**masseur** *n.* masér
**massive** *a.* masívny
**massy** *a.* masívny
**mast** *n.* sťažeň
**master** *n.* pán
**master** *v.t.* ovládať
**masterly** *a.* majstrovský
**masterpiece** *n.* majstrovské dielo
**mastery** *n.* ovládanie
**masticate** *v.t.* žuť
**masturbate** *v.i.* masturbovať
**mat** *n.* rohožka
**matador** *n .* matador
**match** *n.* zápas
**match** *v.i.* hodiť sa
**match** *n* zápalka
**matchless** *a.* neporovnateľný
**mate** *n.* kamarát
**mate** *v.t.* páriť sa
**mate** *n* partner
**mate** *v.t.* páriť sa
**material** *a.* hmotný
**material** *n* hmota
**materialism** *n.* hmotárstvo
**materialize** *v.t.* zhmotniť
**maternal** *a.* materinský
**maternity** *n.* materstvo
**mathematical** *a.* matematický
**mathematician** *n.* matematik
**mathematics** *n* matematika
**matinee** *n.* matiné
**matriarch** *n.* žena vládnuca kmeňu
**matricidal** *a.* matkovražedný
**matricide** *n.* matkovražda
**matriculate** *v.t.* stať sa univerzitným študentom
**matriculation** *n.* prijatie na univerzitu
**matrimonial** *a.* manželský
**matrimony** *n.* manželstvo
**matrix** *n* matica
**matron** *n.* vdova
**matter** *n.* záležitosť
**matter** *v.i.* byť významný
**mattock** *n.* čakan
**mattress** *n.* matrac
**mature** *a.* zrelý
**mature** *v.i* zrieť
**maturity** *n.* zrelosť
**maudlin** *a* rozcitlivený
**maul** *n.* palica
**maul** *v.t* trhať v zuboch
**maulstick** *n.* maliarska palička
**maunder** *v.t.* mrmlať
**mausoleum** *n.* mauzóleum
**mawkish** *a.* sladký
**maxilla** *n.* horná čelusť
**maxim** *n.* maxima
**maximize** *v.t.* maximalizovať

**maximum** *a.* maximálny
**maximum** *n* maximum
**May** *n.* máj
**may** *v* môcť
**mayor** *n.* starosta
**maze** *n.* bludisko
**me** *pron.* mňa
**mead** *n.* medovina
**meadow** *n.* lúka
**meagre** *a.* nevýdatný
**meal** *n.* jedlo
**mealy** *a.* múčny
**mean** *a.* lakomý
**mean** *n.* priemer
**mean** *v.t* znamenať
**meander** *v.i.* kľukatiť sa
**meaning** *n.* význam
**meaningful** *a.* významný
**meaningless** *a.* bezvýznamný
**meanness** *n.* podlosť
**means** *n* prostriedok
**meanwhile** *adv.* zatiaľ
**measles** *n* osýpky
**measurable** *a.* merateľný
**measure** *n.* miera
**measure** *v.t* merať
**measureless** *a.* bezmedzný
**measurement** *n.* meranie
**meat** *n.* mäso
**mechanic** *n.* strojník
**mechanic** *a* strojový
**mechanical** *a.* strojový
**mechanics** *n.* mechanika
**mechanism** *n.* zariadenie
**medal** *n.* medaila
**medallist** *n.* medailista
**maddle** *v.i.* pliesť sa
**medieval** *a.* stredoveký
**medieval** *a.* medieválny
**median** *a.* stredový
**mediate** *v.i.* zjednať
**mediation** *n.* zjednanie
**mediator** *n.* zjednávateľ
**medical** *a.* lekársky
**medicament** *n.* liek
**medicinal** *a.* lekársky
**medicine** *n.* liek
**medico** *n.* medik
**mediocre** *a.* podpriemerný
**mediocrity** *n.* podpriemernosť
**meditate** *v.t.* meditovať
**mediation** *n.* meditácia
**meditative** *a.* premýšľavý
**medium** *n* médium
**medium** *a* stredný
**meek** *a.* mierny
**meet** *n.* stretnutie
**meet** *v.t.* stretnúť
**meeting** *n.* schôdza
**megalith** *n.* megalit
**megalithic** *a.* megalitický
**megaphone** *n.* megafón
**melancholia** *n.* melanchólia
**melancholic** *a.* smutný
**melancholy** *n.* melancholik
**melancholy** *adj* smutný
**melee** *n.* šarvátka
**meliorate** *v.t.* zlepšiť
**mellow** *a.* sladký
**melodious** *a.* melodický
**melodrama** *n.* melodráma
**melodramatic** *a.* melodramatický
**melody** *n.* pieseň
**melon** *n.* melón
**melt** *v.i.* rozpúšťať
**member** *n.* člen
**membership** *n.* členstvo
**membrane** *n.* membrána
**memento** *n.* suvenír
**memoir** *n.* spomienka
**memorable** *a.* pamätný
**memorandum** *n* memorandum
**memorial** *n.* pamätník

**memorial** *a* pamätný
**memory** *n.* pamäť
**menace** *n* hrôzba
**menace** *v.t* ohrozovať
**mend** *v.t.* opraviť
**mendacious** *a.* zavádzajúci
**menial** *a.* podradný
**menial** *n* sluha
**meningitis** *n.* meningitída
**menopause** *n.* menopauza
**menses** *n.* menzes
**menstrual** *a.* menštruačný
**menstruation** *n.* menštruácia
**mental** *a.* duševný
**mentality** *n.* mentalita
**mention** *n.* zmienka
**mention** *v.t.* zmieniť sa
**mentor** *n.* poradca
**menu** *n.* menu
**mercantile** *a.* obchodný
**mercenary** *a.* predajný
**mercerise** *v.t.* mercerovať
**merchandise** *n.* tovar
**merchant** *n.* predavač
**merciful** *a.* milosrdný
**merciless** *adj.* nemilosrdný
**mercurial** *a.* ortuťový
**mercury** *n.* ortuť
**mercy** *n.* súcit
**mere** *a.* obyčajný
**merge** *v.t.* spojiť
**merger** *n.* splynutie
**meridian** *a.* poludňajší
**merit** *n.* hodnota
**merit** *v.t* zaslúžiť si
**meritorious** *a.* záslužný
**mermaid** *n.* morská panna
**merman** *n.* morský muž
**merriment** *n.* veselie
**merry** *a* veselý
**mesh** *n.* sieťovina
**mesh** *v.t* byť v súlade
**mesmerism** *n.* mesmerizmus
**mesmerize** *v.t.* mesmerizovať
**mess** *n.* neporiadok
**mess** *v.i* zaháľať
**message** *n.* správa
**messenger** *n.* posol
**messiah** *n.* spasiteľ
**messrs** *n.* páni
**metabolism** *n.* metabolizmus
**metal** *n.* kov
**metallic** *a.* kovový
**metallurgy** *n.* hútnictvo
**metamorphosis** *n.* premena
**metaphor** *n.* metafora
**metaphysical** *a.* metafyzický
**metaphysics** *n.* metafyzika
**mete** *v.t* vymerať
**meteor** *n.* meteor
**meteoric** *a.* meteorický
**meteorologist** *n.* meteorológ
**meteorology** *n.* meteorológia
**meter** *n.* merač
**method** *n.* spôsob
**methodical** *a.* metodický
**metre** *n.* meter
**metric** *a.* metrický
**metrical** *a.* metrický
**metropolis** *n.* metropola
**metropolitan** *a.* metropolitný
**metropolitan** *n.* metropolita
**mettle** *n.* temperament
**mettlesome** *a.* zápalistý
**mew** *v.i.* mňaukať
**mew** *n.* mňaukanie
**mezzanine** *n.* mezanín
**mica** *n.* sľuda
**microfilm** *n.* mikrofilm
**micrology** *n.* mikrológia
**micrometer** *n.* mikrometer
**microphone** *n.* mikrofón
**microscope** *n.* mikroskop
**microscopic** *a.* mikroskopický

**microwave** *n.* mikrovlnná rúra
**mid** *a.* stredný
**midday** *n.* poludnie
**middle** *a.* stredný
**middle** *n* stred
**middleman** *n.* sprostredkovateľ
**middling** *a.* priemerný
**midget** *n.* človiečik
**midland** *n.* centrum
**midnight** *n.* polnoc
**mid-off** *n.* pozícia mid-off
**mid-on** *n.* pozícia mid-on
**midriff** *n.* brucho
**midst** stred
**midsummer** *n.* sv.Jána
**midwife** *n.* pôrodná baba
**might** *n.* moc
**mighty** *adj.* mocný
**migraine** *n.* migréna
**migrant** *n.* sťahovavec
**migrate** *v.i.* sťahovať sa
**migration** *n.* sťahovanie sa
**milch** *a.* dojná
**mild** *a.* mierný
**mildew** *n.* pleseň
**mile** *n.* míľa
**mileage** *n.* miera v míľach
**milestone** *n.* míľnik
**milieu** *n.* milieu
**militant** *a.* militantný
**militant** *n* militantný človek
**military** *a.* vojenský
**military** *n* vojenčina
**militate** *v.i.* bojovať
**militia** *n.* domobrana
**milk** *n.* mlieko
**milk** *v.t.* dojiť
**milky** *a.* mliečny
**mill** *n.* mlyn
**mill** *v.t.* mlieť
**millennium** *n.* tisícročie
**miller** *n.* mlynár
**millet** *n.* proso
**milliner** *n.* modistka
**milliner** *n.* modistka
**millinery** *n.* modiststvo
**million** *n.* milión
**millionaire** *n.* milionár
**millipede** *n.* stonožka
**mime** *n.* posunky
**mime** *v.i* napodobniť
**mimesis** *n.* mimésis
**mimic** *a.* napodobňujúci
**mimic** *n* imitátor
**mimic** *v.t* napodobňovať
**mimicry** *n* mimika
**minaret** *n.* minaret
**mince** *v.t.* krájať
**mind** *n.* myseľ
**mind** *v.t.* dať pozor
**mindful** *a.* dbajúci
**mindless** *a.* sprostý
**mine** *pron.* moje
**mine** *n* baňa
**miner** *n.* baník
**mineral** *n.* nerast
**mineral** *a* minerálny
**mineralogist** *n.* mineralóg
**mineralogy** *n.* mineralógia
**mingle** *v.t.* zmiešať
**miniature** *n.* miniatúra
**miniature** *a.* miniatúrny
**minim** *n.* polová nota
**minimal** *a.* minimálny
**minimize** *v.t.* minimalizovať
**minimum** *n.* minimum
**minimum** *a* minimálny
**minion** *n.* obľúbenec
**minister** *n.* minister
**minister** *v.i.* poslúžiť
**ministrant** *a.* služobný
**ministry** *n.* ministerstvo
**mink** *n.* norka
**minor** *a.* menší

**minor** *n* neplnoletá osoba
**minority** *n.* menšina
**minster** *n.* kláštorný chrám
**mint** *n.* mäta prieporná
**mint** *n* mentolka
**mint** *v.t.* raziť mince
**minus** *prep.* bez
**minus** *a* mínusový
**minus** *n* mínus
**minuscule** *a.* malý
**minute** *a.* drobný
**minute** *n.* minúta
**minutely** *adv.* podrobne
**minx** *n.* koketa
**miracle** *n.* zázrak
**miraculous** *a.* zázračný
**mirage** *n.* fatamorgána
**mire** *n.* močiar
**mire** *v.t.* zapadnúť do blata
**mirror** *n* zrkadlo
**mirror** *v.t.* zrkadliť sa
**mirth** *n.* veselie
**mirthful** *a.* veselý
**misadventure** *n.* nešťastie
**misalliance** *n.* nerovné manželstvo
**misanthrope** *n.* mizantrop
**misapplication** *n.* zneužitie
**misapprehend** *v.t.* nepochopiť
**misapprehension** *n* nepochopenie
**misappropriate** *v.t.* spreneveriť
**misappropriation** *n.* sprenev-erenie
**misbehave** *v.i.* nevhodne sa správať
**misbehaviour** *n.* nevhodné správanie
**misbelief** *n.* nedôvera
**miscalculate** *v.t.* prepočítať
**miscalculation** *n.* prepočítanie
**miscall** *v.t.* zle pomenovať
**miscarriage** *n.* potrat
**miscarry** *v.i.* potratiť
**miscellaneous** *a.* rozmanitý
**miscellany** *n.* pestrý zborník
**mischance** *n.* smola
**mischief** *n* darebáctvo
**mischievous** *a.* darebácky
**misconceive** *v.t.* nepochopiť
**misconception** *n.* nepochopenie
**misconduct** *n.* neprístojné správanie
**misconstrue** *v.t.* nepochopiť
**miscreant** *n.* lotor
**misdeed** *n.* priestupok
**misdemeanour** *n.* priestupok
**misdirect** *v.t.* doručiť na nesprávnu adresu
**misdirection** *n.* doručenie na nesprávnu adresu
**miser** *n.* lakomec
**miserable** *a.* nešťastný
**miserly** *a.* skúpy
**misery** *n.* utrpenie
**misfire** *v.i.* zlyhanie
**misfit** *n.* vydedenec
**misfortune** *n.* nešťastie
**misgive** *v.t.* vzbudiť obavy
**misgiving** *n.* obava
**misguide** *v.t.* zle ukázať cestu
**mishap** *n.* nehoda
**misjudge** *v.t.* zle odhadnúť
**mislead** *v.t.* zviesť
**mismanagement** *n.* zlé riadenie
**mismatch** *v.t.* zle spojiť
**misnomer** *n.* chybné pomenovanie
**misplace** *v.t.* venovať nehodnému
**misprint** *n.* tlačová chyba
**misprint** *v.t.* urobiť tlačovú chybu
**misrepresent** *v.t.* zle reprezentovať

**misrule** *n.* zlá vláda
**miss** *n.* netrafenie
**miss** *v.t.* minúť
**missile** *n.* riadená strela
**mission** *n.* misia
**missionary** *n.* misionár
**missis, missus** *n.*. slečna
**missive** *n.* román
**mist** *n.* hmla
**mistake** *n.* chyba
**mistake** *v.t.* chybovať
**mister** *n.* pán
**mistletoe** *n.* imelo
**mistreat** *d* zneužitie
**mistress** *n.* pani
**mistrust** *n.* nedôvera
**mistrust** *v.t.* nedôverovať
**misty** *a.* hmlistý
**misunderstand** *v.t.* nechápať
**misunderstanding** *n.* nedorozumenie
**misuse** *n.* nesprávne použitie
**misuse** *v.t.* nesprávne použiť
**mite** *n.* roztoč
**mite** *n* drobček
**mithridate** *n.* protijed
**mitigate** *v.t.* zmierniť
**mitigation** *n.* utíšenie
**mitre** *n.* mitra
**mitten** *n.* palčiak
**mix** *v.i* zmiešať
**mixture** *n.* zmes
**moan** *v.i.* stonať
**moan** *n.* stonanie
**moat** *n.* priekopa
**moat** *v.t.* obohnať priekopou
**mob** *n.* dav
**mob** *v.t.* obkolesiť
**mobile** *a.* pohyblivý
**mobility** *n.* pohyblivosť
**mobilize** *v.t.* mobilizovať
**mock** *v.i.* posmievať sa
**mock** *adj* falošný
**mockery** *n.* výsmech
**modality** *n.* forma
**mode** *n.* spôsob
**model** *n.* model
**model** *v.t.* tvarovať
**moderate** *a.* stredný
**moderate** *v.t.* mierniť
**moderation** *n.* sebaovládanie
**modern** *a.* moderný
**modernity** *n.* moderna
**modernize** *v.t.* modernizovať
**modest** *a.* skromný
**modesty** *n* skromnosť
**modicum** *n.* troška
**modification** *n.* upravovanie
**modify** *v.t.* upraviť
**modulate** *v.t.* modulovať
**moil** *v.i.* ťažko pracovať
**moist** *a.* vlhký
**moisten** *v.t.* navlhčiť
**moisture** *n.* vlhkosť
**molar** *n.* zadný zub
**molar** *a* molárny
**molasses** *n* melasa
**mole** *n.* krt
**molecular** *a.* molekulárny
**molecule** *n.* molekula
**molest** *v.t.* napadnúť
**molestation** *n.* napadnutie
**molten** *a.* roztavený
**moment** *n.* okamih
**momentary** *a.* chvíľkový
**momentous** *a.* závažný
**momentum** *n.* pohybová energia
**monarch** *n.* panovník
**monarchy** *n.* monarchia
**monastery** *n.* kláštor
**monasticism** *n* rehoľnícky život
**monday** *n.* pondelok
**monetary** *a.* menový
**money** *n.* peniaze

**monger** *n.* kupec
**mongoose** *n.* mangusta
**mongrel** *a* miešaný
**monitor** *n.* monitor
**monitory** *a.* monitorný
**monk** *n.* mních
**monkey** *n.* opica
**monochromatic** *a.* monochromatický
**monocle** *n.* monokel
**monocular** *a.* monokulárny
**monody** *n.* monódia
**monogamy** *n.* jednoženstvo
**monogram** *n.* monogram
**monograph** *n.* monograf
**monogynous** *a.* jednopiestikový
**monolatry** *n.* monolatria
**monolith** *n.* monolit
**monologue** *n.* monológ
**monopolist** *n.* monopolista
**monopolize** *v.t.* zmonopolizovať
**monopoly** *n.* monopol
**monosyllable** *n.* jednohláska
**monosyllabic** *a.* jednohlasný
**monotheism** *n.* monoteizmus
**monotheist** *n.* monoteista
**monotonous** *a.* monotónny
**monotony** *n* monotónnosť
**monsoon** *n.* monzún
**monster** *n.* obľuda
**monstrous** *a.* šokujúci
**monostrous** *n.* veľká nuda
**month** *n.* mesiac
**monthly** *a.* mesačný
**monthly** *adv* mesačne
**monthly** *n* mesačník
**monument** *n.* pomník
**monumental** *a.* monumentálny
**moo** *v.i* bučať
**mood** *n.* nálada
**moody** *a.* náladový
**moon** *n.* mesiac
**moor** *n.* slatina
**moor** *v.t* zakotviť
**moorings** *n.* kotvište
**moot** *n.* schôdza
**mop** *n.* kúdeľ
**mop** *v.t.* umyť mopom
**mope** *v.i.* nečinne sedieť
**moral** *a.* mravný
**moral** *n.* ponaučenie
**morale** *n.* morálka
**moralist** *n.* moralista
**morality** *n.* morálka
**moralize** *v.t.* moralizovať
**morbid** *a.* morbídny
**morbidity** *n* morbidita
**more** *a.* viac
**more** *adv* viac
**moreover** *adv.* navyše
**morganatic** *a.* morganatický
**morgue** *n.* márnica
**moribund** *a.* umierajúci
**morning** *n.* ráno
**moron** *n.* trubiroh
**morose** *a.* mrzutý
**morphia** *n.* morfium
**morrow** *n.* zajtrajšok
**morsel** *n.* dúšok
**mortal** *a.* smrteľný
**mortal** *n* smrteľník
**mortality** *n.* úmrtnosť
**mortar** *v.t.* maltovať
**mortgage** *n.* hypotéka
**mortgage** *v.t.* zaťažiť hypotékou
**mortagagee** *n.* hypotékový veriteľ
**mortgator** *n.* hypotékový dlžník
**mortify** *v.t.* zahanbiť
**mortuary** *n.* márnica
**mosaic** *n.* mozaika
**mosque** *n.* mešita
**mosquito** *n.* moskyt
**moss** *n.* mach

**most** *a.* najviac
**most** *adv.* najviac
**most** *n* väčšina
**mote** *n.* prášok
**motel** *n.* motel
**moth** *n.* moľa
**mother** *n* matka
**mother** *v.t.* starať sa
**motherhood** *n.* materstvo
**motherlike** *a.* materský
**motherly** *a.* materský
**motif** *n.* téma
**motion** *n.* pohyb
**motion** *v.i.* kývnuť
**motionless** *a.* bez pohybu
**motivate** *v* motivovať
**motivation** *n.* motivácia
**motive** *n.* dôvod
**motley** *a.* pestrý
**motor** *n.* motor
**motor** *v.i.* poháňať motorom
**motorist** *n.* motorista
**mottle** *n.* strakatosť
**motto** *n.* motto
**mould** *n.* pleseň
**mould** *v.t.* formovať
**mould** *n* forma
**mould** *n* druh
**mouldy** *a.* splesnivený
**moult** *v.i.* plznutie
**mound** *n.* val
**mount** *n.* vysadnutie
**mount** *v.t.* vysadnúť
**mount** *n* vrcholok
**mountain** *n.* hora
**mountaineer** *n.* horolezec
**mountainous** *a.* hornatý
**mourn** *v.i.* smútiť
**mourner** *n.* plačka
**mournful** *n.* smútočné zhromaždenie
**mourning** *n.* smútok
**mouse** *n.* myš
**moustache** *n.* fúzy
**mouth** *n.* ústa
**mouth** *v.t.* pohybovať perami
**mouthful** *n.* hlt
**movable** *a.* pohyblivý
**movables** *n.* hnuteľný majetok
**move** *n.* sťahovanie
**move** *v.t.* sťahovať sa
**movement** *n.* pohyb
**mover** *n.* prenášač
**movies** *n.* film
**mow** *v.t.* žať
**much** *a* veľa
**much** *adv* priveľa
**mucilage** *n.* sliz
**muck** *n.* špina
**mucous** *a.* hlienistý
**mucus** *n.* nosový hlien
**mud** *n.* blato
**muddle** *n.* neporiadok
**muddle** *v.t.* rozhádzať
**muffle** *v.t.* stlmiť
**muffler** *n.* šál
**mug** *n.* hrnček
**muggy** *a.* dusný
**mulatto** *n.* mulat
**mulberry** *n.* moruša
**mule** *n.* mulica
**mulish** *a.* zaťatý
**mull** *n.* varené
**mull** *v.t.* variť
**mullah** *n.* mulah
**mullion** *n.* obločné rebro
**multifarious** *a.* mnohoraký
**multiform** *n.* mnohotvárnosť
**multilateral** *a.* mnohostranný
**multiparous** *a.* mnohonásobný
**multiple** *a.* mnohonásobný
**multiple** *n* násobok
**multiped** *n.* stonožka
**multiplex** *a.* mnohonásobný

**multiplicand** *n.* násobenec
**multiplication** *n.* násobilka
**multiplicity** *n.* mnohopočetnosť
**multiply** *v.t.* násobiť
**multitude** *n.* množstvo
**mum** *a.* mlčanlivý
**mum** *n* mama
**mumble** *v.i.* mumlať
**mummer** *n.* mím
**mummy** *n.* múmia
**mummy** *n* mamička
**mumps** *n.* mumps
**munch** *v.t.* chrúmať
**mundane** *a.* banálny
**municipal** *a.* mestský
**municipality** *n.* magistrát
**munificent** *a.* štedrý
**muniment** *n.* právne listiny
**munitions** *n.* vojenská technika
**mural** *a.* nástenný
**mural** *n.* nástenná maľba
**murder** *n.* vražda
**murder** *v.t.* zavraždiť
**murderer** *n.* vrah
**murderous** *a.* vražedný
**murmur** *n.* bzukot
**murmur** *v.t.* mrmlať
**muscle** *n.* sval
**muscovite** *n.* muskovit
**muscular** *a.* svalový
**muse** *v.i.* dumať
**muse** *n* múza
**museum** *n.* múzeum
**mush** *n.* kaša
**mushroom** *n.* huba
**music** *n.* hudba
**musical** *a.* hudobný
**musician** *n.* hudobník
**musk** *n.* pižmo
**musket** *n.* mušketa
**musketeer** *n.* mušketier
**muslin** *n.* mušelín
**must** *v.* musieť
**must** *n.* nevyhnutnosť
**must** *n* mušt
**mustache** *n.* fúzy
**mustang** *n.* mustang
**mustard** *n.* horčica
**muster** *v.t.* zhromaždiť sa
**muster** *n* zhromaždenie
**musty** *a.* zatuchnutý
**mutation** *n.* premena
**mutative** *a.* premenný
**mute** *a.* nemý
**mute** *n.* nemý človek
**mutilate** *v.t.* zohaviť
**mutilation** *n.* zohavenie
**mutinous** *a.* buričský
**mutiny** *n.* vzbura
**mutiny** *v. i* búriť sa
**mutter** *v.i.* mrmlať
**mutton** *n.* baranina
**mutual** *a.* obojstranný
**muzzle** *n.* pysk
**muzzle** *v.t* dať náhubok
**my** *a.* môj
**myalgia** *n.* bolesť svalov
**myopia** *n.* krátkozrakosť
**myopic** *a.* krátkozraký
**myosis** *n.* mióza
**myriad** *n.* milióny
**myriad** *a* nespočetný
**myrrh** *n.* myrha
**myrtle** *n.* brečtan
**myself** *pron.* seba
**mysterious** *a.* záhadný
**mystery** *n.* záhada
**mystic** *a.* mystický
**mystic** *n* mystik
**mysticism** *n.* mysticizmus
**mystify** *v.t.* mystikovať
**myth** *n.* mýtus
**mythical** *a.* mýtický
**mythological** *a.* mytologický
**mythology** *n.* mytológia

# N

**nab** *v.t.* zbaliť
**nabob** *n.* nábob
**nadir** *n.* podnožník
**nag** *n.* otrava
**nag** *v.t.* rýpať
**nail** *n.* klinec
**nail** *v.t.* pribiť
**naive** *a.* naivný
**naivete** *n.* naivita
**naivety** *n.* naivita
**naked** *a.* nahý
**name** *n.* meno
**name** *v.t.* pomenovať
**namely** *adv.* totiž
**namesake** *n.* menovec
**nap** *v.i.* zdriemnuť si
**nap** *n.* zdriemnutie
**nap** *n* zamat
**nape** *n.* zátylok
**napkin** *n.* servítka
**narcissism** *n.* samoľúbosť
**narcissus** *n* narcis
**narcosis** *n.* narkóza
**narcotic** *n.* narkotikum
**narrate** *v.t.* porozprávať
**narration** *n.* príbeh
**narrative** *n.* rozprávanie
**narrative** *a.* rozprávačské umenie
**narrator** *n.* rozprávač
**narrow** *a.* úzky
**narrow** *v.t.* zúžiť
**nasal** *a.* nosový
**nasal** *n* nosová hláska
**nascent** *a.* rodiaci sa
**nasty** *a.* zlovestný
**natal** *a.* rodný
**natant** *a.* podľa archimedovho zákona
**nation** *n.* národ
**national** *a.* národný
**nationalism** *n.* vlastenectvo
**nationalist** *n.* vlastenec
**nationality** *n.* národnosť
**nationalization** *n.* znárodnenie
**nationalize** *v.t.* znárodniť
**native** *a.* rodný
**native** *n* rodák
**nativity** *n.* Narodenie Pána
**natural** *a.* prírodný
**naturalist** *n.* prírodopisec
**naturalize** *v.t.* stať sa občanom
**naturally** *adv.* prirodzene
**nature** *n.* príroda
**naughty** *a.* neposlušný
**nausea** *n.* nevoľnosť
**nautic(al)** *a.* námorný
**naval** *a.* námorný
**nave** *n.* náboj
**navigable** *a.* splavný
**navigate** *v.i.* viesť
**navigation** *n.* vedenie
**navigator** *n.* navigátor
**navy** *n.* námorníctvo
**nay** *adv.* ba dokonca
**neap** *a.* najnižší
**near** *a.* blízky
**near** *prep.* vedľa
**near** *adv.* blízko
**near** *v.i.* blížiť sa
**nearly** *adv.* takmer
**neat** *a.* úhľadný
**nebula** *n.* nebula
**necessary** *n.* nevyhnutnosť
**necessary** *a* nevyhnutný
**necessitate** *v.t.* vyžiadať si
**necessity** *n.* nevyhnutnosť
**neck** *n.* krk
**necklace** *n.* náhrdelník
**necklet** *n.* krátky náhrdelník
**necromancer** *n.* nekromat

**necropolis** *n.* pohrebisko
**nectar** *n.* nektár
**need** *n.* potreba
**need** *v.t.* potrebovať
**needful** *a.* nevyhnutné
**needle** *n.* ihla
**needless** *a.* nepotrebný
**needs** *adv.* nevyhnutne
**needy** *a.* potrebný
**nefandous** *a.* neúctivý
**nefarious** *a.* ohavný
**negation** *n.* popretie
**negative** *a.* záporný
**negative** *n.* zápor
**negative** *v.t.* popierať
**neglect** *v.t.* zanedbať
**neglect** *n* zanedbanie
**negligence** *n.* nedbanlivosť
**negligent** *a.* nedbanlivý
**negligible** *a.* zanedbateľný
**negotiable** *a.* zjednateľný
**negotiate** *v.t.* zjednávať
**nagotiation** *n.* zjednávanie
**negotiator** *n.* zjednávateľ
**negress** *n.* černoška
**negro** *n.* černoch
**neigh** *v.i.* erdžať
**neigh** *n.* erdžanie
**neighbour** *n.* sused
**neighbourhood** *n.* susedstvo
**neighbourly** *a.* láskavý
**neither** *conj.* žiaden
**nemesis** *n.* bohyňa pomsty
**neolithic** *a.* neolitický
**neon** *n.* neón
**nephew** *n.* synovec
**nepotism** *n.* rodinkárstvo
**Neptune** *n.* Neptún
**Nerve** *n.* nerv
**nerveless** *a.* mľandravý
**nervous** *a.* nervózny
**nescience** *n.* neznalosť
**nest** *n.* hniezdo
**nest** *v.t.* postaviť hniezdo
**nether** *a.* spodný
**nestle** *v.i.* opierať
**nestling** *n.* vtáčatko
**net** *n.* sieťovina
**net** *v.t.* uloviť
**net** *a* čistý
**net** *v.t.* prikryť sieťou
**nettle** *n.* žihľava
**nettle** *v.t.* podráždiť
**network** *n.* sieť
**neurologist** *n.* neurológ
**neurology** *n.* neurológia
**neurosis** *n.* neuróza
**neuter** *a.* kastrovať
**neuter** *n* stredného rodu
**neutral** *a.* neutrálny
**neutralize** *v.t.* neutralizovať
**neutron** *n.* neutrón
**never** *adv.* nikdy
**nevertheless** *conj.* napriek tomu
**new** *a.* nový
**news** *n.* novinka
**next** *a.* ďalší
**next** *adv.* potom
**nib** *n.* hrot
**nibble** *v.t.* ujedať
**nibble** *n* kúštik
**nice** *a.* pekný
**nicety** *n.* jemnosť
**niche** *n.* výklenok
**nick** *n.* zárez
**nickel** *n.* nikel
**nickname** *n.* prezývka
**nickname** *v.t.* prezývať
**nicotine** *n.* nikotín
**niece** *n.* neter
**niggard** *n.* lakomec
**niggardly** *a.* lakomý
**nigger** *n.* neger
**nigh** *adv.* blízko

**nigh** *prep.* pri
**night** *n.* noc
**nightingale** *n.* slávik
**nightly** *adv.* každý večer
**nightmare** *n.* zlý sen
**nightie** *n.* nočná košeľa
**nihilism** *n.* nihilizmus
**nil** *n.* nula
**nimble** *a.* pohyblivý
**nimbus** *n.* nuimbus
**nine** *n.* deväť
**nineteen** *n.* devätnásť
**nineteenth** *a.* devätnásty
**ninetieth** *a.* deväťdesiaty
**ninth** *a.* deviaty
**ninety** *n.* deväťdesiat
**nip** *v.t* zovrieť
**nipple** *n.* bradavka
**nitrogen** *n.* dusík
**no** *a.* žiaden
**no** *adv.* nie
**no** *n* nesúhlas
**nobility** *n.* šľachta
**noble** *a.* ušľachtilý
**noble** *n.* šľachtic
**nobleman** *n.* šľachtic
**nobody** *pron.* nikto
**nocturnal** *a.* nočný
**nod** *v.i.* prikývnuť
**node** *n.* uzol
**noise** *n.* hluk
**noisy** *a.* hlučný
**nomad** *n.* kočovník
**nomadic** *a.* kočovnícky
**nomenclature** *n.* názvoslovie
**nominal** *a.* nominálny
**nominate** *v.t.* navrhnúť
**nomination** *n.* navrhnutie
**nominee** *n* kandidát
**non-alignment** *n.* neutrálnosť
**nonchalance** *n.* nenútenosť
**nonchalant** *a.* nedbalý
**none** *pron.* žiadny
**none** *adv.* vôbec nie
**nonentity** *n.* nebytie
**nonetheless** *adv.* napriek tomu
**nonpareil** *a.* jedinečný
**nonpareil** *n.* drobné písmo
**nonplus** *v.t.* zmiasť
**nonsense** *n.* nezmysel
**nonsensical** *a.* nezmyselný
**nook** *n.* kút
**noon** *n.* poludnie
**noose** *n.* sľučka
**noose** *v.t.* obesiť
**nor** *conj* ani
**norm** *n.* norma
**norm** *n.* norma
**normal** *a.* normálny
**normalcy** *n.* normálne pomery
**normalize** *v.t.* normalizovať
**north** *n.* sever
**north** *a* severný
**north** *adv.* severne
**northerly** *a.* severný
**northerly** *adv.* severne
**northern** *a.* severný
**nose** *n.* nos
**nose** *v.t* predierať sa
**nosegay** *n.* malá kytička
**nosey** *a.* zvedavý
**nosy** *a.* zvedavý
**nostalgia** *n.* nostalgia
**nostril** *n.* nosová dierka
**nostrum** *n.* všeliek
**not** *adv.* nie
**notability** *n.* pozoruhodnosť
**notable** *a.* pozoruhodný
**notary** *n.* notár
**notation** *n.* notácia
**notch** *n.* zárez
**note** *n.* poznámka
**note** *v.t.* všimnúť si
**noteworthy** *a.* pozoruhodný

**nothing** *n.* nič
**nothing** *adv.* nijako
**notice** *a.* oznam
**notice** *v.t.* všimnúť si
**notification** *n.* oznámenie
**notify** *v.t.* oznámiť
**notion** *n.* predstava
**notional** *a.* teoretický
**notoriety** *n.* povestnosť
**notorious** *a.* povestný
**notwithstanding** *prep.* napriek
**notwithstanding** *adv.* viac-menej
**notwithstanding** *conj.* hoci
**nought** *n.* nula
**noun** *n.* podstatné meno
**nourish** *v.t.* živiť
**nourishment** *n.* živina
**novel** *a.* nový
**novel** *n* román
**novelette** *n.* románik
**novelist** *n.* románopisec
**novelty** *n.* novosť
**november** *n.* november
**novice** *n.* nováčik
**now** *adv.* teraz
**now** *conj.* keď
**nowhere** *adv.* nikde
**noxious** *a.* škodlivý
**nozzle** *n.* holubica
**nuance** *n.* jemný rozdiel
**nubile** *a.* príťažlivý
**nuclear** *a.* atómový
**nucleus** *n.* jadro
**nude** *a.* nahý
**nude`** *n* nahý
**nudity** *n.* nahota
**nudge** *v.t.* štuchnúť
**nugget** *n.* nugetka
**nuisance** *n.* nepríjemnosť
**null** *a.* nulový
**nullification** *n.* anulovanie
**nullify** *v.t.* anulovať
**numb** *a.* necitlivý
**number** *n.* číslo
**number** *v.t.* číslovať
**numberless** *a.* nespočetný
**numeral** *a.* číselný
**numerator** *n.* číslovač
**numerical** *a.* číselný
**numerous** *a.* početný
**nun** *n.* mníška
**nunnery** *n.* kláštor
**nuptial** *a.* manželský
**nuptials** *n.* obrad
**nurse** *n.* ošetrovateľka
**nurse** *v.t* ošetrovať
**nursery** *n.* jasle
**nurture** *n.* výchova
**nurture** *v.t.* starať sa
**nut** *n* orech
**nutrition** *n.* výživa
**nutritious** *a.* výživný
**nutritive** *a.* výživný
**nuzzle** *v.* strkať
**nylon** *n.* nylon
**nymph** *n.* nymfa

**oak** *n.* dub
**oar** *n.* veslo
**oarsman** *n.* veslár
**oasis** *n.* oáza
**oat** *n.* ovos
**oath** *n.* prísaha
**obduracy** *n.* neoblomnosť
**obdurate** *a.* neoblomný
**obedience** *n.* poslušnosť
**obedient** *a.* poslušný
**obeisance** *n.* poklona
**obesity** *n.* obezita
**obey** *v.t.* poslúchať

**obituary** *a.* nekrológ
**object** *n.* predmet
**object** *v.t.* namietať
**objection** *n.* námietka
**objectionable** *a.* nepríjemný
**objective** *n.* cieľ
**objective** *a.* objektívny
**oblation** *n.* obeť
**obligation** *n.* povinnosť
**obligatory** *a.* povinný
**oblige** *v.t.* donútiť
**oblique** *a.* nepriamy
**obliterate** *v.t.* zničiť
**obliteration** *n.* zničenie
**oblivion** *n.* zabudnutie
**oblivious** *a.* zábudlivý
**oblong** *a.* podlhovastý
**oblong** *n.* obdĺžnik
**obnoxious** *a.* nepríjemný
**obscene** *a.* obscénny
**obscenity** *n.* obscénnosť
**obscure** *a.* nezrozumiteľný
**obscure** *v.t.* zakryť
**obscurity** *n.* zabudnutie
**observance** *n.* dodržiavanie
**observant** *a.* všímavý
**observation** *n.* pozorovanie
**observatory** *n.* hvezdáreň
**observe** *v.t.* všimnúť si
**obsess** *v.t.* posadnúť
**obsession** *n.* posadnutosť
**obsolete** *a.* zastaraný
**obstacle** *n.* prekážka
**obstinacy** *n.* tvrdohlavosť
**obstinate** *a.* tvrdohlavý
**obstruct** *v.t.* zatarasiť
**obstruction** *n.* zatarasenie
**obstructive** *a.* obštrukčný
**obtain** *v.t.* dostať
**obtainable** *a.* k dostaniu
**obtuse** *a.* nechápavý
**obvious** *a.* očividný
**occasion** *n.* príležitosť
**occasion** *v.t* spôsobiť
**occasional** *a.* príležitostý
**occasionally** *adv.* občas
**occident** *n.* Západ
**occidental** *a.* západný
**occult** *a.* tajomný
**occupancy** *n.* obývanie
**occupant** *n.* bývajúci
**occupation** *n.* povolanie
**occupier** *n.* bývajúci
**occupy** *v.t.* obsadiť
**occur** *v.i.* prihodiť sa
**occurrence** *n.* udalosť
**ocean** *n.* oceán
**oceanic** *a.* oceánsky
**octagon** *n.* osemuholník
**octangular** *a.* osemuholný
**octave** *n.* oktáva
**October** *n.* október
**octogenarian** *a.* osemdesiatnik
**octogenarian** *a* osemdesiatročný
**octroi** *n.* daň
**ocular** *a.* očný
**oculist** *n.* očný lekár
**odd** *a.* nezvyčajný
**oddity** *n.* zvláštnosť
**odds** *n.* pravdepodobnosť
**ode** *n.* óda
**odious** *a.* odporný
**odium** *n.* nenávisť
**odorous** *a.* aromatický
**odour** *n.* pach
**offence** *n.* priestupok
**offend** *v.t.* uraziť
**offender** *n.* previnilec
**offensive** *a.* urážlivý
**offensive** *n* útok
**offer** *v.t.* ponúknuť
**offer** *n* ponuka
**offering** *n.* obeť
**office** *n.* kancelária

**officer** *n.* dôstojník
**official** *a.* úradný
**official** *n* úradník
**officially** *adv.* úradne
**officiate** *v.i.* celebrovať
**officious** *a.* úslužný
**offing** *n.* morský obzor
**offset** *v.t.* vyrovnať
**offset** *n* nepomer
**offshoot** *n.* výhonok
**offspring** *n.* potomok
**oft** *adv.* často
**often** *adv.* často
**ogle** *v.t.* civieť
**ogle** *n* civenie
**oil** *n.* olej
**oil** *v.t* olejovať
**oily** *a.* olejový
**ointment** *n.* lekárska masť
**old** *a.* starý
**oligarchy** *n.* oligarchia
**olive** *n.* oliva
**olympiad** *n.* olympijské hry
**omega** *n.* omega
**omelette** *n.* omeleta
**omen** *n.* predzvesť
**ominous** *a.* zlovestný
**omission** *n.* vynechanie
**omit** *v.t.* vynechať
**omnipotence** *n.* všemocnosť
**omnipotent** *a.* všemocný
**omnipresence** *n.* všadeprítomnosť
**omnipresent** *a.* všadeprítomný
**omniscience** *n.* vševeda
**omniscient** *a.* vševediaci
**on** *prep.* na
**on** *adv.* stále
**once** *adv.* raz
**one** *a.* nejaký
**one** *pron.* jeden
**oneness** *n.* jednota
**onerous** *a.* namáhavý
**onion** *n.* cibuľa
**on-looker** *n.* divák
**only** *a.* jediný
**only** *adv.* len
**only** *conj.* len
**onomatopoeia** *n.* zvukomaľba
**onrush** *n.* nával
**onset** *n.* počiatok
**onslaught** *n.* útok
**onus** *n.* povinnosť
**onward** *a.* smerujúci dopredu
**onwards** *adv.* ďalej
**ooze** *n.* bahno
**ooze** *v.i.* tiecť
**opacity** *n.* nepriehľadnosť
**opal** *n.* opál
**opaque** *a.* nepriehľadný
**open** *a.* otvorený
**open** *v.t.* otvoriť
**opening** *n.* otvorenie
**openly** *adv.* otvorene
**opera** *n.* opera
**operate** *v.t.* obsluhovať
**operation** *n.* obsluhovanie
**operative** *a.* fungujúci
**operator** *n.* prevádzkovateľ
**opine** *v.t.* vyhlásiť
**opinion** *n.* názor
**opium** *n.* ópium
**opponent** *n.* protivník
**opportune** *a.* vhodný
**opportunism** *n.* oportunizmus
**opportunity** *n.* príležitosť
**oppose** *v.t.* odporovať
**opposite** *a.* opačný
**opposition** *n.* odpor
**oppress** *v.t.* utláčať
**oppression** *n.* útlak
**oppressive** *a.* tvrdý
**oppressor** *n.* utlačovateľ
**opt** *v.i.* vybrať si

**optic** *a.* optický
**optician** *n.* optik
**optimism** *n.* optimizmus
**optimist** *n.* optimista
**optimistic** *a.* optimistický
**optimum** *n.* optimum
**optimum** *a* optimálny
**option** *n.* možnosť
**optional** *a.* voliteľný
**opulence** *n.* bohatstvo
**opulent** *a.* bohatý
**oracle** *n.* prorok
**oracular** *a.* záhadný
**oral** *a.* ústny
**orally** *adv.* orálne
**orange** *n.* pomaranč
**orange** *a* pomarančový
**oration** *n.* slávnostný prejav
**orator** *n.* rečník
**oratorical** *a.* rečný
**oratory** *n.* oratórium
**orb** *n.* prstenec
**orbit** *n.* obežná dráha
**orchard** *n.* ovocný sad
**orchestra** *n.* orchester
**orchestral** *a.* orchestrálny
**ordeal** *n.* skúška
**order** *n.* poradie
**order** *v.t* prikázať
**orderly** *a.* upratený
**orderly** *n.* sanitár
**ordinance** *n.* nariadenie
**ordinarily** *adv.* ordinálne
**ordinary** *a.* bežný
**ordnance** *n.* ťažké delostrelectvo
**ore** *n.* železná ruda
**organ** *n.* orgán
**organic** *a.* organický
**organism** *n.* organizmus
**organization** *n.* organizácia
**organize** *v.t.* organizovať
**orient** *n.* Orient
**orient** *v.t.* orientovať
**oriental** *a.* orientálny
**oriental** *n* orientálna kuchyňa
**orientate** *v.t.* orientovať
**origin** *n.* pôvod
**original** *a.* pôvodný
**original** *n* originál
**originality** *n.* originálnosť
**originate** *v.t.* vzniknúť
**originator** *n.* pôvodca
**ornament** *n.* ozdoba
**ornament** *v.t.* ozdobiť
**ornamental** *a.* ozdobný
**ornamentation** *n.* ozdobenie
**orphan** *n.* sirota
**orphan** *v.t* osirieť
**orphanage** *n.* sirotinec
**orthodox** *a.* ortodoxný
**orthodoxy** *n.* ortodoxnosť
**oscillate** *v.i.* kmitať
**oscillation** *n.* kmitanie
**ossify** *v.t.* stvrdnúť
**ostracize** *v.t.* vylúčiť
**ostrich** *n.* pštros
**other** *a.* iný
**other** *pron.* druhý
**otherwise** *adv.* inak
**otherwise** *conj.* inak
**otter** *n.* vydra
**ottoman** *n.* diván
**ounce** *n.* unca
**our** *pron.* náš
**oust** *v.t.* vystrnadiť
**out** *adv.* von
**out-balance** *v.t.* prevážiť
**outbid** *v.t.* ponúknuť viac
**outbreak** *n.* vypuknutie
**outburst** *n.* vzplanutie
**outcast** *n.* vydedenec
**outcast** *a* vydedený
**outcome** *n.* výsledok
**outcry** *a.* protest

**outdated** *a.* zastaraný
**outdo** *v.t.* prekonať
**outdoor** *a.* vonkajší
**outer** *a.* vonkajší
**outfit** *n.* oblečenie
**outfit** *v.t* vystrojiť
**outgrow** *v.t.* vyrásť
**outhouse** *n.* latrína
**outing** *n.* výlet
**outlandish** *a.* čudný
**outlaw** *n.* zločinec
**outlaw** *v.t* vypovedať
**outline** *n.* črta
**outline** *v.t.* načrtnúť
**outlive** *v.i.* prežiť
**outlook** *n.* výhľad
**outmoded** *a.* zastaraný
**outnumber** *v.t.* prevyšovať počtom
**outpatient** *n.* ambulantný pacient
**outpost** *n.* základňa
**output** *n.* produkcia
**outrage** *n.* násilie
**outrage** *v.t.* pobúriť
**outright** *adv.* naraz
**outright** *a* istý
**outrun** *v.t.* predbehnúť
**outset** *n.* začiatok
**outshine** *v.t.* byť lepší
**outside** *a.* vonkajší
**outside** *n* vonkajšok
**outside** *adv* vonku
**outside** *prep* pred
**outsider** *n.* outsider
**outsize** *a.* nadmerný
**outskirts** *n.pl.* periféria
**outspoken** *a.* otvorený
**outstanding** *a.* vynikajúci
**outward** *a.* smerujúci von
**outward** *adv* vonkajší
**outwards** *adv* navonok
**outwardly** *adv.* navonok
**outweigh** *v.t.* prevažovať
**outwit** *v.t.* oklamať
**oval** *a.* oválny
**oval** *n* ovál
**ovary** *n.* vaječník
**ovation** *n.* ovácie
**oven** *n.* rúra
**over** *prep.* nad
**over** *adv* viac ako
**over** *n* skončený
**overact** *v.t.* zveličovať
**overall** *n.* pracovný plášť
**overall** *a* celkový
**overawe** *v.t.* vyviesť z rovnováhy
**overboard** *adv.* cez palubu
**overburden** *v.t.* preťažiť
**overcast** *a.* zamračený
**overcharge** *v.t.* predražiť
**overcharge** *n* predraženie
**overcoat** *n.* kabát
**overcome** *v.t.* prekonať
**overdo** *v.t.* prehnať
**overdose** *n.* nadmerná dávka
**overdose** *v.t.* predávkovať
**overdraft** *n.* prečerpanie účtu
**overdraw** *v.t.* prečerpať
**overdue** *a.* neuhradený
**overhaul** *v.t.* urobiť generálku
**overhaul** *n.* generálka
**overhear** *v.t.* začuť
**overjoyed** *a* nesmierne šťastný
**overlap** *v.t.* prekrývať sa
**overlap** *n* prekrývanie
**overleaf** *adv.* na druhej strane
**overload** *v.t.* preťažiť
**overload** *n* preťaženosť
**overlook** *v.t.* prehliadnuť
**overnight** *adv.* cez noc
**overnight** *a* nočný
**overpower** *v.t.* premôcť
**overrate** *v.t.* preceniť
**overrule** *v.t.* zamietnuť

**overrun** *v.t* prekročiť
**oversee** *v.t.* dohliadať
**overseer** *n.* dozorca
**overshadow** *v.t.* zatieniť
**oversight** *n.* prehliadnutie
**overt** *a.* otvorený
**overtake** *v.t.* predbehnúť
**overthrow** *v.t.* zvrhnúť
**overthrow** *n* zvrhnutie
**overtime** *adv.* nadčasový
**overtime** *n* nadčas
**overture** *n.* predohra
**overwhelm** *v.t.* premôcť
**overwork** *v.i.* prepracovať sa
**overwork** *n.* prepracovanie
**owe** *v.t* dlhovať
**owl** *n.* sova
**own** *a.* vlastný
**own** *v.t.* vlastniť
**owner** *n.* vlastník
**ownership** *n.* vlastníctvo
**ox** *n.* vôl
**oxygen** *n.* kyslík
**oyster** *n.* ustrica

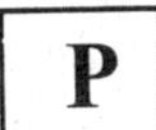

**pace** *n* tempo
**pace** *v.i.* kráčať
**pacific** *a.* mierumilovný
**pacify** *v.t.* upokoiť
**pack** *n.* balík
**pack** *v.t.* baliť
**package** *n.* balík
**packet** *n.* balíček
**packing** *n.* balenie
**pact** *n.* zmluva
**pad** *n.* vypchávka
**pad** *v.t.* vypchať
**padding** *n.* vypchávka
**paddle** *v.i.* veslovať
**paddle** *n* veslo
**paddy** *n.* nelúpaná ryža
**page** *n.* strana
**page** *v.t.* povolať
**pageant** *n.* slávnosť
**pageantry** *n.* veľkolepá slávnosť
**pagoda** *n.* pagoda
**pail** *n.* vedro
**pain** *n.* bolesť
**pain** *v.t.* bolieť
**painful** *a.* bolestivý
**painstaking** *a.* starostlivý
**paint** *n.* farba
**paint** *v.t.* farbiť
**painter** *n.* maliar
**painting** *n.* maľba
**pair** *n.* pár
**pair** *v.t.* zpáriť
**pal** *n.* kamoš
**palace** *n.* palác
**palanquin** *n.* palankin
**palatable** *a.* chutný
**palatal** *a.* palatálny
**palate** *n.* podnebie
**palatial** *a.* luxusný
**pale** *n.* lata
**pale** *a* bledý
**pale** *v.i.* poblednúť
**palette** *n.* paleta
**palm** *n.* palma
**palm** *v.t.* skryť do dlane
**palm** *n.* dlaň
**palmist** *n.* veštec z ruky
**palmistry** *n.* veštenie z ruky
**palpable** *a.* zremý
**palpitate** *v.i.* búšiť
**palpitation** *n.* búšenie
**palsy** *n.* ochrnutie
**paltry** *a.* mizerný
**pamper** *v.t.* rozmaznať
**pamphlet** *n.* brožúrka

**pamphleteer** *n.* pamfletista
**panacea** *n.* všeliek
**pandemonium** *n.* zmätok
**pane** *n.* okenná tabuľa
**panegyric** *n.* chválospev
**panel** *n.* panel
**panel** *v.t.* obložiť panelom
**pang** *n.* bolesť
**panic** *n.* panika
**panorama** *n.* panoráma
**pant** *v.i.* lapať po dychu
**pant** *n.* lapanie po dychu
**pantaloon** *n.* nohavice
**pantheism** *n.* panteizmus
**pantheist** *n.* panteista
**panther** *n.* panter
**pantomime** *n.* pantomíma
**pantry** *n.* špajza
**papacy** *n.* pápežský úrad
**papal** *a.* pápežský
**paper** *n.* papier
**par** *n.* úroveň
**parable** *n.* parabola
**parachute** *n.* padák
**parachutist** *n.* parašutista
**parade** *n.* prehliadka
**parade** *v.t.* pochodovať
**paradise** *n.* raj
**paradox** *n.* paradox
**paradoxical** *a.* poradoxný
**paraffin** *n.* parafín
**paragon** *n.* ideál
**paragraph** *n.* odsek
**parallel** *a.* rovnobežný
**parallel** *v.t.* rovnať sa
**parallelism** *n.* paralelizmus
**parallelogram** *n.* paralelogram
**paralyse** *v.t.* ochrnúť
**paralysis** *n.* ochrnutie
**paralytic** *a.* ochrnutý
**paramount** *n.* prvoradý
**paramour** *n.* milenec
**paraphernalia** *n. pl* výbava
**paraphrase** *n.* parafráza
**paraphrase** *v.t.* parafrázovať
**parasite** *n.* parazit
**parcel** *n.* balík
**parcel** *v.t.* zabaliť do balíka
**parch** *v.t.* vyprahnúť
**pardon** *v.t.* odpustiť
**pardon** *n.* odpustenie
**pardonable** *a.* ospravedlniteľný
**parent** *n.* rodič
**parentage** *n.* predkovia
**parental** *a.* rodičovský
**parenthesis** *n.* zátvorka
**parish** *n.* fara
**parity** *n.* rovnosť
**park** *n.* park
**park** *v.t.* parkovať
**parlance** *n.* reč
**parley** *n.* rozhovor
**parley** *v.i* porozprávať sa
**parliament** *n.* parlament
**parliamentarian** *n.* poslanec
**parliamentary** *a.* parlamentný
**parlour** *n.* salón krásy
**parody** *n.* paródia
**parody** *v.t.* parodovať
**parole** *n.* podmienka
**parole** *v.t.* podmienečne prepustiť
**parricide** *n.* vražda rodičov
**parrot** *n.* papagáj
**parry** *v.t.* čeliť námietkam
**parry** *n.* odrážanie
**parson** *n.* farár
**part** *n.* časť
**part** *v.t.* rozísť sa
**partake** *v.i.* zúčasniť sa
**partial** *a.* čiastočný
**partiality** *n.* zaujatosť
**participate** *v.i.* zúčasniť sa
**participant** *n.* účasník
**participation** *n.* zúčasnenie

**particle** *a.* čiastočka
**particular** *a.* zvláštny
**particular** *n.* detail
**partisan** *n.* partizán
**partisan** *a.* jednostranný
**partition** *n.* priečka
**partition** *v.t.* predeliť
**partner** *n.* partner
**partnership** *n.* partnerstvo
**party** *n.* zábava
**pass** *v.i.* presť
**pass** *n* prechod
**passage** *n.* chodba
**passenger** *n.* cestujúci
**passion** *n.* vášeň
**passionate** *a.* vášnivý
**passive** *a.* pasívny
**passport** *n.* pas
**past** *a.* minulý
**past** *n.* minulosť
**past** *prep.* za
**paste** *n.* pasta
**paste** *v.t.* prilepiť
**pastel** *n.* pastel
**pastime** *n.* záľuba
**pastoral** *a.* pastorálny
**pasture** *n.* pastvina
**pasture** *v.t.* pásť
**pat** *v.t.* potlapkať
**pat** *n* potlapkanie
**pat** *adv* pohotovo
**patch** *v.t.* zaplátať
**patch** *n* škrvna
**patent** *a.* očividný
**patent** *n* patent
**patent** *v.t.* patentovať
**paternal** *a.* otcovský
**path** *n.* chodník
**pathetic** *a.* patetický
**pathos** *n.* dojímavosť
**patience** *n.* trpezlivosť
**patient** *a.* trpezlivý
**patient** *n* pacient
**patricide** *n.* otcovražda
**patrimony** *n.* dedičstvo
**patriot** *n.* vlastenec
**patriotic** *a.* vlastenecký
**partiotism** *n.* vlastenectvo
**patrol** *v.i.* hliadkovať
**patrol** *n* hliadka
**patron** *n.* priaznivec
**patronage** *n.* patronát
**patronize** *v.t.* podporovať
**pattern** *n.* vzor
**paucity** *n.* nedostatok
**pauper** *n.* chudák
**pause** *n.* prestávka
**pause** *v.i.* urobiť si prestávku
**pave** *v.t.* vydláždiť
**pavement** *n.* chodník
**pavilion** *n.* pavilón
**paw** *n.* laba
**paw** *v.t.* škriabať
**pay** *v.t.* platiť
**pay** *n* mzda
**payable** *a.* splatný
**payee** *n.* veriteľ
**payment** *n.* platba
**pea** *n.* hrášok
**peace** *n.* mier
**peaceable** *a.* mierumilovný
**peaceful** *a.* pokojný
**peach** *n.* broskyňa
**peacock** *n.* páv
**peahen** *n.* pávica
**peak** *n.* vrchol
**pear** *n.* hruška
**pearl** *n.* perla
**peasant** *n.* sedliak
**peasantry** *n.* roľníctvo
**pebble** *n.* okruhliak
**peck** *n.* ďobnutie
**peck** *v.i.* ďobať
**peculiar** *a.* zvláštny

**peculiarity** *n.* zvláštnosť
**pecuniary** *a.* finančný
**pedagogue** *n.* pedagóg
**pedagogy** *n.* pedagogika
**pedal** *n.* pedál
**pedal** *v.t.* pedálovať
**pedant** *n.* pedant
**pedantic** *n.* pedantný
**pedantry** *n.* pedantnosť
**pedestal** *n.* podstavec
**pedestrian** *n.* chodec
**pedigree** *n.* rodokmeň
**peel** *v.t.* lúpať
**peel** *n.* šupka
**peep** *v.i.* nakuknúť
**peep** *n* nakuknutie
**peer** *n.* rovesník
**peerless** *a.* jedinečný
**peg** *n.* kolík
**peg** *v.t.* kolíkovať
**pelf** *n.* bohatstvo
**pell-mell** *adv.* hlava-nehlava
**pen** *n.* pero
**pen** *v.t.* zavrieť do ohrady
**penal** *a.* trestný
**penalize** *v.t.* znevýhodniť
**penalty** *n.* trest
**pencil** *n.* ceruzka
**pencil** *v.t.* napísať ceruzkou
**pending** *prep.* do
**pending** *a* nevyriešený
**pendulum** *n.* kyvadlo
**penetrate** *v.t.* preniknúť
**penetration** *n.* preniknutie
**penis** *n.* penis
**penniless** *a.* bez haliera
**penny** *n.* penca
**pension** *n.* dôchodok
**pension** *v.t.* poslať do dôchodku
**pensioner** *n.* penzista
**pensive** *a.* zamyslený
**pentagon** *n.* päťuholník
**peon** *n.* poslíček
**people** *n.* ľudia
**people** *v.t.* obývať
**pepper** *n.* korenie
**pepper** *v.t.* okoreniť
**per** *prep.* za
**perambulator** *n.* detský hlboký kočík
**perceive** *v.t.* vnímať
**perceptible** *adj* badateľný
**per cent** *adv.* percento
**percentage** *n.* percento
**perception** *n.* vnímanie
**perceptive** *a.* vnímavý
**perch** *n.* bidlo
**perch** *v.i.* posadiť sa
**perennial** *a.* večný
**perennial** *n.* trvalka
**perfect** *a.* dokonalý
**perfect** *v.t.* zdokonaliť
**perfection** *n.* dokonalosť
**perfidy** *n.* zrada
**perforate** *v.t.* prepichnúť
**perforce** *adv.* preto
**perform** *v.t.* vykonať
**performance** *n.* predstavenie
**performer** *n.* účinkujúci
**perfume** *n.* parfum
**perfume** *v.t.* rozvoniavať
**perhaps** *adv.* možno
**peril** *n.* nebezpečenstvo
**peril** *v.t.* riskovať
**perilous** *a.* riskantný
**period** *n.* doba
**periodical** *n.* periodikum
**periodical** *a.* periodický
**periphery** *n.* periféria
**perish** *v.i.* zahynúť
**perishable** *a.* podliehajúci skaze
**perjure** *v.i.* krivo prisahať
**perjury** *n.* krivá prísaha
**permanence** *n.* trvalosť

**permanent** *a.* trvalý
**permissible** *a.* povolený
**permission** *n.* povolenie
**permit** *v.t.* povoliť
**permit** *n.* povolenie
**permutation** *n.* permutácia
**pernicious** *a.* škodlivý
**perpendicular** *a.* kolmý
**perpendicular** *n.* kolmosť
**perpetual** *a.* neprestajný
**perpetuate** *v.t.* podporovať
**perplex** *v.t.* zmiasť
**perplexity** *n.* zmätenosť
**persecute** *v.t.* prenasledovať
**persecution** *n.* prenasledovanie
**perseverance** *n.* vytrvalosť
**persevere** *v.i.* vydržať
**persist** *v.i.* zotrvať
**persistence** *n.* pretrvávanie
**persistent** *a.* vytrvalý
**person** *n.* osoba
**personage** *n.* osobnosť
**personal** *a.* osobný
**personality** *n.* osobnosť
**personification** *n.* stelesnenie
**personify** *v.t.* stelesniť
**personnel** *n.* zamestnanci
**perspective** *n.* perspektíva
**perspiration** *n.* potenie
**perspire** *v.i.* potiť sa
**persuade** *v.t.* prehovoriť
**persuasion** *n.* prehováranie
**pertain** *v.i.* týkať sa
**pertinent** *a.* primeraný
**perturb** *v.t.* rozrušiť
**perusal** *n.* prečítanie
**peruse** *v.t.* prečítať
**pervade** *v.t.* šíriť sa
**perverse** *a.* protivný
**perversion** *n.* prekrútenie
**perversity** *n.* protiveň
**pervert** *v.t.* mravne zvrátiť
**pessimism** *n.* pesimizmus
**pessimist** *n.* pesimista
**pessimistic** *a.* pesimistický
**pest** *n.* škodca
**pesticide** *n.* pesticíd
**pestilence** *n.* mor
**pet** *n.* zvieratko
**pet** *v.t.* pohladkať
**petal** *n.* lupienok
**petition** *n.* petícia
**petition** *v.t.* podať petíciu
**petitioner** *n.* organizátor petičnej akcie
**petrol** *n.* benzín
**petroleum** *n.* ropa
**petticoat** *n.* spodnička
**petty** *a.* bezvýznamný
**petulance** *n.* urážlivosť
**petulant** *a.* urážlivý
**phantom** *n.* fantóm
**pharmacy** *n.* lekáreň
**phase** *n.* fáza
**phenomenal** *a.* fenomenálny
**phenomenon** *n.* fenomén
**phial** *n.* fiola
**philanthropic** *a.* dobročinný
**philanthropist** *n.* dobrodinec
**philanthropy** *n.* dobročinnosť
**philological** *a.* filologický
**philologist** *n.* filológ
**philology** *n.* filológia
**philosopher** *n.* filozof
**philosophical** *a.* filozofický
**philosophy** *n.* filozófia
**phone** *n.* telefón
**phonetic** *a.* fonetický
**phonetics** *n.* fonetika
**phosphate** *n.* fosfát
**phosphorus** *n.* fosfor
**photo** *n* fotka
**photograph** *v.t.* fotografovať
**photograph** *n* fotka

**photographer** *n.* fotograf
**photographic** *a.* fotografický
**photography** *n.* fotografia
**phrase** *n.* fráza
**phrase** *v.t.* frázovať
**phraseology** *n.* frazeológia
**physic** *n.* liek
**physic** *v.t.* podávať liek
**physical** *a.* fyzický
**physician** *n.* lekár
**physicist** *n.* fyzik
**physics** *n.* fyzika
**physiognomy** *n.* fyziognómia
**physique** *n.* postava
**pianist** *n.* klavirista
**piano** *n.* klavír
**pick** *v.t.* vybrať si
**pick** *n.* výber
**picket** *n.* hliadka
**picket** *v.t.* hliadkovať
**pickle** *n.* nálev
**pickle** *v.t* naložiť do nálevu
**picnic** *n.* piknik
**picnic** *v.i.* robiť piknik
**pictorical** *a.* obrázkový
**picture** *n.* obraz
**picture** *v.t.* predstaviť si
**picturesque** *a.* malebný
**piece** *n.* kus
**piece** *v.t.* kúskovať
**pierce** *v.t.* prepichnúť
**piety** *n.* zbožnosť
**pig** *n.* prasa
**pigeon** *n.* holub
**pigmy** *n.* trpaslík
**pile** *n.* kopa
**pile** *v.t.* naložiť
**piles** *n.* zlatá žila
**pilfer** *v.t.* kradnúť
**pilgrim** *n.* pútnik
**pilgrimage** *n.* púť
**pill** *n.* pilulka
**pillar** *n.* stĺp
**pillow** *n* vankúš
**pillow** *v.t.* podložiť vankúšom
**pilot** *n.* pilot
**pilot** *v.t.* pilotovať
**pimple** *n.* vyrážka
**pin** *n.* špendlík
**pin** *v.t.* zopnúť
**pinch** *v.t.* štipnúť
**pinch** *v.* pichnutie
**pine** *n.* borovica
**pine** *v.i.* žialiť
**pineapple** *n.* ananás
**pink** *n.* ružová farba
**pink** *a* ružový
**pinkish** *a.* ružovkastý
**pinnacle** *n.* vrchol
**pioneer** *n.* priekopník
**pioneer** *v.t.* ukazovať cestu
**pious** *a.* pobožný
**pipe** *n.* rúra
**pipe** *v.i* viesť potrubím
**piquant** *a.* pikantný
**piracy** *n.* pirátstvo
**pirate** *n.* pirát
**pirate** *v.t* publikovať bez povolenia
**pistol** *n.* pištoľ
**piston** *n.* piest
**pit** *n.* jama
**pit** *v.t.* zanechať jamky
**pitch** *n.* ihrisko
**pitch** *v.t.* postaviť
**pitcher** *n.* džbán
**piteous** *a.* dojímavý
**pitfall** *n.* nástraha
**pitiable** *a.* úbohý
**pitiful** *a.* úbohý
**pitiless** *a.* bezcitný
**pitman** *n.* baník
**pittance** *n.* almužna
**pity** *n.* lútosť

**pity** *v.t.* ľutovať
**pivot** *n.* čap
**pivot** *v.t.* závisieť
**playcard** *n.* hracia karta
**place** *n.* miesto
**place** *v.t.* umiestniť
**placid** *a.* pokojný
**plague** *a.* mor
**plague** *v.t.* sužovať
**plain** *a.* jednoduchý
**plain** *n.* hladké očko
**plaintiff** *n.* žalobca
**plan** *n.* plán
**plan** *v.t.* plánovať
**plane** *n.* lietadlo
**plane** *v.t.* lietať
**plane** *a.* rovný
**plane** *n* hoblík
**planet** *n.* planéta
**planetary** *a.* planetárny
**plank** *n.* doska
**plank** *v.t.* položiť dosku
**plant** *n.* rastlina
**plant** *v.t.* sadiť
**plantain** *n.* skorocel
**plantation** *n.* plantáž
**plaster** *n.* omietka
**plaster** *v.t.* omietnuť
**plate** *n.* tanier
**plate** *v.t.* pokovať
**plateau** *n.* plošina
**platform** *n.* nástupište
**platonic** *a.* platonický
**platoon** *n.* čata
**play** *n.* hra
**play** *v.i.* hrať sa
**player** *n.* hráč
**plea** *n.* prosba
**plead** *v.i.* prosiť
**pleader** *n.* žiadateľ
**pleasant** *a.* príjemný
**pleasantry** *n.* žart
**please** *v.t.* potešiť
**pleasure** *n.* potešenie
**plebiscite** *n.* plebiscit
**pledge** *n.* sľub
**pledge** *v.t.* sľúbiť
**plenty** *n.* hojnosť
**plight** *n.* nepriaznivý stav
**plod** *v.i.* vliecť sa
**plot** *n.* osnova
**plot** *v.t.* sprisahať sa
**plough** *n.* pluh
**plough** *v.i* orať
**ploughman** *n.* oráč
**pluck** *v.t.* odtrhnúť
**pluck** *n* odtrhnutie
**plug** *n.* zátka
**plug** *v.t.* zapchať
**plum** *n.* slivka
**plumber** *n.* inštalatér
**plunder** *v.t.* plieniť
**plunder** *n* korisť
**plunge** *v.t.* rútiť sa
**plunge** *n* skok
**plural** *a.* plurálny
**plurality** *n.* pluralita
**plus** *a.* plusový
**plus** *n* výhoda
**ply** *v.t.* ponúkať
**ply** *n* ohyb
**pneumonia** zápal pľúc
**pocket** *n.* vrecko
**pocket** *v.t.* dať do vrecka
**pod** *n.* struk
**poem** *n.* báseň
**poesy** *n.* báseň
**poet** *n.* básnik
**poetaster** *n.* zlý básnik
**poetess** *n.* poetka
**poetic** *a.* poetický
**poetics** *n.* poetika
**poetry** *n.* poézia
**poignacy** *n.* dojímavosť

**poignant** *a.* dojímavý
**point** *n.* hrot
**point** *v.t.* ukázať
**poise** *v.t.* vyvažovať
**poise** *n* duševná rovnováha
**poison** *n.* otrava
**poison** *v.t.* otráviť
**poisonous** *a.* jedovatý
**poke** *v.t.* štuchať
**poke** *n.* štuchnutie
**polar** *n.* polárny
**pole** *n.* stĺp
**police** *n.* polícia
**policeman** *n.* policajt
**policy** *n.* taktika
**polish** *v.t.* leštiť
**polish** *n* leštidlo
**polite** *a.* zdvorilý
**pliteness** *n.* zdvorilosť
**politic** *a.* politický
**political** *a.* politický
**politician** *n.* politik
**politics** *n.* politika
**polity** *n.* zriadenie
**poll** *n.* voľby
**poll** *v.t.* získať hlasy
**pollen** *n.* peľ
**pollute** *v.t.* znečistiť
**pollution** *n.* znečistenie
**polo** *n.* pólo
**polygamous** *a.* polygamický
**polygamy** *n.* polygamia
**polyglot1** *n.* polyglot
**polyglot2** *a.* polyglotický
**polytechnic** *a.* polytechnický
**polytechnic** *n.* polytechnik
**polytheism** *n.* polyteizmus
**polytheist** *n.* polyteista
**polytheistic** *a.* polyteistický
**pomp** *n.* pompa
**pomposity** *n.* pompéznosť
**pompous** *a.* okázalý
**pond** *n.* jazero
**ponder** *v.t.* uvažovať
**pony** *n.* poník
**poor** *a.* chudobný
**pop** *v.i.* prasknúť
**pop** *n* prasknúť
**pope** *n.* pápež
**poplar** *n.* topoľ
**poplin** *n.* popelín
**populace** *n.* masy
**popular** *a.* obľúbený
**popularity** *n.* obľúbenosť
**popularize** *v.t.* popularizovať
**populate** *v.t.* obývať
**population** *n.* obyvateľstvo
**populous** *a.* zaľudnený
**porcelain** *n.* porcelán
**porch** *n.* veranda
**pore** *n.* pór
**pork** *n.* bravčovina
**porridge** *n.* ovsená kaša
**port** *n.* prístav
**portable** *a.* prenosný
**portage** *n.* doprava
**portal** *n.* portál
**portend** *v.t.* veštiť
**porter** *n.* nosič
**portfolio** *n.* zbierka
**portico** *n.* portikus
**portion** *n* čiastka
**portion** *v.t.* rozdeliť
**portrait** *n.* portrét
**portraiture** *n.* portrétovanie
**portray** *v.t.* zobraziť
**portrayal** *n.* stvárnenie
**pose** *v.i.* postaviť sa
**pose** *n.* postoj
**position** *n.* poloha
**position** *v.t.* položiť
**positive** *a.* pozitívny
**possess** *v.t.* vlastniť
**possession** *n.* vlastnenie

**possibility** *n.* možnosť
**possible** *a.* možný
**post** *n.* stĺp
**post** *v.t.* vyvesiť
**post** *n* pošta
**post** *v.t.* poslať
**post** *adv.* po
**postage** *n.* poštovné
**postal** *a.* poštový
**post-date** *v.t.* postdátovať
**poster** *n.* plagát
**posterity** *n.* potomstvo
**posthumous** *a.* posmrtný
**postman** *n.* poštár
**postmaster** *n.* prednosta poštového úradu
**post-mortem** *a.* pitevný
**post-mortem** *n.* pitva
**post-office** *n.* pošta
**postpone** *v.t.* odložiť
**postponement** *n.* odloženie
**postscript** *n.* dodatok
**posture** *n.* póza
**pot** *n.* hrniec
**pot** *v.t.* sadiť
**potash** *n.* potaš
**potassium** *n.* draslík
**potato** *n.* zemiak
**potency** *n.* sila
**potent** *a.* silný
**potential** *a.* možný
**potential** *n.* potenciál
**pontentiality** *n.* možnosť
**potter** *n.* hrnčiar
**pottery** *n.* hrnčiarstvo
**pouch** *n.* vrecko
**poultry** *n.* hydina
**pounce** *v.i.* vrhnúť sa
**pounce** *n* vrhnutie
**pound** *n.* libra
**pound** *v.t.* drviť
**pour** *v.i.* naliať
**poverty** *n.* chudoba
**powder** *n.* prášok
**powder** *v.t.* pudrovať
**power** *n.* sila
**powerful** *a.* silný
**practicability** *n.* praktickosť
**practicable** *a.* praktický
**practical** *a.* praktický
**practice** *n.* prax
**practise** *v.t.* cvičiť
**practitioner** *n.* praktik
**pragmatic** *a.* pragmatický
**pragmatism** *n.* pragmatizmus
**praise** *n.* chvála
**praise** *v.t.* chváliť
**praiseworthy** *a.* chvályhodný
**prank** *n.* žartík
**prattle** *v.i.* džavotať
**prattle** *n.* džavot
**pray** *v.i.* modliť sa
**prayer** *n.* modlitba
**preach** *v.i.* kázať
**preacher** *n.* kazateľ
**preamble** *n.* predhovor
**precaution** *n.* opatrenie
**precautionary** *a.* preventívny
**precede** *v.* predchádzať
**precedence** *n.* prednosť
**precedent** *n.* tradícia
**precept** *n.* pravidlo
**preceptor** *n.* učiteľ
**precious** *a.* vzácny
**precis** *n.* súhrn
**precise** *n.* presný
**precision** *n.* presnosť
**precursor** *n.* predchodca
**predecessor** *n.* predchodca
**predestination** *n.* predurčenie
**predetermine** *v.t.* rozhodnúť
**predicament** *n.* trampoty
**predicate** *n.* prísudok
**predict** *v.t.* predvídať

**prediction** *n.* predvídanie
**predominance** *n.* prevaha
**predominant** *a.* prevládajúci
**predominate** *v.i.* prevládať
**pre-eminence** *n.* prednosť
**pre-eminent** *a.* významný
**preface** *n.* predslov
**preface** *v.t.* povedať úvodom
**prefect** *n.* prefekt
**prefer** *v.t.* uprednostniť
**preference** *n.* prednosť
**preferential** *a.* prednostný
**prefix** *n.* predpona
**prefix** *v.t.* uviesť
**pregnancy** *n.* tehotenstvo
**pregnant** *a.* tehotná
**prehistoric** *a.* praveký
**prejudice** *n.* predsudok
**prelate** *n.* prelát
**preliminary** *a.* prípravný
**preliminary** *n* príprava
**prelude** *n.* predohra
**prelude** *v.t.* uviesť predohrou
**premarital** *a.* predmanželský
**premature** *a.* predčasný
**premeditate** *v.t.* premyslieť
**premeditation** *n.* premyslenosť
**premier** *a.* najlepší
**premier** *n* premiér
**premiere** *n.* premiéra
**premium** *n.* poistné
**premonition** *n.* predtucha
**preoccupation** *n.* záujem
**preoccupy** *v.t.* zaujať
**preparation** *n.* príprava
**preparatory** *a.* prípravný
**prepare** *v.t.* pripraviť
**preponderance** *n.* prevaha
**preponderate** *v.i.* prevládať
**preposition** *n.* predložka
**prerequisite** *a.* nevyhnutný
**prerequisite** *n* nevyhnutnosť
**prerogative** *n.* privilégium
**prescience** *n.* jasnovidectvo
**prescribe** *v.t.* predpísať
**prescription** *n.* predpis
**presence** *n.* prítomnosť
**present** *a.* prítomný
**present** *n.* dar
**present** *v.t.* predložiť
**presentation** *n.* predvedenie
**presently** *adv.* zanedlho
**preservation** *n.* ochrana
**preservative** *n.* ochranný prostriedok
**preservative** *a.* ochranný
**preserve** *v.t.* zachovať
**preserve** *n.* rezervácia
**preside** *v.i.* predsedať
**president** *n.* prezident
**presidential** *a.* prezidentský
**press** *v.t.* tlačiť
**press** *n* tlač
**pressure** *n.* nátlak
**pressurize** *v.t.* robiť nátlak
**prestige** *n.* dobré meno
**prestigious** *a.* významný
**presume** *v.t.* domievať sa
**presumption** *n.* domienka
**presuppose** *v.t.* predpokladať
**presupposition** *n.* predpoklad
**pretence** *n.* predstieranie
**prtend** *v.t.* predstierať
**pretension** *n.* nárok
**pretentious** *a.* okázalý
**pretext** *n* zámienka
**prettiness** *n.* krása
**pretty** *a* pekný
**pretty** *adv.* dosť
**prevail** *v.i.* trvať
**prevalance** *n.* výskyt
**prevalent** *a.* bežný
**prevent** *v.t.* zabrániť
**prevention** *n.* predchádzanie

**preventive** *a.* ochranný
**previous** *a.* predošlý
**prey** *n.* korisť
**prey** *v.i.* loviť
**price** *n.* cena
**price** *v.t.* oceniť
**prick** *n.* pichanie
**prick** *v.t.* pichať
**pride** *n.* pýcha
**pride** *v.t.* pýšiť sa
**priest** *n.* kňaz
**priestess** *n.* kňažka
**priesthood** *n.* kňazstvo
**prima facie** *adv.* jasný
**primarily** *adv.* predovšetkým
**primary** *a.* prvoradý
**prime** *a.* hlavný
**prime** *n.* vrchol
**primer** *n.* podkladový náter
**primeval** *a.* prastarý
**primitive** *a.* primitívny
**prince** *n.* princ
**princely** *a.* nádherný
**princess** *n.* princezná
**principal** *n.* rektor
**principal** *a* hlavný
**principle** *n.* zásada
**print** *v.t.* tlačiť
**print** *n* tlač
**printer** *n.* tlačiareň
**prior** *a.* predchádzajúci
**prior** *n* prior
**prioress** *n.* predstavená
**priority** *n.* prednosť
**prison** *n.* väznica
**prisoner** *n.* väzeň
**privacy** *n.* súkromie
**private** *a.* súkromný
**privation** *n.* nedostatok
**privilege** *n.* výsada
**prize** *n.* cena
**prize** *v.t.* odmeniť
**probability** *n.* pravdepodobnosť
**probable** *a.* pravdepodobný
**probably** *adv.* pravdepodobne
**probation** *n.* skúšobná lehota
**probationer** *n.* novic
**probe** *v.t.* sondovať
**probe** *n* sonda
**problem** *n.* problém
**problematic** *a.* problematický
**procedure** *n.* procedúra
**proceed** *v.i.* prejsť
**proceeding** *n.* súdne konanie
**proceeds** *n.* zisk
**process** *n.* priebeh
**procession** *n.* sprievod
**proclaim** *v.t.* vyhlásiť
**proclamation** *n.* vyhlásenie
**proclivity** *n.* náchylnosť
**procrastinate** *v.i.* okolkovať
**procrastination** *n.* okolkovanie
**proctor** *n.* dozorca
**procure** *v.t.* zadovážiť
**procurement** *n.* zadováženie
**prodigal** *a.* márnotratný
**prodigality** *n.* márnotratnosť
**produce** *v.t.* produkovať
**produce** *n.* výrobok
**product** *n.* produkt
**production** *n.* výroba
**productive** *a.* produktívny
**productivity** *n.* produktivita
**profane** *a.* vulgárny
**profane** *v.t.* znevážiť
**profess** *v.t.* tvrdiť
**profession** *n.* povolanie
**professional** *a.* odborný
**professor** *n.* profesor
**proficiency** *n.* zbehlosť
**proficient** *a.* zbehlý
**profile** *n.* profile
**profile** *v.t.* charakterizovať
**profit** *n.* zisk

**profit** *v.t.* mať zisk
**profitable** *a.* ziskový
**profiteer** *n.* šmelinár
**profiteer** *v.i.* šmelinárčiť
**profligacy** *n.* márnotratnosť
**profligate** *a.* márnotratný
**profound** *a.* silný
**profundity** *n.* hĺbka
**profuse** *a.* intenzívny
**profusion** *n.* hojnosť
**progeny** *n.* potomkovia
**programme** *n.* program
**programme** *v.t.* naprogramovať
**progress** *n.* napredovanie
**progress** *v.i.* pokročiť
**progressive** *a.* pokrokový
**prohibit** *v.t.* zakázať
**prohibition** *n.* zákaz
**prohibitive** *a.* znemožňujúci
**prohibitory** *a.* prohibičný
**project** *n.* projekt
**project** *v.t.* vyčnievať
**projectile** *n.* náboj
**projectile** *a* hnací
**projection** *n.* vyčnievanie
**projector** *n.* premietací prístroj
**proliferate** *v.i.* rozrásť sa
**proliferation** *n.* šírenie
**prolific** *a.* plodný
**prologue** *n.* prológ
**prolong** *v.t.* predĺžiť
**prolongation** *n.* predĺženie
**prominence** *n.* dôležitosť
**prominent** *a.* dôležitý
**promise** *n* sľub
**promise** *v.t* sľúbiť
**promising** *a.* sľubný
**promissory** *a.* sľubujúci
**promote** *v.t.* povýšiť
**promotion** *n.* povýšenie
**prompt** *a.* presný
**prompt** *v.t.* vnuknúť
**prompter** *n.* našepkávač
**prone** *a.* náchylný
**pronoun** *n.* zámeno
**pronounce** *v.t.* vysloviť
**pronunciation** *n.* výslovnosť
**proof** *n.* dôkaz
**proof** *a* odolný
**prop** *n.* podpera
**prop** *v.t.* podoprieť
**propaganda** *n.* propaganda
**propagandist** *n.* propagandista
**propagate** *v.t.* propagovať
**propagation** *n.* propagácia
**propel** *v.t.* poháňať
**proper** *a.* vhodný
**property** *n.* majetok
**prophecy** *n.* veštenie
**prophesy** *v.t.* veštiť
**prophet** *n.* veštec
**prophetic** *a.* prorocký
**proportion** *n.* pomer
**proportion** *v.t.* prispôsobiť
**proportional** *a.* úmerný
**proportionate** *a.* úmerný
**proposal** *n.* návrh
**propose** *v.t.* navrhnúť
**proposition** *n.* návrh
**propound** *v.t.* predložiť k úvahe
**proprietary** *a.* majetnícky
**proprietor** *n.* majiteľ
**propriety** *n.* slušnosť
**prorogue** *v.t.* prerušiť
**prosaic** *a.* prozaický
**prose** *n.* próza
**prosecute** *v.t.* stíhať
**prosecution** *n.* stíhanie
**prosecutor** *n.* žalobca
**prosody** *n.* prozódia
**prospect** *n.* vyhliadka
**prospective** *a.* prípadný
**prospsectus** *n.* leták
**prosper** *v.i.* dariť sa

**prosperity** *n.* prosperita
**prosperous** *a.* prosperujúci
**prostitute** *n.* prostitútka
**prostitute** *v.t.* robiť prostitútku
**prostitution** *n.* prostitúcia
**prostrate** *a.* ležiaci tvárou k zemi
**prostrate** *v.t.* ľahnúť si tvárou k zemi
**prostration** *n.* ležanie tvárou k zemi
**protagonist** *n.* protagonista
**protect** *v.t.* chrániť
**protection** *n.* ochrana
**protective** *a.* ochranný
**protector** *n.* ochranca
**protein** *n.* bielkovina
**protest** *n.* protest
**protest** *v.i.* protestovať
**protestation** *n.* protestácia
**prototype** *n.* prototyp
**proud** *a.* hrdý
**prove** *v.t.* dokázať
**proverb** *n.* porekadlo
**proverbial** *a.* príslovečný
**provide** *v.i.* obstarať
**providence** *n.* prozreteľnosť
**provident** *a.* obozretný
**providential** *a.* prezieravý
**province** *n.* provincia
**provincial** *a.* provinčný
**provincialism** *n.* provincializmus
**provision** *n.* zaobstaranie
**provisional** *a.* dočasný
**proviso** *n.* podmienka
**provocation** *n.* provokácia
**provocative** *a.* provokatívny
**provoke** *v.t.* provokovať
**prowess** *n.* schopnosť
**proximate** *a.* najbližší
**proximity** *n.* blízkosť
**proxy** *n.* splnomocnenie
**prude** *n.* puritán
**prudence** *n.* obozretnosť
**prudent** *a.* obozretný
**prudential** *a.* opatrnícky
**prune** *v.t.* obstrihať
**pry** *v.i.* vyzvedať
**psalm** *n.* žalm
**pseudonym** *n.* pseudonym
**psyche** *n.* duša
**psychiatrist** *n.* psychiater
**psychiatry** *n.* psychiatria
**psychic** *a.* telepatický
**psychological** *a.* psychologický
**psychologist** *n.* psychológ
**psychology** *n.* psychológia
**psychopath** *n.* psychopat
**psychosis** *n.* psychóza
**psychotherapy** *n.* psychoterapia
**puberty** *n.* puberta
**public** *a.* verejný
**public** *n.* verejnosť
**publication** *n.* uverejnenie
**publicity** *n.* publicita
**publicize** *v.t.* zverejniť
**publish** *v.t.* vydať
**publisher** *n.* vydavateľ
**pudding** *n.* múčnik
**puddle** *n.* mláka
**puddle** *v.t.* hniesť
**puerile** *a.* detinský
**puff** *n.* vdych
**puff** *v.i.* dychčať
**pull** *v.t.* ťahať
**pull** *n.* potiahnutie
**pulley** *n.* kladka
**pullover** *n.* pulóver
**pulp** *n.* dužina
**pulp** *v.t.* zošrotovať knihu
**pulpit** *a.* kazateľský
**pulpy** *a.* dužinatý
**pulsate** *v.i.* biť
**pulsation** *n.* tep
**pulse** *n.* pulz

**pulse** *v.i.* pulzovať
**pulse** *n* strukoviny
**pump** *n.* čerpadlo
**pump** *v.t.* čerpať
**pumpkin** *n.* tekvica
**pun** *n.* slovná hračka
**pun** *v.i.* hrať sa so slovami
**punch** *n.* úder
**punch** *v.t.* udrieť
**punctual** *a.* presný
**punctuality** *n.* presnosť
**punctuate** *v.t.* použiť interpunkčné znamienko
**punctuation** *n.* interpunkcia
**puncture** *n.* defekt
**puncture** *v.t.* prepichnúť
**pungency** *n.* prenikavý pach
**pungent** *a.* páchnuci
**punish** *v.t.* trestať
**punishment** *n.* trest
**punitive** *a.* trestný
**puny** *a.* malý
**pupil** *n.* žiak
**puppet** *n.* bábka
**puppy** *n.* šteňa
**purblind** *n.* hlúposť
**purchase** *n.* nákup
**purchase** *v.t.* kúpiť
**pure** *a* čistý
**purgation** *n.* očista
**purgative** *n.* preháňadlo
**purgative** *a* preháňací
**purgatory** *n.* očistec
**purge** *v.t.* očistiť
**purification** *n.* očistenie
**purify** *v.t.* očistiť
**purist** *n.* purista
**puritan** *n.* puritán
**puritanical** *a.* puritánsky
**purity** *n.* čistota
**purple** *adj./n.* tmavofialová farba
**purport** *n.* zmysel
**purport** *v.t.* budiť dojem
**purpose** *n.* účel
**purpose** *v.t.* zamýšľať
**purposely** *adv.* zámerne
**purr** *n.* pradenie
**purr** *v.i.* priasť
**purse** *n.* peňaženka
**purse** *v.t.* stiahnuť
**pursuance** *n.* realizácia
**pursue** *v.t.* prenasledovať
**pursuit** *n.* prenasledovanie
**purview** *n.* kompetencia
**pus** *n.* hnis
**push** *v.t.* tlačiť
**push** *n.* potlačenie
**put** *v.t.* položiť
**puzzle** *n.* hlavolam
**puzzle** *v.t.* zmiasť
**pygmy** *n.* pygmej
**pyorrhoea** *n.* paradentóza
**pyramid** *n.* pyramída
**pyre** *n.* pohrebná hranica
**python** *n.* pytón

**quack** *v.i.* kvákať
**quack** *n* mastičkár
**quackery** *n.* mastičkárstvo
**quadrangle** *n.* štvoruholník
**quadrangular** *a.* štvoruholníkový
**quadrilateral** *a. & n.* štvorsten
**quadruped** *n.* štvornožec
**quadruple** *a.* štvornásobný
**quadruple** *v.t.* zoštvornásobil
**quail** *n.* prepelica
**quaint** *a.* svojrázny
**quake** *v.i.* triasť sa
**quake** *n* zemetrasenie

**qualification** *n.* kvalifikácia
**qualify** *v.i.* kvalifikovať
**qualitative** *a.* kvalitatívny
**quality** *n.* kvalita
**quandary** *n.* bezradnosť
**quantitative** *a.* kvantitatívny
**quantity** *n.* množstvo
**quantum** *n.* množstvo
**quarrel** *n.* hádka
**quarrel** *v.i.* hádať sa
**quarrelsome** *a.* hašterivý
**quarry** *n.* lom
**quarry** *v.i.* dobývať horniny
**quarter** *n.* štvrtina
**quarter** *v.t.* rozštvrtiť
**quarterly** *a.* štvrťročne
**queen** *n.* kráľovná
**queer** *ã.* čudný
**quell** *v.t.* potlačiť
**quench** *v.t.* zahasiť
**query** *n.* dotaz
**query** *v.t* zapochybovať
**quest** *n.* hľadanie
**quest** *v.t.* hľadať
**question** *n.* otázka
**question** *v.t.* pýtať sa
**questionable** *a.* otázny
**questionnaire** *n.* dotazník
**queue** *n.* rad
**quibble** *n.* námietka
**quibble** *v.i.* škriepiť sa
**quick** *a.* rýchly
**quick** *n* mäso
**quicksand** *n.* tečúci piesok
**quicksilver** *n.* ortuť
**quiet** *a.* tichý
**quiet** *n.* ticho
**quiet** *v.t.* utíšiť sa
**quilt** *n.* paplón
**quinine** *n.* chinín
**quintessence** *n.* dokonalý príklad
**quit** *v.t.* prestať
**quite** *adv.* celkom
**quiver** *n.* puzdro
**quiver** *v.i.* chvieť sa
**quixotic** *a.* kichotský
**quiz** *n.* kvíz
**quiz** *v.t.* vypytovať sa
**quorum** *n.* potrebný počet hlasov
**quota** *n.* kvóta
**quotation** *n.* citát
**quote** *v.t.* citovať
**quotient** *n.* kvocient

# R

**rabbit** *n.* zajac
**rabies** *n.* besnota
**race** *n.* preteky
**race** *v.i* pretekať
**racial** *a.* národný
**racialism** *n.* racizmus
**rack** *v.t.* sužovať
**rack** *n.* polica
**racket** *n.* raketa
**radiance** *n.* žiarenie
**radiant** *a.* žiarivý
**radiate** *v.t.* žiariť
**radiation** *n.* radiácia
**radical** *a.* radikálny
**radio** *n.* rádio
**radio** *v.t.* vyslať rádiom
**radish** *n.* reďkovka
**radium** *n.* rádium
**radius** *n.* rádius
**rag** *n.* handra
**rag** *v.t.* doberať si
**rage** *n.* zlosť
**rage** *v.i.* zlostiť sa
**raid** *n.* prepad
**raid** *v.t.* prepadnúť
**rail** *n.* tyč

**rail** *v.t.* ohradiť
**raling** *n.* zábradlie
**raillery** *n.* podpichovanie
**railway** *n.* železničná trať
**rain** *v.i.* pršať
**rain** *n* dážď
**rainy** *a.* daždivý
**raise** *v.t.* dvihnúť
**raisin** *n.* hrozienko
**rally** *v.t.* zhromaždiť
**rally** *n* zhromaždenie
**ram** *n.* baran
**ram** *v.t.* vraziť
**ramble** *v.t.* chodiť
**ramble** *n* potulovanie sa
**rampage** *v.i.* besnieť
**rampage** *n.* besnenie
**rampant** *a.* nekontrolovateľný
**rampart** *n.* hradba
**rancour** *n.* nenávisť
**random** *a.* náhodný
**range** *v.t.* pohybovať sa
**range** *n.* rozmedzie
**ranger** *n.* lesník
**rank** *n.* hodnosť
**rank** *v.t.* zoradiť
**rank** *a* zarastený
**ransack** *v.t.* prehľadať
**ransom** *n.* výkupné
**ransom** *v.t.* vykúpiť
**rape** *n.* znásilnenie
**rape** *v.t.* znásilniť
**rapid** *a.* rýchly
**rapidity** *n.* rýchlosť
**rapier** *n.* kord
**rapport** *n.* vzťah
**rapt** *a.* pohrúžený
**rapture** *n.* nadšenie
**rare** *a.* vzácny
**rascal** *n.* lump
**rash** *a.* prenáhlený
**rat** *n.* potkan
**rate** *v.t.* ohodnotiť
**rate** *n.* miera
**rather** *adv.* dosť
**ratify** *v.t.* schváliť
**ratio** *n.* pomer
**ration** *n.* prídel
**rational** *a.* rozumný
**rationale** *n.* opodstatnenie
**rationality** *n.* racionálnosť
**rationalize** *v.t.* opodstatňovať
**rattle** *v.i.* rinčať
**rattle** *n* rinčanie
**ravage** *n.* ničivý dôsledok
**ravage** *v.t.* ničiť
**rave** *v.i.* blúzniť
**raven** *n.* havran
**ravine** *n.* roklina
**raw** *a.* surový
**ray** *n.* lúč
**raze** *v.t.* zničiť
**razor** *n.* britva
**reach** *v.t.* dosiahnuť
**react** *v.i.* reagovať
**reaction** *n.* reakcia
**reactinary** *a.* reakčný
**read** *v.t.* čítať
**reader** *n.* čitateľ
**readily** *adv.* pohotovo
**readiness** *n.* pripravenosť
**ready** *a.* pripravený
**real** *a.* skutočný
**realism** *n.* realizmus
**realist** *n.* realista
**realistic** *a.* realistický
**reality** *n.* realita
**realization** *n.* realizácia
**realize** *v.t.* uvedomiť si
**really** *adv.* skutočne
**realm** *a.* ríša
**ream** *n.* rys
**reap** *v.t.* zberať
**reaper** *n.* žnec

**rear** *n.* zadok
**rear** *v.t.* vychovať
**reason** *n.* dôvód
**reason** *v.i.* uvažovať
**reasonable** *a.* rozumný
**reassure** *v.t.* upokojiť
**rabate** *n.* zrážka
**rebel** *v.i.* búriť sa
**rebel** *n.* burič
**rebellion** *n.* vzbura
**rebellious** *a.* rebelantský
**rebirth** *n.* obnová
**rebound** *v.i.* odraziť sa
**rebound** *n.* odraz
**rebuff** *n.* odmietnutie
**rebuff** *v.t.* odmietnuť
**rebuke** *v.t.* karhať
**rebuke** *n.* pokarhanie
**recall** *v.t.* spomenúť si
**recall** *n.* odvolanie
**recede** *v.i.* vzdialiť sa
**receipt** *n.* potvrdenka
**receive** *v.t.* dostať
**receiver** *n.* slúchadlo
**recent** *a.* nedávny
**recently** *adv.* nedávno
**reception** *n.* prijatie
**receptive** *a.* vnímavý
**recess** *n.* prerušenie
**recession** *n.* recesia
**recipe** *n.* recept
**recipient** *n.* príjemca
**reciprocal** *a.* vzájomý
**reciprocate** *v.t.* odplatiť sa
**recital** *n.* prednes
**recitation** *n.* recitovanie
**recite** *v.t.* recitovať
**reckless** *a.* nedbanlivý
**reckon** *v.t.* myslieť si
**reclaim** *v.t.* požadovať
**reclamation** *n* rekultivácia
**recluse** *n.* samotár
**recognition** *n.* spoznanie
**recognize** *v.t.* spoznať
**recoil** *v.i.* myknúť sa
**recoil** *adv.* spätne
**recollect** *v.t.* spomenúť si
**recollection** *n.* spomienka
**recommend** *v.t.* odporučiť
**recommendation** *n.* odporučenie
**recompense** *v.t.* odškodniť
**recompense** *n.* odškodné
**reconcile** *v.t.* zladiť
**reconciliation** *n.* uzmierenie
**record** *v.t.* zaznamenať
**record** *n.* záznam
**recorder** *n.* magnetofón
**recount** *v.t.* vyrozprávať
**recoup** *v.t.* uhradiť
**recourse** *n.* pomoc
**recover** *v.t.* získať späť
**recovery** *n.* získanie späť
**recreation** *n.* zábava
**recruit** *n.* branec
**recruit** *v.t.* robiť nábor
**rectangle** *n.* obdĺžnik
**rectangular** *a.* pravouhlý
**rectification** *n.* náprava
**rectify** *v.i.* napraviť
**rectum** *n.* konečník
**recur** *v.i.* vrátiť sa
**recurrence** *n.* výskyt
**recurrent** *a.* vracajúci sa
**red** *a.* červený
**red** *n.* červená farba
**redden** *v.t.* očervenieť
**reddish** *a.* červenkastý
**redeem** *v.t.* uskutočniť
**redemption** *n.* vykúpenie
**redouble** *v.t.* zvýšiť
**redress** *v.t.* nahradiť
**redress** *n* odškodnenie
**reduce** *v.t.* znížiť
**reduction** *n.* zníženie

**redundance** *n.* nadbytočnosť
**redundant** *a.* nadbytočný
**reel** *n.* cievka
**reel** *v.i.* natočiť
**refer** *v.t.* zmieniťsa
**referee** *n.* rozhodca
**reference** *n.* zmienka
**referendum** *n.* referendum
**refine** *v.t.* čistiť
**refinement** *n.* zdokonalenie
**refinery** *n.* rafinéria
**reflect** *v.t.* odraziť
**reflection** *n.* zrkadlenie
**reflective** *a.* odrážajúci
**reflector** *n.* reflektor
**reflex** *n.* reflex
**reflex** *a* reflexný
**reflexive** *a* zvratný
**reform** *v.t.* reformovať
**reform** *n.* reforma
**reformation** *n.* polepšenie sa
**reformatory** *n.* polepšovňa
**reformatory** *a* reformný
**reformer** *n.* reformista
**refrain** *v.i.* zdržať sa
**refrain** *n* refrén
**refresh** *v.t.* osviežiť sa
**refreshment** *n.* osvieženie
**refrigerate** *v.t.* schladiť
**refrigeration** *n.* chladenie
**refrigerator** *n.* chladnička
**refuge** *n.* útočište
**refugee** *n.* utečenec
**refulgence** *n.* lesk
**refulgent** *a.* žiarivý
**refund** *v.t.* preplatiť
**refund** *n.* preplatok
**refusal** *n.* odmietnutie
**refuse** *v.t.* odmietnuť
**refuse** *n.* odpad
**refutation** *n.* nepravdivosť
**refute** *v.t.* vyvrátiť
**regal** *a.* vznešený
**regard** *v.t.* vážiť si
**regard** *n.* úcta
**regenerate** *v.t.* regenerovať
**regeneration** *n.* regenerácia
**regicide** *n.* kráľovražda
**regime** *n.* zriadenie
**regiment** *n.* pluk
**regiment** *v.t.* rozkazovať
**region** *n.* oblasť
**regional** *a.* oblastný
**register** *n.* záznam
**register** *v.t.* zaznamenať
**registrar** *n.* matrikár
**registration** *n.* zapísanie
**registry** *n.* matrika
**regret** *v.i.* ľutovať
**regret** *n* ľútosť
**regular** *a.* pravidelný
**regularity** *n.* pravidelnosť
**regulate** *v.t.* regulovať
**regulation** *n.* regulovanie
**regulator** *n.* regulátor
**rehabilitate** *v.t.* rehabilitovať
**rehabilitation** *n.* rehabilitácia
**rehearsal** *n.* skúška
**rehearse** *v.t.* skúšať
**reign** *v.i.* panovať
**reign** *n* panovanie
**reimburse** *v.t.* uhradiť
**rein** *n.* oprata
**rein** *v.t.* obmedziť
**reinforce** *v.t.* zosilniť
**reinforcement** *n.* zosilnenie
**reinstate** *v.t.* znovu uviesť
**reinstatement** *n.* znovuprijatie
**reiterate** *v.t.* zopakovať
**reiteration** *n.* zopakovanie
**reject** *v.t.* odmietnuť
**rejection** *n.* odmietnutie
**rejoice** *v.i.* radovať sa
**rejoin** *v.t.* spojiť

**rejoinder** *n.* odpoveď
**rejuvenate** *v.t.* omladiť
**rejuvenation** *n.* zefektívnenie
**relapse** *v.i.* prepadnúť
**relapse** *n.* recidíva
**relate** *v.t.* rozprávať
**relation** *n.* príbuzný
**relative** *a.* relatívny
**relative** *n.* príbuzný
**relax** *v.t.* oddychovať
**relaxation** *n.* oddychovanie
**relay** *n.* zmena
**relay** *v.t.* podať ďalej
**release** *v.t.* prepustiť
**release** *n* prepustenie
**relent** *v.i.* povoliť
**relentless** *a.* neústupný
**relevance** *n.* vhodnosť
**relevant** *a.* vhodný
**reliable** *a.* spoľahlivý
**reliance** *n.* spoľahnutie
**relic** *n.* pozostatok
**relief** *n.* úľava
**relieve** *v.t.* uľahčiť
**religion** *n.* náboženstvo
**religious** *a.* náboženský
**relinquish** *v.t.* vzdať sa
**relish** *v.t.* radovať sa
**relish** *n* radosť
**reluctance** *n.* neochota
**reluctant** *a.* neochotný
**rely** *v.i.* spoľahnúť sa
**remain** *v.i.* zostať
**remainder** *n.* zvyšok
**remains** *n.* zvyšky
**remand** *v.t.* vziať do väzby
**remand** *n* väzba
**remark** *n.* poznámka
**remark** *v.t.* poznamenať
**remarkable** *a.* pozoruhodný
**remedial** *a.* liečebný
**remedy** *n.* liek
**remedy** *v.t* napraviť
**remember** *v.t.* pamätať si
**remembrance** *n.* pamiatka
**remind** *v.t.* pripomenúť
**reminder** *n.* upomienka
**reminiscence** *n.* spomienka
**reminiscent** *a.* pripomínajúci
**remission** *n.* odpustenie
**remit** *v.t.* odpustiť
**remittance** *n.* čiastka
**remorse** *n.* výčitky
**remote** *a.* vzdialený
**removable** *a.* odstrániteľný
**removal** *n.* odstránenie
**remove** *v.t.* odložiť
**remunerate** *v.t.* odmeniť
**remuneration** *n.* odmena
**remunerative** *a.* výnosný
**renaissance** *n.* obroda
**render** *v.t.* stať sa
**rendezvous** *n.* stretnutie
**renew** *v.t.* obnoviť
**renewal** *n.* obnovenie
**renounce** *v.t.* vzdať sa
**renovate** *v.t.* renovovať
**renovation** *n.* renovácia
**renown** *n.* sláva
**renowned** *a.* slávny
**rent** *n.* nájomné
**rent** *v.t.* prenajať si
**renunciation** *n.* zrieknutie sa
**repair** *v.t.* opraviť
**repair** *n.* oprava
**raparable** *a.* opraviteľný
**repartee** *n.* pohotová odpoveď
**repatriate** *v.t.* repatriovať
**repatriate** *n* repatriát
**repatriation** *n.* repatriácia
**repay** *v.t.* splatiť
**repayment** *n.* zaplatenie
**repeal** *v.t.* zrušiť
**repeal** *n* zrušenie

**repeat** *v.t.* opakovať
**repel** *v.t.* odraziť
**repellent** *a.* odpudivý
**repellent** *n* odpudzovač
**repent** *v.i.* ľutovať
**repentance** *n.* ľútosť
**repentant** *a.* kajúci
**repercussion** *n.* ozvena
**repetition** *n.* opakovanie
**replace** *v.t.* nahradiť
**replacement** *n.* náhrada
**replenish** *v.t.* doplniť
**replete** *a.* sýty
**replica** *n.* kópia
**reply** *v.i.* odpovedať
**reply** *n* odpoveď
**report** *v.t.* referovať
**report** *n.* správa
**reporter** *n.* reportér
**repose** *n.* odpočinok
**repose** *v.i.* odpočívať
**repository** *n.* úschova
**represent** *v.t.* reprezentovať
**representation** *n.* reprezentácia
**representative** *n.* reprezentant
**representative** *a.* reprezentatívny
**repress** *v.t.* premôcť
**repression** *n.* útlak
**reprimand** *n.* napomenutie
**reprimand** *v.t.* napomenúť
**reprint** *v.t.* znovu vydať
**reprint** *n.* nové vydanie
**reproach** *v.t.* vyčítať
**reproach** *n.* dohováranie
**reproduce** *v.t.* rozmnožovať sa
**reproduction** *n* rozmnožovanie
**reproductive** *a.* rozmnožovací
**reproof** *n.* výčitka
**reptile** *n.* plaz
**republic** *n.* republika
**republican** *a.* republikánsky
**republican** *n* republikán
**repudiate** *v.t.* poprieť
**repudiation** *n.* odmietnutie
**repugnance** *n.* nechuť
**repugnant** *a.* protivný
**repulse** *v.t.* odraziť
**repulse** *n.* odrazenie útoku
**repulsion** *n.* odpor
**repulsive** *a.* odporný
**reputation** *n.* reputácia
**repute** *v.t.* mať celosvetový význam
**repute** *n.* povesť
**request** *v.t.* žiadať
**request** *n* žiadosť
**requiem** *n.* rekviem
**require** *v.t.* potrebovať
**requirement** *n.* potreba
**requisite** *a.* potrebný
**requiste** *n* nevyhnutnosť
**rquisition** *n.* požiadavka
**requisition** *v.t.* žiadať
**requite** *v.t.* odplatiť sa
**rescue** *v.t.* zachrániť
**rescue** *n* záchrana
**research** *v.i.* skúmať
**research** *n* výskum
**resemblance** *n.* podabnosť
**resemble** *v.t.* podobať sa
**resent** *v.t.* neznášať
**resentment** *n.* rozhorčenie
**reservation** *n.* výhrada
**reserve** *v.t.* rezervovať
**rservoir** *n.* rezervoár
**reside** *v.i.* sídliť
**residence** *n.* bydlisko
**resident** *a.* bývajúci
**resident** *n* obyvateľ
**residual** *a.* zvyškový
**residue** *n.* zvyšok
**resign** *v.t.* odstúpiť
**resignation** *n.* odstúpenie
**resist** *v.t.* odporovať

**resistance** *n.* vzdor
**resistant** *a.* odolný
**resolute** *a.* rozhodný
**resolution** *n.* uznesenie
**resolve** *v.t.* vyriešiť
**resonance** *n.* rezonovanie
**resonant** *a.* zvučný
**resort** *v.i.* uchýliť sa
**resort** *n* stredisko
**resound** *v.i.* znieť
**resource** *n.* zdroj
**resourceful** *a.* vynaliezavý
**respect** *v.t.* ctiť si
**respect** *n.* úcta
**respectful** *a.* rešpektujúci
**respective** *a.* príslušný
**respiration** *n.* dýchanie
**respire** *v.i.* dýchať
**resplendent** *a.* žiarivý
**respond** *v.i.* odpovedať
**respondent** *n.* respondent
**response** *n.* odpoveď
**responsibility** *n.* zodpovednosť
**responsible** *a.* zodpovedný
**rest** *v.i.* oddychovať
**rest** *n* odych
**restaurant** *n.* reštaurácia
**restive** *a.* nepokojný
**restoration** *n.* obnovenie
**restore** *v.t.* obnoviť
**restrain** *v.t.* kontrolovať
**restrict** *v.t.* obmedziť
**restriction** *n.* obmedzenie
**restrictive** *a.* obmedzujúci
**result** *v.i.* nastať
**result** *n.* výsledok
**resume** *v.t.* obnoviť
**resume** *n.* zhrnutie
**resumption** *n.* obnovenie
**resurgence** *n.* obnovenie
**resurgent** *a.* narastajúci
**retail** *v.t.* predávať v malom
**retail** *n.* maloobchod
**retail** *adv.* maloobchodne
**retail** *a* maloobchodný
**retailer** *n.* maloobchodník
**retain** *v.t.* udržať
**retaliate** *v.i.* pomstiť sa
**retaliation** *n.* odplata
**retard** *v.t.* spomaliť
**retardation** *n.* retardácia
**retention** *n.* zachovanie
**retentive** *a.* výborný
**reticence** *n.* zdržanlivosť
**reticent** *a.* zdržanlivý
**retina** *n.* sietnica
**retinue** *n.* sprievod
**retire** *v.i.* ísť do dôchodku
**retirement** *n.* dôchodok
**retort** *v.t.* odvrknúť
**retort** *n.* odvrknutie
**retouch** *v.t.* retušovať
**retrace** *v.t.* sledovať stopu
**retread** *v.t.* protektorovať pneumatiku
**retread** *n.* protektorová pneumatika
**retreat** *v.i.* ustúpiť
**retrench** *v.t.* obmedziť výdavky
**retrenchment** *n.* obmedzenie výdavkov
**retrieve** *v.t.* opäť nájsť
**retrospect** *n.* pohľad späť
**retrospection** *n:* pohľad späť
**retrospective** *a.* retrospektívny
**return** *v.i.* vrátiť sa
**return** *n.* návrat
**revel** *v.i.* zabávať sa
**revel** *n.* zábava
**revelation** *n.* odhalenie
**reveller** *n.* hýrivec
**revelry** *n.* zábava
**revenge** *v.t.* pomstiť sa
**revenge** *n.* pomsta

**revengeful** *a.* pomstychtivý
**revenue** *n.* dôchodok
**revere** *v.t.* uctiť si
**reverence** *n.* hlboká úcta
**reverend** *a.* ctihodný
**reverent** *a.* úctivý
**reverential** *a.* úctivý
**reverie** *n.* snenie
**reversal** *n.* zvrat
**reverse** *a.* opačný
**reverse** *n* opak
**reverse** *v.t.* cúvať
**reversible** *a.* obojstranný
**revert** *v.i.* vrátiť sa
**review** *v.t.* posúdiť
**review** *n* prehľad
**revise** *v.t.* opraviť
**revision** *n.* zmena
**revival** *n.* obnova
**revive** *v.i.* ožiť
**revocable** *a.* odvolateľný
**revocation** *n.* zrušenie
**revoke** *v.t.* zrušiť
**revolt** *v.i.* búriť sa
**revolt** *n.* vzbura
**revolution** *n.* revolúcia
**revolutionary** *a.* revolučný
**revolutionary** *n* revolucionár
**revolve** *v.i.* obiehať
**revolver** *n.* revolver
**reward** *n.* odmena
**reward** *v.t.* odmeniť
**rhetoric** *n.* rétorika
**rhetorical** *a.* rétorický
**rheumatic** *a.* reumatický
**rheumatism** *n.* reumatizmus
**rhinoceros** *n.* nosorožec
**rhyme** *n.* rým
**rhyme** *v.i.* rýmovať
**rhymester** *n.* veršotepec
**rhythm** *b.* rytmus
**rhythmic** *a.* rytmický
**rib** *n.* rebro
**ribbon** *n.* stuha
**rice** *n.* ryža
**rich** *a.* bohatý
**riches** *n.* bohatstvo
**richness** *a.* bohatosť
**rick** *n.* stoh
**rickets** *n.* krivica
**rickety** *a.* rozheganý
**rickshaw** *n.* rikša
**rid** *v.t.* zbaviť
**riddle** *n.* hádanka
**riddle** *v.i.* preosiať
**ride** *v.t.* jazdiť
**ride** *n* jazda
**rider** *n.* jazdec
**ridge** *n.* hrebeň
**ridicule** *v.t.* vysmievať sa
**ridicule** *n.* výsmech
**ridiculous** *a.* smiešny
**rifle** *v.t.* prehľadať
**rifle** *n* puška
**rift** *n.* trhlina
**right** *a.* pravý
**right** *adv* vpravo
**right** *n* dobro
**right** *v.t.* napraviť
**righteous** *a.* oprávnený
**rigid** *a.* masívny
**rigorous** *a.* dôkladný
**rigour** *n.* neoblomnosť
**rim** *n.* okraj
**ring** *n.* prsteň
**ring** *v.t.* obkolesiť
**ringlet** *n.* kučera
**ringworm** *n.* dermatomykóza
**rinse** *v.t.* vypláchať
**riot** *n.* nepokoj
**riot** *v.t.* vyčíňať
**rip** *v.t.* roztrhnúť
**ripe** *a* zrelý
**ripen** *v.i.* dozrieť

**ripple** *n.* čerenie
**ripple** *v.t.* sčeriť
**rise** *v.* stúpať
**rise** *n.* stúpanie
**risk** *v.t.* riskovať
**risk** *n.* riziko
**risky** *a.* riskantný
**rite** *n.* obrad
**ritual** *n.* rituál
**ritual** *a.* rituálny
**rival** *n.* konkurent
**rival** *v.t.* konkurovať
**rivalry** *n.* konkurencia
**river** *n.* rieka
**rivet** *n.* nit
**rivet** *v.t.* nitovať
**rivulet** *n.* potôčik
**road** *n.* cesta
**roam** *v.i.* túlať sa
**roar** *n.* rev
**roar** *v.i.* revať
**roast** *v.t.* piecť
**roast** *a* pečený
**roast** *n* pečené mäso
**rob** *v.t.* vylúpiť
**robber** *n.* zlodej
**robbery** *n.* krádež
**robe** *n.* šaty
**robe** *v.t.* ošatiť
**robot** *n.* robot
**robust** *a.* silný
**rock** *v.t.* kolísať
**rock** *n.* skala
**rocket** *n.* raketa
**rod** *n.* tyč
**rodent** *n.* hlodavec
**roe** *n.* ikry
**rogue** *n.* podvodník
**roguery** *n.* podlosť
**roguish** *a.* potmehúcky
**role** *n.* úloha
**roll** *n.* kotúľanie
**roll** *v.i.* kotúľať
**roll-call** *n.* prezencia
**roller** *n.* valec
**romance** *n.* romantika
**romantic** *a.* romantický
**romp** *v.i.* vystrájať
**romp** *n.* vystrájanie
**rood** *n.* kríž
**roof** *n.* strecha
**roof** *v.t.* zastrešiť
**rook** *n.* havran poľn□
**rook** *v.t.* oklamať
**room** *n.* izba
**roomy** *a.* priestranný
**roost** *n.* bidlo
**roost** *v.i.* hradovať
**root** *n.* koreň
**root** *v.i.* zakoreniť
**rope** *n.* lano
**rope** *v.t.* priviazať
**rosary** *n.* ruženec
**rose** *n.* ruža
**roseate** *a.* ružový
**rostrum** *n.* pódium
**rosy** *a.* ružový
**rot** *n.* hnitie
**rot** *v.i.* pokaziť
**rotary** *a.* otáčavý
**rotate** *v.i.* otočiť
**rotation** *n.* otáčanie
**rote** *n.* bifľovanie
**rouble** *n.* rubeľ
**rough** *a.* drsný
**round** *a.* okrúhly
**round** *adv.* okolo
**round** *n.* kolo
**round** *v.t.* obísť
**rouse** *v.i.* zobudiť
**rout** *v.t.* poraziť
**rout** *n* pohroma
**route** *n.* cesta
**routine** *n.* rutina

**routine** *a* rutinný
**rove** *v.i.* túlať sa
**rover** *n.* tulák
**row** *n.* rad
**row** *v.t.* veslovať
**row** *n* plavba
**row** *n.* hádka
**rowdy** *a.* hlučný
**royal** *a.* kráľovský
**royalist** *n.* roajalista
**royalty** *n.* člen kráľovskej rodiny
**rub** *v.t.* šúchať
**rub** *n* vyčistenie
**rubber** *n.* guma
**rubbish** *n.* smeti
**rubble** *n.* úlomky
**ruby** *n.* rubín
**rude** *a.* nevychovaný
**rudiment** *n.* základ
**rudimentary** *a.* základný
**rue** *v.t.* oľutovať
**rueful** *a.* smutný
**ruffian** *n.* výtržník
**ruffle** *v.t.* postrapatiť
**rug** *n.* koberček
**rugged** *a.* drsný
**ruin** *n.* skaza
**ruin** *v.t.* zničiť
**rule** *n.* pravidlo
**rule** *v.t.* vládnuť
**ruler** *n.* panovník
**ruling** *n.* nález
**rum** *n.* rum
**rum** *a* čudný
**rumble** *v.i.* dunieť
**rumble** *n.* hrmenie
**ruminant** *a.* prežúvavý
**ruminant** *n.* prežúvavec
**ruminate** *v.i.* premýšľať
**rumination** *n.* premýšľanie
**rummage** *v.i.* kutrať sa
**rummage** *n* prekutranie
**rummy** *n.* žolík
**rumour** *n.* klebeta
**rumour** *v.t.* klebetiť
**run** *v.i.* utekať
**run** *n.* beh
**rung** *n.* priečka
**runner** *n.* bežec
**rupee** *n.* rupia
**rupture** *n.* roztržka
**rupture** *v.t.* pretrhnúť sa
**rural** *a.* vidiecky
**ruse** *n.* lesť
**rush** *n.* nával
**rush** *v.t.* hnať sa
**rush** *n* trstina
**rust** *n.* hrdza
**rust** *v.i* hrdzavieť
**rustic** *a.* vidiecky
**rustic** *n* vidiečan
**rusticate** *v.t.* žiť na vidieku
**rustication** *n.* rustikácia
**rusticity** *n.* jednoduchosť života na vidieku
**rusty** *a.* hrdzavý
**rut** *n.* stopa
**ruthless** *a.* krutý
**rye** *n.* raž

# S

**sabbath** *n.* nedeľa
**sabotage** *n.* sabotáž
**sabotage** *v.t.* sabotovať
**sabre** *n.* šabľa
**sabre** *v.t.* šabľa
**saccharin** *n.* sacharín
**saccharine** *a.* sladký
**sack** *n.* vrece
**sack** *v.t.* vyhodiť
**sacrament** *n.* sviatosť

**sacred** *a.* svätý
**sacrifice** *n.* obeta
**sacrifice** *v.t.* obetovať sa
**sacrificial** *a.* obetný
**sacrilege** *n.* svätokrádež
**sacrilegious** *a.* bezbožný
**sacrosanct** *a.* posvätný
**sad** *a.* smutný
**sadden** *v.t.* zarmútiť
**saddle** *n.* sedlo
**saddle** *v.t.* osedlať
**sadism** *n.* sadizmus
**sadist** *n.* sadista
**safe** *a.* bezpečný
**safe** *n.* trezor
**safeguard** *n.* ochrana
**safety** *n.* bezpečnosť
**saffron** *n.* šafrán
**saffron** *a* šafránovožltý
**sagacious** *a.* chytrý
**sagacity** *n.* chytrosť
**sage** *n.* mudrc
**sage** *a.* múdry
**sail** *n.* plavba
**sail** *v.i.* plaviť sa
**sailor** *n.* námorník
**saint** *n.* svätý
**saintly** *a.* svätý
**sake** *n.* dobro
**salable** *a.* predajný
**salad** *n.* šalát
**salary** *n.* mzda
**sale** *n.* predaj
**salesman** *n.* predavač
**salient** *a.* význačný
**saline** *a.* slaný
**salinity** *n.* slanosť
**saliva** *n.* slina
**sally** *n.* výpad
**sally** *v.i.* vyraziť
**saloon** *n.* hostinec
**salt** *n.* soľ
**salt** *v.t* osoliť
**salty** *a.* slaný
**salutary** *a.* prospešný
**salutation** *n.* pozdrav
**salute** *v.t.* pozdraviť
**salute** *n* pozdrav
**salvage** *n.* záchrana
**salvage** *v.t.* zachrániť
**salvation** *n.* spása
**same** *a.* rovnaký
**sample** *n.* vzorka
**sample** *v.t.* odobrať vzorku
**sanatorium** *n.* sanatórium
**sanctification** *n.* posvätenie
**sanctify** *v.t.* posvätiť
**sanction** *n.* súhlas
**sanction** *v.t.* súhlasiť
**sanctity** *n.* posvätnosť
**sanctuary** *n.* útočište
**sand** *n.* piesok
**sandal** *n.* sandál
**sandalwood** *n.* santal biely
**sandwich** *n.* sendvič
**sandwich** *v.t.* spojiť
**sandy** *a.* piesočnatý
**sane** *a.* zdravý
**sanguine** *a.* optimistický
**sanitary** *a.* zdravotný
**sanity** *n.* duševné zdravie
**sap** *n.* miazga
**sap** *v.t.* oslabiť
**sapling** *n.* stromček
**sapphire** *n.* zafír
**sarcasm** *n.* sarkazmus
**sarcastic** *a.* sarkastický
**sardonic** *a.* pohŕdavý
**satan** *n.* satan
**satchel** *n.* taška
**satellite** *n.* družica
**satiable** *a.* uspokojiteľný
**satiate** *v.t.* nasýtiť
**satiety** *n.* nasýtenosť

**satire** *n.* satira
**satirical** *a.* satirický
**satirist** *n.* satirista
**satirize** *v.t.* vysmievať sa
**satisfaction** *n.* uspokojenie
**satisfactory** *a.* uspokojivý
**satisfy** *v.t.* uspokojiť
**saturate** *v.t.* nasiaknuť
**saturation** *n.* nasýtenie
**Saturday** *n.* sobota
**sauce** *n.* omáčka
**saucer** *n.* tanierik
**saunter** *v.t.* prechádzať sa
**savage** *a.* zúrivý
**savage** *n* divoch
**savagery** *n.* surovosť
**save** *v.t.* zachrániť
**save** *prep* okrem
**saviour** *n.* záchranca
**savour** *n.* príchuť
**savour** *v.t.* vychutnať
**saw** *n.* píla
**saw** *v.t.* píliť
**say** *v.t.* povedať
**say** *n.* názor
**scabbard** *n.* puzdro
**scabies** *n.* svrab
**scaffold** *n.* lešenie
**scale** *n.* stupnica
**scale** *v.t.* vyšplhať sa
**scalp** *n* koža na temene hlavy
**scamper** *v.i* skákať
**scamper** *n* poskočenie
**scan** *v.t.* skúmať
**scandal** *n* škandál
**scandalize** *v.t.* pohoršiť
**scant** *a.* malý
**scanty** *a.* skromný
**scapegoat** *n.* obetný baránok
**scar** *n* jazva
**scar** *v.t.* zjazviť
**scarce** *a.* zriedkavý
**scarcely** *adv.* zriedkavo
**scarcity** *n.* nedostatok
**scare** *n.* ľaknutie
**scare** *v.t.* naľakať
**scarf** *n.* šál
**scatter** *v.t.* rozohnať
**scavenger** *n.* saprofág
**scene** *n.* scéna
**scenery** *n.* krajina
**scenic** *a.* prírodný
**scent** *n.* vôňa
**scent** *v.t.* vyňuchať
**sceptic** *n.* skeptik
**sceptical** *a.* skeptický
**scepticism** *n.* skepsa
**sceptre** *n.* žezlo
**schedule** *n.* program
**schedule** *v.t.* programovať
**scheme** *n.* náčrt
**scheme** *v.i.* načrtnúť
**schism** *n.* rozkol
**scholar** *n.* učenec
**scholarly** *a.* vedecký
**scholarship** *n.* štipendium
**scholastic** *a.* školský
**school** *n.* škola
**science** *n.* veda
**scientific** *a.* vedecký
**scientist** *n.* vedec
**scintillate** *v.i.* iskriť sa
**scintillation** *n.* iskrenie
**scissors** *n.* nožnice
**scoff** *n.* posmech
**scoff** *v.i.* zbaštiť
**scold** *v.t.* vynadať
**scooter** *n.* kolobežka
**scope** *n.* rozsah
**scorch** *v.t.* popáliť
**score** *n.* stav
**score** *v.t.* skórovať
**scorer** *n.* zapisovateľ výsledkov
**scorn** *n.* pohŕdanie

**scorn** *v.t.* pohŕdať
**scorpion** *n.* škorpión
**Scot** *n.* Škót
**scotch** *a.* škótsky
**scotch** *n.* škótska whisky
**scot-free** *a.* bezúhonný
**scoundrel** *n.* naničhodník
**scourge** *n.* utrpenie
**scourge** *v.t.* bičovať
**scout** *n* skaut
**scout** *v.i* preskúmať
**scowl** *v.i.* mračit sa
**scowl** *n.* mračenie
**scramble** *v.i.* šplhať sa
**scramble** *n* šplhanie
**scrap** *n.* kúsok
**scratch** *n.* škrabnutie
**scratch** *v.t.* poškriabať
**scrawl** *v.t.* čarbať
**scrawl** *n* čarbanica
**scream** *v.i.* kričať
**scream** *n* výkrik
**screen** *n.* stena
**screen** *v.t.* zastrieť
**screw** *n.* skrutka
**screw** *v.t.* skrutkovať
**scribble** *v.t.* čarbať
**scribble** *n.* čmáraniny
**script** *n.* scenár
**scripture** *n.* Biblia
**scroll** *n.* zvitok
**scrutinize** *v.t.* prehliadnuť
**scrutiny** *n.* prešetrenie
**scuffle** *n.* bitka
**scuffle** *v.i.* biť sa
**sculptor** *n.* sochár
**sculptural** *a.* sochársky
**sculpture** *n.* sochárstvo
**scythe** *n.* kosa
**scythe** *v.t.* kosiť
**sea** *n.* more
**seal** *n.* tuleň
**seal** *n.* pečať
**seal** *v.t.* pečatiť
**seam** *n.* švík
**seam** *v.t.* šiť
**seamy** *a.* nemorálny
**search** *n.* pátranie
**search** *v.t.* prehľadať
**season** *n.* ročné obdobie
**season** *v.t.* ochutiť
**seasonable** *a.* sezónny
**seasonal** *a.* sezónny
**seat** *n.* sedadlo
**seat** *v.t.* posadiť
**secede** *v.i.* vystúpiť
**secession** *n.* odlúčenie
**secessionist** *n.* odštiepenec
**seclude** *v.t.* izolovať
**secluded** *a.* odľahlý
**seclusion** *n.* ústranie
**second** *a.* druhý
**second** *n* sekunda
**second** *v.t.* podporiť
**secondary** *a.* druhoradý
**seconder** *n.* podporovateľ
**secrecy** *n.* tajnosť
**secret** *a.* tajný
**secret** *n.* tajomstvo
**secretariat (e)** *n.* sekretariát
**secretary** *n.* sekretár
**secrete** *v.t.* vylučovať
**secretion** *n.* výlučok
**secretive** *a.* tajnostkársky
**sect** *n.* sekta
**sectarian** *a.* sektársky
**section** *n.* časť
**sector** *n.* odvetvie
**secure** *a.* bezpečný
**secure** *v.t.* upevniť
**security** *n.* bezpečnosť
**sedan** *n.* sedan
**sedate** *a.* pokojný
**sedate** *v.t.* dať sedatívum

**sedative** *a.* sedatívny
**sedative** *n* sedatívum
**sedentary** *a.* sedavý
**sediment** *n.* usadenina
**sedition** *n.* poburovanie
**seditious** *a.* poburujúci
**seduce** *n.* zviesť
**seduction** *n.* zvádzanie
**seductive** *a* zvodný
**see** *v.t.* vidieť
**seed** *n.* semeno
**seed** *v.t.* vytvárať semeno
**seek** *v.t.* hľadať
**seem** *v.i.* zdať sa
**seemly** *a.* príjemný
**seep** *v.i.* presakovať
**seer** *n.* veštec
**seethe** *v.i.* hnevať sa
**segment** *n.* časť
**segment** *v.t.* rozdeliť
**segregate** *v.t.* oddeliť
**segregation** *n.* segregácia
**seismic** *a.* seizmický
**seize** *v.t.* chytiť
**seizure** *n.* zhabanie
**seldom** *adv.* zriedkakedy
**select** *v.t.* vybrať
**select** *a* vybraný
**selection** *n.* výber
**selective** *a.* dôsledný pri vyberaní
**self** *n.* vlastné ja
**selfish** *a.* sebecký
**selfless** *a.* nesebecký
**sell** *v.t.* predať
**seller** *n.* predavač
**semblance** *n.* zdanie
**semen** *n.* spermie
**semester** *n.* semester
**seminal** *a.* dôležitý
**seminar** *n.* seminár
**senate** *n.* senát
**senator** *n.* senátor
**senatorial** *a.* senátorský
**senatorial** *a* senátorský
**send** *v.t.* poslať
**senile** *a.* senilný
**senility** *n.* senilita
**senior** *a.* starší
**senior** *n.* starší študent
**seniority** *n.* vek
**sensation** *n.* pocit
**sensational** *a.* úžasný
**sense** *n.* zmysel
**sense** *v.t.* vycítiť
**senseless** *a.* nezmyselný
**sensibility** *n.* cítenie
**sensible** *a.* rozumný
**sensitive** *a.* citlivý
**sensual** *a.* zmyselný
**sensualist** *n.* zmyselník
**sensuality** *n.* zmyselnosť
**sensuous** *a.* zmyselný
**sentence** *n.* veta
**sentence** *v.t.* odsúdiť
**sentience** *n.* cítenie
**sentient** *a.* vnímavý
**sentiment** *n.* citový vzťah
**sentimental** *a.* sentimentálny
**sentinel** *n.* hliadka
**sentry** *n.* stráž
**separable** *a.* oddeliteľný
**separate** *v.t.* oddeliť
**separate** *a.* odlišný
**separation** *n.* oddelenie
**sepsis** *n.* sepsa
**September** *n.* september
**septic** *a.* septický
**sepulchre** *n.* hrobka
**sepulture** *n.* pohreb
**sequel** *n.* pokračovanie
**sequence** *n.* poradie
**sequester** *v.t.* oddeliť
**serene** *a.* pokojný
**serenity** *n.* pokoj

**serf** *n.* otrok
**serge** *n.* serž
**sergeant** *n.* seržant
**serial** *a.* radový
**serial** *n.* seriál
**series** *n.* séria
**serious** *a* vážny
**sermon** *n.* kázeň
**sermonize** *v.i.* kázať
**serpent** *n.* had
**serpentine** *n.* kľukatý
**servant** *n.* sluha
**serve** *v.t.* slúžiť
**serve** *n.* serv
**service** *n.* obsluha
**service** *v.t* poskytnúť servis
**serviceable** *a.* použiteľný
**servile** *a.* servilný
**servility** *n.* servilita
**session** *n.* zasadanie
**set** *v.t* položiť
**set** *a* umiestnený
**set** *n* súprava
**settle** *v.i.* usadiť
**settlement** *n.* dohoda
**settler** *n.* usadlík
**seven** *n.* sedem
**seven** *a* siedmy
**seventeen** *n., a* sedemnásť, sedemnásty
**seventeenth** *a.* sedemnásty
**seventh** *a.* siedmy
**seventieth** *a.* sedemdesiaty
**seventy** *n., a* sedemdesiat, sedemdesiaty
**sever** *v.t.* odťať
**several** *a* iný
**severance** *n.* prerušenie
**severe** *a.* závažný
**severity** *n.* závažnosť
**sew** *v.t.* šiť
**sewage** *n.* splašky
**sewer** *n* stoka
**sewerage** *n.* kanalizácia
**sex** *n.* pohlavie
**sexual** *a.* pohlavný
**sexuality** *n.* sexuálnosť
**sexy** *n.* sexi
**shabby** *a.* ošúchaný
**shackle** *n.* putá
**shackle** *v.t.* spútať
**shade** *n.* tieň
**shade** *v.t.* tieniť
**shadow** *n.* tieň
**shadow** *v.t* sledovať
**shadowy** *a.* záhadný
**shaft** *n.* držadlo
**shake** *v.i.* potriasť
**shake** *n* potrasenie
**shaky** *a.* trasúci sa
**shallow** *a.* plytký
**sham** *v.i.* predstierať
**sham** *n* podvod
**sham** *a* fingovaný
**shame** *n.* hanba
**shame** *v.t.* hanbiť sa
**shameful** *a.* hanebný
**shameless** *a.* nehanebný
**shampoo** *n.* šampón
**shampoo** *v.t.* šampónovať
**shanty** *a.* chudobný
**shape** *n.* tvar
**shape** *v.t* tvarovať
**shapely** *a.* tvarovaný
**share** *n.* diel
**share** *v.t.* rozdeliť
**share** *n* akcia
**shark** *n.* žralok
**sharp** *a.* ostrý
**sharp** *adv.* ostro
**sharpen** *v.t.* naostriť
**sharpener** *n.* strúhadlo
**sharper** *n.* podvodník
**shatter** *v.t.* rozbiť

**shave** *v.t.* oholiť
**shave** *n* oholenie
**shawl** *n.* šatka
**she** *pron.* ona
**sheaf** *n.* snop
**shear** *v.t.* strihať
**shears** *n. pl.* nožnice
**shed** *v.t.* roniť
**shed** *n* kôlňa
**sheep** *n.* ovca
**sheepish** *a.* bojazlivý
**sheer** *a.* číry
**sheet** *n.* plachta
**sheet** *v.t.* prikryť
**shelf** *n.* polica
**shell** *n.* ulita
**shell** *v.t.* odstrániť mušle
**shelter** *n.* prístrešok
**shelter** *v.t.* ukryť
**shelve** *v.t.* uložiť
**shepherd** *n.* pastier
**shield** *n.* štít
**shield** *v.t.* chrániť
**shift** *v.t.* oposunúť
**shift** *n* zmena
**shifty** *a.* mazaný
**shilling** *n.* šiling
**shilly-shally** *v.i.* váhať
**shilly-shally** *n.* váhanie
**shin** *n.* holenná kosť
**shine** *v.i.* svietiť
**shine** *n* lesk
**shiny** *a.* lesklý
**ship** *n.* loď
**ship** *v.t.* poslať loďou
**shipment** *n.* zásielka
**shire** *n.* grófstvo
**shirk** *v.t.* vyhýbať sa
**shirker** *n.* ulievak
**shirt** *n.* tričko
**shiver** *v.i.* chvieť sa
**shoal** *n.* plytčina
**shoal** *n* hromada
**shock** *n.* šok
**shock** *v.t.* šokovať
**shoe** *n.* topánka
**shoe** *v.t.* podkovať
**shoot** *v.t.* strieľať
**shoot** *n* streľba
**shop** *n.* obchod
**shop** *v.i.* nakupovať
**shore** *n.* pobrežie
**short** *a.* krátky
**short** *adv.* krátko
**shortage** *n.* nedostatok
**shortcoming** *n.* chyba
**shorten** *v.t.* skrátiť
**shortly** *adv.* čoskoro
**shorts** *n. pl.* šortky
**shot** *n.* výstrel
**shoulder** *n.* plece
**shoulder** *v.t.* odstrčiť
**shout** *n.* krik
**shout** *v.i.* kričať
**shove** *v.t.* strčiť
**shove** *n.* postrčenie
**shovel** *n.* lopata
**shovel** *v.t.* hádzať
**show** *v.t.* ukázať
**show** *n.* predstavenie
**shower** *n.* sprcha
**shower** *v.t.* sprchovať sa
**shrew** *n.* piskor
**shrewd** *a.* chytrý
**shriek** *n.* piskot
**shriek** *v.i.* pišťať
**shrill** *a.* pisklavý
**shrine** *n.* posvätné miesto
**shrink** *v.i* zraziť sa
**shrinkage** *n.* zrazenie
**shroud** *n.* rubáš
**shroud** *v.t.* zahaliť
**shrub** *n.* ker
**shrug** *v.t.* myknúť plecom

**shrug** *n* myknutie plecom
**shudder** *v.i.* chvieť sa
**shudder** *n* chvenie
**shuffle** *v.i.* miešať karty
**shuffle** *n.* miešanie kariet
**shun** *v.t.* vyhýbať sa
**shunt** *v.t.* odstaviť vlak
**shut** *v.t.* zatvoriť
**shutter** *n.* okenica
**shuttle** *n.* kyvadlová doprava
**shuttle** *v.t.* premávať
**shuttlecock** *n.* bedmintonová loptička
**shy** *n.* plachý
**shy** *v.i.* hanbiť sa
**sick** *a.* chorý
**sickle** *n.* kosák
**sickly** *a.* chorľavý
**sickness** *n.* choroba
**side** *n.* strana
**side** *v.i.* držať stranu
**siege** *n.* obliehanie
**siesta** *n.* siesta
**sieve** *n.* sito
**sieve** *v.t.* preosiať
**sift** *v.t.* preosiať
**sigh** *n.* povzdychnutie
**sigh** *v.i.* povzdychnúť si
**sight** *n.* zrak
**sight** *v.t.* zazrieť
**sightly** *a.* úhľadný
**sign** *n.* znak
**sign** *v.t.* podpísať
**signal** *n.* znamenie
**signal** *a.* pozoruhodný
**signal** *v.t.* dať znamenie
**signatory** *n.* signatár
**signature** *n.* podpis
**significance** *n.* význam
**significant** *a.* významný
**signification** *n.* význam
**signify** *v.t.* znamenať
**silence** *n.* ticho
**silence** *v.t.* utíšiť
**silencer** *n.* tlmič hluku
**silent** *a.* tichý
**silhouette** *n.* silueta
**silk** *n.* hodváb
**silken** *a.* jemný
**silky** *a.* hodvábny
**silly** *a.* hlúpy
**silt** *n.* nános
**silt** *v.t.* zaniesť sa
**silver** *n.* striebro
**silver** *a* strieborný
**silver** *v.t.* postriebriť
**similar** *a.* podobný
**similarity** *n.* podobnosť
**simile** *n.* prirovnanie
**similitude** *n.* podobnosť
**simmer** *v.i.* slabo vrieť
**simple** *a.* jednoduchý
**simpleton** *n.* hlupák
**simplicity** *n.* prostota
**simplification** *n.* zjednodušenie
**simplify** *v.t.* zjednodušiť
**simultaneous** *a.* simultánny
**sin** *n.* hriech
**sin** *v.i.* zhrešiť
**since** *prep.* od
**since** *conj.* čo
**since** *adv.* odvtedy
**sincere** *a.* úprimný
**sincerity** *n.* úprimnosť
**sinful** *a.* hriešny
**sing** *v.i.* spievať
**singe** *v.t.* spáliť
**singe** *n* spálené miesto
**singer** *n.* spevák
**single** *a.* jeden
**single** *n.* cestovný lístok
**single** *v.t.* zvoliť
**singular** *a.* jedinečný
**singularity** *n.* jedinečnosť

**singularly** *adv.* neobyčajne
**sinister** *a.* zlovestný
**sink** *v.i.* potopiť sa
**sink** *n* výlevka
**sinner** *n.* hriešnik
**sinuous** *a.* kľukatý
**sip** *v.t.* sŕkať
**sip** *n.* dúšok
**sir** *n.* pane
**siren** *n.* siréna
**sister** *n.* sestra
**sisterhood** *n.* sesterstvo
**sisterly** *a.* sesterský
**sit** *v.i.* sedieť
**site** *n.* miesto
**situation** *n.* situácia
**six** *n., a* šesť, šiesty
**sixteen** *n., a.* šestnásť, šestnásty
**sixteenth** *a.* šestnásty
**sixth** *a.* šiesty
**sixtieth** *a.* šesťdesiaty
**sixty** *n., a.* šesťdesiat, šesťdesiaty
**sizable** *a.* pomerne veľký
**size** *n.* veľkosť
**size** *v.t.* triediť podľa veľkosti
**sizzle** *v.i.* prskať
**sizzle** *n.* horúci oheň
**skate** *n.* korčuľa
**skate** *v.t.* korčuľovať
**skein** *n.* pradeno
**skeleton** *n.* kostra
**sketch** *n.* náčrt
**sketch** *v.t.* načrtnúť
**sketchy** *a.* povrchný
**skid** *v.i.* šmyknúť sa
**skid** *n* šmyk
**skilful** *a.* zručný
**skill** *n.* zručnosť
**skin** *n.* koža
**skin** *v.t* stiahnuť z kože
**skip** *v.i.* skákať
**skip** *n* skok
**skipper** *n.* kapitán na lodi
**skirmish** *n.* zrážka
**skirmish** *v.t.* bojovať
**skirt** *n.* sukňa
**skirt** *v.t.* lemovať
**skit** *n.* paródia
**skull** *n.* lebka
**sky** *n.* obloha
**sky** *v.t.* hodiť do výšky
**slab** *n.* doska
**slack** *a.* uvoľnený
**slacken** *v.t.* uvoľniť
**slacks** *n.* gate
**slake** *v.t.* uhasiť
**slam** *v.t.* zabuchnúť
**slam** *n* buchot
**slander** *n.* ohováranie
**slander** *v.t.* ohovárať
**slanderous** *a.* ohováračský
**slang** *n.* slang
**slant** *v.t.* skloniť sa
**slant** *n* spád
**slap** *n.* facka
**slap** *v.t.* dať facku
**slash** *v.t.* rozrezať
**slash** *n* rezná rana
**slate** *n.* bridlica
**slattern** *n.* neporiadnica
**slatternly** *a.* úšpinený
**slaughter** *n.* jatky
**slaughter** *v.t.* zmasakrovať
**slave** *n.* otrok
**slave** *v.i.* otročiť
**slavery** *n.* otroctvo
**slavish** *a.* otrocký
**slay** *v.t.* zavraždiť
**sleek** *a.* hladký a lesklý
**sleep** *v.i.* spať
**sleep** *n.* spánok
**sleeper** *n.* spáč
**sleepy** *a.* ospalý
**sleeve** *n* rukáv

**sleight** *n.* chytráctvo
**slender** *n.* štíhly
**slice** *n.* krajec
**slice** *v.t.* krájať
**slick** *a* skvelý
**slide** *v.i.* kĺzať sa
**slide** *n* šmyk
**slight** *a.* slabý
**slight** *n.* pohŕdanie
**slight** *v.t.* pohŕdať
**slim** *a.* štíhly
**slim** *v.i.* chudnúť
**slime** *n.* sliz
**slimy** *a.* slizovitý
**sling** *n.* trojrohá šatka
**slip** *v.i.* šmyknúť sa
**slip** *n.* šmyknutie
**slipper** *n.* papuča
**slippery** *a.* šmykľavý
**slipshod** *a.* nedbanlivý
**slit** *n.* štrbina
**slit** *v.t.* prestrihnúť
**slogan** *n.* heslo
**slope** *n.* svah
**slope** *v.i.* zvažovať sa
**sloth** *n.* leňochod
**slothful** *n.* lenivý
**slough** *n.* močiar
**slough** *n.* šupka
**slough** *v.t.* olúpať sa
**slovenly** *a.* špinavý
**slow** *a* pomalý
**slow** *v.i.* spomaliť
**slowly** *adv.* pomaly
**slowness** *n.* pomalosť
**sluggard** *n.* lenivec
**sluggish** *a.* pomalý
**sluice** *n.* stavidlový otvor
**slum** *n.* brloh
**slumber** *v.i.* spať
**slumber** *n.* spánok
**slump** *n.* pokles
**slump** *v.i.* prudko klesnúť
**slur** *n.* skomolená reč
**slush** *n.* čľapkanica
**slushy** *a.* rozčvachtaný
**slut** *n.* cundra
**sly** *a.* tajomný
**smack** *n.* rachot
**smack** *v.i.* udrieť
**smack** *n* rybárska plachetnica
**smack** *n.* heroín
**smack** *v.t.* cítiť
**small** *a.* malý
**small** *n* úzka časť
**smallness** *adv.* malichernosť
**smallpox** *n.* kiahne
**smart** *a.* elegantný
**smart** *v.i* bolieť
**smart** *n* bolesť
**smash** *v.t.* rozbiť
**smash** *n* rozbitie
**smear** *v.t.* rozmazať
**smear** *n.* fľak
**smell** *n.* čuch
**smell** *v.t.* zacítiť čuchom
**smelt** *v.t.* taviť
**smile** *n.* úsmev
**smile** *v.i.* usmiať sa
**smith** *n.* kováč
**smock** *n.* plášť
**smog** *n.* smog
**smoke** *n.* dym
**smoke** *v.i.* fajčiť
**smoky** *a.* zafajčený
**smooth** *a.* hladký
**smooth** *v.t.* vyhladiť
**smother** *v.t.* pokryť
**smoulder** *v.i.* tlieť
**smug** *a.* domýšľavý
**smuggle** *v.t.* pašovať
**smuggler** *n.* pašerák
**snack** *n.* občerstvenie
**snag** *n.* problém

**snail** *n.* slimák
**snake** *n.* had
**snake** *v.i.* tiahnuť sa
**snap** *v.t.* prelomiť
**snap** *n* prasknutie
**snap** *a* bleskový
**snare** *n.* slučka
**snare** *v.t.* chytiť do slučky
**snarl** *n.* vrčanie
**snarl** *v.i.* domotať
**snatch** *v.t.* chmatnúť
**snatch** *n.* chňapnutie
**sneak** *v.i.* prekĺznuť
**sneak** *n* donášač
**sneer** *v.i* posmievať sa
**sneer** *n* posmech
**sneeze** *v.i.* kýchať
**sneeze** *n* kýchanie
**sniff** *v.i.* smrkať
**sniff** *n* smrkanie
**snob** *n.* snob
**snobbery** *n.* snobstvo
**snobbish** *v* snobský
**snore** *v.i.* chrápať
**snore** *n* chrápanie
**snort** *v.i.* fŕkať
**snort** *n.* fŕkanie
**snout** *n.* rypák
**snow** *n.* sneh
**snow** *v.i.* snežiť
**snowy** *a.* zasnežený
**snub** *v.t.* ignorovať
**snub** *n.* ignorovanie
**snuff** *n.* šnupavý tabak
**snug** *n.* salónik
**so** *adv.* tak
**so** *conj.* a tak
**soak** *v.t.* namočiť
**soak** *n.* máčanie
**soap** *n.* mydlo
**soap** *v.t.* mydliť
**soapy** *a.* mydlový
**soar** *v.i.* vzlietnuť
**sob** *v.i.* vzlykať
**sob** *n* vzlykanie
**sober** *a.* triezvy
**sobriety** *n.* triezvosť
**sociability** *n.* spoločenskosť
**sociable** *a.* spoločenský
**social** *n.* spoločenský
**socialism** *n* socializmus
**socialist** *n,a* socialista, socialistický
**society** *n.* spoločnosť
**sociology** *n.* sociológia
**sock** *n.* ponožka
**socket** *n.* zásuvka
**sod** *n.* debil
**sodomite** *n.* sodomista
**sodomy** *n.* sodomia
**sofa** *n.* pohovka
**soft** *n.* mäkký
**soften** *v.t.* mäknúť
**soil** *n.* pôda
**soil** *v.t.* zašpiniť
**sojourn** *v.i.* pobudnúť
**sojourn** *n* krátky pohyb
**solace** *v.t.* utešiť sa
**solace** *n.* útecha
**solar** *a.* slnečný
**solder** *n.* spájka
**solder** *v.t.* spájkovať
**soldier** *n.* vojak
**soldier** *v.i.* nedať sa
**sole** *n.* chodidlo
**sole** *v.t* podraziť
**sole** *a* jediný
**solemn** *a.* záväzný
**solemnity** *n.* slávnosť
**solemnize** *v.t.* celebrovať
**solicit** *v.t.* žiadať
**solicitation** *n.* žiadanie
**solicitor** *n.* advokát
**solicitious** *a.* starostlivý

**solicitude** *n.* starosť
**solid** *a.* tuhý
**solid** *n* tahá látka
**solidarity** *n.* súdržnosť
**soliloquy** *n.* monológ
**solitary** *a.* osamelý
**solitude** *n.* samota
**solo** *n* sólo
**solo** *a.* sólový
**solo** *adv.* sólovo
**soloist** *n.* sólista
**solubility** *n.* rozpustnosť
**soluble** *a.* rozpustný
**solution** *n.* riešenie
**solve** *v.t.* vyriešiť
**solvency** *n.* solventnosť
**solvent** *a.* solventný
**solvent** *n* rozpúšťadlo
**sombre** *a.* smutný
**some** *a.* niektorý
**some** *pron.* niekto
**somebody** *pron.* niekto
**somebody** *n.* osobnosť
**somehow** *adv.* akosi
**someone** *pron.* niekto
**somersault** *n.* kotrmelec
**somersault** *v.i.* prevrátiť sa
**something** *pron.* niečo
**something** *adv.* niečo
**sometime** *adv.* niekedy
**sometimes** *adv.* občas
**somewhat** *adv.* trochu
**somewhere** *adv.* niekde
**somnambulism** *n.* námesačnosť
**somnambulist** *n.* námesačný
**somnolence** *n.* ospalosť
**somnolent** *n.* ospalý
**son** *n.* syn
**song** *n.* pieseň
**songster** *n.* spevák
**sonic** *a.* zvukový
**sonnet** *n.* sonet
**sonority** *n.* zvučnosť
**soon** *adv.* čoskoro
**soot** *n.* sadza
**soot** *v.t.* zaplniť sadzou
**soothe** *v.t.* upokojiť
**sophism** *n.* sofizmus
**sophist** *n.* sofista
**sophisticate** *v.t.* kultivovať
**sophisticated** *a.* kultivovaný
**sophistication** *n.* vyspelosť
**sorcerer** *n.* čarodejník
**sorcery** *n.* čarodejníctvo
**sordid** *a.* nemorálny
**sore** *a.* boľavý
**sore** *n* boľavé miesto
**sorrow** *n.* smútok
**sorrow** *v.i.* smútiť
**sorry** *a.* ľutujúci
**sort** *n.* druh
**sort** *v.t* triediť
**soul** *n.* duša
**sound** *a.* zdravý
**sound** *v.i.* znieť
**sound** *n* zvuk
**soup** *n.* polievka
**sour** *a.* kyslý
**sour** *v.t.* skysnúť
**source** *n.* zdroj
**south** *n.* juh
**south** *n.* južný
**south** *adv* južne
**southerly** *a.* južný
**southern** *a.* južný
**souvenir** *n.* pamiatka
**sovereign** *n.* panovník
**sovereign** *a* zvrchovaný
**sovereignty** *n.* zvrchovanosť
**sow** *v.t.* sadiť
**sow** *n.* prasnica
**space** *n.* priestor
**space** *v.t.* rozmiestniť
**spacious** *a.* priestranný

**spade** *n.* rýľ
**spade** *v.t.* rýľovať
**span** *n.* obdobie
**span** *v.t.* preklenúť
**Spaniard** *n.* Španiel
**spaniel** *n.* španiel
**Spanish** *a.* španielsky
**Spanish** *n.* španielčina
**spanner** *n.* kľúč na matice
**spare** *v.t.* poskytnúť
**spare** *a* náhradný
**spare** *n.* náhradná súčiastka
**spark** *n.* iskra
**spark** *v.i.* iskriť
**spark** *n.* výboj
**sparkle** *v.i.* trblietať sa
**sparkle** *n.* trblietanie
**sparrow** *n.* vrabec
**sparse** *a.* riedky
**spasm** *n.* kŕč
**spasmodic** *a.* nepravidelný
**spate** *n.* spústa
**spatial** *a.* priestorový
**spawn** *n.* ikry
**spawn** *v.i.* neresiť sa
**speak** *v.i.* rozprávať
**speaker** *n.* rečník
**spear** *n.* oštep
**spear** *v.t.* prebodnúť
**spearhead** *n.* predná línia
**spearhead** *v.t.* byť na čele
**special** *a.* mimoriadny
**specialist** *n.* špecialista
**speciality** *n.* špecialita
**specialization** *n.* špecializácia
**specialize** *v.i.* špecializovať sa
**species** *n.* druh
**specific** *a.* špecifický
**specification** *n.* upresnenie
**specify** *v.t.* upresniť
**specimen** *n.* vzorka
**speck** *n.* škvrnka
**spectacle** *n.* predstavenie
**spectacular** *a.* veľkolepý
**spectator** *n.* divák
**spectre** *n.* duch
**speculate** *v.i.* dumať
**speculation** *n.* špekulácia
**speech** *n.* reč
**speed** *n.* rýchlosť
**speed** *v.i.* uháňať
**speedily** *adv.* rýchlo
**speedy** *a.* rýchly
**spell** *n.* kúzlo
**spell** *v.t.* správne písať
**spell** *n* obdobie
**spend** *v.t.* míňať
**spendthrift** *n.* márnotratník
**sperm** *n.* spermia
**sphere** *n.* sféra
**spherical** *a.* sférický
**spice** *n.* korenie
**spice** *v.t.* okoreniť
**spicy** *a.* korenistý
**spider** *n.* pavúk
**spike** *n.* hrot
**spike** *v.t.* naraziť na klinec
**spill** *v.i.* rozliať
**spill** *n* kvapka
**spin** *v.i.* otočiť sa
**spin** *n.* roztočenie
**spinach** *n.* špenát
**spinal** *a.* chrbticový
**spindle** *n.* hriadeľ
**spine** *n.* chrbtica
**spinner** *n.* pradiar
**spinster** *n.* stará dievka
**spiral** *n.* špirála
**spiral** *a.* špirálový
**spirit** *n.* duch
**spirited** *a.* energický
**spiritual** *a.* duchovný
**spiritualism** *n.* spiritualizmus
**spiritualist** *n.* spiritualista

**spirituality** *n.* duchovnosť
**spit** *v.i.* pľuť
**spit** *n* slina
**spite** *n.* priek
**spittle** *n* slina
**spittoon** *n.* pľuvadlo
**splash** *v.i.* špliechať
**splash** *n* čľapnutie
**spleen** *n.* slezina
**splendid** *a.* nádherný
**splendour** *n.* nádhera
**splinter** *n.* trieska
**splinter** *v.t.* rozbiť sa
**split** *v.i.* štiepať
**split** *n* puklina
**spoil** *v.t.* rozmaznať
**spoil** *n* korisť
**spoke** *n.* spica
**spokesman** *n.* hovorca
**sponge** *n.* špongia
**sponge** *v.t.* umyť
**sponsor** *n.* sponzor
**sponsor** *v.t.* sponzorovať
**spontaneity** *n.* spontánnosť
**spontaneous** *a.* spontánny
**spoon** *n.* lyžica
**spoon** *v.t.* nabrať lyžicou
**spoonful** *n.* za lyžicu
**sporadic** *a.* sporadický
**sport** *n.* šport
**sport** *v.i.* športovať
**sportive** *a.* športový
**sportsman** *n.* športovec
**spot** *n.* škvrna
**spot** *v.t.* zbadať
**spotless** *a.* uprataný
**spousal** *n.* vzájomný sľub manželstva
**spouse** *n.* manžel, manželka
**spout** *n.* hubica
**spout** *v.i.* chrliť
**sprain** *n.* vyvrtnutie
**sprain** *v.t.* vyvrtnúť
**spray** *n.* rozprašovač
**spray** *n* halúzka
**spray** *v.t.* rozprašovať
**spread** *v.i.* rozšíriť sa
**spread** *n.* šírenie
**spree** *n.* záťah
**sprig** *n.* vetvička
**sprightly** *a.* živý
**spring** *v.i.* skočiť
**spring** *n* jar
**sprinkle** *v. t.* pokropiť
**sprint** *v.i.* šprintovať
**sprint** *n* šprint
**sprout** *v.i.* klíčiť
**sprout** *n* klíčok
**spur** *n.* ostroha
**spur** *v.t.* pohnať
**spurious** *a.* falošný
**spurn** *v.t.* odmietnuť
**spurt** *v.i.* vystreknúť
**spurt** *n* striekanie
**sputnik** *n.* umelý satelit
**sputum** *n.* pľuvanec
**spy** *n.* špión
**spy** *v.i.* robiť špionáž
**squad** *n.* družstvo
**squadron** *n.* eskadra
**squalid** *a.* zanedbaný
**squalor** *n.* zanedbanosť
**squander** *v.t.* premárniť
**square** *n.* štvorec
**square** *a* štvorcovitý
**square** *v.t.* upraviť do štvorca
**squash** *v.t.* pogniaviť
**squash** *n* tlačenica
**squat** *v.i.* čupieť
**squeak** *v.i.* pišťať
**squeak** *n* piskok
**squeeze** *v.t.* stlačiť
**squint** *v.i.* prižmúriť
**squint** *n* škúlenie

**squire** *n.* zeman
**squirrel** *n.* veverička
**stab** *v.t.* prebodnúť
**stab** *n.* bodnutie
**stability** *n.* stabilita
**stabilization** *n.* stabilizácia
**stabilize** *v.t.* stabilizovať
**stable** *a.* stály
**stable** *n* stajňa
**stable** *v.t.* vyrovnať
**stadium** *n.* štadión
**staff** *n.* zamestnanci
**staff** *v.t.* zamestnať
**stag** *n.* špekulant
**stage** *n.* pódium
**stage** *v.t.* zinscenovať
**stagger** *v.i.* tackať sa
**stagger** *n.* tackanie
**stagnant** *a.* stojatý
**stagnate** *v.i.* zastaviť sa
**stagnation** *n.* stagnácia
**staid** *a.* seriózny
**stain** *n.* škvrna
**stain** *v.t.* znečistiť
**stainless** *a.* nehrdzavejúci
**stair** *n.* schod
**stake** *n* kôl
**stake** *v.t.* staviť sa
**stale** *a.* stuchnutý
**stale** *v.t.* stuchnúť
**stalemate** *n.* mat
**stalk** *n.* byľ
**stalk** *v.i.* vystopovať
**stalk** *n* stopka
**stall** *n.* stánok
**stall** *v.t.* zastaviť sa
**stallion** *n.* žrebec
**stalwart** *a.* oddaný
**stalwart** *n* oddaný
**stamina** *n.* výdrž
**stammer** *v.i.* zajakávať sa
**stammer** *n* zajakávanie
**stamp** *n.* známka
**stamp** *v.i.* dupať
**stampede** *n.* nával
**stampede** *v.i* rútiť sa
**stand** *v.i.* stáť
**stand** *n.* stánok
**standard** *n.* miera
**standard** *a* bežný
**standardization** *n.* štandardizácia
**standardize** *v.t.* štandardizovať
**standing** *n.* postavenie
**standpoint** *n.* stanovisko
**standstill** *n.* zastavenie
**stanza** *n.* sloha
**staple** *n.* skobka
**staple** *a* hlavný
**star** *n.* hviezda
**star** *v.t.* hrať hlavnú úlohu
**starch** *n.* škrob
**starch** *v.t.* naškrobiť
**stare** *v.i.* pozerať
**stare** *n.* uprený pohľad
**stark** *n.* nevľúdny
**stark** *adv.* úplne
**starry** *a.* hviezdnatý
**start** *v.t.* začať
**start** *n* začiatok
**startle** *v.t.* vyľakať
**starvation** *n.* hladovanie
**starve** *v.i.* hladovať
**state** *n.* stav
**state** *v.t* uviesť
**stateliness** *n.* vznešenosť
**stately** *a.* vznešený
**statement** *n.* vyhlásenie
**statesman** *n.* štátnik
**static** *n.* atmosferické poruchy
**statics** *n.* statika
**station** *n.* stanica
**station** *v.t.* umiestniť
**stationary** *a.* stacionárny

**stationer** *n.* predavač v papiernictve
**stationery** *n.* papiernictvo
**statistical** *a.* štatistický
**statistician** *n.* štatistik
**statistics** *n.* štatistika
**statue** *n.* socha
**stature** *n.* význam
**status** *n.* stav
**statute** *n.* zákon
**statutory** *a.* zákonný
**staunch** *a.* oddaný
**stay** *v.i.* zostať
**stay** *n* pobyt
**steadfast** *a.* verný
**steadiness** *n.* stabilita
**steady** *a.* pevný
**steady** *v.t.* udržať
**steal** *v.i.* kradnúť
**stealthily** *adv.* nepozorovane
**steam** *n* para
**steam** *v.i.* pariť
**steamer** *n.* parník
**steed** *n.* kôň
**steel** *n.* oceľ
**steep** *a.* strmý
**steep** *v.t.* namočiť
**steeple** *n.* kostolná veža
**steer** *v.t.* riadiť
**stellar** *a.* hviezdny
**stem** *n.* kmeň
**stem** *v.i.* zastaviť
**stench** *n.* zápach
**stencil** *n.* maliarska šablóna
**stencil** *v.i.* maľovať šablónou
**stenographer** *n.* stenograf
**stenography** *n.* stenografia
**step** *n.* krok
**step** *v.i.* vykročiť
**steppe** *n.* step
**stereotype** *n.* jednotvárnosť
**stereotype** *v.t.* urobiť jednotvárnym
**stereotyped** *a.* jednotvárny
**sterile** *a.* neplodný
**sterility** *n.* neplodnosť
**sterilization** *n.* sterilizácia
**sterilize** *v.t.* sterilizovať
**sterling** *a.* z čistého striebra
**sterling** *n.* britská mena
**stern** *a.* prísny
**stern** *n.* chvost
**stethoscope** *n.* stetoskop
**stew** *n.* dusené mäso
**stew** *v.t.* dusiť mäso
**steward** *n.* steward
**stick** *n.* haluz
**stick** *v.t.* nabodnúť
**sticker** *n.* nálepka
**stickler** *n.* puntičkár
**sticky** *n.* lepkavý
**stiff** *n.* tvrdý
**stiffen** *v.t.* spevniť
**stifle** *v.t.* dusiť sa
**stigma** *n.* hanba
**still** *a.* nehybný
**still** *adv.* stále
**still** *v.t.* destilovať
**still** *n.* destilačné zariadenie
**stillness** *n.* nehybnosť
**stilt** *n.* chodúľ
**stimulant** *n.* stimulačný prostriedok
**stimulate** *v.t.* podnietiť
**stimulus** *n.* podnet
**sting** *v.t.* bodnúť
**sting** *n.* bodnutie
**stingy** *a.* skúpy
**stink** *v.i.* smrdieť
**stink** *n* smrad
**stipend** *n.* plat
**stipulate** *v.t.* stanoviť
**stipulation** *n.* klauzula
**stir** *v.i.* miešať

**stirrup** *n.* strmeň
**stitch** *n.* steh
**stitch** *v.t.* prišiť
**stock** *n.* zásoba
**stock** *v.t.* mať v ponuke
**stock** *a.* skladovaný
**stocking** *n.* pančucha
**stoic** *n.* flegmatik
**stoke** *v.t.* priložiť
**stoker** *n.* kurič
**stomach** *n.* žalúdok
**stomach** *v.t.* strpieť
**stone** *n.* kameň
**stone** *v.t.* ukameňovať
**stony** *a.* kamenistý
**stool** *n.* stolička
**stoop** *v.i.* zohnúť sa
**stoop** *n* hrbenie sa
**stop** *v.t.* zastaviť
**stop** *n* zastavenie sa
**stoppage** *n* zastavenie
**storage** *n.* uskladnenie
**store** *n.* zásoba
**store** *v.t.* zásobiť sa
**storey** *n.* podlažie
**stork** *n.* bocian
**storm** *n.* búrka
**storm** *v.i.* prepadnúť
**stormy** *a.* búrkový
**story** *n.* príbeh
**stout** *a.* rozhodný
**stove** *n.* pec
**stow** *v.t.* uložiť
**straggle** *v.i.* rozprestierať sa
**straggler** *n.* oneskorenec
**straight** *a.* priamy
**straight** *adv.* rovno
**straighten** *v.t.* vyrovnať
**straightforward** *a.* úprimný
**straightway** *adv.* okamžite
**strain** *v.t.* preťažiť
**strain** *n* napnutie
**strait** *n.* úžina
**straiten** *v.t.* stiesnený
**strand** *v.i.* pobrežie
**strand** *n* prameň vlákna
**strange** *a.* čudný
**stranger** *n.* neznámy
**strangle** *v.t.* uškrtiť
**strangulation** *n.* uškrtenie
**strap** *n.* remeň
**strap** *v.t.* zviazať
**strategem** *n.* stratégia
**strategic** *a.* strategický
**strategist** *n.* stratég
**strategy** *n.* stratégia
**stratum** *n.* vrstva
**straw** *n.* slamka
**strawberry** *n.* jahoda
**stray** *v.i.* zatúlať sa
**stray** *a* zatúlaný
**stray** *n* zatúlané zviera
**stream** *n.* prameň
**stream** *v.i.* tiecť
**streamer** *n.* papierový pás
**streamlet** *n.* potôčik
**street** *n.* ulica
**strength** *n.* sila
**strengthen** *v.t.* zosilniť
**strenuous** *a.* namáhavý
**stress** *n.* stres
**stress** *v.t* prízvukovať
**stretch** *v.t.* roztiahnuť
**stretch** *n* vystretie
**stretcher** *n.* nosítka
**strew** *v.t.* porozhadzovať
**strict** *a.* prísny
**stricture** *n.* výčitka
**stride** *v.i.* kráčať
**stride** *n* krok
**strident** *a.* prenikavý
**strife** *n.* spor
**strike** *v.t.* udrieť
**strike** *n* štrajk

**striker** *n.* štrajkujúci
**string** *n.* povraz
**string** *v.t.* navliecť
**stringency** *n.* prísnosť
**stringent** *a.* prísny
**strip** *n.* pás
**strip** *v.t.* stiahnuť
**stripe** *n.* pruh
**stripe** *v.t.* pruhovať
**strive** *v.i.* snažiť sa
**stroke** *n.* úder
**stroke** *v.t.* hladkať
**stroke** *n* porážka
**stroll** *v.i.* prechádzať sa
**stroll** *n* prechádzka
**strong** *a.* silný
**stronghold** *n.* pevnosť
**structural** *a.* stavebný
**structure** *n.* štruktúra
**struggle** *v.i.* namáhať sa
**struggle** *n* boj
**strumpet** *n.* prostitútka
**strut** *v.i.* vykračovať si
**strut** *n* podpera
**stub** *n.* zvyšok
**stubble** *n.* strnisko
**stubborn** *a.* tvrdohlavý
**stud** *n.* patentka
**stud** *v.t.* obiť klincami
**student** *n.* študent
**studio** *n.* štúdio
**studious** *a.* snaživý
**study** *v.i.* študovať
**study** *n.* štúdium
**stuff** *n.* vec
**stuff** *2 v.t.* naplniť
**stuffy** *a.* dusný
**stumble** *v.i.* zakopnúť
**stumble** *n.* zakopnutie
**stump** *n.* peň
**stump** *v.t* terigať sa
**stun** *v.t.* omráčiť
**stunt** *v.t.* brániť
**stunt** *n* atrakcia
**stupefy** *v.t.* ohlúpiť
**stupendous** *a.* úžasný
**stupid** *a* sprostý
**stupidity** *n.* sprostosť
**sturdy** *a.* robustný
**sty** *n.* chliev
**stye** *n.* jačmeň
**style** *n.* štýl
**subdue** *v.t.* potlačiť
**subject** *n.* námet
**subject** *a* podrobený
**subject** *v.t.* podrobiť
**subjection** *n.* podmanenie
**subjective** *a.* subjektívny
**subjudice** *a.* bez rozsudku
**subjugate** *v.t.* podmaniť
**subjugation** *n.* podmanenie
**sublet** *v.t.* prenajímať prenajaté priestory
**sublimate** *v.t.* uvoľniť sa
**sublime** *a.* veľkolepý
**sublime** *n* vznešený
**sublimity** *n.* vznešenosť
**submarine** *n.* ponorka
**submarine** *a* podmorský
**submerge** *v.i.* ponoriť
**submission** *n.* podriadenie sa
**submissive** *a.* poddajný
**submit** *v.t.* vdať sa
**subordinate** *a.* podriadený
**subordinate** *n* podriadený
**subordinate** *v.t.* podriadiť
**subordination** *n.* podriadenosť
**subscribe** *v.t.* predplatiť
**subscription** *n.* predplatné
**subsequent** *a.* následný
**subservience** *n.* podriadenosť
**subservient** *a.* podriadený
**subside** *v.i.* poľaviť
**subsidiary** *a.* dodatočný

**subsidize** *v.t.* dotovať
**subsidy** *n.* dotácia
**subsist** *v.i.* živiť sa
**subsistence** *n.* prežitie
**substance** *n.* materiál
**substantial** *a.* pevný
**substantially** *adv.* významne
**substantiate** *v.t.* dokázať
**substantiation** *n.* odôvodnenie
**substitute** *n.* náhradník
**substitute** *v.t.* nahradiť
**substitution** *n.* náhrada
**subterranean** *a.* podzemný
**subtle** *n.* nepatrný
**subtlety** *n.* nepatrný rozdiel
**subtract** *v.t.* odrátať
**subtraction** *n.* odrátanie
**suburb** *n.* predmestie
**suburban** *a.* predmestský
**subversion** *n.* rozvracanie
**subversive** *a.* rozvratný
**subvert** *v.t.* rozvracať
**succeed** *v.i.* podariť sa
**success** *n.* úspech
**successful** *a* úspešný
**succession** *n.* následnosť
**successive** *a.* nasledujúci
**successor** *n.* následník
**succour** *n.* pomoc
**succour** *v.t.* pomôcť
**succumb** *v.i.* vzdať sa
**such** *a.* taký
**such** *pron.* toto
**suck** *v.t.* cicať
**suck** *n.* cucnutie
**suckle** *v.t.* dojčiť
**sudden** *n.* náhly
**suddenly** *adv.* náhle
**sue** *v.t.* žalovať
**suffer** *v.t.* trpieť
**suffice** *v.i.* postačiť
**sufficiency** *n.* dostatok
**sufficient** *a.* dostatočný
**suffix** *n.* prípona
**suffix** *v.t.* pripojiť
**suffocate** *v.t* zadusiť
**suffocation** *n.* udusenie
**suffrage** *n.* volebné právo
**sugar** *n.* cukor
**sugar** *v.t.* sladiť
**suggest** *v.t.* navrhnúť
**suggestion** *n.* návrh
**suggestive** *a.* pripomínajúci
**suicidal** *a.* samovražedný
**suicide** *n.* samovražda
**suit** *n.* oblek
**suit** *v.t.* vyhovovať
**suitability** *n.* vhodnosť
**suitable** *a.* vhodný
**suite** *n.* súprava
**suitor** *n.* ctiteľ
**sullen** *a.* mrzutý
**sulphur** *n.* oxid siričitý
**sulphuric** *a.* sírový
**sultry** *a.* dusný
**sum** *n.* suma
**sum** *v.t.* zhrnúť
**summarily** *adv.* okamžite
**summarize** *v.t.* zhrnúť
**summary** *n.* zhrnutie
**summary** *a* súhrnný
**summer** *n.* leto
**summit** *n.* vrchol
**summon** *v.t.* predvolať
**summons** *n.* predvolanie
**sumptuous** *a.* prepychový
**sun** *n.* slnko
**sun** *v.t.* slniť sa
**Sunday** *n.* nedeľa
**sunder** *v.t.* roztrhať
**sundary** *a.* rozdelený
**sunny** *a.* slnečný
**sup** *v.i.* sŕkať
**superabundance** *n.* prebytok

**superabundant** *a.* prebytočný
**superb** *a.* vynikajúci
**superficial** *a.* povrchový
**superficiality** *n.* povrchnosť
**superfine** *a.* jemný
**superfluity** *n.* prebytok
**superfluous** *a.* prebytočný
**susperhuman** *a.* naľudský
**superintend** *v.t.* riadiť
**superintendence** *n.* riadenie
**superintendent** *n.* vedúci
**superior** *a.* nadriadený
**superiority** *n.* nadradenosť
**superlative** *a.* výborný
**superlative** *n.* superlatív
**superman** *n.* nadčlovek
**supernatural** *a.* nadprirodzený
**supersede** *v.t.* vymeniť
**supersonic** *a.* nadzvukový
**superstition** *n.* povera
**superstitious** *a.* poverčivý
**supertax** *n.* daň z vyšších príjmov
**supervise** *v.t.* dozerať
**supervision** *n.* dozor
**supervisor** *n.* vedúci
**supper** *n.* večera
**supple** *a.* pružný
**supplement** *n.* doplnok
**supplement** *v.t.* doplniť
**supplementary** *a.* doplnkový
**supplier** *n.* dodávateľ
**supply** *v.t.* dodať
**supply** *n* zásoba
**support** *v.t.* podporiť
**support** *n.* podpora
**suppose** *v.t.* domnievať sa
**supposition** *n.* domienka
**suppress** *v.t.* potlačiť
**suppression** *n.* potlačenie
**supremacy** *n.* prevaha
**supreme** *a.* vrchný
**surcharge** *n.* prirážka
**surcharge** *v.t.* doplatiť
**sure** *a.* istý
**surely** *adv.* isto
**surety** *n.* istota
**surf** *n.* príboj
**surface** *n.* povrch
**surface** *v.i* vyplávať na hladinu
**surfeit** *n.* prebytok
**surge** *n.* nával
**surge** *v.i.* stúpnuť
**surgeon** *n.* chirurg
**surgery** *n.* chirurgický zákrok
**surmise** *n.* domienka
**surmise** *v.t.* domievať sa
**surmount** *v.t.* prekonať
**surname** *n.* priezvisko
**surpass** *v.t.* prekonať
**surplus** *n.* prebytok
**surprise** *n.* prekvapenie
**surprise** *v.t.* prekvapiť
**surrender** *v.t.* vzdať sa
**surrender** *n* vzdanie sa
**surround** *v.t.* obklopiť
**surroundings** *n.* okolie
**surtax** *n.* daňová prirážka
**surveillance** *n.* dozor
**survey** *n.* prieskum
**survey** *v.t.* pozerať
**survival** *n.* prežitok
**survive** *v.i.* prežiť
**suspect** *v.t.* domnievať sa
**suspect** *a.* podozrivý
**suspect** *n* podozrivý
**suspend** *v.t.* pozastaviť
**suspense** *n.* neistota
**suspension** *n.* odročenie
**suspicion** *n.* podozrenie
**suspicious** *a.* podozrivý
**sustain** *v.t.* povzbudiť
**sustenance** *n.* potrava
**swagger** *v.i.* pyšne vykračovať

**swagger** *n* pyšná chôdza
**swallow** *v.t.* zhltnúť
**swallow** *n.* hltanie
**swallow** *n.* lastovička
**swamp** *n.* močiar
**swamp** *v.t.* zaplaviť
**swan** *n.* labuť
**swarm** *n.* roj
**swarm** *v.i.* rojiť sa
**swarthy** *a.* snedý
**sway** *v.i.* kolísať sa
**sway** *n* kolísanie
**swear** *v.t.* hrešiť
**sweat** *n.* pot
**sweat** *v.i.* potiť sa
**sweater** *n.* sveter
**sweep** *v.i.* zametať
**sweep** *n.* zametanie
**sweeper** *n.* zametač
**sweet** *a.* sladký
**sweet** *n* sladkosť
**sweeten** *v.t.* osladiť
**sweetmeat** *n.* cukrovinka
**sweetness** *n.* ľúbeznosť
**swell** *v.i.* puchnúť
**swell** *n* vlnobitie
**swift** *a.* rýchly
**swim** *v.i.* plávať
**swim** *n* plávanie
**swimmer** *n.* plavec
**swindle** *v.t.* podviesť
**swindle** *n.* podvod
**swindler** *n.* podvodník
**swine** *n.* sviňa
**swing** *v.i.* hojdať sa
**swing** *n* hojdanie
**swiss** *n.* Švajčiar
**swiss** *a* švajčiarsky
**switch** *n.* spínač
**switch** *v.t.* vymeniť
**swoon** *n.* mdloba
**swoon** *v.i* omdlieť
**swoop** *v.i.* vrhnúť sa
**swoop** *n* prepad
**sword** *n.* meč
**sycamore** *n.* javor
**sycophancy** *n.* polízavosť
**sycophant** *n.* podlízavý
**syllabic** *n.* slabičný
**syllable** *n.* slabika
**syllabus** *n.* sylabus
**sylph** *n.* šarmantná žena
**sylvan** *a.* lesný
**symbol** *n.* symbol
**symbolic** *a.* symbolický
**symbolism** *n.* symbolizmus
**symbolize** *v.t.* symbolizovať
**symmetrical** *a.* symetrický
**symmetry** *n.* symetria
**sympathetic** *a.* súcitný
**sympathize** *v.i.* súcitiť
**sympathy** *n.* súcit
**symphony** *n.* symfónia
**symposium** *n.* sympózium
**symptom** *n.* príznak
**symptomatic** *a.* príznačný
**synonym** *n.* synonymum
**synonymous** *a.* synonymný
**synopsis** *n.* zhrnutie
**syntax** *n.* syntax
**synthesis** *n.* syntéza
**synthetic** *a.* syntetický
**synthetic** *n* umelý
**syringe** *n.* striekačka
**syringe** *v.t.* vyčistiť striekačkou
**syrup** *n.* sirup
**system** *n.* systém
**systematic** *a.* systematický
**systematize** *v.t.* zoradiť do systému

# T

**table** *n.* stôl
**table** *v.t.* dať na stôl
**tablet** *n.* tabuľka
**taboo** *n.* tabu
**taboo** *a* tabuizovaný
**taboo** *v.t.* tabuizovať
**tabular** *a.* tabuľkový
**tabulate** *v.t.* zhrnúť
**tabulation** *n.* zhrnutie
**tabulator** *n.* tabulátor
**tacit** *a.* tichý
**taciturn** *a.* málovravný
**tackle** *n.* zastavenie
**tackle** *v.t.* zdolať
**tact** *n.* takt
**tactful** *a.* taktný
**tactician** *n.* taktik
**tactics** *n.* taktika
**tactile** *a.* hmatový
**tag** *n.* hra na slepú babu
**tag** *v.t.* označiť vysačkou
**tail** *n.* chvost
**tailor** *n.* krajčír
**tailor** *v.t.* šiť
**taint** *n.* škvrna
**taint** *v.t.* poškvrniť
**take** *v.t* vziať
**tale** *n.* historka
**talent** *n.* talent
**talisman** *n.* talizman
**talk** *v.i.* hovoriť
**talk** *n* rozhovor
**talkative** *a.* zhovorčivý
**tall** *a.* vysoký
**tallow** *n.* lojová sviečka
**tally** *n.* záznam
**tally** *v.t.* zhodovať sa
**tamarind** *n.* tamarind indický
**tame** *a.* krotký
**tame** *v.t.* skrotiť
**tamper** *v.i.* babrať sa
**tan** *v.i.* opáliť sa
**tan** *n., a.* opálený
**tangent** *n.* dotyčnica
**tangible** *a.* hmatateľný
**tangle** *n.* spleť
**tangle** *v.t.* zamotať
**tank** *n.* nádrž
**tanker** *n.* tanker
**tanner** *n.* šesták
**tannery** *n.* garbiareň
**tantalize** *v.t.* mučiť
**tantamount** *a.* rovnocenný
**tap** *n.* kohútik
**tap** *v.t.* čerpať
**tape** *n.* páska
**tape** *v.t* nahrať
**taper** *v.i.* zužovať
**taper** *n* zužovanie sa
**tapestry** *n.* gobelín
**tar** *n.* decht
**tar** *v.t.* asfaltovať
**target** *n.* terč
**tariff** *n.* clo
**tarnish** *v.t.* stratiť lesk
**task** *n.* úloha
**task** *v.t.* dať úlohu
**taste** *n.* chuť
**taste** *v.t.* ochutnať
**tasteful** *a.* chutný
**tasty** *a.* chutný
**tatter** *n.* handry
**tatter** *v.t* roztrhať
**tattoo** *n.* tetovanie
**tattoo** *v.i.* tetovať
**taunt** *v.t.* posmievať sa
**taunt** *n* výsmech
**tavern** *n.* krčma
**tax** *n.* daň
**tax** *v.t.* zdaniť
**taxable** *a.* zdaniteľný

**taxation** *n.* zdanenie
**taxi** *n.* taxi
**taxi** *v.i.* odviesť taxíkom
**tea** *n* čaj
**teach** *v.t.* učiť
**teacher** *n.* učiteľ
**teak** *n.* teak
**team** *n.* družstvo
**tear** *v.t.* trhať
**tear** *n.* diera
**tear** *n.* slza
**tearful** *a.* uslzený
**tease** *v.t.* doberať si
**teat** *n.* cumlík
**technical** *n.* technický
**technicality** *n.* technika
**technician** *n.* technik
**technique** *n.* spôsob
**technological** *a.* technologický
**technologist** *n.* technológ
**technology** *n.* technológia
**tedious** *a.* nudný
**tedium** *n.* nuda
**teem** *v.i.* liať
**teenager** *n.* mladistvý
**teens** *n. pl.* dospievanie
**teethe** *v.i.* dostávať zúbky
**teetotal** *a.* abstinentný
**teetotaller** *n.* abstinent
**telecast** *n.* televízne vysielanie
**telecast** *v.t.* vysielať
**telecommunications** *n.* telekomunikácie
**telegram** *n.* telegram
**telegraph** *n.* telegraf
**telegraph** *v.t.* telegrafovať
**telegraphic** *a.* telegrafický
**telegraphist** *n.* telegrafik
**telegraphy** *n.* telegrafia
**telepathic** *a.* telepatický
**telepathist** *n.* telepatik
**telepathy** *n.* telepatia
**telephone** *n.* telefón
**telephone** *v.t.* telefonovať
**telescope** *n.* teleskop
**telescopic** *a.* teleskopický
**televise** *v.t.* vysielať
**television** *n.* televízia
**tell** *v.t.* povedať
**teller** *n.* pokladník
**temper** *n.* povaha
**temper** *v.t.* zastupovať
**temperament** *n.* nátura
**temperamental** *a.* náladový
**temperance** *n.* abstinencia
**temperate** *a.* mierny
**temperature** *n.* teplota
**tempest** *n.* búrka
**tempestuous** *a.* búrlivý
**temple** *n.* chrám
**temple** *n* slucha
**temporal** *a.* pozemský
**temporary** *a.* dočasný
**tempt** *v.t.* zvádzať
**temptation** *n.* zvádzanie
**tempter** *n.* pokušiteľ
**ten** *n., a* desať, desiaty
**tenable** *a.* opodstatnený
**tenacious** *a.* energický
**tenacity** *n.* energickosť
**tenancy** *n.* nájom
**tenant** *n.* podnájomník
**tend** *v.i.* opatrovať
**tendency** *n.* náchylnosť
**tender** *n* ponuka
**tender** *v.t.* predkladať ponuku
**tender** *n* prísunové plavidlo
**tender** *a* jemný
**tenet** *n.* princíp
**tennis** *n.* tenis
**tense** *n.* slovesný čas
**tense** *a.* napätý
**tension** *n.* napätie
**tent** *n.* stan

**tentative** *a.* predbežný
**tenure** *n.* úradné obdobie
**term** *n.* trvanie
**term** *v.t.* pomenovať
**terminable** *a.* ukončiteľný
**terminal** *a.* smrteľný
**terminal** *n* terminál
**terminate** *v.t.* končiť
**termination** *n.* okončovanie
**terminological** *a.* terminologický
**terminology** *n.* terminológia
**terminus** *n.* nádražie
**terrace** *n.* rad domov
**terrible** *a.* hrozný
**terrier** *n.* teriér
**terrific** *a.* skvelý
**terrify** *v.t.* desiť
**territorial** *a.* územný
**territory** *n.* územie
**terror** *n.* hrôza
**terrarism** *n.* terorizmus
**terrorist** *n.* terorista
**terrorize** *v.t.* terorizovať
**terse** *a.* stručný
**test** *v.t.* skúšať
**test** *n* skúška
**testament** *n.* testament
**testicle** *n.* semenník
**testify** *v.i.* dosvedčiť
**testimonial** *n.* osvedčenie
**testimony** *n.* svedectvo
**tete-a-tete** *n.* medzi štyrmi očami
**tether** *n.* reťaz
**tether** *v.t.* priviazať
**text** *n.* text
**textile** *a.* textilný
**textile** *n* textília
**textual** *n.* textový
**texture** *n.* textúra
**thank** *v.t.* ďakovať
**thanks** *n.* ďakovanie
**thankful** *a.* povďačný
**thankless** *a.* nevďačný
**that** *a.* ten
**that** *dem. pron.* aký
**that** *rel. pron.* ten
**that** *adv.* tak
**that** *conj.* že
**thatch** *n.* trstina
**thatch** *v.t.* pokryť trstinou
**thaw** *v.i* roztápať
**thaw** *n* odmäk
**theatre** *n.* divadlo
**theatrical** *a.* divadelný
**theft** *n.* krádež
**their** *a.* ich
**theirs** *pron.* ich
**theism** *n.* teizmus
**theist** *n.* teista
**them** *pron.* oni
**thematic** *a.* tematický
**theme** *n.* téma
**then** *adv.* potom
**then** *a* vtedajší
**thence** *adv.* odtiaľ
**theocracy** *n.* teokracia
**theologian** *n.* teológ
**theological** *a.* teologický
**theology** *n.* teológia
**theorem** *n.* teoréma
**theoretical** *a.* teoretický
**theorist** *n.* teoretik
**theorize** *v.i.* teoretizovať
**theory** *n.* teória
**therapy** *n.* terapia
**there** *adv.* tam
**thereabouts** *adv.* blízko
**thereafter** *adv.* potom
**thereby** *adv.* týmto
**therefore** *adv.* preto
**thermal** *a.* tepelný
**thermometer** *n.* teplomer
**thermos (flask)** *n.* termoska
**thesis** *n.* rozprava

**thick** *a.* tučný
**thick** *n.* stred
**thick** *adv.* nahrubo
**thicken** *v.i.* zahustiť
**thicket** *n.* húština
**thief** *n.* zlodej
**thigh** *n.* stehno
**thimble** *n.* náprstok
**thin** *a.* tenký
**thin** *v.t.* riediť
**thing** *n.* vec
**think** *v.t.* myslieť
**thinker** *n.* mysliteľ
**third** *a.* tretí
**third** *n.* tretí
**thirdly** *adv.* po tretie
**thirst** *n.* smäd
**thirst** *v.i.* byť smädný
**thirsty** *a.* smädný
**thirteen** *n.* trinásť
**thirteen** *a* trinásty
**thirteenth** *a.* trinásty
**thirtieth** *a.* tridsiaty
**thirtieth** *n* tridsiaty
**thirty** *n.* tridsať
**thirty** *a* tridsiaty
**thistle** *n.* bodliak
**thither** *adv.* ten druhý
**thorn** *n.* tŕň
**thorny** *a.* tŕnistý
**thorough** *a* dôkladný
**thoroughfare** *n.* hlavná dopravná tepna
**though** *conj.* hoci
**though** *adv.* napriek tomu
**thought** *n* myšlienka
**thoughtful** *a.* zamyslený
**thousand** *n.* tisíc
**thousand** *a* tisíc
**thrall** *n.* otrok
**thralldom** *n.* otroctvo
**thrash** *v.t.* rozbiť
**thread** *n.* niť
**thread** *v.t* navliecť niť
**threadbare** *a.* odretý
**threat** *n.* vyhrážka
**threaten** *v.t.* vyhrážať sa
**three** *n.* tri
**three** *a* tretí
**thresh** *v.t.* mlátiť
**thresher** *n.* mláťačka
**threshold** *n.* prah
**thrice** *adv.* trikrát
**thrift** *n.* hospodárnosť
**thrifty** *a.* hospodárny
**thrill** *n.* chvenie
**thrill** *v.t.* vzrušiť
**thrive** *v.i.* prekvitať
**throat** *n.* hrdlo
**throaty** *a.* hrdelný
**throb** *v.i.* búšiť
**throb** *n.* búšenie
**throe** *n.* muky
**throne** *n.* trón
**throne** *v.t.* byť na tróne
**throng** *n.* dav
**throng** *v.t.* hrnúť sa
**throttle** *n.* škrtiaci ventil
**throttle** *v.t.* škrtiť
**through** *prep.* cez
**through** *adv.* cez
**through** *a* priamy
**throughout** *adv.* celkom
**throughout** *prep.* po celom
**throw** *v.t.* hodiť
**throw** *n.* hod
**thrust** *v.t.* pchať
**thrust** *n* útok
**thud** *n.* buchnutie
**thud** *v.i.* buchnúť
**thug** *n.* násilník
**thumb** *n.* palec
**thumb** *v.t.* stopovať
**thump** *n.* úder

**thump** *v.t.* zasiahnuť
**thunder** *n.* hrom
**thunder** *v.i.* hrmieť
**thunderous** *a.* hromový
**Thursday** *n.* štvrtok
**thus** *adv.* takto
**thwart** *v.t.* kaziť
**tiara** *n.* čelenka
**tick** *n.* tik
**tick** *v.i.* tikať
**ticket** *n.* lístok
**tickle** *v.t.* štekliť
**ticklish** *a.* šteklivý
**tidal** *a.* prílivový
**tide** *n.* príliv
**tidings** *n. pl.* správy
**tidiness** *n.* upravenosť
**tidy** *a.* upravený
**tidy** *v.t.* upratať
**tie** *v.t.* zviazať
**tie** *n* kravata
**tier** *n.* rad
**tiger** *n.* tiger
**tight** *a.* tesný
**tighten** *v.t.* utiahnuť
**tigress** *n.* tigrica
**tile** *n.* škridla
**tile** *v.t.* pokryť škridlami
**till** *prep.* do
**till** *n. conj.* dokiaľ
**till** *v.t.* obrábať
**tilt** *v.i.* nakloniť
**tilt** *n.* naklonenie
**timber** *n.* stavebné drevo
**time** *n.* čas
**time** *v.t.* načasovať
**timely** *a.* včasný
**timid** *a.* plachý
**timidity** *n.* plachosť
**timorous** *a.* vystrašený
**tin** *n.* cín
**tin** *v.t.* konzervovať
**tincture** *n.* tinktúra
**tincture** *v.t.* farbiť
**tinge** *n.* zafarbenie
**tinge** *v.t.* sfarbiť
**tinker** *n.* drotár
**tinsel** *n.* lamety
**tint** *n.* sfarbenie
**tint** *v.t.* tónovať
**tiny** *a.* maličký
**tip** *n.* špička
**tip** *v.t.* zahrotiť
**tip** *n.* skládka
**tip** *v.t.* vyprázdniť
**tip** *n.* nápad
**tip** *v.t.* tipovať
**tipsy** *a.* podnapitý
**tirade** *n.* tiráda
**tire** *v.t.* ustať
**tiresome** *a.* otravný
**tissue** *n.* tkanivo
**titanic** *a.* obrovský
**tithe** *n.* desiatok
**title** *n.* titul
**titular** *a.* titulárny
**toad** *n.* ropucha
**toast** *n.* hrianka
**toast** *v.t.* opekať
**tobacco** *n.* tabak
**today** *adv.* dnes
**today** *n.* dnes
**toe** *n.* palec
**toe** *v.t.* ísť po špičkách
**toffee** *n.* karamelka
**toga** *n.* tóga
**together** *adv.* spolu
**toil** *n.* drina
**toil** *v.i.* drieť
**toilet** *n.* toaleta
**toils** *n. pl.* osídla
**token** *n.* znak
**tolerable** *a.* prijateľný
**tolerance** *n.* tolerancia

**tolerant** *a.* tolerantný
**tolerate** *v.t.* tolerovať
**toleration** *n.* tolerancia
**toll** *n.* poplatok
**toll** *n* zvonenie
**toll** *v.t.* uvaliť daň
**tomato** *n.* paradajka
**tomb** *n.* hrobka
**tomboy** *n.* vetroplach
**tomcat** *n.* kocúr
**tome** *n.* foliant
**tomorrow** *n.* zajtra
**tomorrow** *adv.* zajtra
**ton** *n.* tona
**tone** *n.* tón
**tone** *v.t.* tónovať
**tongs** *n. pl.* kliešte
**tongue** *n.* jazyk
**tonic** *a.* tonický
**tonic** *n.* povzbudenie
**to-night** *n.* dnes večer
**tonight** *adv.* dnes večer
**tonne** *n.* tona
**tonsil** *n.* mandľa
**tonsure** *n.* tonzúra
**too** *adv.* príliž
**tool** *n.* nástroj
**tooth** *n.* zub
**toothache** *n.* bolesť zuba
**toothsome** *a.* chutný
**top** *n.* vrch
**top** *v.t.* prevyšovať
**top** *n.* kačička
**topaz** *n.* topáz
**topic** *n.* téma
**topical** *a.* aktuálny
**topographer** *n.* topograf
**topographical** *a.* topografický
**topography** *n.* topografia
**topple** *v.i.* zvaliť
**topsy turvy** *a.* hore nohami
**topsy turvy** *adv* prevrátene
**torch** *n.* baterka
**torment** *n.* muka
**torment** *v.t.* mučiť
**tornado** *n.* tornádo
**torpedo** *n.* torpédo
**torpedo** *v.t.* torpédovať
**torrent** *n.* prúd
**torrential** *a.* prívalový
**torrid** *a.* horúci
**tortoise** *n.* korytnačka
**tortuous** *a.* kľukatý
**torture** *n.* mučenie
**torture** *v.t.* mučiť
**toss** *v.t.* hodiť
**toss** *n* pohodenie
**total** *a.* úplný
**total** *n.* celok
**total** *v.t.* dosahovať výšku
**totality** *n.* totalita
**touch** *v.t.* chytiť
**touch** *n* dotyk
**touchy** *a.* nedotklivý
**tough** *a.* robustný
**toughen** *v.t.* stužiť
**tour** *n.* cesta
**tour** *v.i.* cestovať
**tourism** *n.* turizmus
**tourist** *n.* turista
**tournament** *n.* turnaj
**towards** *prep.* k
**towel** *n.* uterák
**towel** *v.t.* osušiť
**tower** *n.* veža
**tower** *v.i.* týčiť sa
**town** *n.* mesto
**township** *a.* okresné mesto
**toy** *n.* hračka
**toy** *v.i.* hrať sa
**trace** *n.* stopa
**trace** *v.t.* objaviť
**traceable** *a.* objaviteľný
**track** *n.* šľapaje

**track** *v.t.* sledovať stopu
**tract** *n.* lán
**tract** *n* trakt
**traction** *n.* ťahanie
**tractor** *n.* traktor
**trade** *n.* obchodovanie
**trade** *v.i* obchodovať
**trader** *n.* obchodník
**tradesman** *n.* obchodník
**tradition** *n.* tradícia
**traditional** *a.* tradičný
**traffic** *n.* doprava
**traffic** *v.i.* nezákonne obchodovať
**tragedian** *n.* tragédian
**tragedy** *n.* tragédia
**tragic** *a.* tragický
**trail** *n.* stopa
**trail** *v.t.* vliecť
**trailer** *n.* príves
**train** *n.* vlak
**train** *v.t.* trénovať
**trainee** *n.* školák
**training** *n.* školenie
**trait** *n.* črta
**traitor** *n.* zradca
**tram** *n.* električka
**trample** *v.t.* dupať
**trance** *n.* tranz
**tranquil** *a.* pokojný
**tranquility** *n.* pokoj
**tranquillize** *v.t.* tíšiť
**transact** *v.t.* vybaviť
**transaction** *n.* transakcia
**transcend** *v.t.* prekračovať
**transcendent** *a.* výnimočný
**transcribe** *v.t.* odpísať
**transcription** *n.* transkripcia
**transfer** *n.* premiestnenie
**transfer** *v.t.* premiestniť
**transferable** *a.* premiestniteľný
**transfiguration** *n.* premena
**transfigure** *v.t.* pretvárať
**transform** *v.* meniť
**transformation** *n.* zmena
**transgress** *v.t.* prekročiť
**transgression** *n.* prekročenie
**transit** *n.* prechod
**transition** *n.* prechod
**transitive** *n.* prechodný
**transitory** *n.* prechodný
**translate** *v.t.* preložiť
**translation** *n.* preklad
**transmigration** *n.* prevteľovanie
**transmission** *n.* prenos
**transmit** *v.t.* vysielať
**transmitter** *n.* vysielač
**transparent** *a.* priehľadný
**transplant** *v.t.* transplantovať
**transport** *v.t.* dopraviť
**transport** *n.* preprava
**transportation** *n.* preprava
**trap** *n.* pasca
**trap** *v.t.* chytiť do pasce
**trash** *n.* haraburda
**travel** *v.i.* cestovať
**travel** *n* cesta
**traveller** *n.* cestovateľ
**tray** *n.* tácka
**treacherous** *a.* vierolomný
**treachery** *n.* sprenevera
**tread** *v.t.* šliapnuť
**tread** *n* chôdza
**treason** *n.* veľzrada
**treasure** *n.* poklad
**treasure** *v.t.* vážiť si
**treasurer** *n.* pokladník
**treasury** *n.* štátna pokladňa
**treat** *v.t.* správať sa
**treat** *n* prekvapenie
**treatise** *n.* publikácia
**treatment** *n.* podanie
**treaty** *n.* dohoda
**tree** *n.* strom
**trek** *v.i.* putovať

**trek** *n.* putovanie
**tremble** *v.i.* chvieť sa
**tremendous** *a.* obrovský
**tremor** *n.* záchvev
**trench** *n.* brázda
**trench** *v.t.* vykopať
**trend** *n.* sklon
**trespass** *v.i.* vkročiť
**trespass** *n.* neoprávnený vstup
**trial** *n.* súdny proces
**triangle** *n.* trojuholník
**triangular** *a.* trojuholníkový
**tribal** *a.* kmeňový
**tribe** *n.* kmeň
**tribulation** *n.* trampota
**tribunal** *n.* tribunál
**tributary** *n.* prítok
**tributary** *a.* odvádzajúci daň
**trick** *n* trik
**trick** *v.t.* naviesť
**trickery** *n.* lesť
**trickle** *v.i.* stekať
**trickster** *n.* podvodník
**tricky** *a.* zložitý
**tricolour** *a.* trojfarebný
**tricolour** *n* trikolóra
**tricycle** *n.* trojkolka
**trifle** *n.* ovocný pohár
**trifle** *v.i* žartovať
**trigger** *n.* spušť
**trim** *a.* zarovnaný
**trim** *n* zarovnanie
**trim** *v.t.* zarovnť
**trinity** *n.* trojica
**trio** *n.* trojica
**trip** *v.t.* potknúť sa
**trip** *n.* výlet
**tripartite** *a.* trojdielny
**triple** *a.* trojitý
**triple** *v.t.,* strojnásobiť
**triplicate** *a.* trojdielny
**triplicate** *n* jedno z troch vyhotovení
**triplicate** *v.t.* vyhotoviť trojmo
**triplication** *n.* vyhotovenie trojmo
**tripod** *n.* trojnožka
**triumph** *n.* triumf
**triumph** *v.i.* zvíťaziť
**triumphal** *a.* víťazný
**triumphant** *a.* víťazný
**trivial** *a.* zanedbateľný
**troop** *n.* skupina
**troop** *v.i* zhromaždiť sa
**trooper** *n.* vojak
**trophy** *n.* trofej
**tropic** *n.* obratník
**tropical** *a.* tropický
**trot** *v.i.* klusať
**trot** *n* klus
**trouble** *n.* nepríjemnosť
**trouble** *v.t.* trápiť
**troublesome** *a.* otravný
**troupe** *n.* súbor
**trousers** *n. pl* nohavice
**trowel** *n.* hladička
**truce** *n.* prímerie
**truck** *n.* nákladné vozidlo
**true** *a.* pravdivý
**trump** *n.* tromf
**trump** *v.t.* prebiť tromfom
**trumpet** *n.* trúbka
**trumpet** *v.i.* trúbiť
**trunk** *n.* peň
**trust** *n.* dôvera
**trust** *v.t* dôverovať
**trustee** *n.* kurátor
**trustful** *a.* dôverčivý
**trustworthy** *a.* dôveryhodný
**trusty** *n.* trestanec
**truth** *n.* pravda
**truthful** *a.* pravdivý
**try** *v.i.* skúšať
**try** *n* pokus

**trying** *a.* únavný
**tryst** *n.* rande
**tub** *n.* sud
**tube** *n.* trubka
**tuberculosis** *n.* tuberkulóza
**tubular** *a.* rúrovitý
**tug** *v.t.* ťahať
**tuition** *n.* doučovanie
**tumble** *v.i.* spadnúť
**tumble** *n.* pád
**tumbler** *n.* pohár
**tumour** *n.* nádor
**tumult** *n.* ruch
**tumultuous** *a.* hlučný
**tune** *n.* melódia
**tune** *v.t.* ladiť
**tunnel** *n.* tunel
**tunnel** *v.i.* tunelovať
**turban** *n.* turban
**turbine** *n.* turbína
**turbulence** *n.* turbulencia
**turbulent** *a.* prudký
**turf** *n.* trávnik
**turkey** *n.* morka
**turmeric** *n.* kurkuma
**turmoil** *n.* rozruch
**turn** *v.i.* točiť sa
**turn** *n* otočenie
**turner** *n.* sústružník
**turnip** *n.* okrúhlica
**turpentine** *n.* terpentín
**turtle** *n.* korytnačka
**tusk** *n.* tesák
**tussle** *n.* boj
**tussle** *v.i.* bojovať
**tutor** *n.* súkromný učiteľ
**tutorial** *a.* učiteľský
**tutorial** *n.* konzultácia
**twelfth** *a.* dvanásty
**twelfth** *n.* dvanástina
**twelve** *n.* dvanásť
**twelve** *n* dvanásť
**twentieth** *a.* dvadsiaty
**twentieth** *n* dvadsatina
**twenty** *a.* dvadsať
**twenty** *n* dvadsať
**twice** *adv.* dvakrát
**twig** *n.* vetvička
**twilight** *n* stmievanie
**twin** *n.* dvojča
**twin** *a* dvojitý
**twinkle** *v.i.* blikotať
**twinkle** *n.* blikotanie
**twist** *v.t.* krútiť
**twist** *n.* skrútenie
**twitter** *n.* štebotanie
**twitter** *v.i.* štebotať
**two** *n.* dva
**two** *a.* dvaja
**twofold** *a.* dvojný
**type** *n.* druh
**type** *v.t.* naklepať
**typhoid** *n.* brušný týfus
**typhoon** *n.* tajfún
**typhus** *n.* škvrnitý týfus
**typical** *a.* ťypický
**typify** *v.t.* stelesňovať
**typist** *n.* pisár
**tyranny** *n.* tyrania
**tyrant** *n.* tyran
**tyre** *n.* pneumatika

**udder** *n.* vemeno
**uglify** *v.t.* zošklivіť
**ugliness** *n.* ošklivosť
**ugly** *a.* škaredý
**ulcer** *n.* vred
**ulcerous** *a.* vredovitý
**ulterior** *a.* utajený
**ultimate** *a.* posledný

**ultimately** *adv.* na záver
**ultimatum** *n.* ultimátum
**umbrella** *n.* dáždnik
**umpire** *n.* rozhodca
**umpire** *v.t.,* rozhodovať
**unable** *a.* neschopný
**unanimity** *n.* jednota
**unanimous** *a.* jednotný
**unaware** *a.* nevedomý
**unawares** *adv.* nenazdajky
**unburden** *v.t.* zbaviť sa bremena
**uncanny** *a.* čudný
**uncertain** *a.* neistý
**uncle** *n.* strýko
**uncouth** *a.* drsný
**under** *prep.* pod
**under** *adv* naspodku
**under** *a* spodný
**undercurrent** *n.* spodný prúd
**underdog** *n* prenasledovaný
**undergo** *v.t.* podrobiť sa
**undergraduate** *n.* vysokoškolák
**underhand** *a.* nečestný
**underline** *v.t.* podčiarknuť
**undermine** *v.t.* podkopať
**underneath** *adv.* dole
**underneath** *prep.* popod
**understand** *v.t.* rozumieť
**undertake** *v.t.* podujať sa
**undertone** *n.* šepot
**underwear** *n.* spodná bielizeň
**underworld** *n.* podsvetie
**undo** *v.t.* rozviazať
**undue** *a.* nadmerný
**undulate** *v.i.* vlniť sa
**undulation** *n.* vlnenie
**unearth** *v.t.* vykopať
**uneasy** *a.* znepokojený
**unfair** *a* nespravodlivý
**unfold** *v.t.* rozložiť
**unfortunate** *a.* nešťastný
**ungainly** *a.* nevzhľadný
**unhappy** *a.* nešťastný
**unification** *n.* jednotnosť
**union** *n.* zväz
**unionist** *n.* odborár
**unique** *a.* jedinečný
**unison** *n.* jednota
**unit** *n.* jednotka
**unite** *v.t.* zjednotiť
**unity** *n.* jednota
**universal** *a.* všeobecný
**universality** *n.* všeobecnosť
**universe** *n.* vesmír
**university** *n.* univerzita
**unjust** *a.* nespravodlivý
**unless** *conj.* dokiaľ
**unlike** *a* odlišný
**unlike** *prep* iný ako
**unlikely** *a.* nepravdepodobný
**unmanned** *a.* bez posádky
**unmannerly** *a* hrubý
**unprincipled** *a.* bezohľadný
**unreliable** *a.* nespoľahlivý
**unrest** *n* nepokoje
**unruly** *a.* neposlušný
**unsettle** *v.t.* znepokojiť
**unsheathe** *v.t.* odhaliť
**until** *prep.* do
**until** *conj* až kým
**untoward** *a.* nepoddajný
**unwell** *a.* nezdravý
**unwittingly** *adv.* nevedomky
**up** *adv.* nahor
**up** *prep.* hore
**upbraid** *v.t* karhať
**upheaval** *n.* rozruch
**uphold** *v.t* zastávať
**upkeep** *n* údržba
**uplift** *v.t.* zlepšovať
**uplift** *n* zlepšenie
**upon** *prep* na
**upper** *a.* horný
**upright** *a.* vzpriamený

**uprising** *n.* vzbura
**uproar** *n.* pobúrenie
**uproarious** *a.* hlučný
**uproot** *v.t.* vytrhnúť s koreňmi
**upset** *v.t.* prevrátiť
**upshot** *n.* výsledok
**upstart** *n.* karierista
**up-to-date** *a.* súčasný
**upward** *a.* nahor
**upwards** *adv.* hore
**urban** *a.* mestský
**urbane** *a.* uhladený
**urbanity** *n.* zdvorilosť
**urchin** *n.* šibal
**urge** *v.t* nútiť
**urge** *n* nutkanie
**urgency** *n.* naliehavosť
**urgent** *a.* naliehavý
**urinal** *n.* záchod
**urinary** *a.* močový
**urinate** *v.i.* močiť
**urination** *n.* močenie
**urine** *n.* moč
**urn** *n* urna
**usage** *n.* používanie
**use** *n.* používanie
**use** *v.t.* použiť
**useful** *a.* užitočný
**usher** *n.* uvádzač
**usher** *v.t.* uviesť
**usual** *a.* zvyčajný
**usually** *adv.* zvyčajne
**usurer** *n.* úžerník
**usurp** *v.t.* uchvátiť
**usurpation** *n.* uchvátenie
**usury** *n.* úžerníctvo
**utensil** *n.* nástroj
**uterus** *n.* uterus
**utilitarian** *a.* prospešný
**utility** *n.* užitočnosť
**utilization** *n.* použitie
**utilize** *v.t.* použiť
**utmost** *a.* vrcholný
**utmost** *n* vrchol
**utopia** *n* . utópia
**utopian** *a.* utopický
**utter** *v.t.* vydať zvuk
**utter** *a* úplný
**utterance** *n.* vyjadrenie
**utterly** *adv.* úplne

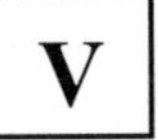

**vacancy** *n.* voľné miesto
**vacant** *a.* voľný
**vacate** *v.t.* uvoľniť
**vacation** *n.* dovolenka
**vaccinate** *v.t.* očkovať
**vaccination** *n.* očkovanie
**vaccinator** *n.* vakcinátor
**vaccine** *n.* vakcína
**vacillate** *v.i.* váhať
**vacuum** *n.* vákuum
**vagabond** *n.* tulák
**vagabond** *a* tulácky
**vagary** *n.* vrtoch
**vagina** *n.* vagína
**vague** *a.* hmlistý
**vagueness** *n.* hmlistosť
**vain** *a.* márnivý
**vainglorious** *a.* chvastavý
**vainglory** *n.* chvastanie
**vainly** *adv.* márnivo
**vale** *n.* dolina
**valiant** *a.* udatný
**valid** *a.* platný
**validate** *v.t.* legalizovať
**validity** *n.* platnosť
**valley** *n.* údolie
**valour** *n.* odvaha
**valuable** *a.* drahocenný
**valuation** *n.* oceňovanie

**value** *n.* hodnota
**value** *v.t.* oceňovať
**valve** *n.* klapka
**van** *n.* dodávka
**vanish** *v.i.* zmiznúť
**vanity** *n.* márnivosť
**vanquish** *v.t.* poraziť
**vaporize** *v.t.* odpariť
**vaporous** *a.* hmlistý
**vapour** *n.* hmla
**variable** *a.* premenlivý
**variance** *n.* zmena
**variation** *n.* rozdiel
**varied** *a.* rozmanitý
**variety** *n.* rozmanitosť
**various** *a.* rôzny
**varnish** *n.* lak
**varnish** *v.t.* lakovať
**vary** *v.t.* byť rôzny
**vasectomy** *n.* vasektómia
**vaseline** *n.* vazelína
**vast** *a.* rozľahlý
**vault** *n.* trezor
**vault** *n.* skok
**vault** *v.i.* skočiť
**vegetable** *n.* zelenina
**vegetable** *a.* zeleninový
**vegetarian** *n.* vegetarián
**vegetarian** *a* vegetariánsky
**vegetation** *n.* vegetácia
**vehemence** *n.* energickosť
**vehement** *a.* energický
**vehicle** *n.* vozidlo
**vehicular** *a.* automobilový
**veil** *n.* závoj
**veil** *v.t.* zahaliť
**vein** *n.* žila
**velocity** *n.* rýchlosť
**velvet** *n.* zamat
**velvety** *a.* zamatový
**venal** *a.* podplatiteľný
**venality** *n.* skorumpovanosť
**vendor** *n.* predavač
**venerable** *a.* starobylý
**venerate** *v.t.* uctievať
**veneration** *n.* uctievanie
**vengeance** *n.* pomsta
**venial** *a.* malý
**venom** *n.* jed
**venomous** *a.* jedovatý
**vent** *n.* otvor
**ventilate** *v.t.* vetrať
**ventilation** *n.* vetranie
**ventilator** *n.* ventilátor
**venture** *n.* riziko
**venture** *v.t.* odvážiť sa
**venturesome** *a.* riskantný
**venturous** *a.* odvážny
**venue** *n.* miesto
**veracity** *n.* vierohodnosť
**verendah** *n.* veranda
**verb** *n.* sloveso
**verbal** *a.* ústny
**verbally** *adv.* ústne
**verbatim** *a.* doslovný
**verbatim** *adv.* doslovne
**verbose** *a.* zdĺhavý
**verbosity** *n.* zdĺhavosť
**verdant** *a.* zelenajúci sa
**verdict** *n.* rozsudok
**verge** *n.* krajnica
**verification** *n.* potvrdenie
**verify** *v.t.* potvrdiť
**verisimilitude** *n.* pravdepodobnosť
**veritable** *a.* pravý
**vermillion** *n.* rumelka
**vermillion** *a.* rumelkový
**vernacular** *n.* rodný jazyk
**vernacular** *a.* domáci
**vernal** *a.* jarný
**versatile** *a.* prispôsobivý
**versatility** *n.* prispôsobivosť
**verse** *n.* verše

**versed** *a.* znalý
**versification** *n.* veršovanie
**versify** *v.t.* zveršovať
**version** *n.* verzia
**versus** *prep.* verzus
**vertical** *a.* kolmý
**verve** *n.* elán
**very** *a.* veľmi
**vessel** *n.* plavidlo
**vest** *n.* tielko
**vest** *v.t.* udeliť právo
**vestige** *n.* pozostatok
**vestment** *n.* rúcho kňaza
**veteran** *n.* vyslúžilec
**veteran** *a.* vyslúžilecký
**veterinary** *a.* zverolekársky
**veto** *n.* veto
**veto** *v.t.* vetovať
**vex** *v.t.* trápiť
**vexation** *n* znepokojenie
**via** *prep.* cez
**viable** *a.* uskutočniteľný
**vial** *n.* nádobka
**vibrate** *v.i.* vibrovať
**vibration** *n.* vibrácia
**vicar** *n.* vikár
**vicarious** *a.* poverený
**vice** *n.* neresť
**viceroy** *n.* miestokráľ
**vice-versa** *adv.* naopak
**vicinity** *n.* okolie
**vicious** *a.* násilnícky
**vicissitude** *n.* hra osudu
**victim** *n.* obeť
**victimize** *v.t.* prenasledovať
**victor** *n.* víťaz
**victorious** *a.* víťazný
**victory** *n.* víťazstvo
**victuals** *n. pl* jedlo
**vie** *v.i.* snažiť sa tromfnúť
**view** *n.* pohľad
**view** *v.t.* posudzovať
**vigil** *n.* bdenie
**vigilance** *n.* bdelosť
**vigilant** *a.* bdelý
**vigorous** *a.* mocný
**vile** *a.* hrubý
**vilify** *v.t.* ohovárať
**villa** *n.* vila
**village** *n.* dedina
**villager** *n.* dedinčan
**villain** *n.* zlosyn
**vindicate** *v.t.* zbaviť viny
**vindication** *n.* zbavenie viny
**vine** *n.* vinič
**vinegar** *n.* ocot
**vintage** *n.* ročník
**violate** *v.t.* spreneveriť sa
**violation** *n.* sprenevera
**violence** *n.* sila
**violent** *a.* násilnícky
**violet** *n.* fialka
**violin** *n.* husle
**violinist** *n.* huslista
**virgin** *n.* Panna Mária
**virgin** *n* panna
**virginity** *n.* panenstvo
**virile** *a.* mužný
**virility** *n.* mužnosť
**virtual** *a* neoficiálny
**virtue** *n.* mravnosť
**virtuous** *a.* mravný
**virulence** *n.* virulencia
**virulent** *a.* smrteľný
**virus** *n.* vírus
**visage** *n.* tvár
**visibility** *n.* viditeľnosť
**visible** *a.* viditeľný
**vision** *n.* zrak
**visionary** *a.* predvídavý
**visionary** *n.* vizionár
**visit** *n.* návšteva
**visit** *v.t.* navštíviť
**visitor** *n.* návštevník

**vista** *n.* vyhliadka
**visual** *a.* zrakový
**visualize** *v.t.* predstaviť si
**vital** *a.* podstatný
**vitality** *n.* ráznosť
**vitalize** *v.t.* oživiť
**vitamin** *n.* vitamín
**vitiate** *v.t.* zhoršiť
**vivacious** *a.* veselý
**vivacity** *n.* veselosť
**viva-voce** *adv.* ústne
**viva-voce** *a* ústny
**viva-voce** *n* živý hlas
**vivid** *a.* jasný
**vixen** *n.* líška
**vocabulary** *n.* slovná zásoba
**vocal** *a.* hlasový
**vocalist** *n.* vokalista
**vocation** *n.* povolanosť
**vogue** *n.* móda
**voice** *n.* hlas
**voice** *v.t.* vyjadriť
**void** *a.* bez
**void** *v.t.* vypúšťať
**void** *n.* ničota
**volcanic** *a.* sopečný
**volcano** *n.* sopka
**volition** *n.* vôľa
**volley** *n.* salva
**volley** *v.t* vypáliť salvu
**volt** *n.* volt
**voltage** *n.* napätie
**volume** *n.* zvuk
**voluminous** *a.* nabratý
**voluntarily** *adv.* dobrovoľne
**voluntary** *a.* dobrovoľný
**volunteer** *n.* dobrovolník
**volunteer** *v.t.* dobrovoľne sa hlásiť
**voluptuary** *n.* roztopašník
**voluptuous** *a.* zmyselný
**vomit** *v.t.* zvracať
**vomit** *n* zvratky
**voracious** *a.* žravý
**votary** *n.* rehoľník
**vote** *n.* hlasovanie
**vote** *v.i.* hlasovať
**voter** *n.* volič
**vouch** *v.i.* zaručiť
**voucher** *n.* poukážka
**vouchsafe** *v.t.* ráčiť
**vow** *n.* prísaha
**vow** *v.t.* prisahať
**vowel** *n.* samohláska
**voyage** *n.* plavba
**voyage** *v.i.* plaviť
**voyager** *n.* moreplavec
**vulgar** *a.* nevkusný
**vulgarity** *n.* nevkusnosť
**vulnerable** *a.* nechránený
**vulture** *n.* sup

**wade** *v.i.* brodiť sa
**waddle** *v.i.* klátiť sa
**waft** *v.t.* unášať
**waft** *n* unášanie
**wag** *v.i.* hojdať sa
**wag** *n* vrtenie
**wage** *v.t.* bojovať
**wage** *n.* mzda
**wager** *n.* stávka
**wager** *v.i.* staviť sa
**wagon** *n.* povoz
**wail** *v.i.* oplakávať
**wail** *n* horekovanie
**wain** *n.* kára
**waist** *n.* pás
**waistband** *n.* opasok
**waistcoat** *n.* vesta
**wait** *v.i.* čakať

**wait** *n.* čakanie
**waiter** *n.* čašník
**waitress** *n.* čašníčka
**waive** *v.t.* vzdať sa
**wake** *v.t.* zobudiť
**wake** *n* bdenie
**wake** *n* brázda
**wakeful** *a.* neschopný spať
**walk** *v.i.* kráčať
**walk** *n* kráčanie
**wall** *n.* ohrada
**wall** *v.t.* ohradiť
**wallet** *n.* peňaženka
**wallop** *v.t.* buchnát
**wallow** *v.i.* čvachtať sa
**walnut** *n.* orech
**walrus** *n.* mrož
**wan** *a.* pobledlý
**wand** *n.* palička
**wander** *v.i.* motať sa
**wane** *v.i.* strácať sa
**wane** *n* zmenšovanie sa
**want** *v.t.* chcieť
**want** *n* nedostatok
**wanton** *a.* neopodstatnený
**war** *n.* vojna
**war** *v.i.* bojovať
**warble** *v.i.* štebotať
**warble** *n* štebotanie
**warbler** *n.* spevavý vták
**ward** *n.* nemocničný obvod
**ward** *v.t.* odrážať
**warden** *n.* dozorca
**warder** *n.* väzenský dozorca
**wardrobe** *n.* skriňa
**wardship** *n.* dozor
**ware** *n.* tovar
**warehouse** *v.t* uskladniť
**warfare** *n.* vojna
**warlike** *a.* vojnový
**warm1** *a.* teplý
**warm** *v.t.* zohriať
**warmth** *n.* teplo
**warn** *v.t.* varovať
**warning** *n.* varovanie
**warrant** *n.* príkaz
**warrant** *v.t.* oprávniť
**warrantee** *n.* splnomocnenec
**warrantor** *n.* ručiteľ
**warranty** *n.* záruka
**warren** *n.* králikáreň
**warrior** *n.* bojovník
**wart** *n.* bradavica
**wary** *a.* opatrný
**wash** *v.t.* umývať
**wash** *n* umytie
**washable** *a.* prací
**washer** *n.* práčka
**wasp** *n.* osa
**waspish** *a.* uštipačný
**wassail** *n.* pijanská pieseň
**wastage** *n.* strata
**waste** *a.* odpadový
**waste** *n.* odpad
**waste** *v.t.* plytvať
**wasteful** *a.* márnotratný
**watch** *v.t.* sledovať
**watch** *n.* hodinky
**watchful** *a.* všímavý
**watchword** *n.* heslo
**water** *n.* voda
**water** *v.t.* poliať
**waterfall** *n.* vodopád
**water-melon** *n.* červený melón
**waterproof** *a.* nepremokavý
**waterproof** *n* pršiplášť
**waterproof** *v.t.* impregnovať
**watertight** *a.* vodotesný
**watery** *a.* mokrý
**watt** *n.* watt
**wave** *n.* vlna
**wave** *v.t.* mávať
**waver** *v.i.* blikať
**wax** *n.* vosk

**wax** *v.t.* voskovať
**way** *n.* cesta
**wayfarer** *n.* pútnik
**waylay** *v.t.* striehnuť
**wayward** *a.* spurný
**weak** *a.* slabý
**weaken** *v.t. & i* oslabiť
**weakling** *n.* slaboch
**weakness** *n.* slabosť
**weal** *n.* klobása
**wealth** *n.* bohatstvo
**wealthy** *a.* bohatý
**wean** *v.t.* odstaviť mláďa
**weapon** *n.* zbraň
**wear** *v.t.* nosiť
**weary** *a.* unavený
**weary** *v.t. & i* unaviť sa
**weary** *a.* nudný
**weary** *v.t.* nudiť
**weather** *n* počasie
**weather** *v.t.* prežiť
**weave** *v.t.* tkať
**weaver** *n.* tkáč
**web** *n.* pavučina
**webby** *a.* pavučinový
**wed** *v.t.* zosobášiť
**wedding** *n.* svatba
**wedge** *n.* klin
**wedge** *v.t.* upevniť klinom
**wedlock** *n.* manželstvo
**Wednesday** *n.* streda
**weed** *n.* burina
**weed** *v.t.* plieť
**week** *n.* týždeň
**weekly** *a.* týždenný
**weekly** *adv.* týždenne
**weekly** *n.* týždenník
**weep** *v.i.* plakať
**weevil** *n.* nosáčik
**weigh** *v.t.* vážiť
**weight** *n.* hmotnosť
**weightage** *n.* hmotnosť
**weighty** *a.* ťažký
**weir** *n.* hať
**weird** *a.* tajomný
**welcome** *a.* vítaný
**welcome** *n* vítanie
**welcome** *v.t* vítať
**weld** *v.t.* zvárať
**weld** *n* zvar
**welfare** *n.* blahobyt
**well** *a.* zdravý
**well** *adv.* dobre
**well** *n.* studňa
**well** *v.i.* vyvierať
**wellignton** *n.* gumená čižma
**well-known** *a.* známy
**well-read** *a.* sčítaný
**well-timed** *a.* urobený v pravý čas
**well-to-do** *a.* zámožný
**welt** *n.* klobása
**welter** *n.* spleť
**wen** *n.* nádor
**wench** *n.* dievčisko
**west** *n.* západ
**west** *a.* západný
**west** *adv.* západne
**westerly** *a.* západný
**westerly** *adv.* západne
**western** *a.* západný
**wet** *a.* mokrý
**wet** *v.t.* namočiť
**wetness** *n.* mokrosť
**whack** *v.t.* tresknutie
**whale** *n.* veľryba
**wharfage** *n.* poplatok na móle
**what** *a.* čo
**what** *pron.* čo
**what** *interj.* však
**whatever** *pron.* čokoľvek
**wheat** *n.* pšenica
**wheedle** *v.t.* prehovoriť
**wheel** *a.* koleso

**wheel** *v.t.* tlačiť
**whelm** *v.t.* pokryť
**whelp** *n.* mláďa
**when** *adv.* kedy
**when** *conj.* keď
**whence** *adv.* odkiaľ
**whenever** *adv. conj* inokedy
**where** *adv.* kde
**where** *conj.* kde
**whereabout** *adv.* kde
**whereas** *conj.* kým
**whereat** *conj.* po čom
**wherein** *adv.* kde
**whereupon** *conj.* vzápätí
**wherever** *adv.* hocikde
**whet** *v.t.* brúsiť
**whether** *conj.* či
**which** *pron.* ktorý
**which** *a* ktorý
**whichever** *pron* ktorýkoľvek
**whiff** *n.* náraz
**while** *n.* chvíľa
**while** *conj.* kým
**while** *v.t.* príjemne prežiť
**whim** *n.* rozmar
**whimper** *v.i.* kňučanie
**whimsical** *a.* vrtošivý
**whine** *v.i.* zavýjať
**whine** *n* zavýjanie
**whip** *v.t.* bičovať
**whip** *n.* bič
**whipcord** *n.* povraz
**whir** *n.* šum
**whirl** *n.i.* krúžiť
**whirl** *n* obrat
**whirligig** *n.* kolotoč
**whirlpool** *n.* krútňava
**whirlwind** *n.* víchor
**whisk** *v.t.* šibať
**whisk** *n* švihnutie
**whisker** *n.* fúz
**whisky** *n.* škótska whisky
**whisper** *v.t.* šepkať
**whisper** *n* šepot
**whistle** *v.i.* pískať
**whistle** *n* piskot
**white** *a.* biely
**white** *n* biela farba
**whiten** *v.t.* bieliť
**whitewash** *n.* roztok na bielenie
**whitewash** *v.t.* bieliť
**whither** *adv.* kam
**whitish** *a.* belavý
**whittle** *v.t.* obrezávať
**whiz** *v.i.* hnať sa
**who** *pron.* kto
**whoever** *pron.* ktokoľvek
**whole** *a.* celý
**whole** *n* celok
**whole-hearted** *a.* horlivý
**wholesale** *n.* veľkoobchod
**wholesale** *a* veľkoobchodný
**wholesale** *adv.* masovo
**wholesaler** *n.* veľkoobchodník
**wholesome** *a.* zdravý
**wholly** *adv.* celkom
**whom** *pron.* kto
**whore** *n.* prostitútka
**whose** *pron.* koho
**why** *adv.* prečo
**wick** *n.* knôt
**wicked** *a.* zlí
**wicker** *n.* prútený
**wicket** *n.* bránka
**wide** *a.* široký
**wide** *adv.* široko
**widen** *v.t.* rozšíriť
**widespread** *a.* rozšírený
**widow** *n.* vdova
**widow** *v.t.* urobiť vdovou
**widower** *n.* vdovec
**width** *n.* šírka
**wield** *v.t.* viesť
**wife** *n.* manželka

**wig** *n.* parochňa
**wight** *n.* tvor
**wigwam** *n.* vigvam
**wild** *a.* divý
**wilderness** *n.* divočina
**wile** *n.* lesť
**will** *n.* vôľa
**will** *v.t.* chcieť
**willing** *a.* ochotný
**willingness** *n.* ochota
**willow** *n.* vŕba
**wily** *a.* ľstivý
**wimble** *n.* ručný vrtáčik
**wimple** *n.* závoj mníšok
**win** *v.t.* vyhrať
**win** *n* výhra
**wince** *v.i.* trhnutie
**winch** *n.* kľuka
**wind** *n.* vietor
**wind** *v.t.* vyraziť dych
**wind** *v.t.* otáčať
**windbag** *n.* táraj
**winder** *n.* navíjač
**windlass** *v.t.* hriadeľ
**windmill** *n.* veterný mlyn
**window** *n.* okno
**windy** *a.* veterný
**wine** *n.* víno
**wing** *n.* krídlo
**wink** *v.i.* mrkať
**wink** *n* mrknutie
**winner** *n.* víťaz
**winnow** *v.t.* viať obilie
**winsome** *a.* podmanivý
**winter** *n.* zima
**winter** *v.i* zimovať
**wintry** *a.* zimný
**wipe** *v.t.* utrieť
**wipe** *n.* utretie
**wire** *n.* drôt
**wire** *v.t.* pripojiť
**wireless** *a.* bezdrôtový
**wireless** *n* rádio
**wiring** *n.* elektrické vedenie
**wisdom** *n.* múdrosť
**wisdom-tooth** *n.* zub múdrosti
**wise** *a.* múdry
**wish** *n.* prianie
**wish** *v.t.* priať si
**wishful** *a.* prajný
**wisp** *n.* hrsť
**wistful** *a.* zamyslený
**wit** *n.* dôvtip
**witch** *n.* čarodejnica
**witchcraft** *n.* bosoráctvo
**witchery** *n.* očarenie
**with** *prep.* s
**withal** *adv.* ešte
**withdraw** *v.t.* stiahnuť
**withdrawal** *n.* stiahnutie
**withe** *n.* húžva
**wither** *v.i.* vädnúť
**withhold** *v.t.* odoprieť
**within** *prep.* v rámci
**within** *adv.* počas
**within** *n.* vnútro
**without** *prep.* bez
**without** *adv.* zvonku
**without** *n* vonkajšok
**withstand** *v.t.* odolať
**witless** *a.* zadubený
**witness** *n.* svedok
**witness** *v.i.* byť svedkom
**witticism** *n.* duchaplnosť
**witty** *a.* vtipný
**wizard** *n.* čarodejník
**wobble** *v.i* tackať sa
**woe** *n.* strasť
**woebegone** *a.* zarmútený
**woeful** *n.* smutný
**wolf** *n.* vlk
**woman** *n.* žena
**womanhood** *n.* ženstvo
**womanish** *n.* ženský
**womanise** *v.t.* sukničkárčiť
**womb** *n.* maternica
**wonder** *n* údiv
**wonder** *v.i.* diviť sa

**wonderful** *a.* skvelý
**wondrous** *a.* podivuhodný
**wont** *a.* pravdepodobný
**wont** *n* zvyk
**wonted** *a.* zvyčajný
**woo** *v.t.* dvoriť
**wood** *n.* drevo
**woods** *n.* les
**wooden** *a.* drevený
**woodland** *n.* les
**woof** *n.* tkanina
**wool** *n.* vlna
**woollen** *a.* vlnený
**woollen** *n* vlnený odev
**word** *n.* slovo
**word** *v.t* vyjadriť
**wordy** *a.* slovný
**work** *n.* práca
**work** *v.t.* pracovať
**workable** *a.* schopný práce
**workaday** *a.* každodenný
**worker** *n.* pracovník
**workman** *n.* pracovník
**workmanship** *n.* profesionalita
**workshop** *n.* dielňa
**world** *n.* svet
**worldling** *n.* sveták
**worldly** *a.* svetský
**worm** *n.* červ
**wormwood** *n.* palina
**worn** *a.* opotrebovaný
**worry** *n.* starosť
**worry** *v.i.* robiť starosti
**worsen** *v.t.* zhoršiť sa
**worship** *n.* uctievanie
**worship** *v.t.* uctievať
**worshipper** *n.* uctievajúci
**worst** *n.* ten najhorší
**worst** *a* najhorší
**worst** *v.t.* najhoršie
**worsted** *n.* vlnená látka
**worth** *n.* hodnota
**worth** *a* hodnotný
**worthless** *a.* bezcenný
**worthy** *a.* ctihodný
**would-be** *a.* chcený
**wound** *n.* rana
**wound** *v.t.* raniť
**wrack** *n.* polica
**wraith** *n.* strašidlo
**wrangle** *v.i.* hádať sa
**wrangle** *n.* hádka
**wrap** *v.t.* baliť
**wrap** *n* prikrývka
**wrapper** *n.* obal
**wrath** *n.* hnev
**wreath** *n.* veniec
**wreathe** *v.t.* zahaliť
**wreck** *n.* vrak
**wreck** *v.t.* zmeniť na trosky
**wreckage** *n.* trosky
**wrecker** *n.* pirát
**wren** *n.* striežik
**wrench** *n.* trhnutie
**wrench** *v.t.* vytrhnúť
**wrest** *v.t.* vytrhnúť
**wrestle** *v.i.* zápasiť
**wrestler** *n.* zápasník
**wretch** *n.* nešťastník
**wretched** *a.* zarmútený
**wrick** *n* presilenie
**wriggle** *v.i.* krútiť sa
**wriggle** *n* krútenie
**wring** *v.t* vykrútiť
**wrinkle** *n.* vráska
**wrinkle** *v.t.* vráskaviet
**wrist** *n.* zápästie
**writ** *n.* nariadenie
**write** *v.t.* písať
**writer** *n.* pisateľ
**writhe** *v.i.* zmietať sa
**wrong** *a.* nesprávny
**wrong** *adv.* nesprávne
**wrong** *v.t.* krivdiť
**wrongful** *a.* nesprávny
**wry** *a.* skrivený

**xerox** *n.* kopírovanie
**xerox** *v.t.* kopírovať
**Xmas** *n.* Vianoce
**xylophagous** *a.* drevožravý
**xylophilous** *a.* rastúci na dreve
**xylophone** *n.* xylofón

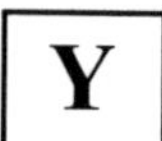

**yacht** *n.* jachta
**yacht** *v.i* jachtárčiť
**yak** *n.* jak divý
**yap** *v.i.* štekať
**yap** *n* šteknutie
**yard** *n.* yard
**yarn** *n.* vlákno
**yawn** *v.i.* zívať
**yawn** *n.* zívnutie
**year** *n.* rok
**yearly** *a.* ročný
**yearly** *adv.* ročne
**yearn** *v.i.* túžiť
**yearning** *n.* túžba
**yeast** *n.* kvasnice
**yell** *v.i.* kričať
**yell** *n* vresk
**yellow** *a.* žltý
**yellow** *n* žltá farba
**yellow** *v.t.* žltnúť
**yellowish** *a.* žltkastý
**Yen** *n.* jen
**yeoman** *n.* zeman
**yes** *adv.* áno
**yesterday** *n.* včerajšok
**yesterday** *adv.* včera
**yet** *adv.* už
**yet** *conj.* ale
**yield** *v.t.* poskytovať
**yield** *n* výťažok
**yoke** *n.* oje
**yoke** *v.t.* zapriahnuť
**yolk** *n.* žĺtok
**younder** *a.* tamten
**younder** *adv.* tamhľa
**young** *a.* mladý
**young** *n* mladík
**youngster** *n.* dieťa
**youth** *n.* mladosť
**youthful** *a.* mladý

# Z

**zany** *a.* bláznivý
**zeal** *n.* horlivosť
**zealot** *n.* horlivec
**zealous** *a.* horlivý
**zebra** *n.* zebra
**zenith** *n.* zenit
**zephyr** *n.* zafír
**zero** *n.* nula
**zest** *n.* lesk
**zigzag** *n.* kľukatosť
**zigzag** *a.* kľukatiť sa
**zigzag** *v.i.* cikcakový
**zinc** *n.* zinok
**zip** *n.* zips
**zip** *v.t.* ťahať zips
**zodiac** *n* zodiak
**zonal** *a.* pásmový
**zone** *n.* zóna
**zoo** *n.* zoo
**zoological** *a.* zoologický
**zoologist** *n.* zoológ
**zoology** *n.* zoológia
**zoom** *n.* frčanie
**zoom** *v.i.* rútiť sa

# SOLOVAK - ENGLISH

# A

**a** *conj.* and
**a tak** *conj.* so
**abeceda** *n.* alphabet
**abecedný** *a.* alphabetical
**abortívne** *adv* abortive
**absces** *n* abscess
**absolvent** *n* graduate
**absolvovať** *v.t.* assoil
**abstinencia** *n.* temperance
**abstinent** *n.* teetotaller
**abstinentný** *a.* teetotal
**abstrakcia** *n.* abstraction
**abstraktný** *a* abstract
**aby nie** *conj.* lest
**acefálny** *adj.* acephalous
**acefalus** *n.* acephalus
**adekvátnosť** *n.* adequacy
**adekvátny** *a.* adequate
**adié** *interj.* adieu
**adjektívum** *n.* adjective
**administratíva** *n.* administration
**administratívny** *a.* administrative
**administrátor** *n.* administrator
**admirál** *n.* admiral
**adopcia** *n* adoption
**adoptovať** *v.t.* adopt
**adresa** *n.* address
**adresát** *n.* addressee
**adresovať** *v.t.* address
**adresovať** *v. t* direct
**advent** *n.* advent
**advokát** *n.* solicitor
**aeronautika** *n.pl.* aeronautics
**aféra** *n.* affair
**afix** *v.t.* affix
**aforizmus** *n* aphorism
**agamista** *n* agamist
**agent** *n* agent
**agentúra** *n.* agency
**agitovať** *v. t.* canvass
**agónia** *n.* agony
**agonista** *n* agonist
**agorafóbia** *n.* agoraphobia
**agresivita** *n* belligerency
**agresívny** *a.* aggressive
**agresor** *n.* aggressor
**agronómia** *n.* agronomy
**aj keď** *conj.* albeit
**ak** *conj.* if
**akadémia** *n* academy
**akademický** *a* academic
**akademik** *n.* bookish
**akcia** *n.* action
**aker** *n.* acre
**aklamácia** *n* acclamation
**aklimatizovať sa** *v.t* acclimatise
**akné** *n* acne
**ako** *adv.* as
**ako** *conj.* as
**ako** *pron.* as
**ako** *adv.* how
**akokoľvek** *conj* however
**akord** *n.* chord
**akosi** *adv.* somehow
**akreditovať** *v.t.* accredit
**akrobat** *n.* acrobat
**akt schnutia** *n* arefaction
**aktivita** *n.* activity
**aktívny** *a.* active
**aktivovať** *v.t.* activate
**aktuálny** *a.* topical
**akustika** *n.* acoustics
**akútny** *a.* acute
**akvadukt** *n* aqueduct
**akvárium** *n.* aquarium
**aký** *dem. pron.* that
**akýkoľvek** *a.* any
**album** *n.* album
**alchýmia** *n.* alchemy
**ale** *conj.* but
**alegória** *n.* allegory

**alegorický** *a.* allegorical
**alej** *n.* avenue
**aleja** *n.* alley
**alergia** *n.* allergy
**alfa** *n* alpha
**alfonsion** *n.* alphonsion
**algebra** *n.* algebra
**alias** *adv.* alias
**alibi** *n.* alibi
**aligátor** *n* alligator
**alikvót** *n.* aliquot
**alimenty** *n.* alimony
**aliterácia** *n.* alliteration
**alkohol** *n* alcohol
**almanach** *n.* almanac
**almužna** *n.* alms
**alpinista** *n* alpinist
**alpy** *n.* alp
**alt** *n* alto
**alternatívny** *a.* alternative
**altimeter** *n* altimeter
**altivalentný** *adj* altivalent
**aluminovať** *v.t.* alluminate
**amalgám** *n* amalgam
**amatér** *n.* amateur
**amauróza** *n* amauriosis
**ambasádor** *n.* ambassador
**amberit** *n.* amberite
**ambit** *n.* cloister
**ambulantný pacient** *n.* outpatient
**amen** *interj.* amen
**amenorea** *n* amenorrhoea
**amfiteáter** *n* amphitheatre
**amnestia** *n.* amnesty
**amnézia** *n* amnesia
**amor** *n* Cupid
**ampér** *n* ampere
**amulet** *n.* amulet
**anabaptizmus** *n* anabaptism
**anachronizmus** *n* anachronism
**anadém** *n* anadem
**análny** *adj.* anal
**analógia** *n.* analogy
**analogický** *a.* analogous
**anály** *n.pl.* annals
**analytický** *a* analytical
**analytik** *n* analyst
**anamnéza** *n* anamnesis
**anamorfózny** *adj* anamorphous
**ananás** *n.* pineapple
**anarchia** *n* anarchy
**anarchista** *n* anarchist
**anarchizmus** *n.* anarchism
**anatómia** *n.* anatomy
**anekdota** *n.* anecdote
**anémia** *n* anaemia
**anestetický** *n.* anaesthetic
**anestézia** *n* anaesthesia
**angína** *n* angina
**Angličan** *n* English
**Anglicko** *n* albion
**ani** *conj* nor
**ani trocha** *n.* jot
**animácia** *n* animation
**animus** *n* animus
**aníz** *n* aniseed
**anjel** *n* angel
**áno** *adv.* yes
**anonymita** *n.* anonymity
**antacidný** *adj.* antacid
**antagonista** *n.* antagonist
**antagonizmus** *n* antagonism
**antarktický** *a.* antarctic
**anténa** *n.* aerial
**anti** *pref.* anti
**antifón** *n.* antiphony
**antikoncepcia** *n.* contraception
**antilopa** *n.* antelope
**antimón** *n.* antinomy
**antipatia** *n.* antipathy
**antiseptický** *a.* antiseptic
**antiseptikum** *n.* antiseptic
**antitéza** *n.* antithesis
**antológia** *n.* anthology

**antonymum** *n.* antonym
**antropoidný** *adj.* anthropoid
**anulet** *n* annulet
**anulovanie** *n.* nullification
**anulovať** *v.t.* annul
**apendicitída** *n.* appendicitis
**apetít** *n.* appetite
**apikultúra** *n.* apiculture
**aplauz** *n.* applause
**apoštol** *n.* apostle
**apostrof** *n.* apostrophe
**arbiter** *n.* arbitrator
**arbitráž** *n.* arbitration
**arbitrážny** *a.* arbitrary
**archa** *n* ark
**archaický** *a.* archaic
**archanjel** *n* archangel
**architekt** *n.* architect
**architektúra** *n.* architecture
**archív** *n.pl.* archives
**arcibiskup** *n.* archbishop
**areka** *n* areca
**aréna** *n* arena
**aristofanický** *adj* aristophanic
**aristokrat** *n.* aristocrat
**aritmetický** *a.* arithmetical
**aritmetika** *n.* arithmetic
**arkáda** *n* arcade
**Arktída** *n* Arctic
**armáda** *n.* army
**armatúra** *n.* armature
**arogancia** *n.* arrogance
**arogantný** *a.* arrogant
**aromatický** *a.* odorous
**artičok** *n.* artichoke
**arzén** *n* arsenic
**asa fetyda** *n.* asafoetida
**asfaltovať** *v.t.* tar
**asimilácia** *n* assimilation
**asistent** *n.* assistant
**askétický** *a.* ascetic
**askétik** *n.* ascetic
**aspekt** *n* facet
**ašpirant** *n.* aspirant
**asteroid** *adj.* asteroid
**astma** *n.* asthma
**astrológ** *n.* astrologer
**astrológia** *n.* astrology
**astronaut** *n.* astronaut
**astronóm** *n.* astronomer
**astronómia** *n.* astronomy
**asybilovať** *v.* assibilate
**atď.** etcetera
**ateista** *n* antitheist
**ateista** *n* atheist
**ateizmus** *n* atheism
**atlas** *n.* atlas
**atlét** *n.* athlete
**atletický** *a.* athletic
**atletika** *n.* athletics
**atmosféra** *n.* atmosphere
**atmosferické poruchy** *n.* static
**atol** *n.* atoll
**atóm** *n.* atom
**atómový** *a.* nuclear
**atrakcia** *n* stunt
**atrament** *n.* ink
**audit** *n.* audit
**auditačný** *adj.* auditive
**audítor** *n.* auditor
**augurovať** *v.t.* auspicate
**August** *n.* August
**aukcia** *n* auction
**auto** *n.* car
**autobiografia** *n.* autobiography
**autobus** *n* bus
**autochtónny** *a.* indigenous
**autogram** *n.* autograph
**autokracia** *n* autocracy
**autokrat** *n* autocrat
**autokratický** *a* autocratic
**automatický** *a.* automatic
**automobil** *n.* automobile
**automobilový** *a.* vehicular

**autor** *n.* author
**autorita** *n.* authority
**až doteraz** *adv.* hitherto
**až kým** *conj* until
**azbest** *n.* asbestos
**azyl** *n* asylum

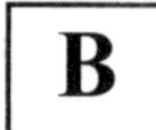

**ba dokonca** *adv.* nay
**bábätko** *n.* baby
**bábika** *n* doll
**babizňa** *n.* hag
**bábka** *n.* puppet
**babrať sa** *v.i.* tamper
**badateľný** *adj* perceptible
**bagatelizovať** *v.t.i.* depreciate
**bahno** *n.* ooze
**bajard** *n.* bayard
**báječný** *a* fabulous
**bájka** *n.* fable
**baklažán** *n* brinjal
**baktéria** *n.* bacteria
**balada** *n.* ballad
**baldachýn** *n.* canopy
**balenie** *n.* packing
**balet** *sn.* ballet
**balíček** *n.* packet
**balík** *n.* parcel
**baliť** *v.t.* pack
**baliť stohy** *v.t.* bale
**balkón** *n.* balcony
**balón** *n.* balloon
**balvan** *n* boulder
**balzam** *n.* balm
**balzamovať** *v. t* embalm
**bambus** *n.* bamboo
**baňa** *n* mine
**banálny** *a.* mundane
**banán** *n.* banana
**banda** *n.* gang
**bandita** *n.* dacoit
**baník** *n.* miner
**baník** *n.* pitman
**banka** *n.* bank
**bankár** *n.* banker
**banket** *n.* banquet
**bankrot** *n.* bankruptcy
**bar** *n.* bar
**Baran** *n* aries
**baran** *n.* ram
**baranina** *n.* mutton
**barb** *n.* barb
**barbar** *n.* barbarian
**barbarský** *a.* barbarous
**barbarstvo** *n* barbarity
**barel** *n.* barrel
**barikáda** *n.* barricade
**barla** *n* crutch
**barometer** *n* barometer
**basa** *n.* bass
**báseň** *n.* poem
**básnik** *n.* poet
**bašta** *n.* citadel
**bastard** *n.* bastard
**baštový** *n.* basial
**batalión** *n* battalion
**batéria** *n* battery
**baterka** *n.* torch
**batoh** *n* bundle
**batožina** *n.* luggage
**bavlník** *n.* cotton
**baza** *n* elder
**bazalka** *n.* basil
**bdelosť** *n.* vigilance
**bdelý** *a.* vigilant
**bdenie** *n* wake
**bečanie** *n* bleat
**bečať** *v. i* bleat
**beck** *n.* beck
**bedminton** *n.* badminton
**bedmintonová loptička** *n.* shuttlecock

**beh** *n.* run
**bekhend** *n.* backhand
**belavý** *a.* whitish
**beletria** *n* fiction
**belvedér** *n* belvedere
**bendžo** *n.* banjo
**benefícium** *n* benefice
**benzín** *n.* petrol
**besnenie** *n.* rampage
**besnieť** *v.i.* rampage
**besnota** *n.* rabies
**betel** *n* betel
**betón** *n* concrete
**betónovať** *v. t* concrete
**bez** *prep.* less
**bez** *a.* void
**bez haliera** *a.* penniless
**bez pohybu** *a.* motionless
**bez posádky** *a.* unmanned
**bez rozsudku** *a.* subjudice
**bez zlého úmyslu** *a* bonafide
**bežať cez prekážky** *v.t* hurdle2
**bezbožný** *a.* sacrilegious
**bezcenný** *a.* worthless
**bezcitný** *a.* pitiless
**bezdrôtový** *a.* wireless
**bezduchý** *a.* lifeless
**bežec** *n.* runner
**bezmedzný** *a.* measureless
**bezmocný** *a.* helpless
**beznádej** *n* despair
**beznádejný** *a.* hopeless
**bežný** *a.* common
**bezočivosť** *n.* impertinence
**bezočivosť** *n.* insolence
**bezočivý** *a.* insolent
**bezohľadný** *a.* unprincipled
**bezpečnosť** *n.* safety
**bezpečný** *a.* safe
**bezradnosť** *n.* quandary
**beztrestnosť** *n.* impunity
**bezúhonnosť** *n.* integrity
**bezúhonný** *a.* scot-free
**bezvýznamný** *a.* irrelevant
**bezženstvo** *n.* celibacy
**bi** *pref* bi
**biangulárny** *adj.* biangular
**biblia** *n* bible
**Biblia** *n.* scripture
**bibliograf** *n* bibliographer
**bič** *n.* whip
**biceps** *n* biceps
**bičovať** *v.t.* whip
**bicykel** *n.* bicycle
**bidlo** *n.* perch
**biela farba** *n* white
**bieliť** *v. t* bleach
**bieliť** *v.t.* whiten
**bielizeň** *n.* linen
**bielko** *n* albumen
**bielkovina** *n.* protein
**biely** *a.* white
**bifľovanie** *n.* rote
**bigamia** *n* bigamy
**bilaterálny** *adj* biliteral
**bilión** *n* billion
**biológ** *n* biologist
**biológia** *n* biology
**bioskop** *n* bioscope
**bipédia** *n* biped
**bisexuálny** *adj.* bisexual
**biskup** *n* bishop
**biť** *v. t.* beat
**biť sa** *v.t* fight
**bitka** *n* battle
**bizarný** *adj* bizarre
**bizón** *n* bison
**bľabot** *n.* babble
**bľabotanie** *v.i.* babble
**bľabotať** *v. i* blether
**blaho** *n* bliss
**blahobyt** *n.* welfare
**blahopriať** *v. t* compliment
**blahoželanie** *n* congratulation

**blahoželať** *v. t* congratulate
**blato** *n.* mud
**bláznivý** *a* crazy
**blázon** *n.* lunatic
**blcha** *n.* flea
**bledý** *a* pale
**blesk** *n.* lightening
**bleskový** *a* snap
**blikanie** *n* flicker
**blikať** *v.t* flicker
**blikotanie** *n.* twinkle
**blikotať** *v.i.* twinkle
**blížiaci sa** *a.* imminent
**blížiť sa** *v.i.* near
**blízko** *adv.* near
**blízkosť** *n.* proximity
**blízky** *a.* near
**blok** *n* bloc
**blokáda** *n* blockade
**bludisko** *n.* maze
**bluf** *n* bluff
**blúzka** *n* blouse
**blúzniť** *v.i.* rave
**blýskať** *v.t* flash
**bobor** *n* beaver
**bochník** *n.* loaf
**bocian** *n.* stork
**bod** *n.* juncture
**bodák** *n* bayonet
**bodka** *n* dot
**bodliak** *n.* thistle
**bodnúť** *v.t.* sting
**bodnutie** *n.* sting
**Boh** *n.* deity
**boh** *n.* god
**bohatosť** *a.* richness
**bohatstvo** *n.* wealth
**bohatý** *a.* rich
**bohatý** *a.* wealthy
**bohužiaľ** *interj.* alas
**bohyňa** *n.* goddess
**bohyňa pomsty** *n.* nemesis
**boj** *n.* tussle
**bója** *n* buoy
**bojachtivý** *a* bellicose
**bojazlivý** *a.* sheepish
**bojkot** *n* boycott
**bojkotovať** *v. t.* boycott
**bojovať** *v. i.* battle
**bojovník** *n.* warrior
**bojujúca strana** *n* belligerent
**bok** *n* hip
**bokom** *adv.* aside
**boľavé miesto** *n* sore
**boľavý** *a.* sore
**bolesť** *n.* ache
**bolesť hlavy** *n.* headache
**bolesť svalov** *n.* myalgia
**bolesť zuba** *n.* toothache
**bolestivý** *a.* painful
**bolestná strata** *n* bereavement
**bolieť** *v.i.* ache
**bomba** *n* bomb
**bombardér** *n* bomber
**bombardovanie** *n* bombardment
**bombardovať** *v. t* bomb
**borovica** *n.* pine
**bosoráctvo** *n.* witchcraft
**botanika** *n* botany
**box** *n* boxing
**boží** *a* divine
**bozk** *n.* kiss
**božskosť** *n.* godhead
**božský** *a.* heavenly
**brada** *n* beard
**bradavica** *n.* wart
**bradavka** *n.* nipple
**brána** *n.* gate
**brandy** *n* brandy
**branec** *n.* recruit
**brániť** *v. t* defend
**bránka** *n.* wicket
**brat** *n* brother
**bratovražda** *n.* fratricide

**bratranec** *n.* cousin
**bratský** *a.* fraternal
**bratstvo** *n* brotherhood
**bravčová masť** *n.* lard
**bravčovina** *n.* pork
**brázda** *n.* furrow
**brazílske druh piva** *n* bonten
**brechať** *v.t.* bark
**brechot** *n.* bark
**brečtan** *n* ivy
**bremeno** *n* burden
**breviár** *n.* breviary
**breza** *n.* birch
**bridlica** *n.* slate
**brieždiť sa** *v. i.* dawn
**brigáda** *n.* brigade
**brigadier** *n* brigadier
**britská mena** *n.* sterling
**britský** *adj* british
**britva** *n.* razor
**brloh** *n* den
**brnenie** *n.* armour
**brodiť sa** *v.i.* wade
**brokát** *n* brocade
**brokolica** *n.* broccoli
**bronz, bronzový** *n. & adj* bronze
**broskyňa** *n.* peach
**brožúra** *n* brochure
**brožúrka** *n.* pamphlet
**brucho** *n* abdomen
**brúsiť** *v.t.* whet
**brušná** *a.* abdominal
**brušný** *adj.* alvine
**brušný týfus** *n.* typhoid
**brutálny** *a* brutal
**brva** *n* brow
**brvno** *n* beam
**brzda** *n* brake
**brzdiť** *v. t* brake
**bublina** *n* bubble
**bubnovať** *v.i.* drum
**bubon** *n* drum
**bučať** *v.i* moo
**búchať kladivom** *v.t* hammer
**buchnát** *v.t.* wallop
**buchnúť** *v.i.* thud
**buchnutie** *n.* thud
**buchot** *n* slam
**budiť dojem** *v.t.* purport
**budoár** *n* bower
**budova** *n* building
**budúci** *a.* future
**budúcnosť** *n* future
**bujarosť** *n.* hilarity
**bujarý** *a.* hilarious
**bujnosť** *n.* luxuriance
**buk** *n.* beech
**buldog** *n* bulldog
**bunečný** *adj* cellular
**bunka** *n.* cell
**bunker** *n* bunker
**burič** *n.* rebel
**buričský** *a.* mutinous
**burina** *n.* weed
**búriť sa** *v.i.* rebel
**búrka** *n.* storm
**búrkový** *a.* stormy
**búrlivý** *a.* tempestuous
**búšenie** *n.* palpitation
**búšiť** *v.i.* palpitate
**bydlisko** *n.* residence
**býk** *n* bull
**byľ** *n.* stalk
**bylinka** *n.* herb
**byrokracia** *n.* Bureacuracy
**byrokrat** *n* bureaucrat
**byt** *n.* apartment
**byť** *v.t.* be
**byť častým návštevníkom** *n.* frequent
**byť lepší** *v.t.* outshine
**byť na čele** *v.t.* spearhead
**byť na tróne** *v.t.* throne
**byť platný** *v.t.* avail

**byť rôzny** *v.t.* vary
**byť smädný** *v.i.* thirst
**byť svedkom** *v.i.* witness
**byť v súlade** *v.t* mesh
**byť významný** *v.i.* matter
**bytie** *n* being
**bývajúci** *n.* occupier
**bývajúci** *a.* resident
**bývalý** *a* former
**bývanie** *n.* habitation
**byvol** *n.* buffalo
**bzučanie** *n.* buzz
**bzučať** *v. i* buzz
**bzukot** *n.* murmur

**čaj** *n* tea
**čajka** *n.* gull
**čakan** *n.* mattock
**čakanie** *n.* wait
**čakať** *v.i.* wait
**čap** *n.* hub
**čarbanica** *n* scrawl
**čarbať** *v.t.* scribble
**čarodejnica** *n.* witch
**čarodejníctvo** *n.* sorcery
**čarodejník** *n.* wizard
**čarovný** *a.* magical
**čas** *n.* time
**čas na spanie** *n.* bed-time
**čašníčka** *n.* waitress
**čašník** *n.* waiter
**časopis** *n.* journal
**časovať** *v.t. & i.* conjugate
**časť** *n.* part
**často** *adv.* often
**čata** *n.* platoon
**cech** *n.* guild
**céder** *n.* cedar
**celebrovať** *v.i.* officiate
**celebrovať** *v.t.* solemnize
**čelenka** *n.* tiara
**celibát** *n.* celibacy
**čeliť** *v.t* face
**čeliť námietkam** *v.t.* parry
**celkom** *adv* entirely
**celkový** *a* overall
**celkový zisk** *n.* gross
**čelo** *n* forehead
**celok** *n* complex
**celoživotný** *a.* lifelong
**čeľusť** *n.* jaw
**celý** *a.* all
**cement** *n.* cement
**cena** *n.* cost
**cena za** *n* forfeit
**cencúľ** *n.* icicle
**cengať** *v.i.* jingle
**cent** *n* cent
**centrálny** *a.* central
**centrum** *n* center
**cenzor** *n.* censor
**cenzorovať** *v. t.* censor
**cenzúra** *n.* censorship
**čepček** *n* bonnet
**čepeľ** *n.* blade
**čepiec** *n* coif
**čerenie** *n.* ripple
**černoch** *n.* negro
**černoška** *n.* negress
**čerpadlo** *n.* pump
**čerpať** *v.t.* pump
**čerstvo** *adv.* afresh
**čerstvý** *a.* fresh
**certifikát** *n.* certificate
**ceruzka** *n.* pencil
**červ** *n.* worm
**červeň** *n* flush
**červená farba** *n.* red
**červenať sa** *v.i* blush
**červenavý** *adv* ablush

**červenkastý** *a.* reddish
**červený** *a.* red
**červený melón** *n.* water-melon
**cesnak** *n.* garlic
**česť** *n.* honour
**cesta** *n.* road
**cestička** *n.* lane
**čestné uznanie** *n* commendation
**čestný** *a.* honest
**cesto** *n* dough
**čestosť** *n.* honesty
**cestovanie** *n.* journey
**cestovať** *v.i.* journey
**cestovateľ** *n.* traveller
**cestovné** *n* fare
**cestovný lístok** *n.* single
**cestujúci** *n.* passenger
**cez** *prep.* across
**cez** *adv.* through
**cez noc** *adv.* overnight
**cez palubu** *adv.* overboard
**chabý** *a* faint
**chaice** *n* chaice
**chalupa** *n* cottage
**chamtivosť** *n.* avarice
**chaos** *n.* chaos
**chaotický** *adv.* chaotic
**chápanie** *n* comprehension
**chápať** *v.t.* interpret
**charakterizovať** *v.t.* profile
**charta** *n* charter
**chatrč** *n.* hut
**chatrný** *a* flimsy
**chcený** *a.* would-be
**chcieť** *v.t.* want
**chémia** *n.* chemistry
**chemický** *a.* chemical
**chemikália** *n.* chemical
**chichotať sa** *v.i.* giggle
**chinín** *n.* quinine
**chirurg** *n.* surgeon
**chirurgický zákrok** *n.* surgery
**chladenie** *n.* refrigeration
**chladič** *n* cooler
**chladnička** *n.* fridge
**chladný** *a* cool
**chlapčenský** *n* boyhood
**chlapec** *n* boy
**chlapský** *a.* manful
**chľastať** *v. i* booze
**chlieb** *n* bread
**chliev** *n.* sty
**chlorín** *n* chlorine
**chloroform** *n* chloroform
**chmatnúť** *v.t.* snatch
**chňapnutie** *n.* snatch
**chodba** *n.* passage
**chodec** *n.* pedestrian
**chodiaci** *adj* ambulant
**chodidlo** *n.* sole
**chodiť** *v.t* ambulate
**chodník** *n.* pavement
**chodúľ** *n.* stilt
**chôdza** *n* tread
**cholera** *n.* cholera
**chorľavý** *a.* sickly
**choroba** *n.* illness
**chorý** *a.* ill
**chovanie** *n* bearing
**chrám** *n.* temple
**chrániť** *v.t.* protect
**chrápanie** *n* snore
**chrápať** *v.i.* snore
**chrapľavý** *a.* hoarse
**chrbát** *n.* back
**chrbtica** *n.* spine
**chrbticový** *a.* spinal
**chrbtová kosť** *n.* backbone
**chrípka** *n.* influenza
**chrliť** *v.i.* spout
**chrobák** *n* beetle
**chróm** *n* chrome
**chromý** *a.* lame
**chronický** *a.* chronic

**chronika** *n.* chronology
**chronograf** *n* chronograph
**chrt** *n.* greyhound
**chrúmať** *v.t.* munch
**chtivosť** *n.* greed
**chtivý** *a.* greedy
**chudák** *n.* pauper
**chudé mäso** *n.* lean
**chudnúť** *v.i.* slim
**chudoba** *n.* poverty
**chudobný** *a.* poor
**chuligán** *n.* hooligan
**chuť** *n* flavour
**chutný** *n.* eatable
**chutný** *a* eatable
**chvála** *n.* praise
**chváliť** *v.t.* praise
**chváliť sa** *v.i* boast
**chválitebný** *a.* laudable
**chválospev** *n.* panegyric
**chvályhodný** *a.* praiseworthy
**chvastanie** *n* boast
**chvastať sa** *v. i* brag
**chvastavý** *a.* vainglorious
**chvatný** *a.* hasty
**chvenie** *n.* thrill
**chvieť sa** *v.i.* quiver
**chvíľa** *n.* while
**chvíľkový** *a.* momentary
**chvost** *n.* tail
**chyba** *n* error
**chýbať** *v.t.* lack
**chybiť** *v.i* blunder
**chybné pomenovanie** *n.* misnomer
**chybovať** *v.t.* mistake
**chytať ryby** *v.i* fish
**chytenie** *n.* catch
**chytiť** *v. t.* catch
**chytiť do pasce** *v.t.* trap
**chytiť do slučky** *v.t.* snare
**chytráctvo** *n.* sleight
**chytrosť** *n.* sagacity
**chytrý** *a.* sagacious
**či** *conj.* whether
**čiapka** *n.* cap
**čiara** *n.* line
**čiarka** *n* comma
**čiastka** *n* portion
**čiastka** *n.* remittance
**čiastočka** *a.* particle
**čiastočný** *a.* partial
**cibuľa** *n.* onion
**cicať** *v.t.* suck
**cicavec** *n.* mammal
**cieľ** *n.* objective
**cieľ cesty** *n* destination
**čierny** *a* black
**cievka** *n.* reel
**cievovka** *n* choroid
**ciferník** *n.* dial
**cigara** *n.* cigar
**cigareta** *n.* cigarette
**cikcakový** *v.i.* zigzag
**čili paprička** *n.* chilli
**cín** *n.* tin
**čin** *n* deed
**činiť** *v.i* amount
**činiteľ** *n* factor
**cinknutie** *n.* clink
**cinkot** *n.* jingle
**cintorín** *n.* cemetery
**čipkový** *a.* lacy
**cirkevný zákon** *n* canon
**cirkus** *n.* circus
**číry** *a.* sheer
**cisár** *n* emperor
**cisárovná** *n* empress
**cisársky** *a.* imperial
**cisárstvo** *n.* imperialism
**číselný** *a.* numeral
**číslica** *n* digit
**číslo** *n.* number
**číslovač** *n.* numerator

**číslovať** *v.t.* number
**cista** *n* cist
**čistenie** *n* ablution
**čistiť** *v. t* clean
**čistota** *n* cleanliness
**čistý** clean
**cit** *n* emotion
**citát** *n.* quotation
**čítať** *v.t.* read
**čitateľ** *n.* reader
**čitateľne** *adv.* legibly
**čitateľný** *a.* legible
**cítenie** *n.* sensibility
**cítiť** *v.t* feel
**citlivý** *a.* sensitive
**citoslovce** *n.* interjection
**citovať** *v.t.* quote
**citový** *a* emotional
**citový vzťah** *n.* sentiment
**citrón** *n.* lemon
**citrónový** *adj.* citric
**civenie** *n* ogle
**civieť** *v.t.* ogle
**civilista** *n* civilian
**civilizácia** *n.* civilization
**civilizovať sa** *v. t* civilize
**čižmy** *n* boot
**článkovaný** *a.* articulate
**čľapkanica** *n.* slush
**čľapnutie** *n* splash
**člen** *a.* a
**člen** *n.* member
**člen kráľovskej rodiny** *n.* royalty
**členok** *n.* ankle
**členstvo** *n.* membership
**clo** *n.* tariff
**človek** *n* fellow
**človiečik** *n.* midget
**čmáraniny** *n.* scribble
**čo** *conj.* since
**čo** *a.* what
**čo** *pron.* what
**čochvíľa** *adv.* anon
**čokoláda** *n* chocolate
**čokoľvek** *pron.* whatever
**čoskoro** *adv.* soon
**črevný** *a.* intestinal
**črevo** *n.* bowel
**črta** *n* feature
**ctihodný** *a.* honourable
**ctiť si** *v.t.* respect
**ctiteľ** *n* devotee
**ctižiadosť** *n.* ambition
**ctižiadostivý** *a.* ambitious
**čuch** *n.* smell
**cucnutie** *n.* suck
**cudnosť** *n.* chastity
**cudný** *a.* chaste
**čudný** *a.* strange
**čudovať sa** *v.i* marvel
**cudzí** *a* foreign
**cudzinec** *n* foreigner
**cudzoložstvo** *n.* adultery
**cukor** *n.* sugar
**cukrár** *n* confectioner
**cukrík** *n.* candy
**cukrová repa** *n* beet
**cukrovinka** *n.* sweetmeat
**cukrovka** *n* diabetes
**čulosť** *n.* agility
**čulý** *a.* agile
**čulý** *adj* brisk
**cumlík** *n.* teat
**cundra** *n.* slut
**čupieť** *v.i.* squat
**cúvať** *v.t.* reverse
**čvachtať sa** *v.i.* wallow
**cvaknutie** *n.* click
**cval** *n.* gallop
**cválať** *v.t.* gallop
**cvičenie** *n.* exercise
**cvičiť** *v. t* exercise
**cvrlikanie** *n* chirp
**cyklický** *a* cyclic

**cyklista** *n* cyclist
**cyklón** *n.* cyclone
**cyklostyl** *n* cyclostyle
**cyklostylovať** *v. t* cyclostyle
**cynik** *n* cynic
**cypher cypress** *n* cypher cypress

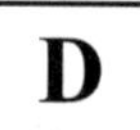

**ďakovanie** *n.* thanks
**ďakovať** *v.t.* thank
**ďalej** *adv.* further
**ďaleko** *adv.* far
**ďalekohľad** *n.* binocular
**ďaleký** *a* far
**ďalší** *a.* next
**Dáma** *n.* dame
**daň** *n.* tax
**daň z vyšších príjmov** *n.* super-tax
**daňová prirážka** *n.* surtax
**dar** *n.* gift
**dar z neba** *n.* godsend
**darca** *n* donor
**darček na pamiatku** *n.* keepsake
**darebácky** *a.* mischievous
**darebáctvo** *n* mischief
**dariť sa** *v.i.* prosper
**darovať** *v. t* donate
**ďasno** *n.* gum
**dať** *v.t.* give
**dať bodku** *v. t* dot
**dať do vrecka** *v.t.* pocket
**dať dohromady** *v.t.* fuse
**dať dole** *v.i.* low
**dať facku** *v.t.* slap
**dať glazúru** *v.t.* glaze
**dať na stôl** *v.t.* table
**dať náhubok** *v.t* muzzle
**dať najavo** *v.t.* manifest
**dať návnadu** *v.t.* bait
**dať pokyny** *v.t.* instruct
**dať pozor** *v.i.* beware
**dať pozor** *v.t.* mind
**dať sedatívum** *v.t.* sedate
**dať úlohu** *v.t.* task
**dať záruku** *v.t* guarantee
**dať znamenie** *v.t.* signal
**dať znamienko rovnosti** *v. t* equate
**dátum** *n* date
**dav** *n* crowd
**dávať do vreca** *v. i.* bag
**dávka** *n* dose
**dávno** *adv.* ago
**dážď** *n* rain
**daždivý** *a.* rainy
**dáždnik** *n.* umbrella
**dbajúci** *a.* mindful
**dcéra** *n* daughter
**debata** *n.* debate
**debet** *n* debit
**debil** *n.* sod
**december** *n* december
**decht** *n.* tar
**decilión** *n.* decillion
**dedič** *n.* heir
**dedičnosť** *n.* heredity
**dedičný** *n.* hereditary
**dedičstvo** *n.* inheritance
**dedina** *n.* village
**dedinčan** *n.* villager
**dediť** *v.t.* inherit
**defekt** *n.* puncture
**deficit** *n* deficit
**definícia** *n* definition
**definovať** *v. t* define
**deista** *n.* deist
**deka** *n* blanket
**dekadentný** *a* decadent
**dekan** *n.* dean
**dekrement** *n.* decrement

**delegácia** *n* delegation
**delegovať** *v. t* depute
**delikatesa** *n.* dainty
**delo** *n.* cannon
**delostrelectvo** *n.* artillery
**delta** *n* delta
**demokracia** *n* democracy
**demokratický** *a* democratic
**demolovať** *v. t.* demolish
**démon** *n.* demon
**demonetizovať** *v.t.* demonetize
**demonštrácia** *n.* demonstration
**demoralizovať** *v. t.* demoralize
**deň** *n* day
**denne** *adv.* daily
**denník** *n.* daily
**denný** *a* daily
**deportovať** *v.t.* deport
**depresia** *n* depression
**deprimovať** *v. t* depress
**deprimovať** *v. t* dishearten
**dermatomykóza** *n.* ringworm
**desať, desiaty** *n., a* ten
**desatinný** *a* decimal
**desaťročie** *n* decade
**desiatok** *n.* tithe
**desiť** *v.t.* terrify
**despota** *n* despot
**destilačné zariadenie** *n.* still
**destilovať** *v.t.* still
**detail** *n.* particular
**detektív** *n.* detective
**detektívny** *a* detective
**detinský** *a.* infantile
**detský** *a.* childish
**detský hlboký kočík** *n.* perambulator
**detstvo** *n.* childhood
**deväť** *n.* nine
**deväťdesiat** *n.* ninety
**deväťdesiaty** *a.* ninetieth
**devätnásť** *n.* nineteen
**devätnásty** *a.* nineteenth
**deviaty** *a.* ninth
**diabol** *n* devil
**diagnóza** *n* diagnosis
**diagram** *n* diagram
**diakon** *n.* deacon
**ďiaľka** *n* far
**dialóg** *n* dialogue
**diamant** *n* diamond
**didaktický** *a* didactic
**diel** *n.* share
**dielňa** *n.* workshop
**diera** *n.* tear
**dierka** *n* eyelet
**dieťa** *n* child
**diéta** *n* diet
**dievča** *n.* girl
**dievčenský** *a.* girlish
**dievčina** *n.* maiden
**dievčisko** *n.* wench
**dikcia** *n* diction
**diktát** *n* dictation
**diktátor** *n* dictator
**diktovať** *v. t* dictate
**dilema** *n* dilemma
**diplom** *n* diploma
**diplomacia** *n* diplomacy
**diplomat** *n* diplomat
**diplomatický** *a* diplomatic
**dirigent** *n* conductor
**disciplína** *n* discipline
**diskriminácia** *n* discrimination
**diskriminovať** *v. t.* discriminate
**diskutovať** *v. t.* debate
**diskvalifikácia** *n* disqualification
**diskvalifikovať** *v. t.* disqualify
**dispenzár** *n* dispensary
**distribúcia** *n* distribution
**div** *n.* marvel
**divadelná hra** *n* drama
**divadelný** *a.* theatrical
**divadlo** *n.* theatre

**divák** *n.* spectator
**diván** *n.* ottoman
**dívať sa** *v.i* look
**diviak** *n* boar
**diviť sa** *v.i.* wonder
**divoch** *n* savage
**divočina** *n.* wilderness
**divoký** *a* ferocious
**divý** *a.* wild
**dlabať** *v. t.* chisel
**dlaň** *n.* palm
**dláto** *n* chisel
**dlážka** *n* floor
**dlh** *n* debt
**dlho** *adv* long
**dlhovať** *v.t* owe
**dlhovekosť** *n.* longevity
**dlhý** *a.* long
**dĺžka** *n.* length
**dlžník** *n* debtor
**dna** *n.* gout
**dnes** *adv.* today
**dnes** *n.* today
**dnes večer** *n.* to-night
**dnes večer** *adv.* tonight
**dno** *n* bottom
**do** *prep.* inside
**doba** *n.* period
**ďobať** *v.i.* peck
**doberať si** *v.t.* tease
**ďobnutie** *n.* peck
**dobre** *adv.* well
**dobré meno** *n.* prestige
**dobro** *n* right
**dobročinnosť** *n.* charity
**dobročinný** *a.* philanthropic
**dobrodinec** *n.* philanthropist
**dobrodružný** *a.* adventurous
**dobrodružstvo** *n* adventure
**dobrota** *n.* goodness
**dobrovoľne** *adv.* voluntarily
**dobrovoľne sa hlásiť** *v.t.* volunteer
**dobrovolník** *n.* volunteer
**dobrovoľný** *a.* voluntary
**dobrý** *a.* good
**dobyť** *v. t* conquer
**dobytie** *n* conquest
**dobytok** *n.* cattle
**dobývať horniny** *v.i.* quarry
**dočasný** *a.* temporary
**dochádzať** *v. t* commute
**dochádzka** *n.* attendance
**dôchodok** *n.* retirement
**dodať** *v.t.* impart
**dodať** *v.t.* supply
**dodatočný** *a.* additional
**dodatok** *n.* appendix
**dodávať potraviny** *v. i* cater
**dodávateľ** *n.* supplier
**dodávka** *n.* van
**dodržiavanie** *n.* observance
**dogma** *n* dogma
**dogmatický** *a* dogmatic
**dohadovať sa** *v. t* bicker
**dohliadať** *v.t.* oversee
**dohnať k šialenstvu** *v.t* dement
**dohoda** *n.* agreement
**dohodnúť sa** *v.t.* bargain
**dohováranie** *n.* reproach
**dohovárať** *v. t.* chide
**dojča** *n.* infant
**dojčiť** *v.t.* suckle
**dojem** *n.* impression
**dojímavosť** *n.* pathos
**dojímavý** *a.* piteous
**dojiť** *v.t.* milk
**dojná** *a.* milch
**dok** *n.* dock
**dôkaz** *n.* proof
**dokázať** *v.t.* prove
**dokiaľ** *n. conj.* till
**dokiaľ** *conj.* unless
**dôkladný** *a* thorough
**dokonalosť** *n.* perfection

**dokonalý** *a.* perfect
**dokonalý príklad** *n.* quintessence
**dokonca** *adv* even
**dokončenie** completion
**dokorán** *adv.*, agape
**doktor** *n* doctor
**doktorát** *n* doctorate
**doktrína** *n* doctrine
**dokument** *n* document
**dolár** *n* dollar
**dole** *adv.* underneath
**dôležitosť** *n.* prominence
**dôležitý** *a.* prominent
**dolina** *n.* vale
**dolník** *n.* knave
**dolu** *adv* down
**dolu** *prep* down
**dom** *n* house
**domáci** *a.* vernacular
**domček** *n* bungalow
**doména** *n* domain
**domienka** *n.* presumption
**domievať sa** *v.t.* presume
**dominantný** *a* dominant
**domnievať sa** *v.t.* suppose
**domobrana** *n.* militia
**domorodci** *n. pl* aborigines
**domorodý** *a* aboriginal
**domotať** *v.i.* snarl
**domov** *n.* home
**domýšľavý** *a.* smug
**donášač** *n* sneak
**donútenie** *n* compulsion
**donútiť** *v.t.* oblige
**dopisovateľ** *n.* correspondent
**doplatiť** *v.t.* surcharge
**doplniť** *v.t.* replenish
**doplnkový** *a* complementary
**doplnok** *n.* supplement
**doplňovacie voľby** *n* by-election
**doprava** *n.* traffic
**dopraviť** *v.t.* transport
**dôraz** *n* emphasis
**dôrazný** *a* emphatic
**doručenie** *n* delivery
**doručenie na nesprávnu adresu** *n.* misdirection
**doručiť** *v. t* deliver
**doručiť na nesprávnu adresu** *v.t.* misdirect
**doručiteľ** *n.* courier
**doručovateľ** *n.* carrier
**dosadiť** *v.t.* man
**dosadiť na trón** *v. t* enthrone
**dosahovať výšku** *v.t.* total
**dosiahnuť** *v.t.* accomplish
**dosiahnuť** *v.t.* achieve
**dosiahnutie** *n.* achievement
**dosiahnutý** *a* accomplished
**doska** *n.* plank
**dôsledný pri vyberaní** *a.* selective
**doslovne** *adv.* verbatim
**doslovný** *a.* literal
**dospelý** *a* adult
**dospelý** *n.* adult
**dospievajúci** *a.* adolescent
**dospievanie** *n.* adolescence
**dospievanie** *n. pl.* teens
**dosptupný** *a* available
**dosť** *adv* enough
**dostačujúci** *a* enough
**dostať** *v.t.* receive
**dostať žltačku** *v.t.* jaundice
**dostatočný** *a.* sufficient
**dostatok** *n.* sufficiency
**dostávať zúbky** *v.i.* teethe
**dôstojník** *n.* officer
**dôstojnosť** *n* dignity
**dosvedčiť** *v.i.* testify
**dotácia** *n.* subsidy
**dotaz** *n.* query
**dotazník** *n.* questionnaire
**doteraz** *adv.* hither

**dotknúť sa** *v.t* finger
**dotovať** *v.t.* subsidize
**dotyčnica** *n.* tangent
**dotyk** *n* touch
**dotýkať sa** *v.t* handle
**doučovanie** *n.* tuition
**dovážať** *v.t.* import
**dôvera** *n.* trust
**dôverčivosť** *adj.* credulity
**dôverčivý** *a.* trustful
**dôverná známosť** *n.* intimacy
**dôverník** *n* confidant
**dôverovať** *v.t* trust
**dôveryhodný** *a.* trustworthy
**dovidenia** *interj.* good-bye
**dovnútra** *adv.* inwards
**dôvod** *n.* reason
**dovolávať sa** *v.t.* invoke
**dovolenka** *n.* vacation
**dovoliť** *v.t.* allow
**dovoliť si** *v.t.* afford
**dovoz** *n.* import
**dôvtip** *n.* wit
**dozeranie** *n.* invigilation
**dozerať** *v.t.* supervise
**dozor** *n.* supervision
**dozorca** *n.* warden
**dozrieť** *v.i.* ripen
**drahocenný** *a.* valuable
**drahokam** *n.* jewel
**drahota** *n* dearth
**drahý** *a* dear
**drak** *n* dragon
**dramatický** *a* dramatic
**dramatik** *n* dramatist
**drancovať** *v.t.* depredate
**draslík** *n.* potassium
**drastický** *a* drastic
**dráždiaca látka** *n.* irritant
**dráždivý** *a.* irritant
**dražiteľ** *n* bidder
**drevený** *a.* wooden
**drevo** *n.* wood
**drevožravý** *a.* xylophagous
**drgať** *v.t.* jog
**drgnutie** *n* dig
**driemať** *v. i* doze
**drieť** *v.i.* toil
**drina** *n.* toil
**drobček** *n* mite
**drobné písmo** *n.* nonpareil
**drobný** *a.* minute
**droga** *n* drug
**drôt** *n.* wire
**drotár** *n.* tinker
**drsný** *a.* rough
**druh** *n.* species
**druh kuraťa** *n.* bantam
**druhoradý** *a.* secondary
**druhý** *pron.* other
**druhý** *a.* second
**družica** *n.* satellite
**družstvo** *n.* team
**drvina** *n.* cullet
**drviť** *v. t* crush
**držadlo** *n.* shaft
**držať** *v.t* hold
**držať stranu** *v.i.* side
**dub** *n.* oak
**duch** *n.* ghost
**duchaplnosť** *n.* witticism
**duchovenstvo** *n* clergy
**duchovnosť** *n.* spirituality
**duchovný** *a.* spiritual
**dúfajúci** *a.* hopeful
**dúfať** *v.t.* hope
**dumať** *v.i.* muse
**dunieť** *v.i.* rumble
**dupať** *v.i.* stamp
**duplikát** *n* duplicate
**duša** *n.* soul
**dusené mäso** *n.* stew
**duševná rovnováha** *n* poise
**duševne chorý** *a.* insane

**duševné zdravie** *n.* sanity
**duševný** *a.* mental
**dusík** *n.* nitrogen
**dusiť mäso** *v.t.* stew
**dusiť sa** *v. t.* choke
**dusný** *a.* muggy
**dusný** *a.* stuffy
**dúšok** *n.* sip
**dutina** *n.* hollow
**dutý** *a.* hollow
**dužina** *n.* pulp
**dužinatý** *a.* pulpy
**dva** *n.* two
**dva týždne** *n.* fort-night
**dvadsať** *a.* twenty
**dvadsať** *n* twenty
**dvadsatina** *n* twentieth
**dvadsiaty** *a.* twentieth
**dvaja** *a.* two
**dvakrát** *adv.* twice
**dvakrát do roka** *adj* bicentenary
**dvanásť** *n* twelve
**dvanástina** *n.* twelfth
**dvanásty** *a.* twelfth
**dvere** *n* door
**dvesto metrov** *n.* furlong
**dvíhať** *v.i.* heave
**dvihnúť** *v.t.* raise
**dvojaký** *a* dual
**dvojbodka** *n* colon
**dvojča** *n.* twin
**dvojitý** *a* twin
**dvojjazyčný** *a* bilingual
**dvojkolesový voz** *n* chariot
**dvojkovový** *adj* bimenasl
**dvojkový** *adj* binary
**dvojmesačný** *adj.* bimonthly
**dvojník** *n* double
**dvojný** *a.* twofold
**dvojročne** *adj* biennial
**dvojsečný** *adj* biaxial
**dvojtvárnosť** *n* duplicity
**dvojtýždňový** *adj* bi-weekly
**dvojveršie** *n.* couplet
**dvojzmyselnosť** *n.* ambiguity
**dvojzmyselný** *a.* ambiguous
**dvojznačný** *a* equivocal
**dvorenie** *n.* courtship
**dvoriť** *v.t.* woo
**dych** *n* breath
**dýchanie** *n.* respiration
**dýchať** *v. i.* breathe
**dychčať** *v.i.* puff
**dychtiť** *v.t.* covet
**dychtiť po** *v.i.* hanker
**dychtivosť** *n.* keenness
**dychtivý** *adj.* agog
**dychtivý** *a* eager
**dýka** *n.* dagger
**dym** *n.* smoke
**dyňa** *n.* gourd
**dynamický** *a* dynamic
**dynamit** *n* dynamite
**dynamo** *n* dynamo
**dynastia** *n* dynasty
**džavot** *n.* prattle
**džavotať** *v.i.* prattle
**džbán** *n.* jug
**džbán** *n.* pitcher
**džentlmen** *n.* gentleman
**džerzej** *n.* jersey
**džungla** *n.* jungle

# E

**eben** *n* ebony
**edikt** *n* decree
**ego** *n* ego
**egotizmus** *n* egotism
**egreš** *n.* gooseberry
**egrét** *n* aigrette
**ekonómia** *n* economy

**ekonomický** *a* economical
**ekonomika** *n.* economics
**elán** *n.* verve
**elegancia** *n* elegance
**elegantný** *adj* elegant
**elegantný** *a.* smart
**elégia** *n* elegy
**električka** *n.* tram
**elektrické vedenie** *n.* wiring
**elektrický** *a* electric
**elektrifikovať** *v. t* electrify
**elektrina** *n* electricity
**emisár** *n* emissary
**encyklopédia** *n.* encyclopaedia
**energia** *n.* energy
**energickosť** *n.* vehemence
**energický** *a* energetic
**entomológia** *n.* entomology
**epidémia** *n* epidemic
**epigram** *n* epigram
**epilepsia** *n* epilepsy
**epilóg** *n* epilogue
**epitaf** *n* epitaph
**epizóda** *n* episode
**epocha** *n* epoch
**epos** *n* epic
**éra** *n* era
**erdžanie** *n.* neigh
**erdžať** *v.i.* neigh
**erodovať** *v. t* erode
**erotický** *a* erotic
**erózia** *n* erosion
**esej** *n.* essay
**esejista** *n* essayist
**eskadra** *n.* squadron
**eskorta** *n* escort
**eso** *n* ace
**ešte** *adv.* withal
**estetický** *a.* aesthetic
**estetika** *n.pl.* aesthetics
**éter** *n* ether
**etický** *a* ethical
**etika** *n.* ethics
**etiketa** *n* etiquette
**etymológia** *n.* etymology
**eunuch** *n* eunuch
**evakuácia** *n* evacuation
**evakuovať** *v. t* evacuate
**excelencia** *n* excellency
**excentrický** *adj* acentric
**existencia** *n* existence
**existovať** *v.i* exist
**existovať súčasne** *v. i* co-exist
**exkluzívny** *a* exclusive
**exkomunikovať** *v. t.* excommunicate
**exponát** *n.* exhibit
**extrém** *n* extreme
**extrémista** *n* extremist
**extrémny** *a* extreme

# F

**facka** *n.* slap
**fádnosť** *n.* insipidity
**fádny** *a.* insipid
**fajčiť** *v.i.* smoke
**fakt** *n* fact
**faktúra** *n.* invoice
**fakulta** *n* college
**falošný** *a* false
**falošný** *adj* mock
**falšovanie** *n.* adulteration
**falšovať** *a.* counterfeit
**falšovať** *v.t* forge
**falšovateľ** *n.* counterfeiter
**falzifikát** *n* forgery
**fanatický** *a* fanatic
**fanatik** *n* fanatic
**fantóm** *n.* phantom
**fanúšik** *n* fan
**fara** *n.* parish

**farár** *n.* parson
**farba** *n* colour
**farbiť** *v. t* colour
**farboslepý** *adj* achromatic
**farma** *n* farm
**farmár** *n* farmer
**fascinovať** *v.t* fascinate
**fatamorgána** *n.* mirage
**fauna** *n* fauna
**favorizovať** *v.t* favour
**fax** *n* fac-simile
**fáza** *n.* phase
**fazuľa** *n.* bean
**február** *n* February
**federácia** *n* federation
**federálny** *a* federal
**fenomén** *n.* phenomenon
**fenomenálny** *a.* phenomenal
**festival** *n* festival
**feudálny** *a* feudal
**fialka** *n.* violet
**fiasko** *n* fiasco
**figa** *n* fig
**figúra** *n* effigy
**figurína** *n.* mannequin
**figurovať** *v.t* figure
**film** *n* film
**filmovať** *v.t* film
**filológ** *n.* philologist
**filológia** *n.* philology
**filologický** *a.* philological
**filozof** *n.* philosopher
**filozófia** *n.* philosophy
**filozofický** *a.* philosophical
**filter** *n* filter
**filtrovať** *v.t* filter
**financie** *n* finance
**finančník** *n* financier
**finančný** *a* financial
**financovať** *v.t* finance
**fingovaný** *a* sham
**finta** *n* dodge
**fiola** *n.* phial
**firma** *n.* firm
**fistula** *n* fistula
**fixka** *n.* marker
**fľak** *n.* smear
**flanel** *n* flannel
**fľaša** *n* bottle
**flauta** *n* flute
**flegmatik** *n.* stoic
**flirt** *n* flirt
**flirtovať** *v.i* flirt
**flóra** *n* flora
**fokálny** *a* focal
**foliant** *n.* tome
**fond** *n.* fund
**fonetický** *a.* phonetic
**fonetika** *n.* phonetics
**fontána** *n.* fountain
**forma** *n.* modality
**formát** *n* format
**formovať** *v.t.* mould
**formulovať** *v.t* formulate
**forte** *n.* forte
**fórum** *n.* forum
**fosfát** *n.* phosphate
**fosfor** *n.* phosphorus
**fotka** *n* photograph
**fotoaparát** *n.* camera
**fotograf** *n.* photographer
**fotografia** *n.* photography
**fotografický** *a.* photographic
**fotografovať** *v.t.* photograph
**frakcia** *n* faction
**Francúz** *n* French
**francúzsky** *a.* French
**fraška** *n* farce
**fráza** *n.* phrase
**frazeológia** *n.* phraseology
**frázovať** *v.t.* phrase
**frčanie** *n.* zoom
**frekvencia** *n.* frequency
**frigidný** *a.* frigid

**fŕkanie** *n.* snort
**fŕkať** *v.i.* snort
**frustrácia** *n.* frustration
**frustrovať** *v.t.* frustrate
**fuj** *interj* fie
**fujavica** *n* blizzard
**fúkanie** *n* blow
**fúkať** *v.i.* blow
**fungovať** *v.i* function
**fungujúci** *a.* operative
**funkcia** *n.* function
**funkčný** *n.* functionary
**fušovať** *v. i.* dabble
**fúz** *n.* whisker
**fúzia** *n.* fusion
**fúzy** *n.* moustache
**fyzický** *a.* physical
**fyzik** *n.* physicist
**fyzika** *n.* physics
**fyziognómia** *n.* physiognomy

**gáfor** *n.* camphor
**gajdy** *n.* bagpipe
**galaxia** *n.* galaxy
**galéria** *n.* gallery
**galón** *n.* gallon
**galvanizovať** *v.t.* galvanize
**gangster** *n.* gangster
**garáž** *n.* garage
**garbiareň** *n.* tannery
**gaštan** *n.* chestnut
**gate** *n.* slacks
**gauč** *n.* couch
**generácia** *n.* generation
**generálka** *n.* overhaul
**generátor** *n.* generator
**génius** *n.* genius
**geograf** *n.* geographer
**geografia** *n.* geography
**geografický** *a.* geographical
**geológ** *n.* geologist
**geológia** *n.* geology
**geologický** *a.* geological
**geometria** *n.* geometry
**geometrický** *a.* geometrical
**germicíd** *n.* germicide
**gerundium** *n.* gerund
**gibon** *n.* gibbon
**girlanda** *n* festoon
**gitara** *n.* guitar
**glazúra** *n* glaze
**globálny** *a.* global
**glosár** *n.* glossary
**glukóza** *n.* glucose
**glycerín** *n.* glycerine
**gobelín** *n.* tapestry
**gól** *n.* goal
**golf** *n.* golf
**golier** *n* collar
**gombík** *n* button
**gong** *n.* gong
**gorila** *n.* gorilla
**gracióznosť** *n.* grace
**graf** *n.* graph
**grafický** *a.* graphic
**gram** *n.* gramme
**gramatik** *n.* grammarian
**gramatika** *n.* grammar
**gramofón** *n.* gramophone
**gramotnosť** *n.* literacy
**gramotný** *a.* literate
**granát** *n.* grenade
**gratulovať** *v.t* felicitate
**gravitovať** *v.i.* gravitate
**grécky** *a* greek
**grék** *n.* greek
**grgnúť** *v. t* belch
**grgnutie** *n* belch
**grobian** *n* cad
**grófka** *n.* countess

**grófstvo** *n.* shire
**groteskný** *a.* grotesque
**guava** *n.* guava
**guma** *n.* rubber
**gumená čižma** *n.* wellignton
**gunár** *n.* gander
**guvernérka** *n.* governess
**guvernérstvo** *n.* governance
**gymnasta** *n.* gymnast
**gymnastický** *a.* gymnastic
**gymnastika** *n.* gymnastics

**had** *n.* snake
**hádanie** *n.* guess
**hádanka** *n.* riddle
**hádať** *v.i* guess
**hádať sa** *v.t.* argue
**hadica** *n.* hose
**hádka** *n.* argument
**hádka** *n.* wrangle
**hádzať** *v.t.* shovel
**hák** *n.* hook
**haluz** *n.* stick
**halúzka** *n* spray
**hanba** *n.* shame
**hanbiť sa** *v.i.* shy
**handra** *n.* rag
**handry** *n.* tatter
**hanebný** *a.* shameful
**hanobenie** *n* defamation
**hanobiť** *v. t.* defame
**hanopis** *n.* lampoon
**haraburda** *n.* trash
**haraburdy** *n.* junk
**harfa** *n.* harp
**harmónia** *n.* harmony
**harmonický** *a.* harmonious
**harmónium** *n.* harmonium
**harmonizovať** *v.t.* correlate
**hašterivý** *a.* quarrelsome
**hať** *n.* weir
**havran** *n.* raven
**havran poľný** *n.* rook
**hazardný hráč** *n.* gambler
**helma** *n.* helmet
**herec** *n.* actor
**herečka** *n.* actress
**herectvo** *n.* acting
**herkulovský** *a.* herculean
**heroín** *n.* smack
**heslo** *n.* slogan
**heslo** *n.* watchword
**hever** *n.* jack
**hierarchia** *n.* hierarchy
**história** *n.* history
**historický** *a* . historic
**historický** *a.* historical
**historik** *n.* historian
**historka** *n.* tale
**hlad** *n* hunger
**hľadanie** *n.* quest
**hľadať** *v.t.* seek
**hladička** *n.* trowel
**hľadieť** *v.t.* gaze
**hľadisko** *n.* auditorium
**hladkať** *v.t.* stroke
**hladké očko** *n.* plain
**hladký** *a.* smooth
**hladký a lesklý** *a.* sleek
**hladný** *a.* hungry
**hladovanie** *n.* starvation
**hladovať** *v.i.* starve
**hlas** *n.* voice
**hlasovací lístok** *n* ballot
**hlasovanie** *n.* vote
**hlasovať** *v.i.* vote
**hlasový** *a.* vocal
**hlava** *n.* head
**hlava-nehlava** *adv.* pell-mell
**hlavná dopravná tepna** *n.* thoroughfare

**hlavná podpora** *n.* mainstay
**hlavne** *adv.* mainly
**hlavné mesto** *n.* capital
**hlavný** *a.* basic
**hlavný** *a* main
**hlavný prívod** *n* main
**hlavolam** *n.* puzzle
**hĺbka** *n* depth
**hlboká úcta** *n.* reverence
**hlboko zakorenený** *a.* ingrained
**hlboký** *a.* deep
**hliadka** *n* patrol
**hliadka** *n.* sentinel
**hliadkovať** *v.i.* patrol
**hlienistý** *a.* mucous
**hlina** *n* clay
**hlinený** *a* earthen
**hliník** *n.* aluminium
**hlodavec** *n.* rodent
**hloh** *n.* hawthorn
**hlt** *n.* mouthful
**hltanie** *n.* swallow
**hltať** *v. t* devour
**hluchý** *a* deaf
**hlučný** *a.* noisy
**hluk** *n.* noise
**hlupák** *n* fool
**hlúposť** *n* folly
**hlúpy** *a* foolish
**hmatateľný** *a.* tangible
**hmatový** *a.* tactile
**hmla** *n* fog
**hmlistosť** *n.* vagueness
**hmlistý** *a.* misty
**hmota** *n* material
**hmotárstvo** *n.* materialism
**hmotnosť** *n.* weight
**hmotný** *a.* material
**hmyz** *n.* insect
**hnací** *a* projectile
**hnacia sila** *n.* dynamics
**hnačka** *n* diarrhoea
**hnať sa** *v.t.* rush
**hnedá farba** *n* brown
**hnedý** *a* brown
**hnev** *n.* anger
**hnevať sa** *v.i.* seethe
**hniesť** *v.t.* puddle
**hniezdo** *n.* nest
**hnilobný rozklad** *n.* decomposition
**hnis** *n.* pus
**hniť** *v. t.* decompose
**hnitie** *n.* rot
**hnoj** *n.* manure
**hnojiť** *v.t.* manure
**hnusný** *a.* foul
**hnuteľný majetok** *n.* movables
**hoblík** *n* plane
**hoci** *conj.* although
**hocikde** *adv.* wherever
**hod** *n.* throw
**hodina** *n.* hour
**hodinky** *n.* watch
**hodiny** *n.* clock
**hodiť** *v.t.* throw
**hodiť do výšky** *v.t.* sky
**hodiť kopiju** *v.t.* lance
**hodiť sa** *v.i.* match
**hodnosť** *n.* rank
**hodnota** *n.* value
**hodnotný** *a* worth
**hodváb** *n.* silk
**hodvábny** *a.* silky
**hojdanie** *n* swing
**hojdať sa** *v.i.* swing
**hojnosť** *n* abundance
**hojný** *a* abundant
**hokej** *n.* hockey
**holenná kosť** *n.* shin
**holič** *n.* barber
**holokaust** *n.* holocaust
**holub** *n.* pigeon
**holubica** *n* dove

**holý** *a.* bare
**homeopat** *n.* homoeopath
**homeopatia** *n.* homeopathy
**honorár** *n.* honorarium
**hora** *n.* mountain
**horčica** *n.* mustard
**horda** *n.* horde
**hore** *adv* above
**hore** *prep.* up
**hore nohami** *a.* topsy turvy
**horekovanie** *n* wail
**horieť** *v. t* burn
**horieť** *v.i* flame
**horizont** *n.* horizon
**horký** *a* bitter
**horlivec** *n.* zealot
**horlivosť** *n.* zeal
**horlivý** *a.* zealous
**horná čelusť** *n.* maxilla
**hornatý** *a.* mountainous
**horný** *a.* upper
**horolezec** *n.* mountaineer
**horor** *n.* horror
**horší** *a.* inferior
**horúci** *a.* hot
**horúci** *a.* torrid
**horúci oheň** *n.* sizzle
**horúčka** *n* fever
**horúčka dengue** *n.* dengue
**hospodárnosť** *n.* thrift
**hospodárny** *a.* thrifty
**hosť** *n.* guest
**hostina** *n* feast
**hostinec** *n.* inn
**hostiteľ** *n.* host
**hotel** *n.* hotel
**hotovosť** *n.* cash
**hovädzina** *n* beef
**hovorca** *n.* spokesman
**hovoriť** *v.i.* talk
**hra** *n.* game
**hra na slepú babu** *n.* tag
**hra na veršovačky** *n.* crambo
**hra osudu** *n.* vicissitude
**hráč** *n.* player
**hráč kriketu** *n.* batsman
**hracia karta** *n.* playcard
**hračka** *n.* toy
**hrad** *n.* castle
**hradba** *n.* rampart
**hradovať** *v.i.* roost
**hrádza** *n* embankment
**hranatý** *a.* angular
**hranica** *n* boundary
**hraničiť** *v.t* border
**hrášok** *n.* pea
**hrať** *v.i* game
**hrať hlavnú úlohu** *v.t.* star
**hrať sa** *v.i.* play
**hrať sa so slovami** *v.i.* pun
**hrbenie sa** *n* stoop
**hrboľatý** *adj* bumpy
**hrdelný** *a.* throaty
**hrdina** *n.* hero
**hrdinka** *n.* heroine
**hrdinský** *a.* heroic
**hrdinstvo** *n.* heroism
**hrdlo** *n.* throat
**hrdý** *a.* proud
**hrdza** *n.* rust
**hrdzavieť** *v.i* rust
**hrdzavý** *a.* rusty
**hrebeň** *n* comb
**hrebienok** *n* crest
**hrešiť** *v.t.* swear
**hriadeľ** *n.* spindle
**hrianka** *n.* toast
**hriech** *n.* sin
**hriešnik** *n.* sinner
**hriešny** *a.* sinful
**hriva** *n.* mane
**hrkútanie** *n* coo
**hrkútať** *v. i* coo
**hrmenie** *n.* rumble

**hrmieť** *v.i.* thunder
**hrnček** *n.* mug
**hrnčiar** *n.* potter
**hrnčiarstvo** *n.* pottery
**hrniec** *n.* pot
**hrnúť sa** *v.t.* throng
**hrob** *n.* grave
**hrobka** *n.* tomb
**hrom** *n.* thunder
**hromada** *n* shoal
**hromadenie** *n* accumulation
**hromadiť** *v.t.* accumulate
**hromadiť sa** *v.i* mass
**hromový** *a.* thunderous
**hrot** *n.* point
**hrôza** *n.* terror
**hrozba** *n* menace
**hrozienko** *n.* raisin
**hrozno** *n.* grape
**hrozný** *a.* awful
**hrsť** *n.* handful
**hrubé črevo** *n* colon
**hrubý** *a* coarse
**hruď** *n* chest
**hruda** *n.* clod
**hruška** *n.* pear
**hrvoľ** *n.* craw
**hrýzť** *v. t.* bite
**huba** *n.* mushroom
**hubica** *n.* spout
**hudba** *n.* music
**hudobník** *n.* musician
**hudobný** *a.* musical
**hudrať** *n.* gobble
**húkanie** *n.* hoot
**húkať** *v.i* hoot
**humanitárny** *a* humanitarian
**humanizovať** *v.t.* humanize
**humár** *n.* lobster
**humor** *n.* humour
**humorista** *n.* humorist
**humorný** *a* comic
**hundrať** *v.i.* grumble
**húpať na kolenách** *v.t.* dandle
**húpať sa** *v. t* dangle
**hurá** *interj.* hurrah
**hurikán** *n.* hurricane
**hus** *n.* goose
**húsenica** *n* caterpillar
**husle** *n.* violin
**huslista** *n.* violinist
**húština** *n.* thicket
**hustota** *n* density
**hustý** *a* dense
**hútnictvo** *n.* metallurgy
**húžva** *n.* withe
**hvezdáreň** *n.* observatory
**hviezda** *n.* star
**hviezdička** *n.* asterisk
**hviezdnatý** *a.* starry
**hviezdny** *a.* stellar
**hybridný** *a.* hybrid
**hydina** *n.* poultry
**hyena** *n.* hyaena, hyena
**hygiena** *n.* hygiene
**hygienický** *a.* hygienic
**hymna** *n.* hymn
**hymnus** *n* anthem
**hyperbola** *n.* hyperbole
**hypnotizmus** *n.* hypnotism
**hypnotizovať** *v.t.* hypnotize
**hypotéka** *n.* mortgage
**hypotékový dlžník** *n.* mortgator
**hypotékový veriteľ** *n.* mortagagee
**hypotetický** *a.* hypothetical
**hypotéza** *n.* hypothesis
**hýrivec** *n.* reveller
**hystéria** *n.* hysteria
**hysterický** *a.* hysterical

# I

**ich** *a.* their
**ich** *pron.* theirs
**ideál** *n* ideal
**idealista** *n.* idealist
**idealistický** *a.* idealistic
**idealizmus** *n.* idealism
**idealizovať** *v.t.* idealize
**ideálny** *a.* ideal
**identifikácia** *n.* indentification
**identifikovať** *v.t.* identify
**idióm** *n.* idiom
**idiomatický** *a.* idiomatic
**idiot** *n.* idiot
**idiotický** *a.* idiotic
**ignorovanie** *n.* snub
**ignorovať** *v.t.* snub
**ihla** *n.* needle
**ihneď** *adv.* forthwith
**ihrisko** *n.* pitch
**ikry** *n.* roe
**íl** *n* argil
**ilustrácia** *n.* illustration
**ilustrovať** *v.t.* illustrate
**ilúzia** *n.* illusion
**imelo** *n.* mistletoe
**imitátor** *n.* imitator
**impozantný** *a* formidable
**impregnovať** *v.t.* waterproof
**impulzívnosť** *n.* impetuosity
**impulzívny** *a.* impetuous
**inak** *adv.* otherwise
**inak** *conj.* otherwise
**inaugurácia** *n.* inauguration
**inauguračný** *a.* inaugural
**inde** *adv* else
**indický** *a.* Indian
**indický náramok** *n.* bangle
**indigo** *n.* indigo
**indisponovaný** *a.* indisposed
**individualita** *n.* individuality
**individualizmus** *n.* individualism
**inflácia** *n.* inflation
**informátor** *n.* informer
**iniciála** *n.* initial
**injekcia** *n.* injection
**inkubovať** *v.i.* incubate
**inokedy** *adv. conj* whenever
**inovácia** *n.* innovation
**inovovať** *v.t.* innovate
**insekticíd** *n.* insecticide
**insolventnosť** *n.* insolvency
**inšpektor** *n.* inspector
**inšpirácia** *n.* inspiration
**inšpirovať** *v.t.* inspire
**inštalácia** *n.* installation
**inštalatér** *n.* plumber
**inštalovať** *v.t.* install
**inštrumentalista** *n.* instrumentalist
**inštrumentálny** *a.* instrumental
**intelektuál** *n.* intellectual
**inteligencia** *n.* intelligence
**inteligentný** *a.* intelligent
**intenzita** *n.* intensity
**intenzívny** *a.* intensive
**internovať** *v.t.* intern
**interpunkcia** *n.* punctuation
**intímny** *a.* intimate
**intuitívny** *a.* intuitive
**invalid** *n* invalid
**investícia** *n.* investment
**investovať** *v.t.* invest
**iný** *a* else
**iný ako** *prep* unlike
**inžinier** *n* engineer
**Ír** *n.* Irish
**iracionálny** *a.* irrational
**irónia** *n.* irony
**ironický** *a.* ironical
**írsky** *a.* Irish
**iskra** *n.* spark

**iskrenie** *n.* scintillation
**iskriť** *v.i.* spark
**iskriť sa** *v.i.* scintillate
**ísť** *v.i.* go
**ísť a priniesť** *v.t* fetch
**ísť do dôchodku** *v.i.* retire
**ísť po špičkách** *v.t.* toe
**iste** *adv.* certainly
**isto** *adv.* surely
**istota** *n.* certainty
**istý** *a* certain
**izba** *n.* room
**izbový** *a.* indoor
**izobara** *n.* isobar
**izolácia** *n.* insulation
**izolačné zariadenie** *n.* insulator
**izolovať** *v.t.* seclude

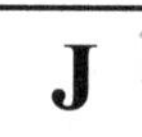

**ja** *pron.* I
**jablko** *n.* apple
**jachta** *n.* yacht
**jachtárčiť** *v.i* yacht
**jačmeň** *n.* barley
**jadro** *n.* nucleus
**jadro plodu** *n.* kernel
**jadrovník** *n.* core
**jahňa** *n.* lamb
**jahniatko** *n.* lambkin
**jahoda** *n.* strawberry
**jak divý** *n.* yak
**jama** *n* hole
**jar** *n* spring
**jarný** *a.* vernal
**jarok** *n.* gutter
**jasanie** *n.* jubilation
**jasať** *v. i* exult
**jasavý** *a.* jubilant
**jaskyňa** *n.* cave
**jasle** *n.* nursery
**jasne** *adv* clearly
**jasnoť** *n* clarity
**jasnovidectvo** *n.* prescience
**jasný** *a* bright
**jašterica** *n.* lizard
**jastrab** *n* hawk
**jastrabí** *adj* accipitral
**jatky** *n.* slaughter
**javor** *n.* sycamore
**jazda** *n* ride
**jazdec** *n.* rider
**jazdectvo** *n.* cavalry
**jazdiť** *v.t.* ride
**jazero** *n.* lake
**jazmín** *n.* jasmine, jessamine
**jazva** *n* scar
**jazvec** *n.* badger
**jazyk** *n.* tongue
**jazykoveda** *n.* linguistics
**jazykovedec** *n.* linguist
**jazykovedný** *a.* linguistic
**jazykový** *a.* lingual
**jed** *n.* venom
**jedáleň** *n.* canteen
**jeden** *pron.* one
**jeden** *a.* single
**jeden alebo druhý** *a.,* either
**jedenásť** *n* eleven
**jedinečnosť** *n.* singularity
**jedinečný** *a.* unique
**jediný** *a* sole
**jedľa** *n* fir
**jedlo** *n* food
**jedlo** *n. pl* victuals
**jedlý** *a* edible
**jedna dávka** *n* batch
**jednanie** *n.* dealing
**jednať sa** *v.i.* haggle
**jednoduchý** *a.* simple
**jednohláska** *n.* monosyllable
**jednohlasný** *a.* monosyllabic

**jednopiestikový** *a.* monogynous
**jednostranne** *adv* ex-parte
**jednostranný** *a* ex-parte
**jednota** *n.* unanimity
**jednotka** *n.* unit
**jednotlivý** *a.* individual
**jednotnosť** *n.* unification
**jednotný** *a.* unanimous
**jednotvárnosť** *n.* stereotype
**jednotvárny** *a.* stereotyped
**jednoženstvo** *n.* monogamy
**jedovatý** *a.* poisonous
**jeho** *pron.* his
**jej** *pron.* her
**jej** *a* her
**jeleň** *n* deer
**jemnosť** *n.* nicety
**jemný** *a.* gentle
**jemný rozdiel** *n.* nuance
**jen** *n.* Yen
**jeseň** *n.* autumn
**jesť** *v. t* eat
**juh** *n.* south
**Jupiter** *n.* jupiter
**juta** *n.* jute
**južne** *adv* south
**južný** *n.* south

**k** *prep.* towards
**k dostaniu** *a.* obtainable
**kabaret** *n.* cabaret
**kabát** *n* coat
**kábelovať** *v. t.* cable
**kačica** *n.* duck
**kačička** *n.* top
**kader** *n* lock
**kadet** *n.* cadet
**kadidlo** *n.* incense
**kaditelnica** *n* censer
**kadmium** *n* cadmium
**kajúci** *a.* repentant
**kajuta** *n.* cabin
**kaktus** *n.* cactus
**kalendár** *n.* calendar
**kalich** *n.* goblet
**kaligrafia** *n* calligraphy
**kalkulačka** *n* calculator
**kalória** *n.* calorie
**kam** *adv.* whither
**kamarát** *n.* mate
**kamelot** *n* camlet
**kameň** *n.* stone
**kamenár** *n.* mason
**kamenistý** *a.* stony
**kamoš** *n.* pal
**kampaň** *n.* campaign
**kanadský žartík** *n.* hoax
**kanalizácia** *n.* sewerage
**kancelár** *n.* chancellor
**kancelária** *n.* office
**kancelársky papier** *n* foolscap
**kancelársky súd** *n* chancery
**kandidát** *n.* candidate
**kanibal** *n.* androphagi
**kanonádovať** *n. v. & t* cannonade
**kantón** *n* canton
**kapacita** *n.* capacity
**kapitalista** *n.* capitalist
**kapitán** *n.* captain
**kapitán na lodi** *n.* skipper
**kapitánstvo** *n.* captaincy
**kapitola** *n.* chapter
**kaplnka** *n.* chapel
**kapsulárny** *adj* capsular
**kapucňa** *n.* hood
**kapusta** *n.* cabbage
**kára** *n.* cart
**karamelka** *n.* toffee
**karát** *n.* carat
**karavan** *n.* caravan

**karbid** *n.* carbide
**kardamón** *n.* cardamom
**kardinál** *n.* cardinal
**karfiol** *n.* cauliflower
**karhať** *v.t.* rebuke
**kariéra** *n.* career
**karierista** *n.* upstart
**karikatúra** *n.* caricature
**karmín** *n* crimson
**karneval** *n* carnival
**karta** *n.* card
**kartón** *n.* cardboard
**kartón** *n* carton
**kartotéka** *n* file
**kaša** *n.* mush
**kasárne** *n.* barrack
**kašeľ** *n.* cough
**kaskáda** *n.* cascade
**kašlať** *v. i.* cough
**kasta** *n* caste
**kastrálny** *adj* castral
**kastrovať** *a.* neuter
**kat** *n.* executioner
**katalóg** *n.* catalogue
**katastrofa** *n* disaster
**katastrofálny** *a* disastrous
**katedrála** *n.* cathedral
**kategória** *n.* category
**katolícky** *a.* catholic
**kaucia** *n.* bail
**kauzalita** *n* causality
**kauzálny** *adj.* causal
**káva** *n* coffee
**kaviareň** *n.* cafe
**kaz** *n* blemish
**kazajka** *n.* jerkin
**kázať** *v.i.* preach
**kazateľ** *n.* preacher
**kazateľský** *a.* pulpit
**každodenný** *a.* workaday
**každý** *a* each
**každý** *pron.* each
**každý večer** *adv.* nightly
**kázeň** *n.* sermon
**kazenie** *n* decay
**kazeta** *n.* cassette
**kaziť** *v.t.* thwart
**kaziť sa** *v. i* decay
**kde** *adv.* where
**kde** *conj.* where
**kečup** *n.* ketchup
**keď** *conj.* when
**kedy** *adv.* when
**kelímok** *n.* crevet
**ker** *n.* shrub
**keramika** *n* ceramics
**kiahne** *n.* smallpox
**kichotský** *a.* quixotic
**kikiríkať** *v. i* crow
**kino** *n.* cinema
**kladivo** *n.* hammer
**kladka** *n.* pulley
**kladný** *a* affirmative
**kľaknúť si** *v.i.* kneel
**klam** *n* fallacy
**klamanie** *n.* delusion
**klamár** *n.* liar
**klamať** *v. t* bluff
**klamať** *v.i* lie
**klamať sa** *n.t.* delude
**klamstvo** *n* lie
**klaňať sa** *v. t* bow
**klapka** *n.* valve
**klasické dielo** *n* classic
**klasický** *a* classic
**kláštor** *n* convent
**kláštor** *n.* nunnery
**kláštorný chrám** *n.* minster
**klátiť sa** *v.i.* waddle
**klaun** *n* clown
**klauzula** *n* clause
**klavír** *n.* piano
**klavirista** *n.* pianist
**kĺb** *n.* joint

**klbko** *n.* clew
**klebeta** *n.* gossip
**klebetiť** *v.t.* rumour
**klenba** *n.* arch
**klenotník** *n.* jeweller
**klenoty** *n.* jewellery
**klenúť sa** *v.t.* arch
**klepať** *n.* & *v. i* clack
**klesajúci** *a* downward
**klesať** *v. t.* decline
**kliatba** *n.* malediction
**klíčenie** *n.* germination
**klíčiť** *v.i.* sprout
**klíčok** *n* sprout
**klient** *n..* client
**kliešte** *n. pl.* tongs
**klietka** *n.* cage
**klíma** *n.* climate
**klin** *n.* wedge
**klinec** *n.* nail
**klinika** *n.* clinic
**klobása** *n.* weal
**klobúk** *n.* hat
**kloktať** *v.i.* gargle
**klub** *n* club
**kľúč** *n.* key
**kľúč na matice** *n.* spanner
**kľučka** *v.t.* crankle
**kľučka** *n.* handle
**kľuka** *n.* winch
**kľukatiť sa** *v.i.* meander
**kľukatosť** *n.* zigzag
**kľukatý** *n.* serpentine
**klus** *n* trot
**klusať** *v.i.* trot
**klzák** *n.* glider
**kĺzať** *v.t.* glide
**kĺzať sa** *v.i.* slide
**kmeň** *n.* log
**kmeňový** *a.* tribal
**kmitanie** *n.* oscillation
**kmitať** *v.i.* oscillate
**kňaz** *n.* priest
**kňažka** *n.* priestess
**kňazstvo** *n.* priesthood
**kniha** *n* book
**kníhkupec** *n* book-seller
**knihomoľ** *n* book-worm
**knihovník** *n.* librarian
**knižnica** *n.* library
**knôt** *n.* wick
**kňučanie** *v.i.* whimper
**kobalt** *n* cobalt
**koberček** *n.* rug
**koberec** *n.* carpet
**kobra** *n* cobra
**kobyla** *n.* mare
**kobylka** *n.* locust
**koč** *n.* carriage
**kočiar** *n* chaise
**kočiš** *n* coachman
**kocka** *n* cube
**kočka** *n.* babe
**kočovnícky** *a.* nomadic
**kočovník** *n.* nomad
**kocúr** *n.* tomcat
**kód** *n* code
**koedukácia** *n.* co-education
**koho** *pron.* whose
**kohút** *n* cock
**kohútik** *n.* tap
**kója** *n* bunk
**kokaín** *n* cocaine
**koketa** *n.* minx
**kokosové vlákno** *n* coir
**kokosový orech** *n* coconut
**kokpit** *n.* cock-pit
**koksovať** *v. t* coke
**kôl** *n* stake
**koleda** *n* carol
**kolega** *n* colleague
**kolektívny** *a* collective
**koleno** *n.* knee
**koleso** *a.* wheel

**kolík** *n.* peg
**kolíkovať** *v.t.* peg
**kolísanie** *n* sway
**kolísať** *v.t.* rock
**kolísať sa** *v.i.* sway
**kolíska** *n* cradle
**kolmosť** *n.* perpendicular
**kolmý** *a.* vertical
**kôlňa** *n* shed
**kolo** *n.* round
**kolobeh** *n* cycle
**kolobežka** *n.* scooter
**kolónia** *n* colony
**koloniálny** *a* colonial
**kolotoč** *n.* whirligig
**kóma** *n.* coma
**komédia** *n.* comedy
**komediant** *n.* comedian
**komentár** *n* commentary
**komentátor** *n* commentator
**komentovať** *v. i* comment
**kométa** *n* comet
**komín** *n.* chimney
**komisár** *n.* commissioner
**komodita** *n.* commodity
**komora** *n.* chamber
**komorník** *n* chamberlain
**kompas** *n* compass
**kompenzácie** *n.pl.* amends
**kompetencia** *n.* purview
**kompletný** *a.* inclusive
**komplikácia** *n.* complication
**komplikovať** *v. t* complicate
**komponentný** *adj.* component
**komponovanie** *n* composition
**kompost** *n* compost
**kompromis** *n* compromise
**komúna** *v. t* commune
**komunizmus** *n* communism
**kôň** *n.* horse
**konár** *n* branch
**konať** *v.i.* act
**konateľ** *n.* jobber
**koncert** *n.* concert
**koncertovať** *v. t* concert2
**koncesionár** *n.* licensee
**končiť** *v.t.* terminate
**konečník** *n.* anus
**konečný** *a* finite
**konflikt** *n.* conflict
**konformizmus** *n.* conformity
**konfrontácia** *n.* confrontation
**kongres** *n* congress
**koníček** *n.* hobby
**koniec** *n.* end
**konjuktúra** *n.* conjuncture
**konkávny** *adj.* concave
**konkétny** *a* concrete
**konkubína** *n* concubine
**konkubinát** *n.* concubinage
**konkurencia** *n.* rivalry
**konkurent** *n.* rival
**konkurovať** *v.t.* rival
**konope** *n.* hemp
**konsolidácia** *n* consolidation
**konspekt** *n.* conspectus
**kontakt** *n.* contact
**kontinent** *n* continent
**konto** *n.* account
**kontrastovať** *v. t* contrast
**kontrola** *n* check
**kontrolovať** *v. t.* check
**konvencie** *n.* convention
**konvertita** *n* convert
**konzervativec** *n* conservative
**konzervovať** *v.* can
**konzervovať** *v.t.* tin
**konzultácia** *n.* tutorial
**konzumovať** *v. t* consume
**kooperatívny** *a* co-operative
**koordinácia** *n* co-ordination
**kopa** *n.* heap
**kópia** *n* copy
**kopija** *n.* javelin

**kopijnik** *n.* lancer
**kopírovanie** *n.* xerox
**kopírovať** *v.t.* xerox
**kopiť** *v.t* heap
**kopnúť** *v.t.* kick
**kopnutie** *n.* kick
**kopulovať** *v.i.* copulate
**kopyto** *n.* hoof
**koral** *n* coral
**korálik** *n* bead
**korčuľa** *n.* skate
**korčuľovať** *v.t.* skate
**kord** *n.* rapier
**korelácia** *n.* correlation
**koreň** *n.* root
**korenie** *n.* pepper
**korenistý** *a.* spicy
**korešpondencia** *n.* correspondence
**koriander** *n.* coriander
**koridor** *n.* corridor
**Korint** *n.* Corinth
**korisť** *n.* prey
**kôrka** *n.* crust
**kormidlo** *n.* helm
**kormorán** *n.* cormorant
**kornet** *n.* cornet
**korok** *n.* cork
**korózny** *adj.* corrosive
**koruna** *n* crown
**korunka** *n.* coronet
**korunovácia** *n* coronation
**korunovať** *v. t* crown
**korytnačka** *n.* turtle
**kôš** *n.* basket
**kosa** *n.* scythe
**kosák** *n.* sickle
**kosier** *n.* cosier
**kosiť** *v.t.* scythe
**kosť** *n.* bone
**kostol** *n.* church
**kostolná veža** *n.* steeple
**kostolník** *n.* beadle
**kostra** *n.* skeleton
**kostým** *n.* costume
**koterec** *n.* cote
**kotkodákať** *v. i* cackle
**kotol** *n* boiler
**kotrmelec** *n.* somersault
**kotúč** *n.* disc
**kotúľanie** *n.* roll
**kotúľať** *v.i.* roll
**kotva** *n.* anchor
**kotvište** *n.* moorings
**kov** *n.* metal
**kováč** *n* blacksmith
**kovový** *a.* metallic
**koza** *n.* goat
**koža** *n.* leather
**koža na temene hlavy** *n* scalp
**kozľa** *n.* kid
**kozmetička** *n.* cosmetic
**kozmetický** *a.* cosmetic
**kozmický** *adj.* cosmic
**Kozorožec** *n* Capricorn
**krab** *n* crab
**krabica** *n* box
**kráčanie** *n* walk
**kráčať** *v.i.* walk
**krádež** *n.* theft
**kradnúť** *v.i.* steal
**kraj** *n* edge
**krájať** *v.t.* slice
**krajčír** *n.* tailor
**krajec** *n.* slice
**krajina** *n.* country
**krajnica** *n.* verge
**krákanie** *n.* caw
**krákať** *v. i.* caw
**krákorec** *n.* corbel
**kráľ** *n.* king
**králikáreň** *n.* warren
**kráľovná** *n.* queen
**kráľovražda** *n.* regicide

**kráľovská moc** *n.* majesty
**kráľovský** *a.* royal
**kráľovstvo** *n.* kingdom
**krása** *n* beauty
**kráska** *n* belle
**krásny** *a* beautiful
**krátko** *adv.* short
**krátkosť** *n* brevity
**krátkozrakosť** *n.* myopia
**krátkozraký** *a.* myopic
**krátky** *a.* short
**krátky náhrdelník** *n.* necklet
**krátky pohyb** *n* sojourn
**krava** *n.* cow
**kravata** *n* tie
**kŕč** *n.* spasm
**krčiť sa** *v.i.* cower
**krčma** *n.* tavern
**kŕdeľ** *n* flock
**kreatívny** *adj.* creative
**kredenc** *n* cupboard
**krédo** *n.* creed
**krehký** *a* delicate
**krehučký** *a.* frail
**kresba** *n* drawing
**kresliť** *v.t* draw
**kresťan** *n* Christian
**kresťanský** *a.* Christian
**kresťanstvo** *n.* Christianity
**kričať** *v.i.* scream
**krídlo** *n.* wing
**krik** *n.* shout
**krík** *n* bush
**kriket** *n* cricket
**kriketová pálka** *n* bat
**krikľavý** *a.* gaudy
**krištáľ** *n* crystal
**Kristus** *n.* Christ
**kritérium** *n* criterion
**kritický** *adj* censorious
**kritický** *a* critical
**kritik** *n* critic
**kritika** *n* criticism
**kritizovať** *v. t* criticize
**krivá prísaha** *n.* perjury
**krivda** *n.* injustice
**krivdiť** *v.t.* wrong
**krivica** *n.* rickets
**kriviť sa** *v. t* curve
**krivka** *n* curve
**krivo prisahať** *v.i.* perjure
**kríž** *n.* rood
**kríza** *n* crisis
**kríženec** *n* hybrid
**križiacka výprava** *n* crusade
**krížik** *n* cross
**krížnik** *n* cruiser
**krížom** *adv.* across
**križovatka** *n.* junction
**krk** *n.* neck
**krkolomný kúsok** *n* breakneck
**kŕmenie** *n* feed
**krmivo** *n* fodder
**krochkanie** *n.* grunt
**krochkať** *v.i.* grunt
**krok** *n.* step
**krokodíl** *n* crocodile
**kronika** *n.* chronicle
**kronikár** *n.* annalist
**krotký** *a.* tame
**krst** *n.* baptism
**krstiť** +*v.t.* baptize
**krt** *n.* mole
**kruh** *n.* circle
**kruhový** *a* circular
**krútenie** *n* wriggle
**krútiť** *v.t.* twist
**krútiť sa** *v.i.* wriggle
**krútňava** *n.* whirlpool
**kruto** *adv.* ill
**krutosť** *n* cruelty
**krutý** *a* cruel
**krúžiť** *n.i.* whirl
**krv** *n* blood

**krvácať** *v. i* bleed
**krvavý** *a* bloody
**krviprelievanie** *n* bloodshed
**kryptografia** *n.* cryptography
**kto** *pron.* who
**ktokoľvek** *pron.* whoever
**ktorý** *pron.* which
**ktorý** *a* which
**ktorýkoľvek** *pron* whichever
**kubický** *a* cubical
**kubický** *adj.* cubiform
**kučera** *n.* curl
**kuchár** *n* cook
**kuchyňa** *n.* kitchen
**kúdeľ** *n.* mop
**kujný** *a.* malleable
**kukučka** *n* cuckoo
**kukurica** *n.* maize
**kuli** *n* coolie
**kultivovaný** *a.* sophisticated
**kultivovať** *v.t.* sophisticate
**kultúra** *n* culture
**kultúrny** *a* cultural
**kuna** *n.* marten
**kúpať sa** *v. t* bathe
**kupec** *n.* monger
**kúpiť** *v. t.* buy
**kupola** *n* dome
**kupón** *n.* coupon
**kurátor** *n.* assignee
**kurča** *n.* chicken
**kurič** *n.* stoker
**kurkuma** *n.* turmeric
**kurtizána** *n.* courtesan
**kurz** *n.* course
**kurzíva** *n.* italics
**kus** *n.* piece
**kus odevu** *n.* garment
**kúskovať** *v.t.* piece
**kúsok** *n* bit
**kúštik** *n* nibble
**kút** *n.* nook
**kutrať sa** *v.i.* rummage
**kužeľ** *n.* cone
**kúzelník** *n.* magician
**kúzlo** *n.* spell
**kváder** *n* block
**kvákanie** *n.* croak
**kvákať** *v.i.* quack
**kvalifikácia** *n.* qualification
**kvalifikovať** *v.i.* qualify
**kvalita** *n.* quality
**kvalitatívny** *a.* qualitative
**kvantitatívny** *a.* quantitative
**kvapka** *n* drop
**kvapka** *n* spill
**kvapkať** *v. i* drip
**kvasenie** *n* fermentation
**kvasiť** *v.t* ferment
**kvasnice** *n.* yeast
**kvet** *n* flower
**kvetinár** *n* florist
**kvetinový** *a* flowery
**kvitnúť** *v.i.* bloom
**kvíz** *n.* quiz
**kvocient** *n.* quotient
**kvoknúť si** *v. i.* crouch
**kvóta** *n.* quota
**kýchanie** *n* sneeze
**kýchať** *v.i.* sneeze
**kyjak** *n* cudgel
**kým** *conj.* while
**kyselina** *n* acid
**kyslík** *n.* oxygen
**kyslosť** *n.* acidity
**kyslý** *a* acid
**kytica** *n* bouquet
**kyvadlo** *n.* pendulum
**kyvadlová doprava** *n.* shuttle
**kyveta** *n.* cuvette
**kývnuť** *v.i.* motion

# L

**laba** *n.* paw
**laboratórium** *n.* laboratory
**labuť** *n.* swan
**labyrint** *n.* labyrinth
**lacný** *a* cheap
**ľad** *n.* ice
**ladiť** *v.t.* tune
**ľadovec** *n.* glacier
**ľadový** *a.* icy
**lagúna** *n.* lagoon
**ľahkosť** *n* ease
**ľahkovážny** *a.* frivolous
**ľahký** *a* easy
**ľahnúť si tvárou k zemi** *v.t.* prostrate
**lahodný** *a* delicious
**ľahostajnosť** *n.* indifference
**ľahostajný** *a.* indifferent
**laický** *a.* lay
**laik** *n.* layman
**lak** *n.* varnish
**lákať** *v.t.* lure
**lakeť** *n* elbow
**ľaknutie** *n.* scare
**lakomec** *n.* niggard
**lakomý** *a.* mean
**lakonický** *a.* laconic
**lakovať** *v.t.* varnish
**laktóza** *n.* lactose
**ľalia** *n.* lily
**lalok** *n.* lobe
**lama** *n.* lama
**lamety** *n.* tinsel
**laminovať** *v.t.* laminate
**lampa** *n.* lamp
**lampáš** *n.* lantern
**laň** *n* doe
**lán** *n.* tract
**lano** *n.* rope
**ľanové semienko** *n.* linseed
**lapanie po dychu** *n.* pant
**lapať po dychu** *v.i.* pant
**láska** *n* love
**láskavo** *adv.* kindly
**láskavosť** *n* favour1
**láskavý** *adj* benign
**láskavý** *a* kind
**láskyplný** *a.* affectionate
**lastovička** *n.* swallow
**lata** *n.* pale
**latka** *n.* lath
**látka** *n* cloth
**latrína** *n.* latrine
**laureát** *n* laureate
**laureátny** *a.* laureate
**láva** *n.* lava
**ľavá strana** *n.* left
**lavica** *n* bench
**ľavičiar** *n* leftist
**ľavý** *a.* left
**lebka** *n.* skull
**ledabolo** *adv.* anyhow
**legalizovať** *v.t.* legalize
**légia** *n.* legion
**legionár** *n.* legionary
**lejak** *n* downpour
**lekár** *n.* physician
**lekáreň** *n.* chemist
**lekárnik** *n* druggist
**lekárska masť** *n.* ointment
**lekársky** *a.* medical
**lekvár** *n.* marmalade
**lemovať** *v.t.* skirt
**len** *adv.* only
**len** *conj.* only
**lenivec** *n.* lazy
**lenivosť** *n.* laziness
**lenivý** *a.* indolent
**lenivý** *n.* slothful
**leňoch** *n.* idler
**leňochod** *n.* sloth

**leňošiť** *v.i.* laze
**leopard** *n.* leopard
**lep na vtáky** *n* birdlime
**lepiaci** *a.* adhesive
**lepidlo** *n.* glue
**lepiť** *v.i.* adhere
**lepkavý** *n.* sticky
**lepra** *n.* leprosy
**leprózny** *a.* leprous
**lepší** *a* better
**les** *n* forest
**les** *n.* woodland
**lešenie** *n.* scaffold
**lesk** *n* glitter
**lesklý** *a.* shiny
**lesníctvo** *n* forestry
**lesník** *n* forester
**lesný** *a.* sylvan
**lesť** *n.* ruse
**lesť** *n.* wile
**leštidlo** *n* polish
**leštiť** *v.t.* polish
**let** *n* flight
**leták** *n.* leaflet
**letargia** *n.* lethargy
**letargický** *a.* lethargic
**letec** *n.* aviator
**letectvo** *n.* aviation
**letieť** *v.i* fly
**letisko** *n* aerodrome
**letmo sa pozrieť** *v.i.* glance
**letmý pohľad** *n.* glance
**letný** *adj* aestival
**leto** *n.* summer
**lev** *n.* leo
**lev** *n* lion
**levanduľa** *n.* lavender
**leví** *a* leonine
**levica** *n.* lioness
**lexikografia** *n.* lexicography
**ležanie tvárou k zemi** *n.* prostration
**ležať** *v.i.* lie
**lezenie** *n* crawl
**ležiaci tvárou k zemi** *a.* prostrate
**liať** *v.i.* teem
**liatinový** *n* cast-iron
**libra** *n.* pound
**líce** *n* cheek
**licencia** *n.* frachise
**lichotenie** *n* flattery
**lichotiť** *v.t* flatter
**liečebný** *a.* remedial
**liečiť** *v. t.* cure
**liečiteľný** *a* curable
**liečivý** *a* curative
**liehovar** *n* distillery
**liehovina** *n.* liquor
**liek** *n.* medicine
**lietadlo** *n.* aircraft
**lietať** *v.t.* plane
**liezť** *v.i* climb
**lignit** *n.* lignite
**ligot** *n.* lustre
**ligotavý** *a.* lustrous
**likvidácia** *n* clearance
**limonáda** *n.* lemonade
**linajkovať** *v.t.* line
**lingua franca** *n.* lingua franca
**lipa** *n.* lime
**lipnutie** *n.* adherence
**líšiť sa** *v. i* differ
**líška** *n.* fox
**lisovadlo** *n* die
**list** *n* letter
**lístie** *n* foliage
**listnatý** *a.* leafy
**lístok** *n.* ticket
**listovať** *n* browse
**liter** *n.* litre
**literárny** *a.* literary
**literatúra** *n.* literature
**liturgický** *a.* liturgical
**livrej** *n.* livery

**lízanie** *n* lick
**lízať** *v.t.* lick
**lízatko** *n.* lollipop
**loajalista** *n.* loyalist
**loajalita** *n.* loyalty
**loď** *n.* ship
**lodný** *a.* maritime
**lodný hák** *n.* grapple
**loďstvo** *n* fleet
**logaritmus** *n.* logarithim
**logický** *a.* logical
**logik** *n.* logician
**logika** *n.* logic
**lojová sviečka** *n.* tallow
**lokaj** *n.* lackey
**lokalita** *n.* locale
**lokalizovať** *v.t.* localize
**lokomotíva** *n.* locomotive
**lom** *n.* quarry
**lono** *n.* lap
**lopata** *n.* shovel
**lopta** *n.* ball
**lord** *n.* lord
**lordstvo** *n.* lordship
**lotéria** *n.* lottery
**lotor** *n.* miscreant
**lotus** *n.* lotus
**loviť** *v.i.* prey
**loviť na udicu** *n* angle
**ľstivý** *a* crafty
**ľúbeznosť** *n.* sweetness
**lubrikant** *n.* lubricant
**lúč** *n.* ray
**lucerna** *n.* lucerne
**ľudia** *n.* people
**ľudský** *a.* human
**ľudstvo** *n.* humanity
**luk** *n* bow
**lúka** *n.* meadow
**lukostrelec** *n* archer
**lump** *n.* rascal
**lúpať** *v.t.* peel
**lúpež** *n* burglary
**lúpežné prepadnutie** *n.* dacoity
**lúpežník** *n.* marauder
**lupič** *n.* bandit
**lupienok** *n.* petal
**lupiny** *n* dandruff
**lutna** *n.* lute
**lútosť** *n.* pity
**ľutovať** *v.t.* pity
**ľutujúci** *a.* sorry
**luxusný** *a.* palatial
**lynčovať** *v.t.* lynch
**lýra** *n.* lyre
**lyrický** *a.* lyric
**lyžica** *n.* spoon

# M

**máčanie** *n.* soak
**mach** *n.* moss
**machuľa** *n.* blot
**mačiatko** *n.* kitten
**mačka** *n.* cat
**magistrát** *n.* municipality
**magnát** *n.* magnate
**magnet** *n.* magnet
**magnetický** *a.* magnetic
**magnetofón** *n.* recorder
**magnetovec** *n.* loadstone
**mahagón** *n.* mahogany
**mahaut** *n.* mahout
**máj** *n.* May
**majestátny** *a.* majestic
**majetnícky** *a.* proprietary
**majetok** *n.* property
**majiteľ** *n.* proprietor
**major** *n* major
**majstrovské dielo** *n.* masterpiece
**majstrovský** *a.* masterly
**majúci nárok** *a* eligible

**majúci nechuť** *a.* averse
**mäkký** *n.* soft
**maklér** *n* broker
**maklérstvo** *n.* jobbery
**mäknúť** *v.t.* soften
**malá kytička** *n.* nosegay
**malária** *n.* malaria
**maľba** *n.* painting
**malebný** *a.* picturesque
**maliar** *n.* painter
**maliarska palička** *n.* maulstick
**maliarska šablóna** *n.* stencil
**malichernosť** *adv.* smallness
**maličký** *a.* tiny
**málo** *a* few
**málo** *adv.* little
**malomocný** *n.* leper
**maloobchod** *n.* retail
**maloobchodne** *adv.* retail
**maloobchodník** *n.* retailer
**maloobchodný** *a* retail
**maľovať šablónou** *v.i.* stencil
**málovravný** *a.* taciturn
**maltovať** *v.t.* mortar
**malvázia** *n.* malmsey
**malý** *a.* little
**mama** *n* mum
**mamička** *n* mummy
**mamon** *n.* mammon
**mamut** *n.* mammoth
**mamutí** *a* mammoth
**mandát** *n.* mandate
**mandľa** *n.* almond
**manéver** *n.* manoeuvre
**manévrovať** *v.i.* manoeuvre
**mangán** *n.* manganese
**mango** *n* mango
**mangusta** *n.* mongoose
**mánia** *n* craze
**maniak** *n.* maniac
**maniera** *n.* mannerism
**manifest** *n.* manifesto
**manikúra** *n.* manicure
**manipulovanie** *n.* manipulation
**manipulovať** *v.t.* manipulate
**manna** *n.* manna
**mánovia** *n.* manes
**manžel** *n* husband
**manžel, manželka** *n.* spouse
**manželka** *n.* wife
**manželský** *a.* marital
**manželstvo** *n.* marriage
**manžeta** *n* cuff
**mapa** *n* map
**mapovať** *v.t.* map
**maranta** *n.* arrowroot
**maratón** *n.* marathon
**marec** *n.* march
**margarín** *n.* margarine
**marhuľa** *n.* apricot
**márnica** *n.* morgue
**márnivo** *adv.* vainly
**márnivosť** *n.* vanity
**márnivý** *a.* vain
**márnotratník** *n.* spendthrift
**márnotratnosť** *n.* profligacy
**márnotratný** *a.* profligate
**Mars** *n* Mars
**maršal** *n* marshal
**masa** *n.* mass
**masáž** *n.* massage
**maselnica** *n.* churn
**masér** *n.* masseur
**mäsiar** *n* butcher
**masírovať** *v.t.* massage
**masívny** *a.* massive
**maska** *n* disguise
**maska** *n.* mask
**maškarný bál** *n.* masquerade
**maskot** *n.* mascot
**maskovať** *v.t.* mask
**maslo** *n* butter
**mäso** *n.* meat
**mäsová knedlička** *n* faggot

**masovo** *adv.* wholesale
**mastičkár** *n* quack
**mastičkárstvo** *n.* quackery
**mastný** *a.* greasy
**masturbovať** *v.i.* masturbate
**masy** *n.* populace
**mat** *n.* stalemate
**mať** *v.t.* have
**mať celosvetový význam** *v.t.* repute
**mať chuť** *v.t* fancy
**mať dozor** *v.t.* invigilate
**mať v ponuke** *v.t.* stock
**mať základňu** *v.t.* base
**mať zisk** *v.t.* profit
**mäta prieporná** *n.* mint
**matador** *n* . matador
**matematický** *a.* mathematical
**matematik** *n.* mathematician
**matematika** *n* mathematics
**materiál** *n.* substance
**materinský** *a.* maternal
**maternica** *n.* womb
**materský** *a.* motherly
**materstvo** *n.* maternity
**matica** *n* matrix
**matiné** *n.* matinee
**matka** *n* mother
**matkovražda** *n.* matricide
**matkovražedný** *a.* matricidal
**matný** *a* dim
**matrac** *n.* mattress
**matrika** *n.* registry
**matrikár** *n.* registrar
**mauzóleum** *n.* mausoleum
**mávať** *v.t.* wave
**maxima** *n.* maxim
**maximalizovať** *v.t.* maximize
**maximálny** *a.* maximum
**maximum** *n* maximum
**mazadlo** *n* grease
**mazanica** *n.* daub
**mazanie** *n.* lubrication
**mazaný** *a.* shifty
**mazať** *v.t* grease
**maznať sa** *v.t* fondle
**mdloba** *n.* swoon
**meč** *n.* sword
**mechanika** *n.* mechanics
**mechúr** *n* bladder
**mechy** *n.* bellows
**mečovitý** *adj.* cultrate
**med** *n.* honey
**meď** *n* copper
**medaila** *n.* medal
**medailista** *n.* medallist
**medailón** *n.* locket
**medieválny** *a.* medieval
**medik** *n.* medico
**meditácia** *n.* mediation
**meditovať** *v.t.* meditate
**médium** *n* medium
**medovina** *n.* mead
**medveď** *n* bear
**medza** *n.* limit
**medzera** *n* gap
**medzi** *prep* between
**medzi štyrmi očami** *n.* tete-a-tete
**medzičlánok** *n.* intermediary
**medzinárodný** *a.* international
**medziobdobie** *n.* interim
**medziposchodie** *n.* landing
**megafón** *n.* megaphone
**megalit** *n.* megalith
**megalitický** *a.* megalithic
**melanchólia** *n.* melancholia
**melancholik** *n.* melancholy
**melasa** *n* molasses
**melódia** *n.* tune
**melodický** *a.* melodious
**melodráma** *n.* melodrama
**melodramatický** *a.* melodramatic
**melón** *n.* melon
**membrána** *n.* membrane

**memorandum** *n* memorandum
**mena** *n* currency
**menej** *adv.* less
**menej** *a.* lesser
**meningitída** *n.* meningitis
**meniť** *v.* transform
**meniť sa** *v. t.* change
**meno** *n.* name
**menopauza** *n.* menopause
**menovec** *n.* namesake
**menový** *a.* monetary
**menší** *a.* less
**menšie množstvo** *n* less
**menšina** *n.* minority
**menštruácia** *n.* menstruation
**menštruačný** *a.* menstrual
**mentalita** *n.* mentality
**mentolka** *n* mint
**menu** *n.* menu
**menzes** *n.* menses
**merač** *n.* meter
**meradlo** *n.* gauge
**meranie** *n.* measurement
**merať** *v.t* measure
**merateľný** *a.* measurable
**mercerovať** *v.t.* mercerise
**mesačne** *adv* monthly
**mesačník** *n* monthly
**mesačný** *a.* monthly
**mesiac** *n.* moon
**mešita** *n.* mosque
**mesmerizmus** *n.* mesmerism
**mesmerizovať** *v.t.* mesmerize
**mesto** *n.* town
**mestský** *a.* urban
**metabolizmus** *n.* metabolism
**metafora** *n.* metaphor
**metaforika** *n.* imagery
**metafyzický** *a.* metaphysical
**metafyzika** *n.* metaphysics
**meteor** *n.* meteor
**meteorický** *a.* meteoric
**meteorológ** *n.* meteorologist
**meteorológia** *n.* meteorology
**meter** *n.* metre
**metla** *n* broom
**metodický** *a.* methodical
**metrický** *a.* metric
**metropola** *n.* metropolis
**metropolita** *n.* metropolitan
**metropolitný** *a.* metropolitan
**mezanín** *n.* mezzanine
**miazga** *n.* sap
**mier** *n.* peace
**miera** *n.* measure
**miera v míľach** *n.* mileage
**mieriť** *v.i.* aim
**mierniť** *v.t.* moderate
**mierny** *a.* temperate
**mierný** *a.* mild
**mierumilovný** *a.* pacific
**miešanie kariet** *n.* shuffle
**miešaný** *a* mongrel
**miešať** *v. t* blend
**miešať** *v.i.* stir
**miešať karty** *v.i.* shuffle
**miestny** *a.* local
**miesto** *n.* place
**miesto** *n.* venue
**miesto výskytu** *n.* habitat
**miestokráľ** *n.* viceroy
**migréna** *n.* migraine
**mikrofilm** *n.* microfilm
**mikrofón** *n.* microphone
**mikrológia** *n.* micrology
**mikrometer** *n.* micrometer
**mikroskop** *n.* microscope
**mikroskopický** *a.* microscopic
**mikrovlnná rúra** *n.* microwave
**míľa** *n.* mile
**miláčik** *n* darling
**milenec** *n.* lover
**milénium** *n.* chiliad
**milieu** *n.* milieu

**milión** *n.* million
**milionár** *n.* millionaire
**milióny** *n.* myriad
**militantný** *a.* militant
**militantný človek** *n* militant
**míľnik** *n.* milestone
**milosrdný** *a.* merciful
**milostný** *adj* amatory
**milostný** *a.* amorous
**milosťslečna** *n.* damsel
**milovaný** *a* beloved
**milovaný** *n* beloved
**milovaný** *a* darling
**milovať** *v.t.* love
**milujúci** *a.* loving
**milý** *a.* lovely
**mím** *n.* mummer
**mimésis** *n.* mimesis
**mimika** *n* mimicry
**mimoriadne** *adv* extra
**mimoriadny** *a.* special
**minaret** *n.* minaret
**míňať** *v.t.* spend
**minca** *n* coin
**minerálny** *a* mineral
**mineralóg** *n.* mineralogist
**mineralógia** *n.* mineralogy
**miniatúra** *n.* miniature
**miniatúrny** *a.* miniature
**minimalizovať** *v.t.* minimize
**minimálny** *adj.* basal
**minimálny** *a* minimum
**minimum** *n.* minimum
**minister** *n.* minister
**ministerstvo** *n.* ministry
**minulosť** *n.* past
**minulý** *a.* past
**mínus** *n* minus
**mínusový** *a* minus
**minúť** *v.t.* miss
**minúta** *n.* minute
**mióza** *n.* myosis
**misa** *n* dish
**misia** *n.* mission
**misionár** *n.* missionary
**mišmaš** *n.* hotchpotch
**mitra** *n.* mitre
**mizantrop** *n.* misanthrope
**mizerný** *a.* paltry
**miznúť** *v.i* fade
**mláďa** *n* cub
**mláďatá z jedného hniezda** *n* brood
**mládenec** *n.* lad
**mladík** *n* young
**mladistvý** *a.* juvenile
**mladistvý** *n.* teenager
**mladosť** *n.* youth
**mladší** *a.* junior
**mladší** *n.* junior
**mladý** *a.* young
**mládza** *n.* coppice
**mláka** *n.* puddle
**mľandravý** *a.* nerveless
**mláťačka** *n.* thresher
**mlátiť** *v.t.* thresh
**mlčanlivý** *a.* mum
**mlčať** *v.i* hush
**mliečny** *a.* milky
**mliekareň** *n* dairy
**mlieko** *n.* milk
**mliekomer** *n.* lactometer
**mlieť** *v.i.* grind
**mlieť** *v.t.* mill
**mlyn** *n.* mill
**mlynár** *n.* miller
**mlynček** *n.* grinder
**mňa** *pron.* me
**mňaukanie** *n.* mew
**mňaukať** *v.i.* mew
**mních** *n.* monk
**mníška** *n.* nun
**mnohonásobný** *a.* multiple
**mnohopočetnosť** *n.* multiplicity

**mnohoraký** *a.* multifarious
**mnohostranný** *a.* multilateral
**mnohotvárnosť** *n.* multiform
**mnohý** *a.* many
**množstvo** *n.* quantity
**mobilizovať** *v.t.* mobilize
**moc** *n.* might
**moč** *n.* urine
**močaristý** *a.* marshy
**močenie** *n.* urination
**močiar** *n.* slough
**močiť** *v.i.* urinate
**mocný** *a.* hefty
**mocný** *adj.* mighty
**močový** *a.* urinary
**môcť** *v. t.* can
**môcť** *v* may
**móda** *n* fashion
**model** *n.* model
**moderna** *n.* modernity
**modernizovať** *v.t.* modernize
**moderný** *a.* modern
**modistka** *n.* milliner
**modiststvo** *n.* millinery
**modla** *n.* idol
**modlár** *n.* idolater
**modliť sa** *v.i.* pray
**modlitba** *n.* prayer
**módny** *a* fashionable
**modrá** *a* blue
**modrá farba** *n* blue
**modrina** *n* bruise
**modulovať** *v.t.* modulate
**môj** *a.* my
**moje** *pron.* mine
**mokrosť** *n.* wetness
**mokrý** *a.* wet
**moľa** *n.* moth
**molárny** *a* molar
**molekula** *n.* molecule
**molekulárny** *a.* molecular
**monarchia** *n.* monarchy
**monitor** *n.* monitor
**monitorný** *a.* monitory
**monochromatický** *a.* monochromatic
**monódia** *n.* monody
**monograf** *n.* monograph
**monogram** *n.* monogram
**monokel** *n.* monocle
**monokulárny** *a.* monocular
**monolatria** *n.* monolatry
**monolit** *n.* monolith
**monológ** *n.* monologue
**monopol** *n.* monopoly
**monopolista** *n.* monopolist
**monoteista** *n.* monotheist
**monoteizmus** *n.* monotheism
**monotónnosť** *n* monotony
**monotónny** *a.* monotonous
**monumentálny** *a.* monumental
**monzún** *n.* monsoon
**mor** *n* plague
**moralista** *n.* moralist
**moralizovať** *v.t.* moralize
**morálka** *n.* morale
**morbidita** *n* morbidity
**morbídny** *a.* morbid
**more** *n.* sea
**moreplavec** *n.* voyager
**morfium** *n.* morphia
**morganatický** *a.* morganatic
**morka** *n.* turkey
**morská panna** *n.* mermaid
**morský** *a.* marine
**morský muž** *n.* merman
**morský obzor** *n.* offing
**moruša** *n.* mulberry
**mosadz** *n.* brass
**moskyt** *n.* mosquito
**most** *n* bridge
**motať sa** *v.i.* wander
**motel** *n.* motel
**motivácia** *n.* motivation

**motivovať** *v* motivate
**motor** *n* engine
**motorista** *n.* motorist
**motto** *n.* motto
**motýľ** *n* butterfly
**mozaika** *n.* mosaic
**mozgový** *adj* cerebral
**možno** *adv.* perhaps
**možnosť** *n.* option
**možnosť** *n.* pontentiality
**možný** *a.* possible
**možný prepustiť** *a.* bailable
**mozog** *n* brain
**mračenie** *n.* scowl
**mračiť sa** *v.i* frown
**mramor** *n.* marble
**mravec** *n* ant
**mravne zvrátiť** *v.t.* pervert
**mravnosť** *n.* virtue
**mravný** *a.* moral
**mráz** *n.* frost
**mreža** *n.* lattice
**mrholenie** *n* drizzle
**mrholiť** *v. i* drizzle
**mrkať** *v.i.* wink
**mrknutie** *n* wink
**mrkva** *n.* carrot
**mrmlať** *v.i.* gabble
**mrmlať** *v.t.* murmur
**mrož** *n.* walrus
**mŕtvola** *n* corpse
**mŕtvy** *a* dead
**mŕtvy bod** *n* deadlock
**mrviť sa** *v. t* crumble
**mrzák** *n* cripple
**mrzutosť** *n.* fret
**mrzutý** *a.* morose
**mrzutý** *a.* sullen
**mučeníctvo** *n.* martyrdom
**mučenie** *n.* torture
**mucha** *n* fly
**mučiť** *v.t.* torment
**múčnik** *n.* pudding
**múčny** *a.* mealy
**mudrc** *n.* sage
**múdrosť** *n.* wisdom
**múdry** *a.* clever
**muka** *n.* torment
**múka** *n* flour
**muky** *n.* throe
**mulah** *n.* mullah
**mulat** *n.* mulatto
**mulica** *n.* mule
**múmia** *n.* mummy
**mumlať** *v.i.* mumble
**mumps** *n.* mumps
**munícia** *n.* ammunition
**murivo** *n.* masonry
**mušelín** *n.* muslin
**musieť** *v.* must
**mušketa** *n.* musket
**mušketier** *n.* musketeer
**muskovit** *n.* muscovite
**mušľa** *n.* conch
**mušľovitý** *adj.* auriform
**mušt** *n* must
**mustang** *n.* mustang
**mútiť** *v. t. & i.* churn
**muž** *n.* man
**múza** *n* muse
**múzeum** *n.* museum
**mužnosť** *n.* manhood
**mužný** *a.* manly
**mydliť** *v.t.* soap
**mydlo** *n.* soap
**mydlový** *a.* soapy
**myknúť plecom** *v.t.* shrug
**myknúť sa** *v.i.* recoil
**myknutie plecom** *n* shrug
**mýliť sa** *v. i* err
**mylný** *a* erroneous
**myrha** *n.* myrrh
**myš** *n.* mouse
**myseľ** *n.* mind

**myšlienka** *n.* idea
**myslieť** *v.t.* think
**myslieť si** *v.t.* reckon
**mysliteľ** *n.* thinker
**mysticizmus** *n.* mysticism
**mystický** *a.* mystic
**mystifikácia** *n.* artifice
**mystik** *n* mystic
**mystikovať** *v.t.* mystify
**mýtický** *a.* mythical
**mytológia** *n.* mythology
**mytologický** *a.* mythological
**mýtus** *n.* myth
**mzda** *n.* salary

**na** *prep.* on
**na brehu** *adv.* ashore
**na čiastky** *adv.* asunder
**na druhej strane** *adv.* overleaf
**na koniec** *adv.* lastly
**na kope** *adv* aheap
**na krátko** *adv.* awhile
**na lôžku** *adv.* abed
**na mieste** *adv.* afield
**na palube** *adv* aboard
**na úteku** *a.* fugitive
**na vode** *adv.* afloat
**na záver** *adv.* ultimately
**naberačka** *n.* ladle
**nábob** *n.* nabob
**nabodnúť** *v.t.* stick
**náboj** *n* bullet
**náboženský** *a.* religious
**náboženstvo** *n.* religion
**nabrať** *v.t.* ladle
**nabrať lyžicou** *v.t.* spoon
**nabratý** *a.* voluminous
**nábytok** *n.* furniture
**načarbať** *v.t.* jot
**načasovať** *v.t.* time
**náčelník** *n.* chieftain
**nachladnutie** *n.* chill
**náchylnosť** *n.* tendency
**náchylný** *a.* prone
**náčrt** *n* draft
**načrtnúť** *v. t* draft
**nad** *prep.* above
**nadanie** *n.* aptitude
**nadaný** *a.* gifted
**nadávať** *v.t.* abuse
**nadbruško** *n* anticardium
**nadbytočnosť** *n.* redundance
**nadbytočný** *a* excess
**nadbytok** *n* excess
**nadčas** *n* overtime
**nadčasový** *adv.* overtime
**nadčlovek** *n.* superman
**nádej** *n* hope
**nádenník** *n.* hireling
**nadhadzovať loptu** *v.i* bowl
**nádhera** *n.* splendour
**nádherný** *a.* splendid
**nadmerná dávka** *n.* overdose
**nadmerný** *a.* outsize
**nadmorská výška** *n.* altitude
**nádobka** *n.* vial
**nadobudnutie** *n.* acquisition
**nádor** *n.* tumour
**nadpis** *n.* heading
**nadporučík** *n.* lieutenant
**nadprirodzený** *a.* supernatural
**nadradenosť** *n.* superiority
**nádražie** *n.* terminus
**nadriadený** *a.* superior
**nádrž** *n.* tank
**nadšenec** *n* fiend
**nadšenie** *n* enthusiasm
**nadšený** *a* enthusiastic
**nadutý** *a.* haughty
**nadvláda** *n* dominion

**nádvorie** *n.* courtyard
**nadzvukový** *a.* supersonic
**naházdzať na kopu** *v.t.* jumble
**naháňačka** *n.* chase
**naháňať** *v. t.* chase
**naháňať sa** *v. t* bustle
**náhľad** *n.* insight
**nahlas** *adv.* aloud
**náhle** *adv.* suddenly
**náhlenie sa** *n.* haste
**náhliť sa** *v.i.* hasten
**náhly** *n.* sudden
**nahnevaný** *a.* angry
**náhodný** *a* accidental
**nahor** *adv.* up
**nahor** *a.* upward
**nahota** *n.* nudity
**nahovárať** *v.t.* incite
**náhrada** *n.* replacement
**náhrada** *n.* substitution
**nahradiť** *v.t.* replace
**náhradná súčiastka** *n.* spare
**náhradník** *n.* substitute
**náhradný** *a* spare
**nahrať** *v.t* tape
**náhrdelník** *n.* necklace
**nahrubo** *adv.* thick
**nahý** *a.* naked
**naivita** *n.* naivety
**naivný** *a.* naive
**najbližší** *a.* proximate
**najhorší** *a* worst
**najhoršie** *v.t.* worst
**najlepší** *a.* premier
**najmenej** *adv.* least
**najmenší** *a.* least
**najmladší** *adj* alin
**najnižší** *a.* neap
**nájom** *n.* tenancy
**nájomca** *n.* lessee
**nájomné** *n.* rent
**najprv** *adv* first
**nájsť** *v.t* find
**najviac** *a.* most
**najviac** *adv.* most
**najvnútornejší** *a.* inmost
**nákaza** *n.* infection
**nakaziť** *v.t.* infect
**nákazlivý** *a* contagious
**náklad** *n.* cargo
**nakladať** *v.t.* load
**nákladné auto** *n.* lorry
**nákladné vozidlo** *n.* truck
**nákladný** *a* expensive
**naklepať** *v.t.* type
**naklonenie** *n.* tilt
**nakloniť** *v.i.* tilt
**nakloniť sa** *v.i.* lean
**náklonnosť** *n.* affection
**nakoniec** *adv.* eventually
**nakopiť sa** *v. i.* cluster
**nákova** *n.* anvil
**nakrájať na kocky** *v. i.* dice
**nakŕmiť** *v.t* feed
**nakuknúť** *v.i.* peep
**nakuknutie** *n* peep
**nákup** *n.* purchase
**nakupovať** *v.i.* shop
**nálada** *n.* mood
**náladový** *a.* moody
**naľakať** *v.t.* frighten
**nálepka** *n.* label
**nálev** *n.* pickle
**nález** *n.* ruling
**náležitý** *a* due
**naliať** *v.i.* pour
**naliehavosť** *n.* urgency
**naliehavý** *a.* urgent
**nalodiť sa** *v. t* embark
**naložiť** *v.t.* pile
**naložiť do nálevu** *v.t* pickle
**naľudský** *a.* susperhuman
**namáhať sa** *v.i.* struggle
**namáhavý** *a.* strenuous

**namasliť** *v. t* butter
**namazať** *v.t.* anoint
**námesačnosť** *n.* somnambulism
**námesačný** *n.* somnambulist
**námet** *n.* subject
**namietať** *v.t.* object
**námietka** *n.* objection
**namočenie** *n.* dip
**namočiť** *v.t.* soak
**námorníctvo** *n.* navy
**námorník** *n.* sailor
**námorný** *a.* naval
**namyslenosť** *n* conceit
**naničhodník** *n.* scoundrel
**nános** *n.* silt
**naopak** *adv.* vice-versa
**naostriť** *v.t.* sharpen
**naozaj** *adv.* indeed
**nápad** *n.* tip
**nápadník** *n.* courtier
**napadnúť** *v.t.* molest
**napadnutie** *n.* molestation
**nápadný** *a* flagrant
**napätie** *n.* tension
**napätý** *a.* tense
**nápis** *n.* inscription
**napísať ceruzkou** *v.t.* pencil
**napísať iniciály** *v.t* initial
**napĺňanie** *n.* infusion
**naplniť** *v.t* fill
**napnutie** *n* strain
**napodobnený** *a* duplicate
**napodobniť** *v.i* mime
**napodobňovanie** *n.* imitation
**napodobňovať** *v.t.* imitate
**napodobňujúci** *a.* mimic
**nápoj** *n* drink
**napomáhanie** *n.* abetment
**napomáhať** *v.t.* abet
**napomenúť** *v.t.* reprimand
**napomenutie** *n.* reprimand
**nápomocný** *a.* helpful
**nápor** *n* blast
**náprava** *n.* rectification
**napraviť** *v.i.* rectify
**napredovanie** *n.* progress
**napriek** *prep.* notwithstanding
**napriek tomu** *conj.* nevertheless
**napriek tomu** *adv.* nonetheless
**naprogramovať** *v.t.* programme
**náprotivok** *n.* counterpart
**náprstok** *n.* thimble
**náradie** *n.* kit
**náramok** *n* bracelet
**náramok na nohu** *n* anklet
**narásť** *v.t.* increase
**nárast** *n.* increment
**narastajúci** *a.* resurgent
**narastať** *v.i.* accrue
**naraz** *adv.* outright
**náraz** *n.* clash
**naraziť** *v. i* crash
**naraziť na klinec** *v.t.* spike
**narážka** *n.* hint
**nárazník** *n.* bumper
**narcis** *n.* daffodil
**nárečie** *n* dialect
**nariadenie** *n* bylaw, bye-law
**nariadiť** *v. i* decree
**nariekanie** *n* lament
**nariekať** *v.i.* lament
**narkoman** *n.* addict
**narkotikum** *n.* narcotic
**narkóza** *n.* narcosis
**národ** *n.* nation
**narodenie pána** *n.* nativity
**narodený** *v.* born
**narodený bohatý** *adj.* born rich
**národnosť** *n.* nationality
**národný** *a.* national
**nárok** *n* claim
**narušiť** *v. t* disrupt
**náš** *pron.* our
**nasadiť putá** *v.t* fetter

**našepkávač** *n.* prompter
**nasiaknuť** *v.t.* saturate
**násilie** *n.* outrage
**násilnícky** *a.* vicious
**násilník** *n.* thug
**násilný** *a* forcible
**naškrobiť** *v.t.* starch
**následník** *n.* successor
**následnosť** *n.* succession
**následný** *a* consequent
**následok** *n* consequence
**nasledovať** *v.t* follow
**nasledovník** *n* disciple
**nasledujúc** *adv* consecutively
**nasledujúci** *adj.* consecutive
**nasledujúci** *a.* successive
**násobenec** *n.* multiplicand
**násobilka** *n.* multiplication
**násobiť** *v.t.* multiply
**násobok** *n* multiple
**naspodku** *adv* under
**naspodu** *adv* beneath
**našťastie** *adv.* luckily
**nastať** *v.i.* result
**nastávajúci** *a.* forthcoming
**nástenná maľba** *n.* mural
**nástenný** *a.* mural
**nástojčivý** *a.* adamant
**nástojčivý** *n.* adamant
**nástraha** *n.* pitfall
**nástroj** *n.* instrument
**nástup** *n* accession
**nástupište** *n.* platform
**naštvať** *v.t.* incense
**nasýtenie** *n.* saturation
**nasýtenosť** *n.* satiety
**nasýtiť** *v.t.* satiate
**natieranie** *n* coating
**nátlak** *n.* pressure
**natočiť** *v.i.* reel
**natriasať sa** *v.t.* jolt
**naťukať** *v.t* key
**nátura** *n.* temperament
**náuka o magnetizme** *n.* magnetism
**nával** *n.* rush
**naveky** *adv* forever
**naviesť** *v.t.* trick
**navigátor** *n.* navigator
**navíjač** *n.* winder
**navlhčiť** *v.t.* moisten
**navliecť** *v.t.* string
**navliecť niť** *v.t* thread
**návnada** *n* bait
**navonok** *adv* outwards
**návrat** *n.* return
**návrh** *n.* design
**návrhár** *a* draftsman
**navrhnúť** *v. t.* design
**navrhnutie** *n.* nomination
**návšteva** *n.* visit
**návštevník** *n.* visitor
**navštíviť** *v.t.* visit
**navyknúť si** *v. t.* habituate
**navyše** *adv.* moreover
**naznačiť** *v.t.* insinuate
**naznačiť** *v.t.* intimate
**naznačovať** *v.i* hint
**náznak** *n.* implication
**názor** *n.* opinion
**názvoslovie** *n.* nomenclature
**nebeský** *adj* celestial
**nebezpečenstvo** *n.* danger
**nebezpečný** *a* dangerous
**neblahý** *a.* inauspicious
**nebo** *n.* heaven
**nebojácnosť** *n.* intrepidity
**nebojácny** *a.* interpid
**nebula** *n.* nebula
**nebytie** *n.* nonentity
**nečakane** *adv.* aback
**nečestnosť** *n.* dishonesty
**nečestný** *a* dishonest
**nechápať** *v.t.* misunderstand

**nechápavý** *a.* obtuse
**nechránený** *a.* vulnerable
**nechtík** *n.* marigold
**nechuť** *n* displeasure
**nečinne sedieť** *v.i.* mope
**nečinnosť** *n.* idleness
**nečinný** *a.* idle
**nečitateľnosť** *n.* illegibility
**nečitateľný** *a.* illegible
**necitlivosť** *n.* insensibility
**necitlivý** *a.* callous
**necitlivý** *adj.* crass
**nečujný** *a.* inaudible
**neďaleko** *adv.* afar
**nedať sa** *v.i.* soldier
**nedávno** *adv.* recently
**nedávny** *a.* recent
**nedbalý** *a.* lax
**nedbanlivosť** *n.* negligence
**nedbanlivý** *a.* negligent
**nedbanlivý** *a.* slipshod
**nedeľa** *n.* Sunday
**nedeliteľný** *a.* indivisible
**nedisciplinovanosť** *n.* insubordination
**nedisciplinovaný** *a.* insubordinate
**nedodržanie** *n.* infringement
**nedodržať** *v.t.* infringe
**nedokonalosť** *n.* imperfection
**nedokonalý** *a.* imperfect
**nedoplatok** *n.pl.* arrears
**nedorozumenie** *n.* misunderstanding
**nedostatočný** *adj.* deficient
**nedostatočný** *a.* insufficient
**nedostatok** *n.* shortage
**nedotklivý** *a.* touchy
**nedotknuteľný** *a.* inviolable
**nedôvera** *n* distrust
**nedôverovať** *v. t.* distrust
**neformálny** *a.* informal
**nefrit** *n.* jade
**neger** *n.* nigger
**negramotnosť** *n.* illiteracy
**negramotný** *a.* illiterate
**nehanebný** *a.* shameless
**nehmatateľný** *a.* intangible
**nehoda** *n* accident
**nehostinný** *a.* inhospitable
**nehrdzavejúci** *a.* stainless
**nehybnosť** *n.* stillness
**nehybný** *a.* immovable
**neistota** *n.* insecurity
**neistý** *a.* uncertain
**nejaký** *a.* one
**nejasný** *a.* indefinite
**nekonečnosť** *n.* infinity
**nekonečný** *a.* infinite
**nekontrolovateľný** *a.* rampant
**nekritický** *a.* indiscriminate
**nekrológ** *a.* obituary
**nekromat** *n.* necromanceı
**nektár** *n.* nectar
**nelogický** *a.* illogical
**nelojálny** *a* disloyal
**neľudský** *a.* inhuman
**nelúpaná ryža** *n.* paddy
**nemajúci** *a* devoid
**nemanželský** *a.* illegitimate
**nemať rád** *v. t* dislike
**nemiestny** *a.* awkward
**nemilosrdný** *adj.* merciless
**nemocnica** *n.* hospital
**nemocničný obvod** *n.* ward
**nemorálny** *a.* immoral
**nemotorný** *a* clumsy
**nemožnosť** *n.* impossibility
**nemožný** *a.* impossible
**nemravnosť** *n.* immorality
**nemravný** *a.* lascivious
**nemý** *a* dumb
**nemý človek** *n.* mute
**nenajedenec** *n.* glutton

**nenapodobiteľný** *a.* inimitable
**nenapraviteľný** *a.* incorrigible
**nenásytne** *adv* avidly
**nenásytnosť** *adv.* avidity
**nenávidieť** *v.t.* hate
**nenávisť** *n.* hate
**nenazdajky** *adv.* unawares
**nenormálny** *a* abnormal
**nenútene** *adv.* leisurely
**nenútenosť** *n.* nonchalance
**nenútený** *a.* leisurely
**neoblomnosť** *n.* rigour
**neoblomný** *a.* obdurate
**neobrábaný** *n* fallow
**neobyčajne** *adv.* singularly
**neoceniteľný** *a.* invaluable
**neochota** *n.* reluctance
**neochotný** *a.* reluctant
**neoddeliteľný** *a.* inseparable
**neodškriepiteľný** *a.* indisputable
**neodvodený** *adj* adscititious
**neoficiálny** *a* virtual
**neohraničený** *a.* limitless
**neohrozený** *a* dauntless
**neolitický** *a.* neolithic
**neomylný** *a.* infallible
**neón** *n.* neon
**neoperený** *adj* callow
**neopísateľný** *a.* indescribable
**neopodstatnený** *a.* baseless
**neopraviteľný** *a.* irrecoverable
**neoprávnený vstup** *n.* trespass
**neosobný** *a.* impersonal
**neospravedlniteľný** *a.* indefensible
**neotesanec** *n* boor
**nepálená tehla** *n.* adobe
**nepatrný** *n.* subtle
**nepatrný rozdiel** *n.* subtlety
**neplatenie** *n.* abeyance
**neplatný** *a.* invalid
**neplnenie** *n.* default
**neplnoletá osoba** *n* minor
**neplodnosť** *n.* sterility
**neplodný** *adj.* acarpous
**neplodný** *n* barren
**neplodný** *a.* sterile
**nepochopenie** *n.* misconception
**nepochopiť** *v.t.* misconceive
**nepoddajný** *a.* inflexible
**nepodobný** *a* dissimilar
**nepodstatnosť** *n.* insignificance
**nepodstatný** *a.* insignificant
**nepohodlie** *n* discomfort
**nepokoj** *n.* riot
**nepokojnosť** *n.* malaise
**nepokojný** *a.* restive
**nepolapiteľný** *a* elusive
**nepomer** *n* offset
**neporiadnica** *n.* slattern
**neporiadok** *n.* mess
**neporovnateľný** *a.* matchless
**neporušený** *a.* intact
**neposlúchať** *v. t* disobey
**neposlušný** *a.* naughty
**nepostrádateľný** *a.* indispensable
**nepotrebný** *a.* needless
**nepoužiteľnosť** *n.* impracticability
**nepoužiteľný** *a.* inapplicable
**nepozorný** *a.* careless
**nepozorovane** *adv.* stealthily
**nepracujúci** *a* leisure
**nepravdepodobný** *a.* unlikely
**nepravdivosť** *n.* refutation
**nepravidelnosť** *n.* irregularity
**nepravidelný** *a* anomalous
**neprechodný** *a.* impassable
**neprekonateľný** *a.* insurmountable
**nepremokavý** *a.* waterproof
**nepremožiteľnosť** *a.* invincible
**nepremyslený** *a.* impulsive
**nepreniknuteľný** *a.* impenetrable

**nepresný** *a.* inaccurate
**neprestajný** *a.* perpetual
**nepretržitý** *a* continuous
**nepriamy** *a.* indirect
**nepriateľ** *n* enemy
**nepriateľský** *a.* hostile
**nepriateľstvo** *n* animosity
**nepriazeň** *n.* adversity
**nepriaznivý stav** *n.* plight
**nepríčetnosť** *n.* insanity
**nepriehľadnosť** *n.* opacity
**nepriehľadný** *a.* opaque
**nepríjemnosť** *n.* nuisance
**nepríjemný** *a.* obnoxious
**neprípustný** *a.* inadmissible
**neprirodzený** *a* factious
**neprispôsobivosť** *n.* mal adjustment
**neprísť** *v.t* absent
**nepristojné správanie** *n.* misconduct
**neprítomnosť** *n* absence
**neprítomný** *a* absent
**Neptún** *n.* Neptune
**nerast** *n.* mineral
**neresiť sa** *v.i.* spawn
**neresť** *n.* vice
**nerovnaký** *a.* irregular
**nerovné manželstvo** *n.* misalliance
**nerovnosť** *n* disparity
**nerozhodnosť** *n.* indecision
**nerozpustný** *n.* insoluble
**nerozvážnosť** *n.* indiscretion
**nerozvážny** *a.* indiscreet
**nerv** *n.* Nerve
**nervózny** *a.* nervous
**neschopnosť** *n.* inability
**neschopný** *a.* incapable
**neschopný platiť** *a.* insolvent
**neschopný spať** *a.* wakeful
**neschvaľovať** *v. t* disapprove
**nesebecký** *a.* selfless
**nešetriť** *v.t.* lavish
**nešikovný** *a.* maladroit
**neskaziteľný** *a.* incorruptible
**neskôr** *adv* after
**neskoro** *adv.* late
**neskorši** *a* after
**neskorý** *a.* late
**neskrotný** *a.* indomitable
**neskúsenosť** *n.* inexperience
**neslušnosť** *n.* impropriety
**nesmierne šťastný** *a* overjoyed
**nesmierny** *a.* immense
**nesmrteľnosť** *n.* immortality
**nesmrteľný** *a.* immortal
**nespočetný** *a.* innumerable
**nespočítateľný** *a.* countless
**nespokojnosť** *n* dissatisfaction
**nespokojný** *a.* malcontent
**nespoľahlivý** *a.* unreliable
**nespôsobilosť** *n.* incapacity
**nesprávne** *adv.* wrong
**nesprávne použiť** *v.t.* misuse
**nesprávne použitie** *n.* misuse
**nesprávny** *a.* incorrect
**nespravodlivý** *a* unfair
**nestabilita** *n.* instability
**nestály** *adj.* astatic
**nešťastie** *n.* misfortune
**nešťastník** *n.* wretch
**nešťastný** *a.* unfortunate
**nestrannosť** *n.* impartiality
**nestranný** *a.* impartial
**nestráviteľný** *a.* indigestible
**nesúhlas** *n* disapproval
**nesúhlasiť** *v. i* disagree
**nesúvislý** *a.* incoherent
**netaktný** *a.* inconsiderate
**neter** *n.* niece
**netopier** *n* bat
**netrafenie** *n.* miss
**netrpezlivosť** *n.* impatience

**netrpezlivý** *a.* impatient
**neúčinný** *a.* ineffective
**neúcta** *n* disrespect
**neúctivosť** *n* flippancy
**neúctivý** *a.* irrespective
**neuhradený** *a.* overdue
**neukojiteľný** *a.* insatiable
**neúplný** *a* . incomplete
**neúprimnosť** *n.* insincerity
**neúprimný** *a.* insincere
**neúprosný** *a.* inexorable
**neurčitý člen** *art* an
**neurológ** *n.* neurologist
**neurológia** *n.* neurology
**neuróza** *n.* neurosis
**neúspech** *n* failure
**neuspokojiť** *v. t.* dissatisfy
**neustály** *adj.* continual
**neústupný** *a.* insistent
**neutralizovať** *v.t.* neutralize
**neutrálnosť** *n.* non-alignment
**neutrálny** *a.* neutral
**neutrón** *n.* neutron
**neuvážene** *adv.* headlong
**neuveriteľný** *a.* incredible
**nevďačnosť** *n.* ingratitude
**nevďačný** *a.* thankless
**nevedomky** *adv.* unwittingly
**nevedomý** *a.* unaware
**nevesta** *n* bride
**nevhodne** *adv.* amiss
**nevhodne sa správať** *v.i.* misbehave
**nevhodné správanie** *n.* misbehaviour
**nevhodný** *a.* improper
**neviditeľný** *a.* invisible
**nevinnosť** *n.* innocence
**nevinný** *a.* innocent
**nevkusnosť** *n.* vulgarity
**nevkusný** *a.* vulgar
**nevľúdny** *n.* stark
**nevoľnosť** *n.* nausea
**nevšímať si** *v.t.* ignore
**nevychovaný** *a.* rude
**nevyčísliteľný** *a.* incalculable
**nevydarený** *a.* luckless
**nevýdatný** *a.* meagre
**nevyhnutne** *adv.* needs
**nevyhnutné** *a.* needful
**nevyhnutnosť** *n.* necessity
**nevyhnutný** *a* necessary
**nevýhoda** *n* disadvantage
**nevyhovujúci** *a.* inconvenient
**nevyliečiteľný** *a.* incurable
**nevyriešený** *a* pending
**nevyslovený** *a.* implicit
**nevysvetliteľný** *a.* inexplicable
**nevzdelaný** *a.* ignorant
**nevzhľadný** *a.* ungainly
**nezákonne obchodovať** *v.i.* traffic
**nezákonný** *a.* illegal
**nezaujatosť** *n* detachment
**nezávislosť** *n.* independence
**nezávislý** *a.* independent
**nezdravý** *a.* unwell
**nezdvorilý** *a.* impolite
**nezhoda** *n.* disagreement
**nezhodný** *adj* absonant
**neživý** *a.* inanimate
**nezlučiteľný** *a.* irreconcilable
**nezmerateľný** *a.* immeasurable
**nezmysel** *n.* nonsense
**nezmyselnosť** *n* absurdity
**nezmyselný** *a* absurd
**nezmyselný** *a.* senseless
**neznalosť** *n.* ignorance
**neznámy** *a.* anonymous
**neznámy** *n.* stranger
**neznášanlivosť** *n.* intolerance
**neznášanlivý** *a.* intolerant
**neznášať** *v.t.* resent
**neznesiteľný** *a.* intolerable

**nežný** *a* fond
**nezodpovedný** *a.* irresponsible
**nezrelosť** *n.* immaturity
**nezrelý** *a.* immature
**nezreteľný** *a.* indistinct
**nezrozumiteľný** *a.* obscure
**nezvratný** *a* conclusive
**nezvyčajný** *a.* odd
**nič** *n.* nothing
**ničenie** *n* destruction
**ničiť** *v.t.* ravage
**ničivý dôsledok** *n.* ravage
**ničota** *n.* void
**nie** *adv.* no
**niečo** *pron.* something
**niečo** *adv.* something
**niekde** *adv.* somewhere
**niekedy** *adv.* sometime
**niekto** *pron.* somebody
**niektorý** *a.* some
**niesť** *v.t* bear
**nihilizmus** *n.* nihilism
**nijako** *adv.* nothing
**nikde** *adv.* nowhere
**nikdy** *adv.* never
**nikel** *n.* nickel
**nikotín** *n.* nicotine
**nikto** *pron.* nobody
**nit** *n.* rivet
**niť** *n.* thread
**nitovať** *v.t.* rivet
**nízko** *adv.* low
**nízky** *a.* low
**noc** *n.* night
**nočná košeľa** *n.* nightie
**nočný** *a.* nocturnal
**noha** *n.* leg
**nohavice** *n.* pantaloon
**nohavice** *n. pl* trousers
**nominálny** *a.* nominal
**nora** *n* burrow
**norka** *n.* mink
**norma** *n.* norm
**normalizovať** *v.t.* normalize
**normálne pomery** *n.* normalcy
**normálny** *a.* normal
**nos** *n.* nose
**nosáčik** *n.* weevil
**nosič** *n.* porter
**nosiť** *v. t.* carry
**nosítka** *n.* stretcher
**nosník** *n.* girder
**nosorožec** *n.* rhinoceros
**nosová dierka** *n.* nostril
**nosová hláska** *n* nasal
**nosový** *a.* nasal
**nosový hlien** *n.* mucus
**nostalgia** *n.* nostalgia
**notácia** *n.* notation
**notár** *n.* notary
**nováčik** *n.* novice
**novátor** *n.* innovator
**nové vydanie** *n.* reprint
**november** *n.* november
**novic** *n.* probationer
**novinár** *n.* journalist
**novinárska kačica** *n* canard
**novinárstvo** *n.* journalism
**novinka** *n.* news
**novosť** *n.* novelty
**nový** *a.* new
**nový** *a.* novel
**nôž** *n.* knife
**nožnice** *n.* scissors
**nožnice** *n. pl.* shears
**nuda** *n* drag
**nudiť** *v.t.* weary
**nudiť sa** *v. t* bore
**nudný** *a.* tedious
**nudný človek** *n* bore
**nugetka** *n.* nugget
**nuimbus** *n.* nimbus
**nula** *n.* nought
**nulový** *a.* null

**nútiť** *v.t* force
**nutkanie** *n.* impulse
**nutkanie** *n* urge
**nylon** *n.* nylon
**nymfa** *n.* nymph

**o** *prep* about
**oáza** *n.* oasis
**obaja** *a* both
**obaja** *pron* both
**objať** *v. t.* embrace
**obal** *n.* wrapper
**obálka** *n* envelope
**obava** *n.* misgiving
**obávajúci sa** *a.* fearful
**obávať sa** *v.i* fear
**občas** *adv.* occasionally
**občerstvenie** *n.* snack
**obchádzka** *n* bypass
**obchod** *n.* shop
**obchodník** *n* dealer
**obchodník s potravinami** *n.* grocer
**obchodník s textilom** *n* draper
**obchodný** *a* commercial
**obchodovanie** *n.* trade
**obchodovať** *v.i* trade
**občianska výchova** *n* civics
**občiansky** *a* civil
**občianstvo** *n* citizenship
**obdiv** *n.* admiration
**obdivovať** *v.t.* admire
**obdivuhodný** *a.* admirable
**obdĺžnik** *n.* rectangle
**obdobie** *n.* span
**obdobie aktivity** *n.* innings
**obe** *conj* both
**obed** *n.* lunch
**obedovať** *v.i.* lunch
**obeh** *n* circulation
**obesiť** *v.t.* noose
**obeť** *n.* casualty
**obeta** *n.* sacrifice
**obetný** *a.* sacrificial
**obetný baránok** *n.* scapegoat
**obetovať sa** *v.t.* sacrifice
**obezita** *n.* obesity
**obežná dráha** *n.* orbit
**obežník** *n.* circular
**obhajca** *n* advocate
**obhajoba** *n.* advocacy
**obhajovať** *v.t.* advocate
**obiehať** *v. i.* circulate
**obiehať** *v.i.* revolve
**obilnina** *n.* cereal
**obilný** *a* cereal
**obísť** *v.t.* round
**obiť klincami** *v.t.* stud
**objasnenie** *n* clarification
**objasniť** *v. t* clarify
**objasniť** *v. t* elucidate
**objatie** *n* embrace
**objav** *n.* discovery
**objaviť** *v. t* detect
**objaviť** *v. t* discover
**objaviť** *v.t.* trace
**objaviť sa** *v.i.* appear
**objaviteľný** *a.* traceable
**objektívny** *a.* objective
**objemný** *a* bulky
**obklopiť** *v.t.* surround
**obkľúčiť** *v. t.* encircle
**obkolesiť** *v.t.* mob
**oblačno** *a* cloudy
**oblak** *n.* cloud
**oblasť** *n* area
**oblastný** *a.* regional
**oblečenie** *n.* outfit
**oblek** *n.* suit
**obličajový** *a* facial

**oblička** *n.* kidney
**obliecť** *v. t* dress
**obliehanie** *n.* siege
**obliehať** *v. t* besiege
**obliekanie** *n* clothing
**obločné rebro** *n.* mullion
**obloha** *n.* sky
**obložiť panelom** *v.t.* panel
**obľúbená vec** *n* favourite
**obľúbené miesto** *n* haunt
**obľúbenec** *n.* minion
**obľúbenosť** *n.* popularity
**obľúbený** *a* favourite
**obľuda** *n.* monster
**oblúk** *n.* arc
**obmedzenie** *n.* limitation
**obmedzenie výdavkov** *n.* retrenchment
**obmedzený** *a.* limited
**obmedziť** *v.t.* limit
**obmedziť výdavky** *v.t.* retrench
**obmedzujúci** *a.* restrictive
**obnova** *n.* revival
**obnovenie** *n.* renewal
**obnoviť** *v.t.* renew
**obohatiť** *v. t* enrich
**obohnať priekopou** *v.t.* moat
**obojstranný** *a.* mutual
**obojživelný** *adj* amphibious
**obor** *n.* giant
**oboznámiť** *v.t.* acquaint
**obozretnosť** *n.* prudence
**obozretný** *adj.* circumspect
**obozretný** *a.* provident
**obrábať** *v. t* cultivate
**obrad** *n.* ceremony
**obradný** *a.* ceremonious
**obrana** *n* defence
**obranný** *adv.* defensive
**obranný plot** *n.* bawn
**obrat** *n* whirl
**obrátiť** *v.t.* invert
**obratník** *n.* tropic
**obratný** *adj.* deft
**obraz** *n.* picture
**obrázkový** *a.* pictorical
**obrazný** *a* figurative
**obrezanie** *n.* lop
**obrezať** *v.t.* lop
**obrezávať** *v.t.* whittle
**obroda** *n.* renaissance
**obrovský** *a* enormous
**obrys** *n* contour
**obsadenie** *n.* cast
**obsadiť** *v.t.* occupy
**obsah** *n* content
**obsahovať** *v.t.* contain
**obscénnosť** *n.* obscenity
**obscénny** *a.* indecent
**obsluha** *n.* service
**obsluhovanie** *n.* operation
**obsluhovať** *v.t.* operate
**obstarať** *v.i.* provide
**obstrihať** *v.t.* prune
**obštrukčný** *a.* obstructive
**obťažný** *a.* fraught
**obťažovanie** *n.* harassment
**obťažovať** *v.t.* harass
**obtekanie** *n.* circumfluence
**obtiažnosť** *n* difficulty
**obuvník** *n* cobbler
**obväz** ~*n.* bandage
**obviazanie** *n* deligate1
**obviazať** *v.t* bandage
**obvinenie** *n* accusation
**obvinený** *n.* accused
**obviniť** *v.t.* accuse
**obvod** *n.* circumference
**obvyklý** *a* customary
**obyčajný** *a.* mere
**obydlie** *n* dwelling
**obývacia izba** *n.* lounge
**obývanie** *n.* occupancy
**obývať** *v.t.* inhabit

**obyvateľ** *n.* inhabitant
**obývateľný** *a.* habitable
**obyvateľstvo** *n.* population
**obžalovaný** *n* defendant
**obžalovať** *v.* arraign
**očakávanie** *n.* expectation
**očakávať** *v.t.* await
**očarenie** *n.* fascination
**očariť** *v. t* enchant
**oceán** *n.* ocean
**oceánsky** *a.* oceanic
**oceľ** *n.* steel
**ocenenie** *n.* appreciation
**oceniť** *v.t.* appreciate
**oceňovanie** *n.* valuation
**oceňovať** *v.t.* value
**očervenieť** *v.t.* redden
**ochabnutý** *a* flabby
**ochabovať** *v.i* falter
**ochota** *n.* goodwill
**ochotný** *adj.* complaisant
**ochotný** *a.* willing
**ochrana** *n.* protection
**ochranca** *n.* protector
**ochranné okuliare** *n.* goggles
**ochranný** *a.* protective
**ochranný prostriedok** *n.* preservative
**ochrnúť** *v.t.* paralyse
**ochrnutie** *n.* paralysis
**ochrnutie lícneho nervu** *n* blight
**ochrnutý** *a.* paralytic
**ochutiť** *v.t.* season
**ochutnať** *v.t.* taste
**očista** *n.* purgation
**očistec** *n.* purgatory
**očistenie** *n.* purification
**očistiť** *v.t.* purify
**očividný** *a.* evident
**ocko** *n* dad, daddy
**očkovanie** *n.* vaccination
**očkovať** *v.t.* immunize
**očná guľa** *n* eyeball
**očné kvapky** *n* eyewash
**očný** *a.* ocular
**očný lekár** *n.* oculist
**ocot** *n.* vinegar
**octovať** *v.* acetify
**od** *prep.* from
**óda** *n.* ode
**odborár** *n.* unionist
**odborník** *n* expert
**odborný** *a.* professional
**odchod** *n* departure
**odchýliť sa** *v. i* deviate
**odchýlka** *n* deviation
**odcudziť** *v.t.* alienate
**oddanosť** *n* devotion
**oddaný** *a.* stalwart
**oddaný** *n* stalwart
**oddelene** *adv.* apart
**oddelenie** *n* department
**oddeliť** *v. t* detach
**oddeliteľný** *a.* separable
**oddychovanie** *n.* relaxation
**oddychovať** *v.i.* rest
**odev** *n.* attire
**odhad** *n.* estimate
**odhadnúť** *v.t.* appraise
**odhadovať** *v. t* estimate
**odhalenie** *n.* revelation
**odhaliť** *v.t.* unsheathe
**odhodlanosť** *n.* determination
**odieť sa** *v.t* garb
**odísť** *v. i.* depart
**odkázať** *v. t.* bequeath
**odkiaľ** *adv.* whence
**odkladať** *v.t. & i.* delay
**odkloniť** *v. t* divert
**odkloniť sa** *v.t. & i.* deflect
**odkvapový** *a.* guttural
**odľahlý** *a.* secluded
**odlákať** *v. t.* entice
**odliatok** *n* casting

**odlišnosť** *n* distinction
**odlišný** *a* distinct
**odliv** *n* ebb
**odloženie** *n.* postponement
**odložiť** *v.t.* postpone
**odlúčenie** *n.* secession
**odmäk** *n* thaw
**odmena** *n* bonus
**odmeniť** *v.t.* reward
**odmietnuť** *v.t.* refuse
**odmietnutie** *n.* refusal
**odobrať vzorku** *v.t.* sample
**odolať** *v.t.* withstand
**odolnosť** *n.* immunity
**odolný** *a.* immune
**odoprenie** *n* abnegation
**odoprieť** *v.t.* withhold
**odoprieť si** *v. t* abnegate
**odoslať** *v.t* forward
**odôvodnenie** *n.* substantiation
**odpad** *n.* waste
**odpadky** *n.* litter
**odpadový** *a.* waste
**odpariť** *v.t.* vaporize
**odpísať** *v.t.* transcribe
**odplata** *n.* retaliation
**odplatiť sa** *v.t.* reciprocate
**odpočinok** *n.* repose
**odpočítať** *v.t.* deduct
**odpočívať** *v.i.* repose
**odpojiť** *v. t* disconnect
**odpor** *n.* aversion
**odpor** *n.* opposition
**odporný** *a.* loathsome
**odporovať** *v.t.* oppose
**odporovať si** *v. i* conflict
**odporučenie** *n.* recommendation
**odporučiť** *v.t.* recommend
**odpoveď** *n* answer
**odpovedať** *v.i.* reply
**odpudivý** *a.* repellent
**odpudzovač** *n* repellent
**odpustenie** *n.* pardon
**odpustiť** *v.t* forgive
**odradiť** *v.i.* dehort
**odradiť** *v. t* dissuade
**odrátanie** *n.* subtraction
**odrátať** *v.t.* subtract
**odraz** *n.* rebound
**odrážajúci** *a.* reflective
**odrážanie** *n.* parry
**odrážať** *v.t.* ward
**odrazenie útoku** *n.* repulse
**odraziť** *v.t.* reflect
**odraziť sa** *v.i.* rebound
**odretý** *a.* threadbare
**odrieť** *v.t.* contuse
**odročenie** *n.* suspension
**odročiť** *v.t.* adjourn
**odsek** *n.* paragraph
**odškodné** *n.* recompense
**odškodnenie** *n* redress
**odškodniť** *v.t.* recompense
**odstavenie** *n* ablactation
**odstaviť** *v. t* ablactate
**odstaviť mláďa** *v.t.* wean
**odstaviť vlak** *v.t.* shunt
**odštiepenec** *n.* secessionist
**odstránenie** *n.* removal
**odstrániť** *v. t* eliminate
**odstrániť mušle** *v.t.* shell
**odstrániteľný** *a.* removable
**odstrčiť** *v.t.* shoulder
**odstredivý** *adj.* centrifugal
**odstup** *n* abdication
**odstúpenie** *n.* resignation
**odstúpiť** *v.t.* resign
**odstupňovanie** *n.* gradation
**odsúdeniahodný** *a* deplorable
**odsúdenie** *n* conviction
**odsúdiť** *v. t.* condemn
**odsúdiť na smrť** *v.t.* attaint
**odťať** *v.t.* sever
**odteraz** *adv.* henceforth

**odtiaľ** *adv.* thence
**odtlačok** *n.* imprint
**odtok** *n* drain
**odtrhnúť** *v.t.* pluck
**odtrhnutie** *n* pluck
**odvádzajúci daň** *a.* tributary
**odvaha** *n* bravery
**odvážiť sa** *v. i.* dare
**odvážny** *a.* bold
**odvážny čin** *n* exploit
**odvetvie** *n.* sector
**odviesť taxíkom** *v.i.* taxi
**odvodiť** *v. t.* derive
**odvodnenie** *n* drainage
**odvodniť** *v. t* drain
**odvolanie** *n.* recall
**odvolať** *v.t.* countermand
**odvolať sa** *v.t.* appeal
**odvolateľný** *a.* revocable
**odvolávajúci sa** *n.* appellant
**odvolávanie sa** *n.* invocation
**odvrátiť** *v.t.* avert
**odvrknúť** *v.t.* retort
**odvrknutie** *n.* retort
**odvtedy** *adv.* since
**odych** *n* rest
**odzbrojenie** *n.* disarmament
**odzbrojiť** *v. t* disarm
**odznak** *n.* badge
**odznova** *adv.* anew
**oficiálny** *a* formal
**ofina** *n.* fringe
**ohavný** *a.* hideous
**oheň** *n* fire
**ohľad** *n* consideration
**ohlasovať** *v.t* herald
**ohlúpiť** *v.t.* stupefy
**ohmatávať** *v.t.* grope
**ohnisko** *n.* hearth
**ohnúť** *v. t* bend
**ohodnotiť** *v.t.* rate
**oholenie** *n* shave
**oholiť** *v.t.* shave
**ohováračský** *a.* slanderous
**ohováranie** *n.* slander
**ohovárať** *v.* asperse
**ohovárať** *v.t.* backbite
**ohrada** *n.* barrier
**ohradiť** *v. t* enclose
**ohradiť živým plotom** *v.t* hedge
**ohrozenie** *n.* jeopardy
**ohrozený** *a.* insecure
**ohroziť** *v. t.* endanger
**ohrozovať** *v.t* menace
**ohyb** *n* fold
**oje** *n.* yoke
**okamih** *n.* instant
**okamžite** *adv.* instantly
**okamžitý** *a* immediate
**okázalý** *a.* pompous
**okenica** *n.* shutter
**okenná tabuľa** *n.* pane
**oklamať** *v. t* deceive
**okno** *n.* window
**oko** *n* eye
**okolie** *n.* surroundings
**okolitý** *adj.* ambient
**okolkovanie** *n.* procrastination
**okolkovať** *v.i.* procrastinate
**okolky** *n.* ado
**okolnosť** *n* circumstance
**okolo** *adv* about
**okolo** *prep.* around
**okončovanie** *n.* termination
**okoreniť** *v.t.* pepper
**okraj** *n* border
**okrajový** *a.* marginal
**okrem** *prep* but
**okrem** *prep* except
**okrem toho** *adv* besides
**okresné mesto** *a.* township
**okrídlený** *adj.* aliferous
**okruh** *n.* circuit
**okruhliak** *n.* pebble

**okrúhlica** *n.* turnip
**okrúhly** *a.* round
**oktáva** *n.* octave
**október** *n.* October
**okúzliť** *v. t.* charm2
**olej** *n.* oil
**olejovať** *v.t* oil
**olejový** *a.* oily
**oligarchia** *n.* oligarchy
**oliva** *n.* olive
**olovený** *a.* leaden
**olovo** *n.* lead
**oltár** *n.* altar
**olúpať sa** *v.t.* slough
**oľutovať** *v.t.* rue
**olympijské hry** *n.* olympiad
**omáčka** *n.* sauce
**omámenie** *n* daze
**omámiť** *v. t* daze
**omdlieť** *v.i* faint
**omega** *n.* omega
**omeleta** *n.* omelette
**omietka** *n.* plaster
**omietnuť** *v.t.* plaster
**omladiť** *v.t.* rejuvenate
**omráčiť** *v.t.* stun
**omrvinka** *n* crumb
**on** *pron.* he
**ona** *pron.* she
**oneskorenec** *n.* laggard
**oneskorený** *adj.* belated
**oni** *pron.* them
**opačný** *a.* opposite
**opak** *n* contrast
**opakovanie** *n.* repetition
**opakovať** *v.t.* repeat
**opál** *n.* opal
**opálený** *n., a.* tan
**opáliť sa** *v.i.* tan
**opásať** *v.t* girdle
**opásať si** *v.t.* gird
**opasok** *n* belt
**opäť nájsť** *v.t.* retrieve
**opatrenie** *n.* precaution
**opatrnícky** *a.* prudential
**opatrnosť** *n.* caution
**opatrný** *a* careful
**opatrovanie** *v* custody
**opatrovať** *v.i.* tend
**opátstvo** *n.* abbey
**opekať** *v.t.* toast
**opera** *n.* opera
**opica** *n.* monkey
**opičí** *a.* apish
**opičiť sa** *v.t.* ape
**opierať** *v.i.* nestle
**opilec** *n* drunkard
**opis** *n* description
**opísať** *v. t* describe
**opitosť** *n.* intoxication
**ópium** *n.* opium
**oplakávať** *v. t* bewail
**oplakávať** *v.i.* wail
**oplodniť** *v.t* fertilize
**oplotiť** *v.t* fence
**opodstatnenie** *n.* rationale
**opodstatnený** *a.* tenable
**opodstatňovať** *v.t.* rationalize
**opojný nápoj** *n.* intoxicant
**oportunizmus** *n.* opportunism
**oposunúť** *v.t.* shift
**opotrebovaný** *a.* worn
**opovrhnutiahodný** *a* despicable
**opovrhnutie** *n* contempt
**opovrhovať** *v. t* despise
**opovržlivý** *a* contemptuous
**oprata** *n.* rein
**oprava** *n* correction
**opravár** *n* fitter
**opraviť** *v.t* fix
**opraviteľný** *a.* raparable
**oprávnenie** *n.* justification
**oprávnený** *a.* righteous
**oprávniť** *v. t.* entitle

**optický** *a.* optic
**optik** *n.* optician
**optimálny** *a* optimum
**optimista** *n.* optimist
**optimistický** *a.* optimistic
**optimizmus** *n.* optimism
**optimum** *n.* optimum
**opuchlina** *n* blain
**opustený** *a.* lonesome
**opustiť** *v.t.* abandon
**opytovací spôsob** *n* interrogative
**oráč** *n.* ploughman
**orálne** *adv.* orally
**orať** *v.i* plough
**oratórium** *n.* oratory
**orchester** *n.* orchestra
**orchestrálny** *a.* orchestral
**ordinálne** *adv.* ordinarily
**orech** *n* nut
**orgán** *n.* organ
**organický** *a.* organic
**organizácia** *n.* organization
**organizátor petičnej akcie** *n.* petitioner
**organizmus** *n.* organism
**organizovať** *v.t.* organize
**orgován** *n.* lilac
**orient** *n.* orient
**orientálna kuchyňa** *n* oriental
**orientálny** *a.* oriental
**orientovať** *v.t.* orientate
**originál** *n* original
**originálnosť** *n.* originality
**orný** *adj* arable
**orol** *n* eagle
**ortodoxnosť** *n.* orthodoxy
**ortodoxný** *a.* orthodox
**ortuť** *n.* mercury
**ortuťový** *a.* mercurial
**os** *n.* axis
**osa** *n.* wasp
**osamelý** *a.* lonely
**ošatiť** *v.t.* robe
**osedlať** *v.t.* saddle
**osem** *n* eight
**osemdesiat** *n* eighty
**osemdesiatnik** *a.* octogenarian
**osemdesiatročný** *a* octogenarian
**osemnásť** *a* eighteen
**osemuholník** *n.* octagon
**osemuholný** *a.* octangular
**ošetrovať** *v.t* nurse
**ošetrovateľka** *n.* nurse
**ošiaľ** *n.* frenzy
**osídla** *n. pl.* toils
**osirieť** *v.t* orphan
**ošklbať** *v.t* fleece
**ošklivosť** *n.* ugliness
**oslabiť** *v.t. & i* weaken
**osladiť** *v.t.* sweeten
**oslava** *n.* celebration
**oslava pamiatky** *n.* commemoration
**osláviť** *v. t. & i.* celebrate
**oslepiť** *v. t.* dazzle
**oslniť** *n* dazzle
**oslobodenie** *n.* emancipation
**oslobodený** exempt
**oslobodiť** *v.t.* enfranchise
**osloboditeľ** *n.* liberator
**osmažiť** *v.t.* fry
**osnova** *n* curriculum
**osoba** *n.* person
**osobnosť** *n.* personage
**osobný** *a.* personal
**osol** *n* donkey
**osoliť** *v.t* salt
**ospalosť** *n.* somnolence
**ospalý** *a.* sleepy
**ospravedlnenie** *n.* apology
**ospravedlniť** *v.t* excuse
**ospravedlniť sa** *v.i.* apologize
**ospravedlniteľný** *a.* justifiable
**osteň** *n.* goad

**oštep** *n.* spear
**ostražitosť** *n.* alertness
**ostražitý** *a.* alert
**ostro** *adv.* sharp
**ostroha** *n.* spur
**ostrov** *n.* island
**ostrovček** *n.* isle
**ostrý** *adj* argute
**ostrý** *a.* sharp
**ošúchaný** *a.* shabby
**osud** *n* fate
**osušiť** *v.t.* towel
**osvedčenie** *n.* testimonial
**osvetlenie** *n.* illumination
**osvetliť** *v.t.* illuminate
**osvietiť** *v.i.* irradiate
**osvieženie** *n.* refreshment
**osviežiť sa** *v.t.* refresh
**osýpky** *n* measles
**otáčanie** *n.* rotation
**otáčať** *v.t.* wind
**otáčavý** *a.* rotary
**otázka** *n.* question
**otázny** *a.* questionable
**otcovražda** *n.* patricide
**otcovský** *a.* paternal
**otec** *n* father
**otočenie** *n* turn
**otočiť** *v.i.* rotate
**otočiť sa** *v.i.* spin
**otrava** *n.* poison
**otráviť** *v.t.* poison
**otravný** *a.* tiresome
**otravovanie** *n* botheration
**otročenie** *n* bondage
**otročiť** *v.i.* slave
**otrocký** *a.* slavish
**otroctvo** *n.* slavery
**otrok** *n.* slave
**otužilý** *adj.* hardy
**otvor** *n.* loop-hole
**otvorene** *adv.* openly
**otvorenie** *n.* opening
**otvorený** *adv.* ajar
**otvorený** *a.* open
**otvoriť** *v.t.* open
**outsider** *n.* outsider
**ovácie** *n.* ovation
**ovad** *n.* gadfly
**ovál** *n* oval
**oválny** *a.* oval
**ovca** *n.* sheep
**overiť** *v.t.* attest
**ovešať** *v.t.* garland
**ovládanie** *n* control
**ovládať** *v. t* control
**ovocie** *n.* fruit
**ovocný pohár** *n.* trifle
**ovocný sad** *n.* orchard
**ovos** *n.* oat
**ovplyvniť** *v.t.* influence
**ovsená kaša** *n.* porridge
**oxid siričitý** *n.* sulphur
**ozdoba** *n.* ornament
**ozdobenie** *n.* ornamentation
**ozdobiť** *v.t.* ornament
**ozdobný** *a.* ornamental
**oženiť sa** *v.t.* marry
**ožiť** *v.i.* revive
**oživiť** *v.t.* vitalize
**označenie** *n.* indication
**označiť** *v. i* denote
**označiť** *v.t* mark
**označiť nálepkou** *v.t.* label
**označiť vysačkou** *v.t.* tag
**oznam** *a.* notice
**oznámenie** *n.* announcement
**oznámiť** *v.t.* announce
**oznamovací spôsob** *a.* indicative
**ožobráčiť** *v.t.* impoverish
**ozrutný** *a.* huge
**ozvena** *n* echo
**ozývať sa** *v. t* echo

# P

**pach** *n.* odour
**páchnuci** *a.* pungent
**pacient** *n* patient
**páčiť sa** *v.t.* like
**pád** *n* fall
**padák** *n.* parachute
**padať** *v.i.* fall
**pagoda** *n.* pagoda
**pahorok** *n.* hillock
**páka** *n.* lever
**palác** *n.* palace
**palankin** *n.* palanquin
**palatálny** *a.* palatal
**palčiak** *n.* mitten
**palec** *n.* thumb
**paleta** *n.* palette
**palica** *n.* maul
**palica s konskou hlavou** *n.* hobby-horse
**palička** *n.* wand
**paličský** *a.* inflammatory
**palina** *n.* wormwood
**palivo** *n.* fuel
**palma** *n.* palm
**paluba** *n* deck
**pamäť** *n.* memory
**pamätať si** *v.t.* remember
**pamätník** *n.* memorial
**pamätný** *a.* memorable
**pamfletista** *n.* pamphleteer
**pamiatka** *n.* remembrance
**pán** *n.* mister
**pančucha** *n.* stocking
**pane** *n.* sir
**panel** *n.* panel
**panenstvo** *n.* virginity
**pani** *n.* mistress
**páni** *n.* Messrs
**panika** *n.* panic
**panna** *n* virgin
**Panna Mária** *n.* virgin
**panoráma** *n.* panorama
**panovanie** *n* reign
**panovať** *v.i.* reign
**panovník** *n.* monarch
**panský** *a.* lordly
**panstvo** *n.* gentry
**panteista** *n.* pantheist
**panteizmus** *n.* pantheism
**panter** *n.* panther
**pantomíma** *n.* pantomime
**papagáj** *n.* parrot
**pápež** *n.* pope
**pápežský** *a.* papal
**pápežský úrad** *n.* papacy
**papier** *n.* paper
**papiernictvo** *n.* stationery
**papierový pás** *n.* streamer
**paplón** *n.* quilt
**paprika** *n* capsicum
**papuča** *n.* slipper
**pár** *n.* pair
**para** *n* steam
**parabola** *n.* parable
**paradajka** *n.* tomato
**paradentóza** *n.* pyorrhoea
**paradox** *n.* paradox
**parafín** *n.* paraffin
**parafráza** *n.* paraphrase
**parafrázovať** *v.t.* paraphrase
**paralelizmus** *n.* parallelism
**paralelogram** *n.* parallelogram
**parašutista** *n.* parachutist
**parazit** *n.* parasite
**parfum** *n.* perfume
**pariť** *v.i.* steam
**páriť sa** *v.t.* mate
**park** *n.* park
**parkovať** *v.t.* park
**parlament** *n.* parliament
**parlamentný** *a.* parliamentary

**parník** *n.* steamer
**parochňa** *n.* wig
**paródia** *n.* parody
**parodovať** *v.t.* parody
**paroh** *n.* antler
**paroháč** *n.* cuckold
**partizán** *n.* partisan
**partner** *n.* partner
**partnerstvo** *n.* partnership
**pás** *n.* waist
**pas** *n.* passport
**pasca** *n.* trap
**pašerák** *n.* smuggler
**pásik na rukáve** *a* armlet
**pasívny** *a.* passive
**páska** *n.* tape
**pásmový** *a.* zonal
**pašovať** *v.t.* smuggle
**pasovať na rytiera** *v.t.* knight
**pásť** *v.t.* pasture
**päsť** *n* fist
**pásť dobytok** *v.t.* agist
**pásť sa** *v.i.* graze
**pasta** *n.* paste
**pastel** *n.* pastel
**pastier** *n.* shepherd
**pastorálny** *a.* pastoral
**pastvina** *n.* pasture
**päť** *n* five
**päta** *n.* heel
**päťdesiat** *n.* fifty
**patent** *n* patent
**patentka** *n.* stud
**patentovať** *v.t.* patent
**patetický** *a.* pathetic
**pätnásť** *n* fifteen
**pátranie** *n.* inquest
**pátranie** *n.* search
**patriť** *v. i* belong
**patronát** *n.* patronage
**päťuholník** *n.* pentagon
**páv** *n.* peacock
**pavian** *n.* baboon
**pávica** *n.* peahen
**pavilón** *n.* pavilion
**pavučina** *n.* web
**pavučinový** *a.* webby
**pavúk** *n.* spider
**pažerák** *n.* gulp
**pažravosť** *n.* gluttony
**pazúr** *n* claw
**pchať** *v. t* cram
**pec** *n.* stove
**pečať** *n.* seal
**pečatiť** *v.t.* seal
**pečeň** *n.* liver
**pečené mäso** *n* roast
**pečený** *a* roast
**pechota** *n.* infantry
**pedagóg** *n.* pedagogue
**pedagogika** *n.* pedagogy
**pedál** *n.* pedal
**pedálovať** *v.t.* pedal
**pedant** *n.* pedant
**pedantnosť** *n.* pedantry
**pedantný** *n.* pedantic
**pekár** *n.* baker
**pekáreň** *n* bakery
**pekelný** *a.* infernal
**pekný** *a* pretty
**peľ** *n.* pollen
**peň** *n.* trunk
**pena** *n* foam
**peňaženka** *n.* purse
**penca** *n.* penny
**peniaze** *n.* money
**penis** *n.* penis
**peniť** *v.t* foam
**penzista** *n.* pensioner
**pera** *n.* lip
**percento** *adv.* per cent
**percento** *n.* percentage
**periféria** *n.pl.* outskirts
**periféria** *n.* periphery

**periodický** *a.* periodical
**periodikum** *n.* periodical
**perla** *n.* pearl
**permutácia** *n.* permutation
**perný** *a.* labial
**pero** *n.* pen
**perspektíva** *n.* perspective
**pes** *n* dog
**pesimista** *n.* pessimist
**pesimistický** *a.* pessimistic
**pesimizmus** *n.* pessimism
**pesticíd** *n.* pesticide
**pestovateľ** *n.* grower
**pestrý** *a.* motley
**pestrý zborník** *n.* miscellany
**petícia** *n.* petition
**petrolej** *n.* kerosene
**pevnosť** *n.* fortress
**pevný** *a* firm
**piatok** *n.* Friday
**pichanie** *n.* prick
**pichať** *v.t.* prick
**pichnutie** *v.* pinch
**piecť** *v.t.* bake
**pierko** *n* feather
**pieseň** *n.* song
**piesočnatý** *a.* sandy
**piesok** *n.* sand
**piest** *n.* piston
**pijan** *n* bibber
**pijanská pieseň** *n.* wassail
**pijavica** *n.* leech
**pikantný** *a.* piquant
**piknik** *n.* picnic
**píla** *n.* saw
**píliť** *v.t.* saw
**pilník** *n* file
**pilot** *n.* pilot
**pilotovať** *v.t.* pilot
**pilulka** *n.* pill
**pirát** *n.* pirate
**pirátstvo** *n.* piracy
**písací stôl** *n* desk
**písaný kurzívou** *a.* italic
**písaný zároveň s iným** *adj.* adscript
**pisár** *n.* typist
**písať** *v.t.* write
**písať hanopisy** *v.t.* lampoon
**pisateľ** *n.* writer
**pískať** *v.i.* whistle
**piskľavý** *a.* shrill
**piskok** *n* squeak
**piskor** *n.* shrew
**piskot** *n* whistle
**pišťať** *v.i.* squeak
**pištoľ** *n.* pistol
**piť** *v. t* drink
**pitevný** *a.* post-mortem
**pitva** *n.* post-mortem
**pitvať** *v. t* dissect
**pivnica** *n* cellar
**pivný ocot** *n* alegar
**pivo** *n* beer
**pivovar** *n* brewery
**pižmo** *n.* musk
**plač** *n* cry
**plachosť** *n.* timidity
**plachta** *n.* sheet
**plachtovina** *n.* canvas
**plachý** *n.* shy
**plačka** *n.* mourner
**plačlivý** *a.* lachrymose
**plagát** *n.* poster
**plakať** *v. i* cry
**plameň** *n* blaze
**plán** *n.* plan
**planéta** *n.* planet
**planetárny** *a.* planetary
**plánovať** *v.t.* plan
**plantáž** *n.* plantation
**planúc** *adv.* aglow
**plápolať** *v.i* blaze
**plášť** *n.* cloak

**plat** *n.* stipend
**platba** *n.* payment
**platba nie peniazmi** *n* cain
**platiť** *v.t.* pay
**platnosť** *n.* validity
**platný** *a.* valid
**platonický** *a.* platonic
**plávanie** *n* swim
**plávať** *v.i.* swim
**plavba** *n.* sail
**plavec** *n.* swimmer
**plavidlo** *n.* vessel
**plaviť** *v.i.* voyage
**plaviť sa** *v.i.* sail
**plaz** *n.* reptile
**pláž** *n* beach
**plaziť sa** *v. t* crawl
**plebejec** *n.* commoner
**plebiscit** *n.* plebiscite
**plece** *n.* shoulder
**plechovica** *n.* canister
**plechovka** *n.* can
**plemeno** *n* breed
**pleseň** *n.* mould
**plešivý** *a.* bald
**pleť** *n* complexion
**pletenina** *n.* hosiery
**pleťová voda** *n.* lotion
**plieniť** *v.t.* plunder
**pliesť** *v.t.* knit
**pliesť sa** *v.i.* maddle
**plieť** *v.t.* weed
**plnený cukrík** *n.* comfit
**plnosť** *n.* fullness
**plný** *a.* full
**plný narážok** *a.* allusive
**plný úzkosti** *a.* anxious
**plochý** *a* flat
**plodina** *n* crop
**plodnosť** *n* fertility
**plodný** *a* fertile
**plošina** *n.* plateau
**plot** *n* fence
**pľúcny lalok** *n* lung
**pluh** *n.* plough
**pluk** *n.* regiment
**plukovník** *n.* colonel
**pluralita** *n.* plurality
**plurálny** *a.* plural
**plusový** *a.* plus
**pľuť** *v.i.* spit
**plutva** *n* fin
**pľuvadlo** *n.* spittoon
**pľuvanec** *n.* sputum
**pľuzgier** *n* blister
**plyn** *n.* gas
**plynový** *a.* gassy
**plynulosť** *n* continuity
**plynulý** *a* fluent
**plytčina** *n.* shoal
**plytký** *a.* shallow
**plytvať** *v.t.* waste
**pĺznutie** *v.i.* moult
**pneumatika** *n.* tyre
**po** *prep.* after
**po** *adv.* post
**po celom** *prep.* throughout
**po čom** *conj.* whereat
**po tretie** *adv.* thirdly
**pobavenie** *n* amusement
**pobledlý** *a.* wan
**poblednúť** *v.i.* pale
**poblíž** *adv.* anigh
**pobozkať** *v.t.* kiss
**pobožnostkár** *n* bigot
**pobožnostkárstvo** *n* bigotry
**pobožný** *a.* pious
**pobrežie** *n* coast
**pobrežný** *a.* littoral
**pobudnúť** *v.i.* sojourn
**pobúrenie** *n.* uproar
**pobúriť** *v.t.* outrage
**poburovanie** *n.* sedition
**poburujúci** *a.* seditious

**pobyt** *n* stay
**počas** *prep* during
**počas** *adv.* within
**počasie** *n* weather
**početný** *a.* numerous
**pochabosť** *n.* lunacy
**pochlebovanie** *n* adulation
**pochod** *n* march
**pochodovať** *v.i* march
**pochopenie** *n.* apprehension
**pochopiť** *v. t* comprehend
**pochovať** *v. t.* bury
**pochybnosť** *n* doubt
**pochybovať** *v. i* doubt
**počiatok** *n.* onset
**pocit** *n.* sensation
**počítačová hra** *n.* loadstar
**počítanie** *n.* computation
**počítať** *v. t.* count
**pocta** *n.* homage
**poctiť** *v.t* dignify
**počuť** *v.t.* hear
**počuteľný** *a* audible
**počúvať** *v.i.* listen
**pod** *prep.* under
**pod papučou** *a.* henpecked
**pôda** *n.* soil
**podabnosť** *n.* resemblance
**podanie** *n.* treatment
**podariť sa** *v.i.* succeed
**podať** *v.t* hand
**podať ďalej** *v.t.* relay
**podať petíciu** *v.t.* petition
**podať žiadosť** *v.t* file
**podávať laktán** *v.i.* lactate
**podávať liek** *v.t.* physic
**podčiarknuť** *v.t.* underline
**poddajný** *a.* submissive
**pódium** *n.* stage
**podivuhodný** *a.* wondrous
**podkladový náter** *n.* primer
**podkopať** *v.t.* undermine
**podkovať** *v.t.* shoe
**podľa archimedovho zákona** *a.* natant
**podľa toho** *adv.* accordingly
**podlažie** *n.* storey
**podlhovastý** *a.* oblong
**podliehajúci skaze** *a.* perishable
**podlízavý** *n.* sycophant
**podlosť** *n.* meanness
**podložiť vankúšom** *v.t.* pillow
**podmanenie** *n.* subjection
**podmaniť** *v.t.* subjugate
**podmanivý** *a.* winsome
**podmaslie** *n* buttermilk
**podmienečne prepustiť** *v.t.* parole
**podmienený** *a* conditional
**podmienka** *n.* parole
**podmorský** *a* submarine
**podnájomník** *n.* tenant
**podnapitý** *a.* tipsy
**podnebie** *n.* palate
**podnecovať** *v.t* foment
**podnet** *n.* stimulus
**podnietiť** *v.t.* initiate
**podnik** *n* enterprise
**podnikateľ** *n* contractor
**podnožník** *n.* nadir
**podobať** *v.t.* liken
**podobať sa** *v.t.* resemble
**podobne** *adv.* likewise
**podobnosť** *n.* similarity
**podobný** *a.* similar
**podoprieť** *v.t.* prop
**podozrenie** *n.* suspicion
**podozrivý** *a.* suspect
**podozrivý** *n* suspect
**podpaľačstvo** *n* arson
**podpera** *n.* prop
**podpichovanie** *n.* raillery
**podpis** *n.* signature
**podpísať** *v.t.* sign

**podplatiť** *v. t.* bribe
**podplatiteľný** *a.* venal
**podpora** *n.* support
**podporiť** *v.t.* support
**podporovať** *v.t.* perpetuate
**podporovateľ** *n.* seconder
**podpriemernosť** *n.* mediocrity
**podpriemerný** *a.* mediocre
**podradenosť** *n.* inferiority
**podradný** *a.* menial
**podráždenie** *n.* irritation
**podráždený** *a.* irritable
**podráždiť** *v.t.* irritate
**podraziť** *v.t* sole
**podriadenie sa** *n.* submission
**podriadenosť** *n.* subordination
**podriadenosť** *n.* subservience
**podriadený** *a.* subordinate
**podriadený** *n* subordinate
**podriadiť** *v.t.* subordinate
**podrobený** *a* subject
**podrobiť** *v.t.* subject
**podrobiť sa** *v.t.* undergo
**podrobne** *adv.* minutely
**podrobne popísať** *v. t* detail
**podrobnosť** *n* detail
**podstata** *n* essence
**podstatné meno** *n.* noun
**podstatný** *a* essential
**podstavec** *n.* pedestal
**podsvetie** *n.* underworld
**podujať sa** *v.t.* undertake
**podvádzať** *v. t.* cheat
**podväzkový pás** *n.* girdle
**podväzok** *n.* garter
**podviesť** *v.t.* swindle
**podvod** *n* deceit
**podvodník** *n.* rogue
**podvodný** *a.* fraudulent
**podvrh** *a* bogus
**podvýživa** *n.* malnutrition
**podzemný** *a.* subterranean
**poet** *n.* bard
**poetický** *a.* poetic
**poetika** *n.* poetics
**poetka** *n.* poetess
**poézia** *n.* poetry
**pogniaviť** *v.t.* squash
**pohádzať** *v. t* bestrew
**poháňať** *v.t.* propel
**poháňať motorom** *v.i.* motor
**pohár** *n.* tumbler
**pohľad** *n* gaze
**pohľad späť** *n.* retrospect
**pohľad späť** *n.* retrospection
**pohladiť** *v. t.* caress
**pohladkať** *v.t.* pet
**pohlavie** *n.* sex
**pohlavný** *a.* sexual
**pohltiť** *v.t* absorb
**pohnať** *v.t.* spur
**pohnevať si** *v.t.* antagonize
**pohnúť sa** *v. i. & n* budge
**pohodenie** *n* toss
**pohodlie** *n.* comfort l
**pohodlný** *a* comfortable
**pohon** *n.* gear
**pohoršiť** *v.t.* scandalize
**pohostinnosť** *n.* hospitality
**pohostiť** *v.i* feast
**pohotová odpoveď** *n.* repartee
**pohotovo** *adv.* readily
**pohovka** *n.* sofa
**pohovor** *n.* interview
**pohŕdanie** *n.* scorn
**pohŕdať** *v. t.* disdain
**pohŕdavý** *a.* sardonic
**pohreb** *n.* funeral
**pohrebisko** *n.* necropolis
**pohrebná hranica** *n.* pyre
**pohroma** *n.* calamity
**pohrúžený** *a.* rapt
**pohyb** *n.* movement
**pohyblivosť** *n.* mobility

**pohyblivý** *a.* mobile
**pohybová energia** *n.* momentum
**pohybovať perami** *v.t.* mouth
**pohybovať sa** *v.t.* range
**poistenie** *n.* insurance
**poistiť** *v.t.* insure
**poistka** *n* fuse
**poistné** *n.* premium
**pokánie** *n.* atonement
**pokarhanie** *n.* rebuke
**pokaziť** *v.i.* rot
**pokaziť sa** *adj* addle
**poklad** *n.* treasure
**pokladník** *n.* cashier
**pokles** *n* decline
**poklona** *n* bow
**pokoj** *n.* tranquility
**pokojný** *adj.* bland
**pokojný** *a.* peaceful
**pokornosť** *n.* lowliness
**pokorný** *a.* lowly
**pokovať** *v.t.* plate
**pokračovanie** *n.* continuation
**pokračovať** *v. i.* continue
**pokročiť** *v.i.* progress
**pokrokový** *a.* progressive
**pokropiť** *v. t.* sprinkle
**pokryť** *v.t.* smother
**pokryť škridlami** *v.t.* tile
**pokryť trstinou** *v.t.* thatch
**pokrytec** *n.* hypocrite
**pokrytecký** *a.* hypocritical
**pokrytectvo** *n.* hypocrisy
**pokrývka** *n.* cover
**pokus** *n* experiment
**pokúsiť sa** *v.t.* attempt
**pokušiteľ** *n.* tempter
**pokuta** *n* fine
**pokutovať** *v.t* fine
**polárny** *n.* polar
**poľaviť** *v.i.* subside
**pole** *n* field
**polepšenie sa** *n.* reformation
**polepšovňa** *n.* reformatory
**poliať** *v.t.* water
**polica** *n.* shelf
**policajný sudca** *n.* magistrate
**policajt** *n.* policeman
**polícia** *n.* police
**polievka** *n.* soup
**politický** *a.* political
**politik** *n.* politician
**politika** *n.* politics
**polízavosť** *n.* sycophancy
**polnoc** *n.* midnight
**poľnohospodár** *n.* agriculturist
**poľnohospodársky** *a* agricultural
**poľnohospodárstvo** *n* agriculture
**pólo** *n.* polo
**pologuľa** *n.* hemisphere
**poloha** *n.* location
**polová nota** *n.* minim
**poľovačka** *n* hunt
**poľovať** *v.t.* hunt
**polovica** *n.* half
**polovičný** *a* half
**poľovník** *n.* hunter
**poľovný pes** *n.* hound
**položiť** *v.t.* lay
**položiť dosku** *v.t.* plank
**položka** *n.* item
**poludňajší** *a.* meridian
**poludnie** *n.* midday
**poľutovať** *v. t* commiserate
**polygamia** *n.* polygamy
**polygamický** *a.* polygamous
**polyglot** *n.* polyglot
**polyglotický** *a.* polyglot
**polytechnický** *a.* polytechnic
**polytechnik** *n.* polytechnic
**polyteista** *n.* polytheist
**polyteistický** *a.* polytheistic
**polyteizmus** *n.* polytheism
**pomalosť** *n.* slowness

**pomaly** *adv.* slowly
**pomalý** *a* slow
**pomaranč** *n.* orange
**pomarančový** *a* orange
**pomenovať** *v.t.* name
**pomer** *n.* proportion
**pomerne lacný** *a.* inexpensive
**pomerne veľký** *a.* sizable
**pomník** *n.* monument
**pomoc** *n* aid
**pomocné sloveso** *pref.* be
**pomocník** *n.* auxiliary
**pomocný** *a.* auxiliary
**pomôcť** *v.t.* help
**pompa** *n.* pomp
**pompéznosť** *n.* pomposity
**pomsta** *n.* revenge
**pomstiť sa** *v.t.* revenge
**pomstychtivý** *a.* revengeful
**ponáhľať sa** *v.t.* hurry
**ponaučenie** *n.* moral
**pondelok** *n.* Monday
**ponechať si** *v.t.* keep
**poník** *n.* pony
**poníženie** *n.* humiliation
**ponížiť** *v.t.* humiliate
**ponorenie** *n.* immersion
**ponoriť** *v.i.* submerge
**ponoriť sa** *v. i* dive
**ponorka** *n.* submarine
**ponožka** *n.* sock
**ponuka** *n* offer
**ponúkať** *v.t.* ply
**ponúknuť** *v.t.* offer
**ponúknuť viac** *v.t.* outbid
**popálenina** *n* burn
**popáliť** *v.t.* scorch
**popelín** *n.* poplin
**popierať** *v.t.* negative
**popínavá rastlina** *n* creeper
**popisný** *a* descriptive
**poplach** *n* alarm
**poplatok** *n* fee
**poplatok na móle** *n.* wharfage
**popliesť** *v. t* bewilder
**popod** *prep.* underneath
**popol** *n.* ash
**poprava** *n* execution
**popraviť** *v. t* execute
**popredný** *a* foremost
**popretie** *n* denial
**popriať** *v.t* bid
**poprieť** *v. t.* deny
**popularizovať** *v.t.* popularize
**pór** *n.* leek
**porada** *n* consultation
**poradca** *n.* counsellor
**poradie** *n.* order
**poradiť si** *v. i* cope
**poradoxný** *a.* paradoxical
**poraziť** *v. t.* defeat
**porážka** *n* defeat
**porcelán** *n.* porcelain
**porekadlo** *n.* proverb
**porezanie** *n* cut
**pôrod** *n.* birth
**pôrodná baba** *n.* midwife
**porota** *n.* jury
**porotca** *n.* juryman
**porovnanie** *n* comparison
**porovnávací** *a* comparative
**porovnávať** *v. t* compare
**porozhadzovať** *v.t.* strew
**porozprávať** *v.t.* narrate
**porozprávať sa** *v.i* parley
**portál** *n.* portal
**portikus** *n.* portico
**portrét** *n.* portrait
**portrétovanie** *n.* portraiture
**porucha** *n* breakdown
**porucha trávenia** *n.* indigestion
**poručník** *n.* guardian
**porušenie** *n* breach
**posadiť** *v.t.* seat

**posadiť sa** *v.i.* perch
**posádka** *n.* crew
**posadnúť** *v.t.* obsess
**posadnutosť** *n.* obsession
**posedávať** *v.i.* lounge
**posekať** *v. t* chop
**posilniť** *v.t.* fortify
**poskočenie** *n* scamper
**poškodený** *a* faulty
**poškodiť** *v. t.* damage
**poskok** *n* hop
**poškriabať** *v.t.* scratch
**poškvrniť** *v.t.* taint
**poskytnúť** *v.t.* spare
**poskytnúť prístrešie** *v.t* harbour
**poskytnúť servis** *v.t* service
**poskytovať** *v.t.* yield
**poslanec** *n.* parliamentarian
**poslať** *v.t.* send
**poslať do dôchodku** *v.t.* pension
**poslať do vyhnanstva** *v. t* exile
**poslať loďou** *v.t.* ship
**poslať poštou** *v.t.* mail
**posledný** *a* final
**posledný** *adv.* last
**poslíček** *n.* peon
**poslucháč** *n.* listener
**poslúchať** *v.t.* obey
**poslušnosť** *n.* obedience
**poslušný** *a.* obedient
**poslúžiť** *v.i.* minister
**posmech** *n* sneer
**posmeliť** *v. t.* embolden
**posmievať sa** *v.i.* mock
**posmrtný** *a.* posthumous
**pôsobiť proti** *v.t.* counteract
**pôsobivý** *a.* impressive
**posol** *n.* messenger
**pospiatky** *adv.* backward
**pôst** *n* fast
**pošta** *n.* mail
**pošta** *n.* post-office
**postačiť** *v.i.* suffice
**poštár** *n.* postman
**postava** *n.* physique
**postávať** *v.i.* linger
**postavenie** *n* erection
**postaviť** *v. t* erect
**postaviť hniezdo** *v.t.* nest
**postaviť proti sebe** *v.t.* contra-pose
**postaviť sa** *v.i.* pose
**postdátovať** *v.t.* post-date
**posteľ** *n* bed
**posteľná bielizeň** *n.* bedding
**postieľka** *n.* cot
**postihnúť** *v.t.* affect
**postihnutý** *a.* invalid
**postiť sa** *v.i* fast
**postoj** *n.* attitude
**poštovné** *n.* postage
**poštový** *a.* postal
**postrapatiť** *v.t.* ruffle
**postrčenie** *n.* shove
**postriebriť** *v.t.* silver
**postroj** *n.* harness
**postup** *n.* advancement
**postúpiť** *v.t.* advance
**postupný** *a.* gradual
**posúdiť** *v.t.* review
**posudzovať** *v.t.* adjudge
**posunky** *n.* mime
**posunok** *n.* gesture
**posvätenie** *n.* sanctification
**posvätiť** *v.t.* sanctify
**posvätné miesto** *n.* shrine
**posvätnosť** *n.* sanctity
**posvätný** *a.* sacrosanct
**pot** *n.* sweat
**potaš** *n.* potash
**potenciál** *n.* potential
**potenie** *n.* perspiration
**potešenie** *n* delight
**potešiť** *v. t.* delight

**potiahnutie** *n.* pull
**potiť sa** *v.i.* sweat
**potkan** *n.* rat
**potknúť sa** *v.t.* trip
**potlačenie** *n.* suppression
**potlačiť** *v.t.* suppress
**potlapkanie** *n* pat
**potlapkať** *v.t.* pat
**potlesk** *n* clap
**potmehúcky** *a.* roguish
**potôčik** *n.* streamlet
**potok** *n.* brook
**potom** *conj.* after
**potom** *adv.* next
**potom** *adv.* then
**potomkovia** *n.* progeny
**potomok** *n.* offspring
**potomstvo** *n.* posterity
**potopenie** *n* dive
**potopiť sa** *v.i.* sink
**potrasenie** *n* shake
**potrat** *n.* miscarriage
**potratiť** *v.i.* miscarry
**potrava** *n.* sustenance
**potraviny** *n.* grocery
**potreba** *n.* need
**potrebný** *a.* requisite
**potrebný počet hlasov** *n.* quorum
**potrebovať** *v.t.* need
**potriasť** *v.i.* shake
**potulovanie sa** *n* ramble
**potupiť** *v. t* dishonour
**potvrdenie** *n* confirmation
**potvrdenka** *n.* receipt
**potvrdiť** *v. t.* certify
**poučenie** *n.* guidance
**poučiť** *v. t.* enlighten
**poučný** *a.* informative
**poukážka** *n.* voucher
**použiť** *v.t.* use
**použiť aliteráciu** *v.* alliterate
**použiť interpunkčné znamienko** *v.t.* punctuate
**použiteľný** *a.* serviceable
**použitie** *n.* utilization
**používanie** *n.* use
**pôvab** *n.* glamour
**pôvabný** *a.* dainty
**povaha** *n.* temper
**povala** *n.* loft
**povaľovať sa** *v.i.* loaf
**považovaný** *prep.* considering
**považovať** *v.t.* account
**považovať** *v.i.* deem
**povďačný** *a.* thankful
**povedať** *v.t.* say
**povedať úvodom** *v.t.* preface
**povera** *n.* superstition
**poverčivý** *a.* superstitious
**poverený** *a.* vicarious
**poveriť** *v. t* entrust
**povesť** *n.* legend
**povestnosť** *n.* notoriety
**povestný** *a.* legendary
**povinnosť** *n* duty
**povinný** *a* compulsory
**pôvod** *n.* origin
**pôvodca** *n.* originator
**pôvodne** *adv* formerly
**pôvodný** *a.* original
**povolanie** *n.* occupation
**povolanosť** *n.* vocation
**povolať** *v.t.* page
**povolenie** *n.* permission
**povolený** *a.* permissible
**povoliť** *v.t.* permit
**povoľný** *adj.* compliant
**povoz** *n.* wagon
**povraz** *n* cord
**povraz** *n.* whipcord
**povrch** *n.* surface
**povrchnosť** *n.* superficiality
**povrchný** *a* facile
**povrchový** *a.* superficial

**povýšenie** *n.* promotion
**povýšiť** *v.t.* promote
**povzbudenie** *n.* incentive
**povzbudiť** *v. t* encourage
**povzdychnúť si** *v.i.* sigh
**povzdychnutie** *n.* sigh
**povzniesť** *v. t* elevate
**póza** *n.* posture
**pozadie** *n.* background
**požadovať** *v.t.* reclaim
**pozastavenie** *n.* interception
**pozastaviť** *v.t.* suspend
**pozbierať** *v. t* collect
**pozdrav** *n.* salutation
**pozdraviť** *v.t.* greet
**požehnanie** *n* benison
**požehnať** *v. t* bless
**pozemský** *a* earthly
**pozerať** *v.i.* stare
**pozerať** *v.t.* survey
**požiadavka** *n* demand
**požičať** *v. t* borrow
**požičať** *v.t.* loan
**pozícia mid-off** *n.* mid-off
**pozícia mid-on** *n.* mid-on
**pôžička** *n.* loan
**pozitívny** *a.* positive
**pozlátený** *a.* gilt
**pozlátiť** *v.t.* gild
**pozmeniť** *v.t.* amend
**pozmeňovací návrh** *n.* amendment
**poznamenať** *v.t.* remark
**poznámka** *n* comment
**poznámka prenesená mimochodom** *n.* aside
**pozornosť** *n.* attention
**pozorný** *a.* attentive
**pozorovanie** *n.* observation
**pozorovanie sa** *n.* introspection
**pozorovať sa** *v.i.* introspect
**pozoruhodnosť** *n.* notability
**pozoruhodný** *a.* notable
**pozostatok** *n.* relic
**pozvanie** *v.* invitation
**pozvať** *v.t.* invite
**práca** *n.* work
**prach** *n* dust
**prachovka** *n* duster
**prací** *a.* washable
**práčka** *n.* washer
**prácny** *a.* laborious
**pracovať** *v.i.* labour
**pracovať** *v.t.* work
**pracovitosť** *n* diligence
**pracovitý** *a* diligent
**práčovňa** *n.* laundry
**pracovník** *n.* labourer
**pracovný plášť** *n.* overall
**pradenie** *n.* purr
**pradeno** *n.* skein
**pradiar** *n.* spinner
**pradiarka** *n.* laundress
**pragmatický** *a.* pragmatic
**pragmatizmus** *n.* pragmatism
**prah** *n.* threshold
**prajný** *a.* wishful
**praktickosť** *n.* practicability
**praktický** *a.* practical
**praktik** *n.* practitioner
**prameň** *n.* stream
**prameň vlákna** *n* strand
**prasa** *n.* pig
**praskať** *v.t.* crackle
**prasknúť** *v. i.* burst
**prasknutie** *n* burst
**prasnica** *n.* sow
**prášok** *n.* powder
**prastarý** *a.* primeval
**pravda** *n.* truth
**pravdepodobne** *adv.* probably
**pravdepodobnosť** *n.* likelihood
**pravdepodobný** *a.* likely
**pravdivý** *a.* truthful

**pravekÿ** *a.* prehistoric
**pravidelnosť** *n.* regularity
**pravidelný** *a.* regular
**pravidlo** *n.* law
**právne listiny** *n.* muniment
**právnictvo** *n.* jurisprudence
**právnik** *n.* lawyer
**právomoc** *n.* jurisdiction
**pravouhlý** *a.* rectangular
**pravý** *a.* authentic
**prax** *n.* practice
**prázdne miesto** *n* blank
**prázdniny** *n.* holiday
**prázdny** *a* blank
**pre** *prep* for
**prebiť tromfom** *v.t.* trump
**prebodnúť** *v.t.* stab
**prebytočný** *a.* superabundant
**prebytok** *n.* surplus
**prebývať** *v. i* dwell
**preč** *adv.* away
**preceniť** *v.t.* overrate
**prečerpanie účtu** *n.* overdraft
**prečerpať** *v.t.* overdraw
**prechádzať sa** *v.t.* saunter
**prechádzať sa** *v.i.* stroll
**prechádzka** *n* stroll
**prechod** *n* pass
**prechodný** *n.* transitive
**prečítanie** *n.* perusal
**prečítať** *v.t.* peruse
**prečo** *adv.* why
**pred** *prep* before
**predaj** *n.* sale
**predajný** *a.* marketable
**predák** *n* foreman
**predať** *v.t.* sell
**predavač** *n.* merchant
**predavač v papiernictve** *n.* stationer
**predávať v malom** *v.t.* retail
**predávkovať** *v.t.* overdose
**predbehnúť** *v.t.* overtake
**predbežný** *a.* tentative
**predčasný** *a.* premature
**predchádzajúci** *a.* prior
**predchádzanie** *n.* prevention
**predchádzať** *v.t.* antecede
**predchádzať** *v.* precede
**predchodca** *n.* antecedent
**predeliť** *v.t.* partition
**predhadzovať** *v. t* cavil
**predhovor** *n.* preamble
**predieranie sa** *n.* jostle
**predierať sa** *v.t.* jostle
**predísť** *v.t* forestall
**predjedlo** *n* appetizer
**predkladať ponuku** *v.t.* tender
**predkovia** *n.* parentage
**predlaktie** *n* forearm
**predložiť** *v.t.* present
**predložiť k úvahe** *v.t.* propound
**predložka** *n.* preposition
**predĺženie** *n.* prolongation
**predĺžiť** *v.t.* lengthen
**predmanželský** *a.* premarital
**predmestie** *n.* suburb
**predmestský** *a.* suburban
**predmet** *n* article
**predná línia** *n.* spearhead
**predná noha** *n* foreleg
**prednášajúci** *n.* lecturer
**prednášať** *v* lecture
**prednáška** *n.* lecture
**prednes** *n.* recital
**prednosť** *n.* preference
**prednosta poštového úradu** *n.* postmaster
**prednostný** *a.* preferential
**predný** *a* front
**predohra** *n.* prelude
**predok** *n.* ancestor
**predošlí** *a.* antecedent
**predovšetkým** *adv.* primarily

**predpis** *n.* prescription
**predpísať** *v.t.* prescribe
**predplatiť** *v.t.* subscribe
**predplatné** *n.* subscription
**predpoklad** *n.* assumption
**predpokladať** *v.t.* assume
**predpoludnie** *n* forenoon
**predpona** *n.* prefix
**predpona miesta** *prep.* at
**predpôrodný** *adj.* antenatal
**predpoveď** *n* forecast
**predpovedať** *v.t* forecast
**predradlička** *n* colter
**predraženie** *n* overcharge
**predražiť** *v.t.* overcharge
**predseda** *n* chairman
**predsedať** *v.i.* preside
**predslov** *n* foreword
**predstava** *n* concept
**predstava** *n.* notion
**predstavená** *n.* prioress
**predstavenie** *n.* performance
**predstaviť si** *v.t.* picture
**predstaviteľ** *n* exponent
**predstavivosť** *n.* imagination
**predstieranie** *n.* pretence
**predstierať** *v.t.* pretend
**predsudok** *n.* prejudice
**predsvadobný** *adj.* antenuptial
**predtucha** *n.* premonition
**predtým** *adv.* before
**predurčenie** *n.* predestination
**predvedenie** *n.* presentation
**predvídanie** *n.* prediction
**predvídať** *v.t* foresee
**predvídavý** *a.* visionary
**predvolanie** *n.* summons
**predvolanie na súd** *n.* habeas corpus
**predvolať** *v.t.* summon
**predzvesť** *n.* omen
**prefekt** *n.* prefect
**prefíkanosť** *n* cunning
**prefíkaný** *a* cunning
**preháňací** *a* laxative
**preháňadlo** *n.* laxative
**prehľad** *n* review
**prehľadať** *v.t.* ransack
**prehliadka** *n.* parade
**prehliadnuť** *v.t.* overlook
**prehliadnutie** *n.* oversight
**prehltnúť** *v.t.* lump
**prehnať** *v.t.* overdo
**prehováranie** *n.* persuasion
**prehovoriť** *v.t.* persuade
**prejav** *n.* manifestation
**prejsť** *v. t* cross
**prejsť** *v.i.* proceed
**prejsť cez rozum** *v.t.* hoodwink
**prekaziť** *v.t* foil
**prekážka** *n.* obstacle
**preklad** *n.* translation
**prekladateľ** *n.* interpreter
**preklenúť** *v.t.* span
**prekliať** *v. t.* damn
**prekliatie** *n* curse
**prekliaty** *a.* accursed
**preklínať** *v. t* curse
**prekĺznuť** *v.i.* sneak
**prekonať** *v.t.* overcome
**prekračovať** *v.t.* transcend
**prekročenie** *n.* transgression
**prekročiť** *v.t* exceed
**prekrútenie** *n.* perversion
**prekrývanie** *n* overlap
**prekrývať sa** *v.t.* overlap
**prekutranie** *n* rummage
**prekvapenie** *n.* surprise
**prekvapiť** *v.t.* surprise
**prekvitať** *v.i.* thrive
**prekypovať** *v.i.* abound
**prelát** *n.* prelate
**prelomiť** *v.t.* snap
**preložiť** *v.t.* translate

**premárniť** *v.t.* squander
**premávať** *v.t.* shuttle
**premena** *n.* metamorphosis
**premenlivý** *a.* variable
**premenný** *a.* mutative
**premiér** *n* premier
**premiéra** *n.* premiere
**premiešať sa** *v.t.* intermingle
**premiestnenie** *n.* transfer
**premiestniť** *v.t.* transfer
**premiestniteľný** *a.* transferable
**premietací prístroj** *n.* projector
**premočiť** *v. t* drench
**premôcť** *v.t.* overpower
**premýšľanie** *n.* rumination
**premýšľať** *v.i.* ruminate
**premýšľavý** *a.* meditative
**premyslenosť** *n.* premeditation
**premyslieť** *v.t.* premeditate
**prenáhlený** *a.* rash
**prenajať** *v.t.* lease
**prenajať si** *v.t* hire
**prenajímať prenajaté priestory** *v.t.* sublet
**prenájom** *n.* hire
**prenášač** *n.* mover
**prenasledovanie** *n.* persecution
**prenasledovaný** *n* underdog
**prenasledovať** *v.t.* persecute
**prenikavý** *a.* strident
**prenikavý pach** *n.* pungency
**preniknúť** *v.t.* penetrate
**preniknutie** *n.* penetration
**prenos** *n.* transmission
**prenosný** *a.* portable
**preosiať** *v.t.* sieve
**prepáčenie** *n.* condonation
**prepad** *n.* raid
**prepadnúť** *v.t.* assault
**prepadnúť** *v.t.* invade
**prepadnutie** *n.* assault
**prepelica** *n.* quail
**prepichnúť** *v.t.* puncture
**prepitné** *n.* gratuity
**preplatiť** *v.t.* refund
**preplatok** *n.* refund
**preplniť** *v.t.* glut
**prepočítanie** *n.* miscalculation
**prepočítať** *v.t.* miscalculate
**prepracovanie** *n.* overwork
**prepracovať sa** *v.i.* overwork
**preprava** *n.* transport
**prepravka** *n.* crate
**prepravovať** *v.t* ferry
**prepustenie** *n* dismissal
**prepustenie z otroctva** *n.* manumission
**prepustiť** *v. t* discharge
**prepych** *n.* luxury
**prepychový** *a.* luxurious
**prerušenie** *n.* recess
**prerušiť** *v. t* discontinue
**presakovať** *v.i.* seep
**prešetrenie** *n.* scrutiny
**presilenie** *n* wrick
**preskúmanie** *n.* inspection
**preskúmať** *v.t* explore
**presne** *adv.* just
**presnosť** *n.* accuracy
**presný** *a.* accurate
**presť** *v.i.* pass
**prestať** *v.t.* quit
**prestávka** *n.* pause
**prestrihnúť** *v.t.* slit
**prestrojiť sa** *v. t* disguise
**presvedčiť** *v. t* convince
**presvedčivý** *adj.* cogent
**preťaženosť** *n* overload
**preťažiť** *v.t.* overload
**pretekať** *v.i* race
**preteky** *n.* race
**pretínať sa** *v.t.* intersect
**pretnutie** *n.* intersection
**preto** *adv.* therefore

**pretože** *conj.* because
**pretrhnúť sa** *v.t.* rupture
**pretrvávanie** *n.* persistence
**pretvárať** *v.t.* transfigure
**pretvárka** *n* affectation
**prevádzkovateľ** *n.* operator
**prevaha** *n.* predominance
**prevážiť** *v.t.* out-balance
**prevažovať** *v.t.* outweigh
**preventívny** *a.* precautionary
**previesť** *v. t* delegate
**previnilec** *n.* offender
**prevládajúci** *a.* predominant
**prevládať** *v.i.* predominate
**prevoz** *n* conveyance
**prevrátene** *adv* topsy turvy
**prevrátiť** *v.t.* upset
**prevrátiť sa** *v.i.* somersault
**prevteľovanie** *n.* transmigration
**prevyšovať** *v.t.* top
**prevyšovať počtom** *v.t.* outnumber
**prevzdušniť** *v.t.* aerify
**prezencia** *n.* roll-call
**prezident** *n.* president
**prezidentský** *a.* presidential
**prezieravosť** *n.* acumen
**prezieravý** *a.* providential
**prezimovanie** *n.* hibernation
**prežiť** *v.i.* survive
**prežitie** *n.* subsistence
**prežitok** *n.* survival
**prezradiť** *v. t. & i* blab
**prežúvavec** *n.* ruminant
**prežúvavý** *a.* ruminant
**prezývať** *v.t.* nickname
**prezývka** *n.* nickname
**pri** *prep* by
**pri vedomí** *a* conscious
**priamo** *adv.* full
**priamy** *a* direct
**prianie** *n.* wish
**priasť** *v.i.* purr
**priať si** *v.t.* wish
**priateľ** *n.* friend
**priateľský** *adj.* amicable
**priateľský** *a.* hospitable
**priateľstvo** *n.* amity
**priaznivec** *n.* patron
**priaznivý** *a* favourable
**príbeh** *n.* story
**pribiť** *v.t.* nail
**priblížiť sa** *v.t.* approach
**približný** *a.* approximate
**príboj** *n.* surf
**príbuzenstvo** *n.* kinship
**príbuzní** *n.* kin
**príbuzný** *a.* akin
**príbuzný** *adj* cognate
**príchod** *n.* arrival
**príchuť** *n.* savour
**príčina** *n.* cause
**pričlenenie** *n* annexation
**pričleniť** *v.t.* annex
**pridať** *v.t.* add
**prídavok** *n.* appendage
**prídel** *n.* ration
**pridelenec** *n.* attache
**prideliť** *v.t.* assign
**pridružený** *a.* associate
**priebeh** *n.* process
**priečelie** *n* facade
**priečka** *n.* partition
**priečny klin** *n* forelock
**priehľadný** *a* clear
**priehrada** *n* dam
**priek** *n.* spite
**priekopa** *n* ditch
**priekopník** *n.* pioneer
**priemer** *n.* average
**priemerný** *a.* average
**priemysel** *n.* industry
**priemyslový** *a.* industrial
**priepasť** *n* abyss

**prieplav** *n.* canal
**prieskum** *n.* survey
**priesmyk** *n.* defile
**priestor** *n.* space
**priestorný** *a.* capacious
**priestorový** *a.* spatial
**priestranný** *a.* spacious
**priestupok** *n.* offence
**prietrž** *n.* hernia
**prievan** *n* draught
**priezvisko** *n.* surname
**prihlásiť sa** *v. t* enlist
**prihodiť sa** *v.i.* occur
**prijať** *&* accept
**prijateľný** *a* acceptable
**prijatie** *n* acceptance
**prijatie na univerzitu** *n.* matriculation
**príjem** *n.* income
**príjemca** *n.* recipient
**príjemne prežiť** *v.t.* while
**príjemný** *a.* pleasant
**prijímacia miestnosť** *n* drawing-room
**príkaz** *n.* instruction
**prikázať** *v.t* order
**príklad** *n* example
**prikloniť sa** *v.i.* incline
**prikryť** *v. t.* cover
**prikryť sieťou** *v.t.* net
**prikrývka** *n* wrap
**prikývnuť** *v.i.* nod
**prilba** *n.* hamlet
**prilepiť** *v.t.* paste
**prilepšenie** *n* betterment
**prilepšiť si** *v. t* better
**prílev** *n.* influx
**príležitosť** *n.* opportunity
**príležitostý** *a.* occasional
**príliv** *n.* tide
**prílivový** *a.* tidal
**príliš** *adv.* too
**priľnúť** *v. i.* cling
**priložiť** *v.t.* stoke
**primeraný** *a.* pertinent
**prímerie** *n.* truce
**primitívny** *a.* primitive
**princ** *n.* prince
**princezná** *n.* princess
**princíp** *n.* tenet
**priniesť** *v. t* bring
**priniesť úžitok** *v. t.* benefit
**prínos** *n.* asset
**prinútiť** *v. t* compel
**prior** *n* prior
**prípad** *n.* case
**prípadný** *a.* prospective
**pripísať** *v.t.* ascribe
**pripnúť** *v.t* harness
**pripočítať** *v.t.* impute
**pripojenie** *n.* attachment
**pripojiť** *v.t.* attach
**pripomenúť** *v.t.* remind
**pripomínajúci** *a.* reminiscent
**pripomínať pamiatku** *v. t.* commemorate
**prípona** *n.* suffix
**príprava** *n.* preparation
**pripravenosť** *n.* readiness
**pripravený** *a.* ready
**pripraviť** *v.t.* prepare
**pripraviť na vydanie** *v. t* edit
**pripraviť o niečo** *v. t.* bereave
**prípravný** *a.* preliminary
**pripustiť** *v.t.* admit
**prípustný** *a.* admissible
**priraďovací** *a.* co-ordinate
**prirastanie** *n* accrementition
**prirastený** *adj.* adnascent
**prirážka** *n.* surcharge
**príroda** *n.* nature
**prírodný** *a.* natural
**prírodopisec** *n.* naturalist
**prirodzene** *adv.* naturally

**prirodzený** *a.* artless
**prirovnanie** *n.* simile
**príručka** *n* manual
**prísada** *n.* ingredient
**prísaha** *n.* oath
**prisahať** *v.t.* vow
**prísažné vyhlásenie** *n* affidavit
**príšerný** *a.* ghastly
**prišiť** *v.t.* stitch
**príslovečný** *a.* proverbial
**príslovie** *n.* adage
**príslovka** *n.* adverb
**príslovkové určenie** *a.* adverbial
**príslušný** *a.* respective
**prísnosť** *n.* stringency
**prísny** *a.* strict
**príspevok** *n* contribution
**prispieť** *v. t* contribute
**prispôsobenie** *n.* adaptation
**prispôsobiť** *v.t.* adapt
**prispôsobiť sa** *v.* assimilate
**prispôsobivosť** *n.* versatility
**prispôsobivý** *a* flexible
**prísť** *v.i.* arrive
**prísť o niečo** *v.t* forfeit
**prisťahovalec** *n.* immigrant
**prisťahovalectvo** *n.* immigration
**prisťahovať sa** *v.i.* immigrate
**pristáť** *v.i.* land
**prístav** *n.* harbour
**prístavisko** *n* berth
**prístrešok** *n.* shelter
**prístup** *n* access
**pristúpiť** *v.t.* accede
**prístupný** *a* amenable
**prísudok** *n.* predicate
**prisudzovať** *v.t.* attribute
**prísunové plavidlo** *n* tender
**priťahovať** *v.t.* attract
**príťažlivosť** *n.* attraction
**príťažlivý** *a.* attractive
**prítok** *n.* tributary
**prítomnosť** *n.* presence
**prítomný** *a.* present
**prívalový** *a.* torrential
**priveľa** *adv* much
**príves** *n.* trailer
**prívetivosť** *n.* amiability
**prívetivý** *a.* amiable
**priviazať** *v.t.* rope
**privilégium** *n.* prerogative
**privolať** *v.t* hail
**prižmúriť** *v.i.* squint
**príznačný** *a.* symptomatic
**príznak** *n.* symptom
**priznanie** *n* confession
**priznať** *v.* acknowledge
**priznať sa** *v. t.* confess
**prízvuk** *n* accent
**prízvukovať** *v.t* stress
**problém** *n.* problem
**problematický** *a.* problematic
**procedúra** *n.* procedure
**produkcia** *n.* output
**produkovať** *v.t.* produce
**produkt** *n.* product
**produktivita** *n.* productivity
**produktívny** *a.* productive
**profesionalita** *n.* workmanship
**profesor** *n.* professor
**profile** *n.* profile
**program** *n.* schedule
**programovať** *v.t.* schedule
**prohibičný** *a.* prohibitory
**projekt** *n.* project
**prológ** *n.* prologue
**promovať** *v.i.* graduate
**propagácia** *n.* propagation
**propaganda** *n.* propaganda
**propagandista** *n.* propagandist
**propagovať** *v.t.* propagate
**prorocký** *a.* prophetic
**prorok** *n.* oracle
**prosba** *n.* plea

**prosiť** *v.i.* plead
**proso** *n.* millet
**prosperita** *n.* prosperity
**prosperujúci** *a.* prosperous
**prospešný** *a.* salutary
**prospievať** *v.i* flourish
**prostitúcia** *n.* prostitution
**prostitútka** *n.* prostitute
**prostota** *n.* simplicity
**prostredie** *n.* environment
**prostriedok** *n* means
**protagonista** *n.* protagonist
**protektorová pneumatika** *n.* retread
**protektorovať pneumatiku** *v.t.* retread
**protest** *n.* protest
**protestácia** *n.* protestation
**protestovať** *v.i.* protest
**proti** *prep.* against
**protijed** *n.* antidote
**protilietadlový** *a.* anti-aircraft
**protinožci** *n.* antipodes
**protiprávny** *a.* illicit
**protirečenie** *n* contradiction
**protirečiť** *v. t* contradict
**protiútok** *n.* countercharge
**protiveň** *n.* perversity
**protivník** *n.* opponent
**prototyp** *n.* prototype
**provincia** *n.* province
**provincializmus** *n.* provincialism
**provinčný** *a.* provincial
**provízia** *n.* commission
**provokácia** *n.* provocation
**provokatívny** *a.* provocative
**provokovať** *v.t.* provoke
**próza** *n.* prose
**prozaický** *a.* prosaic
**prozódia** *n.* prosody
**prozreteľnosť** *n.* providence
**pršať** *v.i.* rain
**prsia** *n* bosom
**pršiplášť** *n* waterproof
**prskať** *v.i.* sizzle
**prsník** *n* breast
**prsníkový** *a.* mammary
**prst** *n* finger
**prsteň** *n.* ring
**prstenec** *n.* orb
**prúd** *n.* torrent
**prudko klesnúť** *v.i.* slump
**prudký** *a* fierce
**prúdové lietadlo** *n.* jet
**pruh** *n.* stripe
**pruhovať** *v.t.* stripe
**prútený** *n.* wicker
**pružný** *a* elastic
**prvok** *n* element
**prvoradý** *n.* paramount
**prvoradý** *a.* primary
**prvý** *a* first
**prvý** *n* first
**pšenica** *n.* wheat
**pseudonym** *n.* pseudonym
**pštros** *n.* ostrich
**psychiater** *n.* psychiatrist
**psychiatria** *n.* psychiatry
**psychológ** *n.* psychologist
**psychológia** *n.* psychology
**psychologický** *a.* psychological
**psychopat** *n.* psychopath
**psychoterapia** *n.* psychotherapy
**psychóza** *n.* psychosis
**puberta** *n.* puberty
**publicita** *n.* publicity
**publikácia** *n.* treatise
**publikovať bez povolenia** *v.t* pirate
**publikum** *n.* audience
**puchnúť** *v.i.* swell
**pud** *n.* instinct
**puding** *n* custard
**pudový** *a.* instinctive

**pudrenka** *n.* compact
**pudrovať** *v.t.* powder
**puk** *n* bud
**puklina** *n* crack
**puknúť** *v. i* crack
**pulóver** *n.* pullover
**pult** *n.* counter
**pulz** *n.* pulse
**pulzovať** *v.i.* pulse
**punc** *n* cachet
**puntičkár** *n.* stickler
**púpava** *n.* dandelion
**purista** *n.* purist
**puritán** *n.* puritan
**puritánsky** *a.* puritanical
**puška** *n* rifle
**púšť** *n* desert
**pustovňa** *n.* hermitage
**pustovník** *n.* hermit
**púť** *n.* pilgrimage
**putá** *n.* handcuff
**pútnik** *n.* pilgrim
**puto** *n* bond
**putovanie** *n.* trek
**putovať** *v.i.* trek
**puzdro** *n.* quiver
**pýcha** *n.* pride
**pygmej** *n.* pygmy
**pyramída** *n.* pyramid
**pýšiť sa** *v.t.* pride
**pysk** *n.* muzzle
**pyšná chôdza** *n* swagger
**pyšne vykračovať** *v.i.* swagger
**pýtať sa** *v.t.* ask
**pytón** *n.* python

# R

**rabat** *n* discount
**rabovať** *v.i.* loot
**rachot** *n.* smack
**racionálnosť** *n.* rationality
**ráčiť** *v.t.* vouchsafe
**racizmus** *n.* racialism
**rad** *n.* queue
**rád** *a.* glad
**rad domov** *n.* terrace
**rada** *n* advice
**radiácia** *n.* radiation
**radikálny** *a.* radical
**rádio** *n.* radio
**radiť** *v.t.* advise
**radiť sa** *v. t* consult
**rádium** *n.* radium
**rádius** *n.* radius
**radný** *n.* councillor
**radosť** *n.* joy
**radostný** *n.* joyful, joyous
**radovať sa** *v.i.* rejoice
**radový** *a.* serial
**radšej** *adv.* better
**rafinéria** *n.* refinery
**rafinovaný** *a.* artful
**raj** *n.* paradise
**raketa** *n.* rocket
**rakovina** *n.* cancer
**rám** *n* frame
**rameno** *n.* arm
**rámovať** *v.t.* frame
**rana** *n.* wound
**raňajky** *n* breakfast
**rande** *n.* tryst
**rané detstvo** *n.* infancy
**raniť** *v.t.* wound
**ráno** *n.* morning
**rast** *n.* growth
**rásť** *v.t.* grow
**rastlina** *n.* plant
**rastúci na dreve** *a.* xylophilous
**raz** *adv.* once
**raž** *n.* rye
**raziť mince** *v.t.* mint

**ráznosť** *n.* vitality
**reagovať** *v.i.* react
**reakcia** *n.* reaction
**reakčný** *a.* reactinary
**realista** *n.* realist
**realistický** *a.* realistic
**realita** *n.* reality
**realizácia** *n.* realization
**realizmus** *n.* realism
**realizovať** *v.t.* implement
**rebel** *n* malcontent
**rebelantský** *a.* rebellious
**rebrík** *n.* ladder
**rebro** *n.* rib
**rebrový** *adj.* costal
**reč** *n.* language
**recept** *n.* recipe
**recesia** *n.* recession
**recidíva** *n.* relapse
**recitovanie** *n.* recitation
**recitovať** *v.t.* recite
**rečník** *n.* speaker
**rečný** *a.* oratorical
**redaktor** *n* editor
**redaktorský** *a* editorial
**reďkovka** *n.* radish
**referendum** *n.* referendum
**referovať** *v.t.* report
**reflektor** *n.* reflector
**reflex** *n.* reflex
**reflexný** *a* reflex
**reforma** *n.* reform
**reformista** *n.* reformer
**reformný** *a* reformatory
**reformovať** *v.t.* reform
**refrén** *n* refrain
**regenerácia** *n.* regeneration
**regenerovať** *v.t.* regenerate
**register** *n* file
**regulátor** *n.* regulator
**regulovanie** *n.* regulation
**regulovať** *v.t.* regulate
**rehabilitácia** *n.* rehabilitation
**rehabilitovať** *v.t.* rehabilitate
**rehoľnícky život** *n* monasticism
**rehoľník** *n.* votary
**reklama** *n* advertisement
**reklamný letáčik** *n.* handbill
**reklamovať** *v.t.* advertise
**rektor** *n.* principal
**rekultivácia** *n* reclamation
**rekviem** *n.* requiem
**relatívny** *a.* relative
**remeň** *n.* strap
**remeselník** *n* craftsman
**renovácia** *n.* renovation
**renovovať** *v.t.* renovate
**repatriácia** *n.* repatriation
**repatriát** *n* repatriate
**repatriovať** *v.t.* repatriate
**reportér** *n.* reporter
**reprezentácia** *n.* representation
**reprezentant** *n.* representative
**reprezentatívny** *a.* representative
**reprezentovať** *v.t.* represent
**republika** *n.* republic
**republikán** *n* republican
**republikánsky** *a.* republican
**reputácia** *n.* reputation
**rešpektujúci** *a.* respectful
**respondent** *n.* respondent
**reštaurácia** *n.* restaurant
**retardácia** *n.* retardation
**reťaz** *n* chain
**retenčné právo** *n.* lien
**rétorický** *a.* rhetorical
**rétorika** *n.* rhetoric
**retrospektívny** *a.* retrospective
**retušovať** *v.t.* retouch
**reumatický** *a.* rheumatic
**reumatizmus** *n.* rheumatism
**rev** *n.* roar
**revať** *v.i.* roar
**revidovať účty** *v.t.* audit

**revolúcia** *n.* revolution
**revolucionár** *n* revolutionary
**revolučný** *a.* revolutionary
**revolver** *n.* revolver
**rezať** *v. t* cut
**rezervácia** *n.* preserve
**rezervoár** *n.* rservoir
**rezervovať** *v. t.* book
**rezidencia** *n.* mansion
**rezná rana** *n* slash
**rezonovanie** *n.* resonance
**riad** *n.* crockery
**riadená strela** *n.* missile
**riadenie** *n* conduct
**riadiť** *v.t.* manage
**riaditeľ** *n.* manager
**riaditeľský** *a.* managerial
**riadne** *adv* duly
**riasa** *n* eyelash
**ricínový olej** *n.* castor oil
**riediť** *v.t.* thin
**riedky** *a.* sparse
**rieka** *n.* river
**riešenie** *n.* solution
**rikša** *n.* rickshaw
**rímsa** *n.* cornicle
**rinčanie** *n* rattle
**rinčať** *v.i.* rattle
**ríša** *n* empire
**risk** *n.* hazard
**riskantný** *a.* risky
**riskovať** *v.i.* gamble
**rituál** *n.* ritual
**rituálny** *a.* ritual
**riziko** *n* gamble
**roajalista** *n.* royalist
**róba** *n.* gown
**robiť** *v.t.* make
**robiť machule** *v. t* blot
**robiť nábor** *v.t.* recruit
**robiť narážky** *v.i.* allude
**robiť nátlak** *v.t.* pressurize
**robiť piknik** *v.i.* picnic
**robiť pohovor** *v.t.* interview
**robiť prostitútku** *v.t.* prostitute
**robiť pružným** *v.t.* limber
**robiť špionáž** *v.i.* spy
**robiť starosti** *v.i.* worry
**robot** *n.* robot
**robustný** *a.* sturdy
**ročná splátka** *n.* annuity
**ročne** *adv.* yearly
**ročné obdobie** *n.* season
**ročník** *n.* vintage
**ročný** *a.* annual
**rod** *n.* gender
**rodák** *n* native
**rodený** *adj.* borne
**rodiaci sa** *a.* nascent
**rodič** *n.* parent
**rodičovský** *a.* parental
**rodina** *n* family
**rodinkárstvo** *n.* nepotism
**rodný** *a.* natal
**rodný jazyk** *n.* vernacular
**rododendrón** *n.* laurel
**rodokmeň** *n.* pedigree
**roh** *n.* horn
**rohovka** *n* cornea
**rohožka** *n.* mat
**roj** *n.* hive
**rojiť sa** *v.i.* swarm
**rok** *n.* year
**roklina** *n.* ravine
**rokovanie** *n* conference
**rokovať** *v. i* confer
**roľnícky** *a.* agrarian
**roľníctvo** *n.* peasantry
**román** *n* novel
**románik** *n.* novelette
**románopisec** *n.* novelist
**romantický** *a.* romantic
**romantika** *n.* romance
**roniť** *v.t.* shed

**ropa** *n.* petroleum
**ropucha** *n.* toad
**rosa** *n.* dew
**rôsol** *n.* jelly
**roštenka** *n.* loin
**roveň** *n.* like
**rovesník** *n.* peer
**rovina** *n.* level
**rovnaký** *a.* identical
**rovnať sa** *v. t* equal
**rovnica** *n* equation
**rovník** *n* equator
**rovno** *adv.* straight
**rovnobežný** *a.* parallel
**rovnocenný** *a* equivalent
**rovnorodý** *a.* homogeneous
**rovnosť** *n* equality
**rovnostranný** *a* equilateral
**rovnováha** *n.* balance
**rovný** *n* equal
**rovný** *a* even
**rozbiť** *v. t* break
**rozbiť sa** *v.t.* splinter
**rozbitie** *n* smash
**rozbor** *n.* analysis
**rozcitlivený** *a* maudlin
**rozčvachtaný** *a.* slushy
**rozdať** *v. i* deal
**rozdať** *v. t* distribute
**rozdelený** *a.* sundary
**rozdeliť** *v.t.* share
**rozdiel** *n.* variation
**rozdielny** *a* different
**rozdvojiť** *v. t* bisect
**rozhádzať** *v.t.* litter
**rozheganý** *a.* rickety
**rozhodca** *n.* referee
**rozhodnosť** *n.* initiative
**rozhodnúť** *v.t.* predetermine
**rozhodnúť sa** *v. t* decide
**rozhodnutie** *n* decision
**rozhodný** *a.* resolute
**rozhodovať** *v.t.,* umpire
**rozhodujúci** *adj.* crucial
**rozhodujúci** *a* decisive
**rozhorčenie** *n.* resentment
**rozhorčený** *a.* indignant
**rozhovor** *n* conversation
**rozísť sa** *v.t.* part
**rozjasniť** *v. t* brighten
**rozjímanie** *n* contemplation
**rozkaz** *n* command
**rozkázať** *v. t* command
**rozkazovačný** *a.* authoritative
**rozkazovať** *v.t.* regiment
**rozkol** *n.* schism
**rozkošný** *a.* adorable
**rozľahlý** *a.* vast
**rozliať** *v.i.* spill
**rozložiť** *v.t.* unfold
**rozlúčenie sa** *n* farewell
**rozmanitosť** *n.* variety
**rozmanitý** *a* diverse
**rozmar** *n.* whim
**rozmarný** *a.* capricious
**rozmazať** *v.t.* smear
**rozmaznať** *v.t.* indulge
**rozmaznávať** *v. t* cocker
**rozmedzie** *n.* range
**rozmer** *n* dimension
**rozmiestniť** *v.t.* deploy
**rozmnožovací** *a.* reproductive
**rozmnožovanie** *n* reproduction
**rozmnožovať sa** *v.t* breed
**rôzny** *a.* various
**rozobrať** *v.t.* analyse
**rozohnať** *v. t* disperse
**rozoznať** *v. i* distinguish
**rozpínavosť** *n.* expansion
**rozpočet** *n* budget
**rozpracovaný** *a* elaborate
**rozpracovať** *v. t* elaborate
**rozprašovač** *n.* spray
**rozprašovať** *v.t.* spray

**rozprava** *n.* thesis
**rozprávač** *n.* narrator
**rozprávačské umenie** *a.* narrative
**rozprávanie** *n.* narrative
**rozprávať** *v.t.* relate
**rozprávať** *v.i.* speak
**rozprávať sa** *v. i.* chat2
**rozprestierať sa** *v.i.* straggle
**rozpúšťadlo** *n* solvent
**rozpúšťať** *v.i.* melt
**rozpustiť** *v.t* dissolve
**rozpustnosť** *n.* solubility
**rozpustný** *a.* soluble
**rozrásť sa** *v.i.* proliferate
**rozrezať** *v.t.* slash
**rozruch** *n.* turmoil
**rozrušenie** *n* agitation
**rozrušiť** *v. t* distress
**rozsah** *n.* extent
**rozšírenie** *n* amplification
**rozšírený** *a.* widespread
**rozšíriť** *v. t* extend
**rozšíriť sa** *v.t.* expand
**rozšliapnuť** *v.t.* conculcate
**rozštvrtiť** *v.t.* quarter
**rozsudok** *n.* verdict
**roztápať** *v.i* thaw
**roztavený** *a.* molten
**roztiahnuť** *v.t.* stretch
**roztoč** *n.* mite
**roztočenie** *n.* spin
**roztok na bielenie** *n.* whitewash
**roztomilý** *a.* lovable
**roztopašník** *n.* voluptuary
**roztrhať** *v.t.* sunder
**roztrhnúť** *v.t.* rip
**roztriediť** *v.t.* assort
**roztrpčiť** *v. t* embitter
**roztržitý** *a* fickle
**roztržka** *n.* rupture
**rozum** *n.* intellect
**rozumieť** *v.t.* understand
**rozumnosť** *n* advisability
**rozumný** *a.* advisable
**rozumový** *a.* intellectual
**rozvaha** *n* discretion
**rozvaľovať sa** *v.i.* loll
**rozvášniť** *v.t.* inflame
**rozveseliť** *v.t.* amuse
**rozviazať** *v.t.* undo
**rozviesť** *v. t* divorce
**rozvláčny** *a.* lengthy
**rozvod** *n* divorce
**rozvoj** *n.* development
**rozvoniavať** *v.t.* perfume
**rozvracanie** *n.* subversion
**rozvracať** *v.t.* subvert
**rozvratný** *a.* subversive
**rozzúriť** *v.t.* infuriate
**rozzúriť sa** *v. t* enrage
**rubáš** *n.* shroud
**rúbať** *v.t.* hew
**rubeľ** *n.* rouble
**rubín** *n.* ruby
**ruch** *n.* hubbub
**rúcho kňaza** *n.* vestment
**ručiteľ** *n.* warrantor
**ručná práca** *n.* handiwork
**ručne dopraviť** *v.t.* manhandle
**ručný** *a.* manual
**ručný vrtáčik** *n.* wimble
**ruka** *n* hand
**rukáv** *n* sleeve
**rukavica** *n.* glove
**rukojemník** *n.* hostage
**rukopis** *n.* manuscript
**rum** *n.* rum
**rumelka** *n.* vermillion
**rumelkový** *a.* vermillion
**rumenec** *n* blush
**rupia** *n.* rupee
**rúra** *n.* pipe
**rúrovitý** *a.* tubular

**rustikácia** *n.* rustication
**rutina** *n.* routine
**rutinný** *a* routine
**rútiť sa** *v.t.* plunge
**rútiť sa** *v.i.* zoom
**ruža** *n.* rose
**ruženec** *n.* rosary
**ružová farba** *n.* pink
**ružovkastý** *a.* pinkish
**ružový** *a* pink
**ryba** *n* fish
**rybár** *n* fisherman
**rybárska plachetnica** *n* smack
**rýchlik** *n* express
**rýchlo** *adv* fast
**rýchlosť** *n.* speed
**rýchly** *a* fast
**ryha** *n.* groove
**ryhovať** *v.i* flute
**rýľ** *n.* spade
**rýľovať** *v.t.* spade
**rým** *n.* rhyme
**rýmovať** *v.i.* rhyme
**rypák** *n.* snout
**rýpať** *v.t.* nag
**rys** *n.* ream
**ryť** *v.t.* dig
**rytier** *n.* knight
**rytiersky** *a.* chivalrous
**rytierstvo** *n.* chivalry
**rytmický** *a.* rhythmic
**rytmus** *b.* rhythm
**ryža** *n.* rice

# S

**s** *prep.* with
**šabľa** *n.* sabre
**sabotáž** *n.* sabotage
**sabotovať** *v.t.* sabotage
**šach** *n.* chess
**sacharín** *n.* saccharin
**šachmat** *n* checkmate
**šachta** *n.* manhole
**sadista** *n.* sadist
**sadiť** *v.t.* plant
**sadizmus** *n.* sadism
**sadza** *n.* soot
**sadzač** compositor
**šafrán** *n.* saffron
**šafránovožltý** *a* saffron
**šakal** *n.* jackal
**sako** *n.* jacket
**šál** *n.* scarf
**sála** *n.* hall
**šalát** *n.* salad
**šálka** *n.* cup
**salón krásy** *n.* parlour
**salónik** *n.* snug
**salva** *n.* volley
**sám** *a.* alone
**samohláska** *n.* vowel
**samoľúbosť** *n.* narcissism
**samoľúby** *adj.* complacent
**samosprávny** *a* autonomous
**samota** *n.* solitude
**samotár** *n.* recluse
**samovražda** *n.* suicide
**samovražedný** *a.* suicidal
**šampión** *n.* champion
**šampón** *n.* shampoo
**šampónovať** *v.t.* shampoo
**sanatórium** *n.* sanatorium
**šanca** *n.* chance
**sandál** *n.* sandal
**sanitár** *n.* orderly
**sanitka** *n.* ambulance
**santal biely** *n.* sandalwood
**saprofág** *n.* scavenger
**sarkastický** *a.* sarcastic
**sarkazmus** *n.* sarcasm
**šarm** *n.* charm1

**šarmantná žena** *n.* sylph
**šarvátka** *n.* melee
**šašo** *n* buffoon
**satan** *n.* satan
**satira** *n.* satire
**satirický** *a.* satirical
**satirista** *n.* satirist
**šatka** *n.* shawl
**šaty** *n.* clothes
**sávka na čistenie ucha** *n.*aurilave
**scéna** *n.* scene
**scenár** *n.* script
**sčeriť** *v.t.* ripple
**sčernať** *v. t* benight
**sčernieť** *v. t.* blacken
**schladiť** *v. i.* cool
**schladiť** *v.t.* refrigerate
**schod** *n.* stair
**schôdza** *n.* meeting
**schopnosť** *n* ability
**schopný** *a* able
**schopný práce** *a.* workable
**schúliť sa** *v. i.* cringe
**schváliť** *v.t.* authorize
**sčítanie ľudu** *n.* census
**sčítaný** *a.* well-read
**seba** *pron.* myself
**sebadôvera** *n* confidence
**sebaistý** *a.* confident
**sebaovládanie** *n.* moderation
**sebecký** *a.* selfish
**sedadlo** *n.* seat
**sedan** *n.* sedan
**sedatívny** *a.* sedative
**sedatívum** *n* sedative
**sedavý** *a.* sedentary
**sedem** *n.* seven
**sedemdesiat, sedemdesiaty** *n., a* seventy
**sedemdesiaty** *a.* seventieth
**sedemnásť, sedemnásty** *n., a* seventeen
**sedemnásty** *a.* seventeenth
**sedieť** *v.i.* sit
**sedliak** *n.* peasant
**sedlo** *n.* saddle
**sedmokráska** *n* daisy
**šedý zákal** *n.* cataract
**šéf** *n* boss
**segregácia** *n.* segregation
**seizmický** *a.* seismic
**šek** *n.* cheque
**sekera** *n.* axe
**sekerka** *n.* hatchet
**sekretár** *n.* secretary
**sekretariát** *n.* secretariat (e)
**sekta** *n* cult
**sektársky** *a.* sectarian
**sekunda** *n* second
**šelest** *n* bruit
**semenník** *n.* testicle
**semeno** *n.* seed
**semester** *n.* semester
**seminár** *n.* seminar
**sen** *n* dream
**senát** *n.* senate
**senátor** *n.* senator
**senátorský** *a.* senatorial
**senátorský** *a* senatorial
**sendvič** *n.* sandwich
**senilita** *n.* senility
**senilný** *a.* senile
**seno** *n.* hay
**sentimentálny** *a.* sentimental
**senzačný** *a* fantastic
**šepkať** *v.t.* whisper
**šepot** *n* whisper
**sepsa** *n.* sepsis
**september** *n.* September
**septický** *a.* septic
**séria** *n.* series
**seriál** *n.* serial
**seriózny** *a.* staid
**serv** *n.* serve

**servilita** *n.* servility
**servilný** *a.* servile
**servítka** *n.* napkin
**serž** *n.* serge
**seržant** *n.* sergeant
**šesť, šiesty** *n., a* six
**šesták** *n.* tanner
**šesťdesiat, šesťdesiaty** *n., a.* sixty
**šesťdesiaty** *a.* sixtieth
**sesterský** *a.* sisterly
**sesterstvo** *n.* sisterhood
**šestnásť, šestnásty** *n., a.* sixteen
**šestnásty** *a.* sixteenth
**sestra** *n.* sister
**šetriť** *v. t* conserve
**sever** *n.* north
**severne** *adv.* northerly
**severný** *a* north
**severný** *a.* northern
**sexi** *n.* sexy
**sexuálnosť** *n.* sexuality
**sezónny** *a.* seasonal
**sfackať** *v. t* cuff
**sfarbenie** *n.* tint
**sfarbiť** *v.t.* tinge
**sféra** *n.* sphere
**sférický** *a.* spherical
**sfušovať** *v. t* botch
**siaha** *n* fathom
**šialený** *a.* lunatic
**šibal** *n.* urchin
**šibalský** *a* arch
**šibať** *v.t.* whisk
**šibenica** *n.* . gallows
**sídliť** *v.i.* reside
**siedmy** *a.* seventh
**siesta** *n.* siesta
**šiesty** *a.* sixth
**sieť** *n.* network
**sietnica** *n.* retina
**sieťovina** *n.* net
**šifra** *n.* cipher, cipher
**signálna raketa** *n.* maroon
**signatár** *n.* signatory
**šikan** *n* bully
**šikanovať** *v. t.* bully
**sila** *n* force
**šiling** *n.* shilling
**silný** *a.* intense
**silný muž** *n* carl
**silueta** *n.* silhouette
**šimpanz** *n.* chimpanzee
**simultánny** *a.* simultaneous
**šíp** *n* arrow
**šípka** *n.* dart
**siréna** *n.* siren
**šírenie** *n.* spread
**šíriť sa** *v.t.* pervade
**šírka** *n.* width
**široko** *adv.* wide
**široký** *a.* wide
**sirota** *n.* orphan
**sirotinec** *n.* orphanage
**sírový** *a.* sulphuric
**sirup** *n.* syrup
**šiť** *v.t.* seam
**sito** *n.* sieve
**situácia** *n.* situation
**sivý** *a.* grey
**skákať** *v.i.* skip
**skala** *n.* rock
**skalpel** *a.* lancet
**skamarátiť sa** *v. t.* befriend
**skamenelina** *n.* fossil
**škandál** *n* scandal
**škandalóznosť** *n.* infamy
**škára** *n.* commissure
**škaredý** *a.* ugly
**skatológia** *n.* coprology
**skaut** *n* scout
**skaza** *n.* corruption
**skaziť** *v. t.* corrupt
**skepsa** *n.* scepticism

**skeptický** *a.* sceptical
**skeptik** *n.* sceptic
**sklad** *n* depot
**skladať sa** *v. t* compromise
**skladisko** *n* cache
**skládka** *n.* tip
**skladovaný** *a.* stock
**sklamať** *v. t.* disappoint
**šklbnutie** *n.* jerk
**sklenár** *n.* glazier
**sklo** *n.* glass
**sklon** *n.* inclination
**skloniť sa** *v.i.* duck
**skľúčenosť** *n.* gloom
**skľúčený** *a.* gloomy
**skobka** *n.* staple
**skočiť** *v.i* jump
**škoda** *n.* damage
**škodca** *n.* pest
**škodlivý** *a* malign
**skok** *n.* jump
**škola** *n.* school
**školák** *n.* trainee
**školenie** *n.* training
**škôlka** *n.* kindergarten ;
**školský** *a.* scholastic
**skomolená reč** *n.* slur
**skončený** *n* over
**skončiť** *v. t* end
**skôr než** *conj* before
**škorica** *n* cinnamon
**skoro** *adv* early
**skorocel** *n.* plantain
**skórovať** *v.t.* score
**škorpión** *n.* scorpion
**skorší dátum** *n* antedate
**skorumpovanosť** *n.* venality
**skorumpovať** *v. t.* debauch
**skorý** *a* early
**Škót** *n.* Scot
**škótska whisky** *n.* whisky
**škótsky** *a.* scotch
**škrabanec** *n* graze
**škrabnutie** *n.* scratch
**skracovať** *v.t.* abbreviate
**skrášliť** *v. t* beautify
**skrátenie** *n* abridgement
**skrátiť** *v.t.* shorten
**skratka** *n* abbreviation
**skresliť** *v. t* distort
**škriabať** *v.t.* paw
**škriatok** *n* elf
**škridla** *n.* tile
**škriepiť sa** *v.i.* quibble
**skriňa** *n.* wardrobe
**skrinka** *n.* cabinet
**škrípať** *v. i* creak
**škripot** *n* creak
**skrivený** *a.* wry
**škrob** *n.* starch
**skromnosť** *n* modesty
**skromný** *a.* humble
**skrotiť** *v.t.* tame
**škrtiaci ventil** *n.* throttle
**škrtiť** *v.t.* constrict
**skrútenie** *n.* twist
**skrutka** *n.* screw
**skrutkovať** *v.t.* screw
**škrvna** *n* patch
**skryť** *v.t* hide
**skryť do dlane** *v.t.* palm
**skryť sa** *v.i* abscond
**skrytý** *a.* latent
**škúlenie** *n* squint
**skúmať** *v.i.* research
**skúmať** *v.t.* scan
**skupina** *n.* group
**skúpy** *a.* miserly
**skúšajúci** *n* examiner
**skúšaný** *n* examinee
**skúšať** *v.i.* try
**skúsenosť** *n* experience
**skúsený** *a.* adept
**skúška** *n.* examination

**skúšobná lehota** *n.* probation
**skutočne** *adv.* really
**skutočný** *a.* real
**skvapalniť** *v. t* condense
**skvapalňovať** *v.t.* liquefy
**skvelý** *a.* wonderful
**skvostnúť sa** *v.t.* jewel
**škvrna** *n.* spot
**škvrnitý týfus** *n.* typhus
**škvrnka** *n.* speck
**skysnúť** *v.t.* sour
**slabičný** *n.* syllabic
**slabika** *n.* syllable
**slabnúť** *v.t.* ail
**slabo vrieť** *v.i.* simmer
**slaboch** *n.* weakling
**slabosť** *n.* weakness
**slabý** *a.* weak
**šľachta** *n.* aristocracy
**šľachtic** *n.* nobleman
**slad** *n.* malt
**sladiť** *v.t.* sugar
**sladkosť** *n* sweet
**sladký** *a.* sweet
**šľahnutý** *a.* lash
**slamený klobúk** *n.* leghorn
**slamka** *n.* straw
**slang** *n.* slang
**slanina** *n.* bacon
**slanosť** *n.* salinity
**slaný** *a.* salty
**šľapaje** *n.* track
**slatina** *n.* moor
**sláva** *n* fame
**slávik** *n.* nightingale
**slávna osobnosť** *n* celebrity
**slávnosť** *n.* solemnity
**slávnostný prejav** *n.* oration
**slávny** *a* famous
**slečna** *n..* missis, missus
**sleď** *n.* herring
**sledovať** *v.t.* watch
**sledovať stopu** *v.t.* retrace
**sledovať stopu** *v.t.* track
**slepá ulička** *n.* impasse
**slepé črevo** *n.* appendix
**slepecké písmo** *n* braille
**slepota** *n* blindness
**slepý** *a* blind
**slezina** *n.* spleen
**šliapnuť** *v.t.* tread
**slieň** *n.* marl
**sliepka** *n.* hen
**slimák** *n.* snail
**slina** *n* spit
**slivka** *n.* plum
**sliz** *n.* slime
**slizovitý** *a.* slimy
**slnečný** *a.* sunny
**slniť sa** *v.i.* bask
**slniť sa** *v.t.* sun
**slnko** *n.* sun
**sloboda** *n.* freedom
**slobodný** *a.* free
**sloha** *n.* stanza
**slon** *n* elephant
**slonovina** *n.* ivory
**slovesný čas** *n.* tense
**sloveso** *n.* verb
**slovná hračka** *n.* pun
**slovná zásoba** *n.* vocabulary
**slovník** *n* dictionary
**slovný** *a.* wordy
**slovo** *n.* word
**sľub** *n* promise
**sľúbiť** *v.t* promise
**sľubný** *a.* promising
**sľubujúci** *a.* promissory
**slucha** *n* temple
**slúchadlo** *n.* receiver
**sluchový** *a* acoustic
**slučka** *n.* loop
**sľuda** *n.* mica
**sluha** *n.* servant

**slušivý** *a* becoming
**slušnosť** *n* decency
**služba** *n* boon
**slúžiť** *v.t.* serve
**slúžka** *n* domestic
**služobné výhody** *n* emolument
**služobný** *a.* ministrant
**slza** *n.* tear
**smäd** *n.* thirst
**smädný** *adj.* athirst
**smädný** *a.* thirsty
**smaragd** *n* emerald
**šmariť** *v.t* fling
**šmátrať** *v.i.* fumble
**smažené jedlo** *n* fry
**šmelinár** *n.* profiteer
**šmelinárčiť** *v.i.* profiteer
**smelosť** *n.* hardihood
**smer** *n* direction
**smerom dole** *adv* downward
**smerom dole** *adv* downwards
**smerovanie** *n.* gravitation
**smerovka** *n.* indicator
**smerujúci dopredu** *a.* onward
**smerujúci von** *a.* outward
**smerujúci vpred** *a.* forward
**smeti** *n.* rubbish
**smiať sa** *v.i* laugh
**smiech** *n.* laughter
**smiešny** *a* comical
**smiešný** *a.* humorous
**smog** *n.* smog
**smola** *n.* mischance
**smotana** *n* cream
**smrad** *n* stink
**smrdieť** *v.i.* stink
**smrkanie** *n* sniff
**smrkať** *v.i.* sniff
**smrť** *n* death
**smrteľník** *n* mortal
**smrteľný** *adj.* alamort
**smrteľný** *a* fatal
**smútiť** *v.i.* mourn
**smutný** *a.* sad
**smútočné zhromaždenie** *n.* mournful
**smútok** *n.* sorrow
**šmyk** *n* slide
**šmykľavý** *a.* slippery
**šmyknúť sa** *v.i.* slip
**šmyknutie** *n.* slip
**snaha** *n* endeavour
**snažiť sa** *v.i* endeavour
**snažiť sa tromfnúť** *v.i.* vie
**snaživý** *a.* studious
**snedý** *a.* swarthy
**sneh** *n.* snow
**snenie** *n.* reverie
**snežiť** *v.i.* snow
**snívať** *v. i.* dream
**snob** *n.* snob
**snobský** *v* snobbish
**snobstvo** *n.* snobbery
**snop** *n.* sheaf
**šnupavý tabak** *n.* snuff
**šnúrka** *n.* lace
**sobota** *n.* Saturday
**socha** *n.* statue
**sochár** *n.* sculptor
**sochársky** *a.* sculptural
**sochárstvo** *n.* sculpture
**socialista, socialistický** *n,a* socialist
**socializmus** *n* socialism
**sociológia** *n.* sociology
**sodomia** *n.* sodomy
**sodomista** *n.* sodomite
**šofér** *n* driver
**šoférovať** *v. t* drive
**sofista** *n.* sophist
**sofizmus** *n.* sophism
**sojka** *n.* jay
**šok** *n.* shock
**sokol** *n* falcon

**sokoliar** *n* hawker
**šokovať** *v.t.* shock
**šokujúci** *a.* monstrous
**soľ** *n.* salt
**sólista** *n.* soloist
**soľný roztok** *n* brine
**sólo** *n* solo
**sólovo** *adv.* solo
**sólový** *a.* solo
**solventnosť** *n.* solvency
**solventný** *a.* solvent
**som** am
**somár** *n.* ass
**sonda** *n* probe
**sondovať** *v.t.* probe
**sonet** *n.* sonnet
**sopečný** *a.* volcanic
**sopka** *n.* volcano
**šortky** *n. pl.* shorts
**šošovica** *n.* lentil
**šošovka** *n.* lens
**sotva** *adv.* barely
**sova** *n.* owl
**spáč** *n.* sleeper
**spáchať** *v. t.* commit
**spád** *n* slant
**spadnúť** *v. i* drop
**spájajúci** *adj.* annectant
**spájka** *n.* solder
**spájkovať** *v.t.* solder
**špajza** *n.* pantry
**spálené miesto** *n* singe
**spáliť** *v.t.* singe
**Španiel** *n.* Spaniard
**španiel** *n.* spaniel
**španielčina** *n.* Spanish
**španielsky** *a.* Spanish
**spánok** *n.* sleep
**spása** *n.* salvation
**spasiteľ** *n.* messiah
**spať** *v.i.* sleep
**späť** *adv.* back
**špatiť** *v.t.* mar
**spätne** *adv.* recoil
**spätný** *a.* backward
**špecialista** *n.* specialist
**špecialita** *n.* speciality
**špecializácia** *n.* specialization
**špecializovať sa** *v.i.* specialize
**špecifický** *a.* specific
**špekulácia** *n.* speculation
**špekulant** *n.* stag
**špenát** *n.* spinach
**špendlík** *n.* pin
**spermia** *n.* sperm
**spermie** *n.* semen
**spevák** *n.* singer
**spevavý vták** *n.* warbler
**spevniť** *v.t.* stiffen
**spiaci** *adv.* asleep
**spica** *n.* spoke
**špička** *n.* tip
**spievať** *v.i.* sing
**špina** *n* dirt
**spínač** *n.* switch
**špinavý** *a* dirty
**špión** *n.* spy
**špirála** *n.* spiral
**špirálový** *a.* spiral
**spiritualista** *n.* spiritualist
**spiritualizmus** *n.* spiritualism
**spláchnuť** *v.i* flush
**splašiť sa** *v. t* bolt
**splašky** *n.* sewage
**spľasnutie** *n.* deflation
**splatiť** *v.t.* repay
**splátka** *n.* instalment
**splatný** *a.* payable
**splavný** *a.* navigable
**splesnivený** *a.* mouldy
**spleť** *n.* tangle
**šplhanie** *n* scramble
**šplhať sa** *v.i.* scramble
**špliechať** *v.i.* splash

**splniť** *v.t.* grant
**splnomocnenec** *n.* warrantee
**splnomocnenie** *n.* proxy
**splnomocniť** *v. t* empower
**splodiť** *v. t* beget
**splynutie** *n.* merger
**splývať** *v. i* coincide
**splývavý** *adj.* confluent
**spochybnenie** *n.* impeachment
**spochybniť** *v.t.* impeach
**spočítanie** *n.* count
**spočítavanie** *n.* addition
**spočívať** *v. i* consist
**spodná bielizeň** *n.* underwear
**spodná hranica** *n.* low
**spodnička** *n.* petticoat
**spodný** *a* under
**spodný prúd** *n.* undercurrent
**spojenec** *n.* ally
**spojenectvo** *n.* alliance
**spojenie** *n* connection
**spojený** *adj.* conjunct
**spojiť** *v. t.* connect
**spojiť sa** *v.t.* ally
**spojka** *n* clutch
**spokojnosť** *n.* content
**spokojný** *a.* content
**spoľahlivý** *a.* reliable
**spoľahnúť sa** *v.i.* rely
**spoľahnutie** *n.* reliance
**spoločenskosť** *n.* sociability
**spoločenský** *a.* sociable
**spoločenstvo** *n.* commonwealth
**spoločník** *n.* companion
**spoločnosť** *n.* association
**spoločný** *a* communal
**spoločný** *adj.* corporate
**spolok** *n.* league
**spolu** *adv.* together
**spoluhláska** *n.* consonant
**spolunažívanie** *n* co-existence
**spolupáchateľ** *n* accomplice
**spolupartner** *n* co-partner
**spolupráca** *n* collaboration
**spolupráca** *n.* liaison
**spolupracovať** *v. i* collaborate
**spomaliť** *v.i.* slow
**spomenúť si** *v.t.* recollect
**spomienka** *n.* recollection
**spona** *n* buckle
**špongia** *n.* sponge
**spontánnosť** *n.* spontaneity
**spontánny** *a.* spontaneous
**sponzor** *n.* sponsor
**sponzorovať** *v.t.* sponsor
**spopolnenie** *n* cremation
**spopolniť** *v. t* cremate
**spor** *n.* feud
**sporadický** *a.* sporadic
**sporák** *n* cooker
**sporná strana** *n.* litigant
**šport** *n.* sport
**športovať** *v.i.* sport
**športovec** *n.* sportsman
**športový** *a.* sportive
**spôsob** *n.* manner
**spôsobiť** *v.t* cause
**spôsobiť podnapitosť** *v.t.* intoxicate
**spôsobiť ujmu** *v.t* harm
**spotreba** *n* consumption
**spotrebná daň** *n* excise
**spovedať sa** *v.i.* atone
**spoznanie** *n.* recognition
**spoznať** *v.t.* recognize
**spráchnivený** *adj* carious
**správa** *n.* message
**správanie** *n* behaviour
**správať sa** *v. i.* behave
**správne** *adv.* aright
**správne písať** *v.t.* spell
**správny** *a* correct
**spravodlivosť** *n.* justice
**spravodlivý** *a.* just

**spravovanie** *n.* management
**spravovať** *v.t.* administer
**správy** *n. pl.* tidings
**sprcha** *n.* shower
**sprchovať sa** *v.t.* shower
**sprenevera** *n.* violation
**spreneverenie** *n.* misappropriation
**spreneveriť** *v.t.* misappropriate
**spreneveriť sa** *v.t.* violate
**sprevádzanie** *n.* lead
**sprevádzať** *v.t.* accompany
**spriaznenosť** *n* affinity
**sprievod** *n.* procession
**sprievodný** *a.* incidental
**sprievodný jav** *n* accompaniment
**šprint** *n* sprint
**šprintovať** *v.i.* sprint
**sprisahanec** *n.* conspirator
**sprisahanie** *n.* conspiracy
**sprisahať sa** *v. i.* conspire
**sprisahať sa** *v.t.* plot
**sprostosť** *n.* stupidity
**sprostredkovateľ** *n.* middleman
**sprostý** *a* stupid
**spurný** *a.* wayward
**spušť** *n.* trigger
**spústa** *adv.* galore
**spústa** *n.* spate
**spustiť** *v.t.* launch
**spútať** *v.t* handcuff
**srdce** *n.* heart
**srdcovitý** *adj.* cordate
**srdečne** *adv.* heartily
**srdečný** *adjs* cardiacal
**sŕkať** *v.t.* sip
**sršeň** *n.* hornet
**srsť** *n.* fur
**stabilita** *n.* stability
**stabilizácia** *n.* stabilization
**stabilizovať** *v.t.* stabilize
**stacionárny** *a.* stationary
**štadión** *n.* stadium
**stádo** *n.* herd
**stagnácia** *n.* stagnation
**sťahovanie** *n.* move
**sťahovanie sa** *n.* migration
**sťahovať sa** *v.t.* move
**sťahovavec** *n.* migrant
**stajňa** *n* stable
**stále** *adv.* still
**stály** *a* constant
**stan** *n.* tent
**štandardizácia** *n.* standardization
**štandardizovať** *v.t.* standardize
**stanica** *n.* station
**stánok** *n.* stall
**stanovať** *v. i.* camp
**stanovisko** *n.* standpoint
**stanoviť** *v.t.* impose
**stará dievka** *n.* spinster
**starať sa** *v. i.* care
**starať sa** *v.t.* foster
**starobylosť** *n.* antiquity
**starobylý** *a.* venerable
**starosť** *n.* worry
**starosta** *n.* mayor
**starostlivosť** *n.* care
**starostlivý** *a.* painstaking
**staroveký** *a.* ancient
**starožitníctvo** *n.* antiquary
**starožitník** *n* antiquarian
**starožitnosť** *a.* antique
**starožitný** *a.* antiquarian
**starší** *a* elder
**starší študent** *n.* senior
**štart** *n.* launch
**starý** *a.* old
**starý mládenec** *n.* bachelor
**šťastie** *n.* happiness
**šťastný** *a.* happy
**stáť** *v.i.* stand
**sťať hlavu** *v. t.* behead
**stať sa** *v. i* become

**stať sa občanom** *v.t.* naturalize
**stať sa univerzitným študentom** *v.t.* matriculate
**statika** *n.* statics
**štatistický** *a.* statistical
**štatistik** *n.* statistician
**štatistika** *n.* statistics
**štátna pokladňa** *n.* treasury
**štátnik** *n.* statesman
**štátny občan** *n* citizen
**statočnosť** *n.* fortitude
**statok** *n* estate
**stav** *n* condition
**stav núdze** *n* emergency
**šťava** *n* juice
**stavať** *v. t* build
**stavba** *n* construction
**stavebné drevo** *n.* timber
**stavebný** *a.* structural
**stavidlový otvor** *n.* sluice
**staviť** *v.i* bet
**staviť sa** *v.i.* wager
**stávka** *n* bet
**šťavnatý** *a.* juicy
**sťažeň** *n.* mast
**sťažnosť** *n* complaint
**sťažovanie** *n.* grievance
**sťažovať sa** *v. i* complain
**sté výročie** *n.* centenary
**sté výročie** *adj.* centennial
**štebotanie** *n.* twitter
**štebotať** *v.i.* twitter
**štedrosť** *n.* generosity
**štedrý** *a.* munificent
**steh** *n.* stitch
**stehno** *n.* thigh
**stekať** *v.i.* trickle
**šteklit'** *v.t.* tickle
**šteklivý** *a.* ticklish
**šteknutie** *n* yap
**stelesnenie** *n* embodiment
**stelesniť** *v. t.* embody
**stelesňovať** *v.t.* typify
**stena** *n.* screen
**šteňa** *n.* puppy
**stenograf** *n.* stenographer
**stenografia** *n.* stenography
**step** *n.* steppe
**štep** *n.* graft
**štepiť** *v.t* graft
**sterilizácia** *n.* sterilization
**sterilizovať** *v.t.* sterilize
**štetina** *n* bristle
**stetoskop** *n.* stethoscope
**steward** *n.* steward
**stiahnuť** *v.t.* strip
**stiahnuť z kože** *v.t* skin
**stiahnutie** *n.* withdrawal
**štiepať** *v.i.* split
**stiesnený** *v.t.* straiten
**stíhanie** *n.* prosecution
**stíhať** *v.t.* prosecute
**štíhly** *a.* slim
**štikútanie** *n.* hiccup
**stimulačný prostriedok** *n.* stimulant
**štipendium** *n.* scholarship
**štipnúť** *v.t.* pinch
**štít** *n.* shield
**stlačiť** *v. t.* compress
**stlmiť** *v. t* dim
**stĺp** *n* column
**stmeliť** *v. t.* cement
**stmievanie** *n* twilight
**sto** *n.* hundred
**stodola** *n.* barn
**stoh** *n.* rick
**stoha** *n.* bale
**stojatý** *a.* stagnant
**stoka** *n* sewer
**stôl** *n.* table
**stolárstvo** *n.* carpentry
**stolička** *n.* chair
**stolovať** *v. t.* dine

**ston** *n* groan
**stonanie** *n.* moan
**stonásobný** *n. & adj* centuple
**stonať** *v.i.* moan
**stonožka** *n.* centipede
**stopa** *n.* trail
**stopka** *n* stalk
**stopovať** *v.t.* thumb
**storočie** *n.* century
**storočný** *n* centenarian
**strácať** *v.t.* loose
**strácať nádej** *v. i* despair
**strácať sa** *v.i.* wane
**strach** *n* fear
**strachovať sa** *v.t* dread
**štrajk** *n* strike
**štrajkujúci** *n.* striker
**straka** *n.* magpie
**strakatosť** *n.* mottle
**strana** *n.* page
**strašidlo** *n* bogle
**strašidlo** *n.* wraith
**strašiť** *v.t.* haunt
**strasť** *n.* woe
**strata** *n.* loss
**stratég** *n.* strategist
**stratégia** *n.* strategem
**stratégia** *n.* strategy
**strategický** *a.* strategic
**stratiť** *v.t.* lose
**stratiť lesk** *v.t.* tarnish
**stratiť sa** *v. i* decamp
**stráž** *n.* sentry
**strážca** *n.* bodyguard
**strážiť** *v.i.* guard
**štrbina** *n.* slit
**strčiť** *v.t.* shove
**strecha** *n.* roof
**stred** *n* centre
**streda** *n.* Wednesday
**stredisko** *n* resort
**stredného rodu** *n* neuter
**stredný** *a.* intermediate
**stredobod** *n.* limelight
**stredoveký** *a.* medieval
**stredový** *a.* median
**streľba** *n* shoot
**strelec** *n.* marksman
**stres** *n.* stress
**stretnúť** *v.t.* meet
**stretnúť sa v súboji** *v. i* duel
**stretnutie** *n.* appointment
**strhaný** *a.* haggard
**strieborný** *a* silver
**striebro** *n.* silver
**striedať** *v.t.* alternate
**striedavý** *a.* alternate
**striehnuť** *v.t.* waylay
**striehnuť vo tme** *v.i.* darkle
**striekačka** *n.* syringe
**striekanie** *n* spurt
**strieľať** *v.t* fire
**striežik** *n.* wren
**strihať** *v.t.* shear
**strkať** *v.* nuzzle
**strmeň** *n.* stirrup
**strmý** *a.* steep
**štrnásť** *n.* fourteen
**strnisko** *n.* stubble
**strohosť** *n* abruption
**strojnásobiť** *v.t.,* triple
**strojník** *n.* mechanic
**strojový** *a.* mechanical
**strom** *n.* tree
**stromček** *n.* sapling
**strop** *n.* ceiling
**strpieť** *v.t.* stomach
**strúčik** *n* clove
**stručný** *a.* terse
**strúhadlo** *n.* grate
**strúhať** *v.t* grate
**struk** *n.* pod
**strukoviny** *n* pulse
**štruktúra** *n.* structure

**strýko** *n.* uncle
**štuchať** *v.t.* poke
**stuchnúť** *v.t.* stale
**štuchnúť** *v.t.* nudge
**štuchnutie** *n.* poke
**stuchnutý** *a.* stale
**študent** *n.* student
**študentka** *n* alumna
**studený** *a* cold
**štúdio** *n.* studio
**štúdium** *n.* study
**studňa** *n.* well
**študovať** *v.i.* study
**stuha** *n.* ribbon
**stúpanie** *n.* rise
**stúpať** *v.* rise
**stupeň** *n* degree
**stupeň Celzia** *a.* centigrade
**stupnica** *n.* scale
**stupňovať** *v.t* grade
**stúpnuť** *v.i.* surge
**stužiť** *v.t.* toughen
**stvárnenie** *n.* portrayal
**štvorcovitý** *a* square
**štvorec** *n.* square
**stvoriť** *v. t* create
**štvornásobný** *a.* quadruple
**štvornožec** *n.* quadruped
**štvorsten** *a. & n.* quadrilateral
**štvoruholník** *n.* quadrangle
**štvoruholníkový** *a.* quadrangular
**stvrdnúť** *v.t.* ossify
**štvrtina** *n.* quarter
**štvrtok** *n.* Thursday
**štvrťová nota** *n.* crotchet
**štvrťročne** *a.* quarterly
**styk** *n.* intercourse
**štýl** *n.* style
**štyri** *n.* four
**štyridsať** *n.* forty
**subjektívny** *a.* subjective
**súboj** *n* duel
**súbor** *n.* troupe
**súčasný** *a* current
**suchár** *n* cracker
**šúchať** *v.t.* rub
**sucho** *n* drought
**suchoty** *n* consumption
**suchý** *a* dry
**súčiniteľ** *n.* coefficient
**súcit** *n.* sympathy
**súcitiť** *v.i.* sympathize
**súcitný** *a.* sympathetic
**sud** *n* cask
**súd** *n.* court
**sudca** *n.* judge
**súdiť** *v.i.* judge
**súdiť sa** *v.t.* litigate
**súdne konanie** *n.* proceeding
**súdny,** *a.* judicial
**súdny dvor** *n.* judicature
**súdny proces** *n.* trial
**súdny úradník** *n.* bailiff
**súdržnosť** *n.* solidarity
**súdržný** *adj* cohesive
**súhlas** *n.* consent
**súhlasiť** *v.t.* approve
**súhra** *n.* interplay
**súhrn** *n.* precis
**súhrnný** *a* summary
**súhvezdie** *n.* constellation
**suka** *n* bitch
**sukňa** *n.* skirt
**sukničkárčiť** *v.t.* womanise
**súkromie** *n.* privacy
**súkromný** *a.* private
**súkromný učiteľ** *n.* tutor
**šum** *n.* whir
**suma** *n.* sum
**šumieť** *v. t* brustle
**súmrak** *n* dusk
**sup** *n.* vulture
**superlatív** *n.* superlative
**šupina** *n.* husk

**šupka** *n.* peel
**súprava** *n* set
**surovec** *n* brute
**surovosť** *n.* savagery
**surový** *a.* raw
**sused** *n.* neighbour
**susediť** *v.t.* adjoin
**susedný** *a.* adjacent
**susedstvo** *n.* neighbourhood
**sušienka** *n* biscuit
**šušlanie** *n* lisp
**šušlať** *v.t.* lisp
**sústo** *n* bite
**sústrasť** *n* condolence
**sústredenie** *n.* concentration
**sústredený** *a.* intent
**sústrediť sa** *v. t* concentrate
**sústruh** *n.* lathe
**sústružník** *n.* turner
**súťaž** *n.* competition
**súťažiť** *v. i* compete
**súťaživý** *a* competitive
**suterén** *n.* basement
**sútok** *n* confluence
**suvenír** *n.* memento
**súvislosť** *n* context
**súvislý** *a* coherent
**sužovať** *v.t.* plague
**súzvuk** *n.* consonance
**sv.Jána** *n.* midsummer
**šváb** *n* cockroach
**svadobná cesta** *n.* honeymoon
**svah** *n.* slope
**Švajčiar** *n.* swiss
**švajčiarsky** *a* swiss
**sval** *n.* muscle
**svalový** *a.* muscular
**svätá pravda** *n.* gospel
**svatba** *n.* wedding
**svätokrádež** *n.* sacrilege
**svätý** *a.* holy
**svedectvo** *n.* testimony
**svedok** *n.* witness
**svedomie** *n* conscience
**svedomitý** *a* dutiful
**svet** *n.* world
**sveták** *n.* worldling
**svetelný** *a.* luminous
**sveter** *n.* sweater
**svetlo** *n.* light
**svetský** *a.* worldly
**sviatosť** *n.* sacrament
**sviečka** *n.* candle
**svietidlo** *n.* luminary
**svietiť** *v.i.* shine
**svieži** *a.* lush
**švihák** *n* dandy
**švihnutie** *n* whisk
**švík** *n.* seam
**sviňa** *n.* swine
**švitoriť** *v.i.* chirp
**svojnožci** *n* barnacles
**svojrázny** *a.* quaint
**svorka** *n* clamp
**svrab** *n.* scabies
**svrbenie** *n.* itch
**svrbieť** *v.i.* itch
**syčať** *v.i* hiss
**sykot** *n* hiss
**sylabus** *n.* syllabus
**symbol** *n.* symbol
**symbolický** *a.* symbolic
**symbolizmus** *n.* symbolism
**symbolizovať** *v.t.* symbolize
**symetria** *n.* symmetry
**symetrický** *a.* symmetrical
**symfónia** *n.* symphony
**sympózium** *n.* symposium
**syn** *n.* son
**synonymný** *a.* synonymous
**synonymum** *n.* synonym
**synovec** *n.* nephew
**syntax** *n.* syntax
**syntetický** *a.* synthetic

**syntéza** *n.* synthesis
**sýpka** *n.* grannary
**syr** *n.* cheese
**systém** *n.* system
**systematický** *a.* systematic
**sýty** *a.* replete

# T

**tabak** *n.* tobacco
**tábor** *n.* camp
**tabu** *n.* taboo
**tabuizovaný** *a* taboo
**tabuizovať** *v.t.* taboo
**tabuľa** *n* board
**tabulátor** *n.* tabulator
**tabuľka** *n.* chart
**tabuľkový** *a.* tabular
**tácka** *n.* tray
**tackanie** *n.* stagger
**tackanie sa** *n.* lurch
**tackať sa** *v.i* wobble
**ťah** *n.* coup
**tuhá látka** *n* solid
**ťahanie** *n.* traction
**ťahať** *v.t.* pull
**ťahať sa** *v. t* drag
**ťahať zips** *v.t.* zip
**tajfún** *n.* typhoon
**tajná dohoda** *n* collusion
**tajne hlasovať** *v.i.* ballot
**tajnosť** *n.* secrecy
**tajnostkársky** *a.* secretive
**tajný** *adj.* clandestine
**tajný** *a.* confidential
**tajomný** *a.* occult
**tajomstvo** *n.* secret
**tak** *adv.* so
**takmer** *adv.* almost
**takt** *n.* tact
**taktiež** *adv.* also
**taktik** *n.* tactician
**taktika** *n.* tactics
**taktný** *a.* tactful
**takto** *prep* like
**takto** *adv.* thus
**taktovka** *n* baton
**taký** *a.* such
**talent** *n.* talent
**Talian** *n.* Italian
**taliansky** *a.* Italian
**talizman** *n.* talisman
**tam** *adv.* there
**tamarind indický** *n.* tamarind
**tamhľa** *adv.* younder
**tamten** *a.* younder
**tancovať** *v. t.* dance
**tanec** *n* dance
**tanier** *n.* plate
**tanierik** *n.* saucer
**tanker** *n.* tanker
**táraj** *n.* windbag
**taška** *n.* bag
**ťava** *n.* camel
**taviť** *v.t.* smelt
**taxi** *n.* taxi
**taxík** *n.* cab
**ťaživý** *a* burdensome
**ťažké delostrelectvo** *n.* ordnance
**ťažko** *adv.* hardly
**ťažko pracovať** *v.i.* moil
**ťažký** *a* difficult
**teak** *n.* teak
**technický** *n.* technical
**technik** *n.* technician
**technika** *n.* technicality
**technológ** *n.* technologist
**technológia** *n.* technology
**technologický** *a.* technological
**tečúci piesok** *n.* quicksand
**teda** *adv.* hence
**tehla** *n* brick

**tehotenstvo** *n.* pregnancy
**tehotná** *a.* pregnant
**teista** *n.* theist
**teizmus** *n.* theism
**tekutina** *n* fluid
**tekutý** *a* fluid
**tekvica** *n.* pumpkin
**teľa** *n.* calf
**telefón** *n.* telephone
**telefonovať** *v.t.* telephone
**telegraf** *n.* telegraph
**telegrafia** *n.* telegraphy
**telegrafický** *a.* telegraphic
**telegrafik** *n.* telegraphist
**telegrafovať** *v.t.* telegraph
**telegram** *n.* telegram
**telekomunikácie** *n.* telecommunications
**telepatia** *n.* telepathy
**telepatický** *a.* telepathic
**telepatik** *n.* telepathist
**teleskop** *n.* telescope
**teleskopický** *a.* telescopic
**telesne postihnutý** *a* disabled
**telesný** *a* bodily
**televízia** *n.* television
**televízne vysielanie** *n.* telecast
**telo** *n* body
**telocvičňa** *n.* gymnasium
**téma** *n.* motif
**tematický** *a.* thematic
**temperament** *n.* mettle
**tempo** *n* pace
**ten** *a.* that
**ten** *rel. pron.* that
**ten druhý** *adv.* thither
**ten najhorší** *n.* worst
**tenis** *n.* tennis
**tenký** *a.* thin
**teokracia** *n.* theocracy
**teológ** *n.* theologian
**teológia** *n* divinity
**teológia** *n.* theology
**teologický** *a.* theological
**teoréma** *n.* theorem
**teoretický** *a.* notional
**teoretický** *a.* theoretical
**teoretik** *n.* theorist
**teoretizovať** *v.i.* theorize
**teória** *n.* theory
**tep** *n.* pulsation
**tepelný** *a.* thermal
**teplo** *n.* warmth
**teplomer** *n.* thermometer
**teplota** *n.* temperature
**teplý** *a.* warm1
**tepna** *n.* artery
**terapia** *n.* therapy
**teraz** *adv.* now
**terč** *n.* target
**teriér** *n.* terrier
**terigať sa** *v.t* stump
**terminál** *n* terminal
**terminológia** *n.* terminology
**terminologický** *a.* terminological
**termoska** *n* flask
**terorista** *n.* terrorist
**terorizmus** *n.* terrarism
**terorizovať** *v.t.* terrorize
**terpentín** *n.* turpentine
**tesák** *n.* tusk
**tesár** *n.* carpenter
**tesniaca vložka** *n.* gasket
**tesný** *a.* tight
**testament** *n.* testament
**teta** *n.* aunt
**tetovanie** *n.* tattoo
**tetovať** *v.i.* tattoo
**texasky** *n.* jean
**text** *n.* text
**textár** *n.* lyricist
**textília** *n* textile
**textilný** *a.* textile
**textový** *n.* textual

**textúra** *n.* texture
**tiahnuť sa** *v.i.* snake
**tiaž** *n.* gravity
**ticho** *n.* silence
**tichý** *a.* quiet
**tichý súhlas** *n.* connivance
**tiecť** *v.i* flow
**tielko** *n.* vest
**tieň** *n.* shadow
**tieniť** *v.t.* shade
**tiež nie** *adv.* either
**tiger** *n.* tiger
**tigrica** *n.* tigress
**tik** *n.* tick
**tikať** *v.i.* tick
**tinktúra** *n.* tincture
**tipovať** *v.t.* tip
**tiráda** *n.* tirade
**tisíc** *n.* thousand
**tisícročie** *n.* millennium
**tíšiť** *v.t.* tranquillize
**titul** *n.* title
**titulárny** *a.* titular
**tkáč** *n.* weaver
**tkáčsky stav** *n* loom
**tkanina** *n.* woof
**tkanivo** *n.* tissue
**tkať** *v.t.* weave
**tlač** *n* press
**tlačenica** *n* squash
**tlačiareň** *n.* printer
**tlačiť** *v.t.* press
**tlačová chyba** *n.* misprint
**tlenie** *n* glow
**tlieskať** *v. i.* clap
**tlieť** *v.i.* glow
**tlmič hluku** *n.* silencer
**tlstý** *a* fat
**tma** *n* dark
**tmavé pivo** *n* ale
**tmavofialová farba** *adj./n.* purple
**tmavogaštanový** *a* maroon
**tmavý** *a* dark
**to** *pron.* it
**to čo patrí** *n* due
**toaleta** *n.* toilet
**točiť sa** *v.i.* turn
**tóga** *n.* toga
**tok** *n* flow
**tolerancia** *n.* tolerance
**tolerantný** *a.* tolerant
**tolerovať** *v.t.* tolerate
**tón** *n.* tone
**tona** *n.* ton
**tonický** *a.* tonic
**tónovať** *v.t.* tone
**tonzúra** *n.* tonsure
**topánka** *n.* shoe
**topáz** *n.* topaz
**topograf** *n.* topographer
**topografia** *n.* topography
**topografický** *a.* topographical
**topoľ** *n.* poplar
**tornádo** *n.* tornado
**torpédo** *n.* torpedo
**torpédovať** *v.t.* torpedo
**torta** *n.* cake
**totalita** *n.* totality
**totiž** *adv.* namely
**toto** *pron.* such
**totožnosť** *n.* identity
**tovar** *n.* merchandise
**továreň** *n* factory
**tradícia** *n.* tradition
**tradičný** *a.* traditional
**tragédia** *n.* tragedy
**tragédian** *n.* tragedian
**tragický** *a.* tragic
**trajekt** *n* ferry
**trakt** *n* tract
**traktor** *n.* tractor
**trampota** *n.* tribulation
**trampoty** *n.* predicament
**transakcia** *n.* transaction

**transkripcia** *n.* transcription
**transparent** *n.* banner
**transplantovať** *v.t.* transplant
**tranz** *n.* trance
**trápiť** *v.t.* trouble
**trápiť** *v.t.* vex
**trápiť sa** *v.t.* fret
**trasúci sa** *a.* shaky
**tráva** *n* grass
**trávenie** *n* digestion
**tráviť** *v. t.* digest
**trávnik** *n.* lawn
**trblietanie** *n.* sparkle
**trblietať sa** *v.i.* sparkle
**trenie** *n.* friction
**trénovať** *v.t.* train
**trepotať** *v.t* flutter
**tresknutie** *v.t.* whack
**trest** *n.* punishment
**trestanec** *n.* trusty
**trestať** *v.t.* punish
**trestať palicou** *v. t.* cane
**trestný** *a.* punitive
**trestuhodný** *a* culpable
**tretí** *a.* third
**tretí** *n.* third
**trezor** *n.* safe
**trh** *n* market
**trhaný** *a* fitful
**trhať** *v.t.* tear
**trhať v zuboch** *v.t* maul
**trhlina** *n* break
**trhnutie** *n.* wrench
**tri** *n.* three
**triasť sa** *v.i.* quake
**tribunál** *n.* tribunal
**tričko** *n.* shirt
**tridsať** *n.* thirty
**tridsiaty** *a.* thirtieth
**tridsiaty** *n* thirtieth
**tridsiaty** *a* thirty
**trieda** *n* class
**triedenie** *n* classification
**triediť** *v. t* classify
**triediť** *v.t* sort
**triediť podľa veľkosti** *v.t.* size
**trieska** *n.* splinter
**triezvosť** *n.* sobriety
**triezvy** *a.* sober
**trik** *n* trick
**trikolóra** *n* tricolour
**trikrát** *adv.* thrice
**trinásť** *n.* thirteen
**trinásty** *a.* thirteenth
**triumf** *n.* triumph
**trkotať** *v. t.* chatter
**tŕň** *n.* thorn
**tŕnistý** *a.* thorny
**trochu** *adv.* somewhat
**trofej** *n.* trophy
**trojdielny** *a.* triplicate
**trojfarebný** *a.* tricolour
**trojica** *n.* trinity
**trojica** *n.* trio
**trojitý** *a.* triple
**trojkolka** *n.* tricycle
**trojnožka** *n.* tripod
**trojrohá šatka** *n.* sling
**trojuholník** *n.* triangle
**trojuholníkový** *a.* triangular
**tromf** *n.* trump
**trón** *n.* throne
**tropický** *a.* tropical
**troška** *n.* modicum
**trosky** *n.* wreckage
**trpaslík** *n* dwarf
**trpezlivosť** *n.* patience
**trpezlivý** *a.* patient
**trpieť** *v.t.* suffer
**trpkosť** *n* acrimony
**trstina** *n.* cane
**trstina** *n.* thatch
**trubiroh** *n.* loggerhead
**trúbiť** *v.i.* trumpet

**trubka** *n.* tube
**trúbka** *n.* trumpet
**trúchlenie** *n.* lamentation
**truhla** *n* coffin
**trvalé bydlisko** *n* domicile
**trvalka** *n.* perennial
**trvalosť** *n.* permanence
**trvalý** *a.* lasting
**trvanie** *n* duration
**trvanlivý** *a* durable
**trvať** *v.t.* insist
**tu** here
**tuberkulóza** *n.* tuberculosis
**tucet** *n* dozen
**tučný** *a.* thick
**tuhý** *a.* solid
**tuk** *n* fat
**tulácky** *a* vagabond
**tulák** *n.* vagabond
**túlať sa** *v.i.* roam
**tuleň** *n.* seal
**ťulpas** *n* gull
**tunel** *n.* tunnel
**tunelovať** *v.i.* tunnel
**tupý** *a* blunt
**tupý** *adj.* daft
**turban** *n.* turban
**turbína** *n.* turbine
**turbulencia** *n.* turbulence
**turista** *n.* tourist
**turizmus** *n.* tourism
**turnaj** *n.* tournament
**tušenie** *n.* intuition
**tuto** *adv.* hereabouts
**túžba** *n* desire
**túžiť** *v.t.* crave
**tvar** *n.* shape
**tvár** *n* face
**tvaroh** *n* curd
**tvarovaný** *a.* shapely
**tvarovať** *v.t* shape
**tvor** *n* creature
**tvorca** *n* creator
**tvorenie** *n* formation
**tvoriť** *v.t.* form
**tvrdenie** *n* affirmation
**tvrdiť** *v.t.* affirm
**tvrdnúť** *v.t.* harden
**tvrdohlavosť** *n.* obstinacy
**tvrdohlavý** *a.* headstrong
**tvrdý** *a.* hard
**tyč** *n.* rail
**týčiť sa** *v.i.* tower
**tykadlo** *n.* antennae
**týkať sa** *v. t* concern
**týmto** *adv.* thereby
**typický** *a.* typical
**tyran** *n.* tyrant
**tyrania** *n.* tyranny
**týranie** *n.* mal-treatment
**týždeň** *n.* week
**týždenne** *adv.* weekly
**týždenník** *n.* weekly
**týždenný** *a.* weekly

**úbohý** *a.* pitiful
**úbor** *n.* garb
**ubytovanie** *n.* accommodation
**ubytovať** *v.t* accommodate
**ubytovať sa** *v.t.* lodge
**ubytovňa** *n.* hostel
**účasník** *n.* attendant
**účel** *n.* purpose
**učeň** *n.* apprentice
**učenec** *n.* scholar
**učenie** *n.* learning
**učený** *a.* learned
**účet** *n* bill
**uchádzať sa** *v. t* contest
**uchmatnúť** *v.t.* grab

**ucho** *n* ear
**uchopenie** *n* grasp
**uchopiť** *v.t.* grasp
**uchvátenie** *n.* usurpation
**uchvátiť** *v.t.* usurp
**uchýliť sa** *v.i.* resort
**účinkujúci** *n.* performer
**účinnosť** *n* efficiency
**účinný** *a* effective
**účinok** *n* effect
**učiť** *v.t.* teach
**učiť sa** *v.i.* learn
**učiteľ** *n.* teacher
**učiteľský** *a.* tutorial
**úcta** *n.* respect
**uctievajúci** *n.* worshipper
**uctievanie** *n.* worship
**uctievať** *v.t.* worship
**uctiť** *v. t* honour
**uctiť si** *v.t.* revere
**úctivý** *a.* reverential
**účtovať** *v. t.* charge
**účtovná kniha** *n.* ledger
**účtovníctvo** *n.* accountancy
**účtovník** *n.* accountant
**úctyhodný** *a* creditable
**úd** *n.* limb
**udalosť** *n* event
**udatník** *n* gallant
**udeliť právo** *v.t.* vest
**úder** *n.* punch
**udiať sa** *v.t.* happen
**udierať** *v.t.* knock
**údiv** *n.* astonishment
**udiviť** *v.t.* astonish
**údolie** *n.* valley
**udrieť** *v.t.* punch
**udržať** *v.t.* retain
**údržba** *n.* maintenance
**udržiavať rovnováhu** *v.t.* balance
**udusenie** *n.* suffocation
**udusiť** *v. t* burk
**uhádnuť** *v.t* fathom
**uháňať** *v.i.* speed
**uhasiť** *v.t.* slake
**uhladený** *a.* urbane
**úhľadný** *a.* neat
**uhlie** *n* coal
**uhlík** *n.* carbon
**uhnúť sa** *v. t* dodge
**uhoľ** *n.* angle
**uhorka** *n* cucumber
**uhradiť** *v.t.* reimburse
**uhranúť** *v.t* bewitch
**uistenie** *n.* assurance
**uistiť** *v.t.* assure
**ujedať** *v.t.* nibble
**ujma** *n.* harm
**ukameňovať** *v.t.* stone
**ukázať** *v.t.* show
**ukazovák** *n* forefinger
**ukazovať cestu** *v.t.* pioneer
**ukončiť** *v.t* finish
**ukončiteľný** *a.* terminable
**ukryť** *v.t.* shelter
**úkryt** *n.* hide
**úľ** *n.* beehive
**uľahčiť** *v.t.* relieve
**úľava** *n.* relief
**ulica** *n.* street
**ulievak** *n.* shirker
**ulita** *n.* shell
**úloha** *n.* task
**úlomky** *n.* rubble
**úlomok** *n.* fragment
**uloviť** *v.t.* net
**úlovok** *n.* kill
**uložiť** *v.t.* shelve
**uložiť do banky** *v.t.* bank
**ultimátum** *n.* ultimatum
**umelé hnojivo** *n* fertilizer
**umelec** *n.* artist
**umelecký** *a.* artistic

**umelý** *a.* artificial
**umelý satelit** *n.* sputnik
**umenie** *n.* art
**úmerný** *a.* proportional
**umierajúci** *a.* moribund
**umiestnený** *a* set
**umiestniť** *v.t.* place
**umožniť** *v. t* enable
**umrieť** *v. i* die
**úmrtie** *n* decease
**úmrtnosť** *n.* mortality
**umučiť** *n.* martyr
**úmysel** *n.* intention
**úmyselný** *a.* intentional
**umyť** *v.t.* sponge
**umyť mopom** *v.t.* mop
**umytie** *n* wash
**umývadlo** *n.* basin
**umývať** *v.t.* wash
**unášanie** *n* waft
**unášať** *v.t.* waft
**únava** *n* fatigue
**unavený** *a.* weary
**unaviť** *v.t* fatigue
**unaviť sa** *v.t. & i* weary
**únavný** *a.* trying
**unca** *n.* ounce
**unesenie** *n* abaction
**uniesť** *v.t.* kidnap
**únik** *n* evasion
**uniknúť** *v. t* elude
**univerzita** *n.* university
**únos** *n* abduction
**upevniť** *v.t.* secure
**upevniť klinom** *v.t.* wedge
**uplatniť** *v. t.* enforce
**uplatniť nárok** *v. t* claim
**úplatný** *a.* corrupt
**úplatok** *n* bribe
**úplavica** *n* dysentery
**úplne** *adv* absolutely
**úplný** *a* absolute
**uplynúť** *v.i.* expire
**uplynutie** *n* expiry
**upokojiť** *v.t.* reassure
**upokojujúci** *adj* calmative
**upomienka** *n.* reminder
**upratený** *a.* orderly
**upratať** *v.t.* tidy
**upravenosť** *n.* tidiness
**upravený** *a.* tidy
**upraviť** *v.t.* modify
**upraviť do štvorca** *v.t.* square
**upraviť sa** *v.t* groom
**upravovanie** *n.* modification
**uprednostniť** *v.t.* prefer
**uprene** *adv* agaze
**uprený pohľad** *n.* stare
**upresnenie** *n.* specification
**upresniť** *v.t.* specify
**úprimnosť** *n.* sincerity
**úprimný** *a.* candid
**upútať** *v. t.* captivate
**úrad policajného sudcu** *n.* magistracy
**úradne** *adv.* officially
**úradné obdobie** *n.* tenure
**úradnícky** *a* clerical
**úradník** *n* clerk
**úradný** *a.* official
**úradujúci** *a* incumbent
**uraziť** *v.t.* insult
**urážka** *n* abuse
**urážka na cti** *n.* libel
**urážlivosť** *n.* petulance
**urážlivý** *a.* offensive
**určiť** *v.t.* appoint
**určiť diagnózu** *v. t* diagnose
**určiť miesto** *v.t.* locate
**určiť vek** *v. t* date
**určitý** *a* definite
**urna** *n* urn
**urobený v pravý čas** *a.* well-timed

**urobiť** *v. t* do
**urobiť generálku** *v.t.* overhaul
**urobiť jednotvárnym** *v.t.* stereotype
**urobiť kópiu** *v. t* copy
**urobiť nesmrteľným** *v.t.* immortalize
**urobiť si prestávku** *v.i.* pause
**urobiť tlačovú chybu** *v.t.* misprint
**urobiť vdovou** *v.t.* widow
**urobiť výťah** *v.t* abstract
**urobiť zoznam** *v.t.* list
**úroveň** *n.* par
**urovnávač** *n.* compounder
**urýchliť** *v. t.* expedite
**usadenina** *n.* sediment
**usadiť** *v.i.* settle
**usadlík** *n.* settler
**úschova** *n.* repository
**úsečný** *a* curt
**úsilie** *n* effort
**uskladnenie** *n.* storage
**uskladniť** *v.t* warehouse
**uškrtenie** *n.* strangulation
**uškrtiť** *v.t.* strangle
**uskutočnenie** *n.* accomplishment
**uskutočniť** *v. t* effect
**uskutočniteľný** *a* feasible
**ušľachtilý** *a.* noble
**úslužný** *a.* officious
**uslzený** *a.* tearful
**úsmev** *n.* smile
**usmiať sa** *v.i.* smile
**úšný maz** *n* cerumen
**uspať** *v.t.* lull
**uspávanka** *n.* lullaby
**úspech** *n.* success
**úspešný** *a* successful
**úšpinený** *a.* slatternly
**uspokojenie** *n.* satisfaction
**uspokojiť** *v.t.* satisfy
**uspokojiteľný** *a.* satiable
**uspokojivý** *a.* satisfactory
**usporiadať** *v.t.* arrange
**ústa** *n.* mouth
**ustanoviť** *v. t* enact
**ustať** *v.t.* tire
**ústav** *n.* institute
**ústava** *n* constitution
**ustavičný** *~a.* ceaseless
**uštipačný** *a.* barbed
**ústne** *adv.* verbally
**ústny** *a.* oral
**ústranie** *n.* seclusion
**ustrica** *n.* oyster
**ustúpiť** *v.i.* retreat
**ústupok** *n* concession
**ustupovať** *v. i* ebb
**úsudok** *n.* judgement
**usudzovanie** *n.* inference
**usudzovať** *v.t.* infer
**usvedčiť** *v. t.* convict
**úsvit** *n* dawn
**utajený** *a.* ulterior
**utečenec** *n.* refugee
**útecha** *n* consolation
**útek** *n* escape
**utekať** *v.i.* run
**uterák** *n.* towel
**uterus** *n.* uterus
**útes** *n.* cliff
**utešiť** *v. t* comfort
**utešiť sa** *v.t.* solace
**utiahnuť** *v.t.* tighten
**utiecť** *v.i* escape
**utierať prach** *v.t.* dust
**utíšenie** *n.* mitigation
**utíšiť** *v.t.* silence
**utíšiť sa** *v.t.* quiet
**utláčať** *v.t.* oppress
**utlačovateľ** *n.* oppressor
**útlak** *n.* oppression
**utlmiť** *v. t.* dull

**útočisko** *n.* haven
**útočište** *n.* sanctuary
**útočiť** *v.t.* attack
**útok** *n.* attack
**utópia** *n* . utopia
**utopický** *a.* utopian
**utopiť sa** *v.i* drown
**útrapy** *n.* hardship
**utretie** *n.* wipe
**utrieť** *v.t.* wipe
**utrpenie** *n.* misery
**útulný** *a.* cosy
**útulok** *n.* kennel
**uvádzač** *n.* usher
**uvádzanie do funkcie** *n.* induction
**úvaha** *n* deliberation
**uvaliť** *v.t.* inflict
**uvaliť daň** *v.t.* toll
**uvážiť** *v.t.* delibate
**uväznenie** *n.* jail
**uväzniť** *v.t.* imprison
**uvažovať** *v. t* contemplate
**uvedený ako prvý** *pron* former
**uvedomiť si** *v.t.* realize
**úver** *n* credit
**uverejnenie** *n.* publication
**uviazať na uzol** *v.t.* knot
**uviesť** *v.t.* usher
**uviesť do funkcie** *v.t.* induct
**uviesť do rozpakov** *v. t* embarrass
**uviesť predohrou** *v.t.* prelude
**úvodník** *n* editorial
**úvodný** *a.* introductory
**úvodzovky** *n.* ditto
**uvoľnený** *a.* slack
**uvoľniť** *v.t.* loosen
**uvoľniť sa** *v.t.* sublimate
**už** *adv.* yet
**úžasný** *a.* sensational
**uzda** *n* bridle
**územie** *n.* territory
**uzemniť** *v.t* floor
**územný** *a.* territorial
**úžerníctvo** *n.* usury
**úžerník** *n.* usurer
**úžina** *n.* strait
**užitočnosť** *n.* utility
**užitočný** *a.* useful
**úžitok** *n* benefit
**úzka časť** *n* small
**úzkoprsosť** *n.* insularity
**úzkoprsý** *a.* insular
**úzkosť** *a* anxiety
**úzky** *a.* narrow
**uzmierenie** *n.* reconciliation
**uznanie** *n.* acknowledgement
**uznesenie** *n.* resolution
**uzol** *n.* knot
**uzoľ na lane** *n* bight

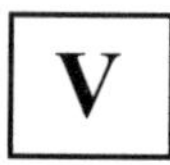

**v** *prep.* in
**v amoku** *adv.* amuck
**v bankrote** *n.* bankrupt
**v celku** *adv.* bodily
**v diaľke** *adv.* aloof
**v dobrej viere** *adv* bonafide
**v mene** *n* behalf
**v ostatnom čase** lately
**v plameňoch** *adv.* ablaze
**v pohybe** *adv.* afoot
**v pohybe** *adv.* astir
**v rámci** *prep.* within
**v skutočnosti** *adv.* actually
**v zahraničí** *adv* abroad
**v zlej viere** *a.* malafide
**v zlej viere** *adv* malafide
**vačkovec** *n.* marsupial
**väčší** *a.* major

**väčšina** *n.* majority
**vadiť sa** *v. i. & n* brawl
**vädnúť** *v.i.* wither
**vagína** *n.* vagina
**váhanie** *n.* hesitation
**váhať** *v.i.* hesitate
**váhavý** *a.* hesitant
**vajce** *n* egg
**vaječník** *n.* ovary
**vakcína** *n.* vaccine
**vakcinátor** *n.* vaccinator
**vákuum** *n.* vacuum
**val** *n.* mound
**valec** *n.* roller
**válov** *n.* manger
**vaňa** *n* bath
**vankúš** *n* cushion
**vánok** *n* breeze
**vápnik** *n* calcium
**vápniť** *v.t* lime
**vápno** *n.* lime
**var** *n* boil
**varené** *n.* mull
**variť** *v. t* cook
**varná kanvica** *n.* kettle
**varovanie** *n.* warning
**varovať** *v.t* alarm
**vasektómia** *n.* vasectomy
**vášeň** *n.* passion
**vášnivý** *a.* passionate
**vatra** *n* bonfire
**väzba** *n* remand
**vazelína** *n.* vaseline
**väzeň** *n.* prisoner
**väzenie** *n.* confinement
**väzenský dozorca** *n.* warder
**vážiť** *v.t.* weigh
**vážiť si** *v. t* esteem
**väznica** *n.* prison
**vážny** *a* serious
**včasný** *a.* timely
**včela** *n.* bee
**včelí plát** *n.* honeycomb
**včera** *adv.* yesterday
**včerajšok** *n.* yesterday
**vchod** *n* entrance
**vďačnosť** *n.* gratitude
**vďačný** *a.* grateful
**vdať sa** *v.t.* submit
**vdova** *n.* widow
**vdovec** *n.* widower
**vdych** *n.* puff
**vdýchnuť** *v.i.* inhale
**vec** *n.* thing
**večer** *n* evening
**večera** *n* dinner
**večnosť** *n* eternity
**večný** eternal
**veda** *n.* science
**vedec** *n.* scientist
**vedecký** *a.* scientific
**vedenie** *n.* leadership
**vedenie sporu** *n.* litigation
**vedieť** *v.t.* know
**vedľa** *prep.* near
**vedľa seba** *adv* abreast
**vedľajší produkt** *n* by-product
**vedomosť** *n* cognizance
**vedomosti** *n.* knowledge
**vedomý si** *a.* aware
**vedro** *n* bucket
**vedúci** *n.* supervisor
**vegetácia** *n.* vegetation
**vegetarián** *n.* vegetarian
**vegetariánsky** *a* vegetarian
**vek** *n.* age
**veľa** *a* much
**velebenie** *n* laud
**velebiť** *v.t.* glorify
**velikánsky** *a.* large
**veliteľ** *n* commandant
**veľká chyba** *n* blunder
**veľká jaskyňa** *n.* cavern
**Veľká noc** *n* easter

**veľká nuda** *n.* monostrous
**veľké množstvo** *n* lac, lakh
**veľkodušnosť** *n.* magnanimity
**veľkodušný** *a.* magnanimous
**veľkolepá slávnosť** *n.* pageantry
**veľkolepost'** *n.* grandeur
**veľkolepý** *a.* grand
**veľkoobchod** *n.* wholesale
**veľkoobchodník** *n.* wholesaler
**veľkoobchodný** *a* wholesale
**veľkorysosť** *n.* liberalism
**veľkorysý** *a.* liberal
**veľkosť** *n.* size
**veľkostatok** *n.* manor
**veľký** *a* big
**veľmi** *a.* very
**veľryba** *n.* whale
**veľrybia kostica** *n.* baleen
**veľtrh** *n.* fair
**veľvyslanectvo** *n* embassy
**veľzrada** *n.* treason
**vemeno** *n.* udder
**veniec** *n.* garland
**veno** *n* dowry
**venovať** *v. t.* dedicate
**venovať nehodnému** *v.t.* misplace
**ventilátor** *n.* ventilator
**veranda** *n.* porch
**verejná komunikácia** *n.* highway
**verejné odsúdenie** *n.* denunciation
**verejnosť** *n.* public
**verejný** *a.* public
**verejný dom** *n* brothel
**veriť** *v. t* believe
**veriteľ** *n* creditor
**vernosť** *n* fidelity
**verný** *a* faithful
**verše** *n.* verse
**veršotepec** *n.* rhymester
**veršovanie** *n.* versification
**verzia** *n.* version
**verzus** *prep.* versus
**veselie** *n.* merriment
**veseliť sa** *v.i.* frolic
**veselosť** *n.* vivacity
**veselý** *a.* cheerful
**veselý** *adj.* convivial
**veslár** *n.* oarsman
**veslo** *n* paddle
**veslovať** *v.i.* paddle
**vesmír** *n.* universe
**vesta** *n.* waistcoat
**veštec** *n.* prophet
**veštec z ruky** *n.* palmist
**veštenie** *n.* prophecy
**veštenie z ruky** *n.* palmistry
**veštiť** *v.t* foretell
**vestník** *n* bulletin
**veta** *n.* sentence
**vetchosť** *n.* infirmity
**vetchý** *a.* infirm
**veterný** *a.* windy
**veterný mlyn** *n.* windmill
**veto** *n.* veto
**vetovať** *v.t.* veto
**vetranie** *n.* ventilation
**vetrať** *v.t.* ventilate
**vetromer** *n* anemometer
**vetroplach** *n.* tomboy
**vetvička** *n.* twig
**veverička** *n.* squirrel
**veža** *n.* tower
**vhodnosť** *n.* relevance
**vhodný** *a.* appropriate
**vhodný na manželstvo** *a.* marriageable
**viac** *a.* more
**viac** *adv* more
**viac ako** *adv* over
**viac-menej** *adv.* notwithstanding
**Vianoce** *n* Christmas
**viať obilie** *v.t.* winnow

**vibrácia** *n.* vibration
**vibrovať** *v.i.* vibrate
**víchor** *n.* gale
**vidiečan** *n* rustic
**vidiecky** *a.* rural
**vidieť** *v.t.* see
**vidina** *n.* lure
**viditeľnosť** *n.* visibility
**viditeľný** *a.* visible
**viera** *n* faith
**vierohodnosť** *n.* veracity
**vierolomný** *a.* treacherous
**viesť** *v.t.* guide
**viesť potrubím** *v.i* pipe
**viesť výmenný obchod** *v.t.* barter1
**vietor** *n.* wind
**vigvam** *n.* wigwam
**vikár** *n.* vicar
**vila** *n.* villa
**víla** *n* fairy
**vina** *n* blame
**vinič** *n.* vine
**viniť** *v. t* blame
**vinník** *n* culprit
**vinný** *a.* guilty
**víno** *n.* wine
**virulencia** *n.* virulence
**vírus** *n.* virus
**viržínska cigara** *n* cheroot
**vitamín** *n.* vitamin
**vítanie** *n* welcome
**vítaný** *a.* welcome
**vítať** *v.t* welcome
**víťaz** *n.* winner
**víťazný** *a.* triumphal
**víťazný** *a.* victorious
**víťazstvo** *n.* victory
**vizionár** *n.* visionary
**vkročiť** *v.i.* trespass
**vláda** *n.* government
**vládnuť** *v.t.* govern
**vlak** *n.* train
**vlákať** *v.t* gull
**vláknina** *n* fibre
**vlákno** *n.* yarn
**vlastenec** *n.* patriot
**vlastenecký** *a.* patriotic
**vlastenectvo** *n.* nationalism
**vlastné ja** *n.* self
**vlastnenie** *n.* possession
**vlastníctvo** *n.* ownership
**vlastník** *n.* owner
**vlastník renty** *n* annuitant
**vlastniť** *v.t.* own
**vlastnosť** *n.* attribute
**vlastný** *a.* own
**vlasy** *n* hair
**vlažný** *a.* lukewarm
**vlhko** *n* damp
**vlhkosť** *n.* humidity
**vlhký** *a* damp
**vliecť** *v.t.* trail
**vliecť sa** *v.i.* plod
**vlk** *n.* wolf
**vlna** *n.* wool
**vlnená látka** *n.* worsted
**vlnenie** *n* billow
**vlnený** *a.* woollen
**vlnený odev** *n* woollen
**vlniť sa** *v.i.* undulate
**vlnobiť** *v.i* billow
**vlnobitie** *n* swell
**vloženie** *n.* insertion
**vložiť** *v.t.* insert
**vložiť do púzdra** *v. t* encase
**vľúdny** *a.* gracious
**vnímanie** *n.* perception
**vnímať** *v.t.* perceive
**vnímavý** *a.* perceptive
**vnuknúť** *v.t.* prompt
**vnútornosti** *n.* intestine
**vnútorný** *a.* interior
**vnútrajšok** *n.* interior

**vnútri** *adv.* indoors
**vnútro** *n.* inside
**vnútrozemský** *a.* inland
**vo vnútrozemí** *adv.* inland
**vôbec nie** *adv.* none
**voda** *n.* water
**vodca** *n.* leader
**vodík** *n.* hydrogen
**Vodnár** *n.* aquarius
**vodopád** *n.* waterfall
**vodotesný** *a.* watertight
**vojak** *n.* soldier
**vojenčina** *n* military
**vojenská technika** *n.* munitions
**vojenský** *a.* military
**vojna** *n.* war
**vojnový** *a.* warlike
**vojvoda** *n* duke
**vokalista** *n.* vocalist
**vôl** *n* bullock
**vôľa** *n.* will
**volajúci** *n* caller
**volán** *n.* frill
**volanie** *n.* call
**volanie na slávu** *n.* cheer
**volať** *v. i.* clamour
**volať na slávu** *v. t.* cheer
**voľby** *n* election
**volebné právo** *n.* suffrage
**volebný obvod** *n* constituency
**volič** *n.* constituent
**voliči** *n* electorate
**voliéra** *n.* aviary
**voliteľný** *a.* optional
**voľné miesto** *n.* vacancy
**voľno** *n.* leisure
**voľný** *a.* vacant
**volské oko** *n* bull's eye
**volt** *n.* volt
**von** *adv.* out
**vôňa** *n.* fragrance
**voňavý** *a.* fragrant
**vonkajší** *a* external
**vonkajší zvukovod** *n* alveary
**vonkajšok** *n* outside
**vonku** *adv* outside
**vopred** *adv.* beforehand
**vopred upozorniť** *v.t* forewarn
**voš** *n.* louse
**vosk** *n.* wax
**voskovaný** *adj.* cerated
**voskovať** *v.t.* wax
**voz** *n.* barouche
**vozidlo** *n.* vehicle
**vpád** *n.* invasion
**vplyv** *n.* influence
**vplyvný** *a.* influential
**vpravo** *adv* right
**vpred** *adv* forward
**vpredu** *adv.* ahead
**vrabec** *n.* sparrow
**vracajúci sa** *a.* recurrent
**vrah** *n.* assassin
**vrak** *n.* wreck
**vrana** *n* crow
**vráska** *n.* wrinkle
**vráskavieť** *v.t.* wrinkle
**vrátiť sa** *v.i.* return
**vrátnica** *n.* lodge
**vražda** *n.* murder
**vražda rodičov** *n.* parricide
**vraždenie** *n.* massacre
**vraždiť** *v.t.* massacre
**vražedný** *a.* murderous
**vraziť** *v.t.* ram
**vŕba** *n.* willow
**vrčanie** *n* growl
**vrčať** *v.i.* growl
**vrch** *n.* top
**vrchnák** *n.* lid
**vrchný** *a.* supreme
**vrchol** *n.* summit
**vrcholiť** *v.i.* culminate
**vrcholný** *a.* utmost

**vrcholok** *n* mount
**vrece** *n.* sack
**vrecko** *n.* pocket
**vreckovka** *n.* handkerchief
**vred** *n.* ulcer
**vredovitý** *a.* ulcerous
**vresk** *n* yell
**vrešťanie** *n* bray
**vrešťať** *v. i* bray
**vrhnúť** *v.t.* hurl
**vrhnúť sa** *v.i.* pounce
**vrhnutie** *n* pounce
**vrodený** *a.* inborn
**vrstva** *n.* layer
**vrták** *n* drill
**vŕtať** *v. t.* drill
**vrtenie** *n* wag
**vrtoch** *n.* caprice
**vrtošivý** *a.* whimsical
**vrúcnosť** *n* fervour
**vrúcny** *a* fervent
**všadeprítomnosť** *n.* omnipresence
**všadeprítomný** *a.* omnipresent
**však** *adv.* however
**však** *interj.* what
**všedný** *a.* commonplace
**všeliek** *n.* nostrum
**všemocnosť** *n.* omnipotence
**všemocný** *a.* almighty
**všeobecnosť** *n.* universality
**všeobecný** *a.* general
**všetko** *pron* all
**vševeda** *n.* omniscience
**vševediaci** *a.* omniscient
**všímať si** *v.t.* heed
**všímavý** *a.* observant
**všimnúť si** *v.t.* notice
**vštepiť** *v.t.* inculcate
**vstreknúť** *v.t.* inject
**vstup** *n* entry
**vstúpiť** *v. t* enter
**vstupná hala** *n.* lobby
**vtáčatko** *n.* nestling
**vtáčnik** *n.* fowler
**vták** *n* bird
**vtedajší** *a* then
**vtelenie** *n.* incarnation
**vtelený** *a.* incarnate
**vteliť sa** *v.t.* incarnate
**vtip** *n.* gag
**vtipkár** *n.* joker
**vtipkovať** *v.i.* jest
**vtipný** *a.* witty
**vtlačiť sa** *v.t.* imprint
**vulgárny** *a.* profane
**výbava** *n. pl* paraphernalia
**vybavenie** *n* equipment
**vybaviť** *v. t* equip
**vybavovanie** *n* errand
**výber** *n.* choice
**vyberač** *n* collector
**vyberanie** *n* collection
**vyberanie poplatkov** *n.* levy
**výboj** *n.* spark
**výbor** *n* committee
**výborne** *a* fine
**výborný** *a.* superlative
**vybraný** *a* select
**vybrať** *v.t.* select
**vybrať si** *v. t.* choose
**výbuch** *n* eruption
**vybuchnúť** *v. i* erupt
**výbušnina** *n.* explosive
**výbušný** *a* explosive
**výčapná loď** *n.* coper
**vyčarovať** *v.t.* conjure
**vyčerpať** *v. t.* exhaust
**východ** *n.* exit
**východne** *adv* east
**východný** *a* eastern
**výchova** *n.* nurture
**vychovaný** *a.* mannerly
**vychovať** *v. t* educate

**vychutnať** *v.t.* savour
**vychvaľovanie** *n.* glorification
**vychvaľovať** *v. t* exalt
**vyčíňať** *v.t.* riot
**vyčistenie** *n* rub
**vyčistiť striekačkou** *v.t.* syringe
**vyčítať** *v.t.* reproach
**vycítiť** *v.t.* sense
**výčitka** *n.* stricture
**výčitky** *n.* remorse
**výčitky svedomia** *n.* compunction
**vyčlenenie** *n.* allocation
**vyčleniť** *v.t.* allocate
**vyčnievanie** *n.* projection
**vyčnievať** *v.t.* project
**vydanie** *n* edition
**vydarený** *a.* lucky
**vydať** *v.i.* issue
**vydať zákon** *v.i.* legislate
**vydať zvuk** *v.t.* utter
**vydavateľ** *n.* publisher
**výdavky** *n.* expense
**vydedenec** *n.* outcast
**vydedený** *a* outcast
**vydieranie** *n* blackmail
**vydierať** *v.t* blackmail
**vydláždiť** *v.t.* pave
**vydra** *n.* otter
**vydražiť** *v.t.* auction
**výdrž** *n.* stamina
**vydržať** *v.i.* persevere
**vyhadzovač** *n* bouncer
**výhľad** *n.* outlook
**vyhladiť** *v.t.* smooth
**vyhlásenie** *n* declaration
**vyhlásiť** *v.t.* proclaim
**vyhĺbiť** *v. t.* excavate
**vyhliadka** *n.* prospect
**vyhňa** *n* forge
**vyhnanie** *n.* expulsion
**vyhnanstvo** *n.* exile
**vyhnať** *v. t.* expel
**vyhnúť sa** *v.t.* avoid
**vyhnutie sa** *n.* avoidance
**výhoda** *n.* advantage
**vyhodiť** *v. t.* eject
**vyhodiť do vzduchu** *v.i* blast
**výhodná kúpa** *n.* bargain
**výhodný** *a.* advantageous
**výhonok** *n.* offshoot
**vyhostenie** *n.* banishment
**vyhostiť** *v.t.* banish
**vyhotovenie trojmo** *n.* triplication
**vyhotoviť trojmo** *v.t.* triplicate
**vyhovieť** *v. i* comply
**výhovorka** *n* excuse
**vyhovovať** *v.t.* suit
**vyhovujúci** *a* convenient
**výhra** *n* win
**výhrada** *n.* reservation
**vyhradenie** *n.* appropriation
**vyhradiť** *v.t.* appropriate
**vyhrať** *v.t.* win
**vyhrážať sa** *v.t.* threaten
**vyhrážka** *n.* threat
**vyhubiť** *v. t* eradicate
**vyhýbať sa** *v.t.* shun
**vyhynutý** *a* extinct
**vyjadrenie** *n.* expression
**vyjadriť** *v. t.* express
**vyjadriť** *v.t.* voice
**vyjadriť sústrasť** *v. i.* condole
**vyjasniť** *v. t* clear
**výklenok** *n.* niche
**výklenok krbu** *n.* mantel
**vykoľajiť** *v. t.* derail
**výkon** *n* feat
**vykonať** *v.t.* perform
**výkop** *n.* excavation
**vykopať** *v.t.* trench
**vykopať jamu** *v.t* hole
**vykorisťovať** *v. t* exploit

**vykračovať si** *v.i.* strut
**vykričaný** *a.* infamous
**výkrik** *n* scream
**vykrikovať** *n.i.* bawl
**vykročiť** *v.i.* step
**vykrútený** *adj* anfractuous
**vykrútiť** *v.t* wring
**vykúpenie** *n.* redemption
**vykúpiť** *v.t.* ransom
**výkupné** *n.* ransom
**vyľakaný** *a.* afraid
**vyľakať** *v.t.* startle
**výlet** *n.* trip
**výlevka** *n* sink
**vyliezť** *v. i* clamber
**vylúčenie** *n* elimination
**vylúčiť** *v. t* except
**výlučok** *n.* secretion
**vylučovať** *v.t.* secrete
**vylúhovať** *v.t.* leach
**vylúpiť** *v.t.* rob
**vymazať** *v. t* delete
**vymedzenie hranice** *n.* demarcation
**výmena** *n* exchange
**vymeniť** *v. t* exchange
**vymeniť si** *v.* interchange
**výmenný obchod** *n.* barter2
**výmera** *n.* acreage
**vymerať** *v.t* mete
**výmysel** *n* fabrication
**vymyslený** *a* fictitious
**vymyslieť** *v.t* fabricate
**vynachádzavý** *a.* inventive
**vynadať** *v.t.* scold
**vynájsť** *v.t.* invent
**vynález** *n.* invention
**vynálezca** *n.* inventor
**vynaliezavý** *a.* resourceful
**vynechanie** *n.* omission
**vynechať** *v.t.* omit
**vynikajúci** *a.* excellent
**vynikať** *v.i* excel
**výnimka** *n* exception
**výnimočný** *a.* transcendent
**vynoriť sa** *v.i.* loom
**výnosný** *a.* lucrative
**vyňuchať** *v.t.* scent
**vypáčenie** *n.* leverage
**vypáčiť** *v.t.* lever
**výpad** *n.* invective
**vypáliť salvu** *v.t* volley
**vypariť sa** *v. i* evaporate
**vypchať** *v.t.* pad
**vypchávka** *n.* padding
**vypláchať** *v.t.* rinse
**vypláchnuť** *v. t* cleanse
**vyplávať na hladinu** *v.i* surface
**vyplnenie** *n.* fulfilment
**vyplniť** *v.t.* fulfil
**výplod** *n* figment
**vyplynúť** *v.i* ensue
**výpočet** *n.* calculation
**vypočítať** *v. t.* calculate
**vypočítať priemer** *v.t.* average
**vypovedať** *v.t* outlaw
**vypracovaný** *a.* laboured
**vyprahnúť** *v.t.* parch
**vyprahnutý** *adj.* arid
**vyprať** *v.t.* launder
**výprava** *n* expedition
**vyprázdniť** *v* empty
**vypuknutie** *n.* outbreak
**vypúšťať** *v.t.* void
**vypustiť signálnu raketu** *v.t* maroon
**vypytovať sa** *v.t.* quiz
**vyrásť** *v.t.* outgrow
**výraz** *n.* locution
**výraz tváre** *n.* countenance
**vyraziť** *v.i.* sally
**vyraziť dych** *v.t.* wind
**vyrážka** *n.* pimple
**výrazný** *a.* expressive

**výrečnosť** *n* eloquence
**výrečný** *a* eloquent
**vyrezať** *v. t.* carve
**vyriešiť** *v.t.* resolve
**výroba** *n* manufacture
**výrobca** *n* manufacturer
**výrobca fliaš** *n* bottler
**vyrobiť** *v.t.* manufacture
**výrobná značka** *n* make
**výrobok** *n.* produce
**výročie** *n.* anniversary
**výrok** *n* dictum
**vyrovnanie** *n* compensation
**vyrovnanosť** *n.* composure
**vyrovnať** *v.t* compensate
**vyrovnať sa** *v. t* even
**vyrozprávať** *v.t.* recount
**vyrušenie** *n.* interruption
**vyrušiť** *v.t.* interrupt
**vyrušovať** *v. t* disturb
**vyryť** *v. t* engrave
**výsada** *n.* privilege
**vysadnúť** *v.t.* mount
**vysadnutie** *n.* mount
**vyšetriť** *v. t* examine
**vyšetrovanie** *n.* inquiry
**vyšetrovaný** *a.* interrogative
**vyšetrovať** *v.t.* interrogate
**vysielač** *n.* transmitter
**vysielanie** *n* broadcast
**vysielať** *v. t* broadcast
**vysielať** *v.t.* telecast
**výšivka** *n* embroidery
**výška** *n.* height
**výskum** *n* research
**výskyt** *n.* recurrence
**vyslať rádiom** *v.t.* radio
**výsledok** *n.* result
**vysloviť** *v.t.* pronounce
**výslovnosť** *n.* pronunciation
**vyslúžilec** *n.* veteran
**vyslúžilecký** *a.* veteran
**výsmech** *n.* ridicule
**vysmievať sa** *v.t.* ridicule
**vysoko** *adv.* highly
**vysoko hore** *adv.* aloft
**vysokoškolák** *n.* undergraduate
**vysoký** *a.* tall
**výsosť** *n.* Highness
**vyspelosť** *n.* sophistication
**vyšplhať sa** *v.t.* scale
**vysťahovanie** *n* eviction
**vysťahovať** *v. t* evict
**vystatovačnosť** *n.* immodesty
**vystatovačný** *a.* immodest
**výstava** *n* display
**vystaviť** *v. t* display
**výstelka** *n* lining
**výstižne** *adv* appositely
**výstižný** *a.* apposite
**vystlať** *v.t.* line
**vystopovať** *v.i.* stalk
**vystrájanie** *n.* romp
**vystrájať** *v.i.* romp
**vystrašený** *a.* timorous
**vystrašiť** *v.t.* horrify
**výstrednosť** *n* extravagance
**výstredný** *a* extravagant
**vystreknúť** *v.i.* spurt
**výstrel** *n.* shot
**vystreliť si** *v.t* hoax
**vystretie** *n* stretch
**vystrnadiť** *v.t.* oust
**vystrojiť** *v.t* outfit
**výstup** *n.* climb1
**vystúpiť** *v.i.* secede
**výstuž** *n* brace
**vysušiť** *v. i.* dry
**vysvätiť** *v.t.* consecrate
**vysvetlenie** *n* explanation
**vysvetliť** *v. t.* explain
**výťah** *n* extract
**vytárať** *v. t* blurt
**výťažok** *n* yield

**vytekanie** *n.* leakage
**vytiahnuť** *v. t* extract
**výtok** *n.* discharge
**vytrhnúť** *v.t.* wrench
**vytrhnúť s koreňmi** *v.t.* uproot
**vytrhnutie** *n.* avulsion
**vytrvalosť** *n.* endurance
**vytrvalý** *a.* persistent
**výtržník** *ns.* barrator
**vytvárať semeno** *v.t.* seed
**výtvor** *n* creation
**vytvoriť** *v.t.* generate
**vyučovacia hodina** *n.* lesson
**využitie** *n.* imposition
**vývar** *n* broth
**vyvážať** *v. t.* export
**vyvažovať** *v.t.* poise
**vyvesiť** *v.t.* post
**vyvierať** *v.i.* well
**vyviesť z rovnováhy** *v.t.* overawe
**vyvinúť sa** *v.t* evolve
**vývoj** *n* evolution
**vyvolať** *v. t* evoke
**vývoz** *n* export
**vyvrátiť** *v. t* disprove
**vyvrcholenie** *n.* climax
**vyvrtnúť** *v.t.* sprain
**vyvrtnutie** *n.* sprain
**vyvýšenina** *n* eminance
**výzbroj** *n.* armament
**vyzbrojiť** *v.t.* arm
**výzdoba** *n* decoration
**vyzdobiť** *v. t* decorate
**vyžiadať si** *v.t.* necessitate
**výživa** *n.* nutrition
**vyžívanie sa** *n.* indulgence
**výživné** *n.* aliment
**výživný** *a.* nutritious
**význačný** *a.* salient
**význam** *n.* meaning
**významne** *adv.* substantially
**významný** *a.* important
**vyznanie** *n* creed
**vyžobrať si** *v. i* cadge
**výzva** *n.* challenge
**vyzvať** *v. t.* challenge
**vyzvedať** *v.i.* pry
**vzácny** *a.* precious
**vzadu** *adv* behind
**vzájomná závislosť** *n.* interdependence
**vzájomne závislý** *a.* interdependent
**vzájomný sľub manželstva** *n.* spousal
**vzájomý** *a.* reciprocal
**vzápätí** *conj.* whereupon
**vzbĺknuť** *v.i* flare
**vzbudiť obavy** *v.t.* misgive
**vzbura** *n.* rebellion
**vzbúrenec** *n.* insurgent
**vzbúrený** *a.* insurgent
**vzdanie sa** *n* surrender
**vzdať sa** *v.t.* surrender
**vzdelanie** *n* education
**vzdialenosť** *n* distance
**vzdialený** *a* distant
**vzdialiť sa** *v.i.* recede
**vzdor** *n* defiance
**vzduch** *n* air
**vzduchový** *adj.* aeriform
**vzdušný** *a.* airy
**vždy** *adv* always
**vždy zelený** *a* evergreen
**vždyzelený krík** *n* evergreen
**vzhľad** *n* appearance
**vziať** *v.t* take
**vziať do väzby** *v.t.* remand
**vzlietnuť** *v.i.* soar
**vzlykanie** *n* sob
**vzlykať** *v.i.* sob
**vznášať sa** *v.i* float
**vznešenosť** *n.* stateliness
**vznešený** *n* sublime

**vzniesť námietky** *v. t* demur
**vznietiť sa** *v.t.* light
**vzniknúť** *v.t.* originate
**vzor** *n.* pattern
**vzorka** *n.* sample
**vzostup** *n.* ascent
**vzplanutie** *n.* outburst
**vzpriamený** *a* erect
**vzrušiť** *v.t.* thrill
**vzťah** *n.* rapport
**vztýčiť** *v.t.* hoist
**watt** *n.* watt

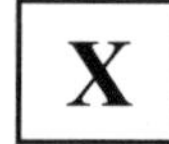

**xylofón** *n.* xylophone

**yard** *n.* yard

**z čistého striebra** *a.* sterling
**za** *prep* behind
**za lyžicu** *n.* spoonful
**žaba** *n.* frog
**zabaliť do balíka** *v.t.* parcel
**zábava** *n.* entertainment
**zabávať sa** *v.i.* revel
**zabaviť** *v. t* entertain
**zabiť** *v.t.* kill
**zablatiť** *v. t* bemire
**záblesk** *n* flash
**zábradlie** *n.* raling
**zábrana** *n.* inhibition
**zabrániť** *v.t.* prevent
**zabuchnúť** *v.t.* slam
**zábudlivý** *a* forgetful
**zabudnúť** *v.t* forget
**zabudnutie** *n.* oblivion
**začať** *n* begin
**záchod** *n.* lavatory
**zachovanie** *n.* retention
**zachovať** *v.t.* preserve
**záchrana** *n* rescue
**záchranca** *n.* saviour
**zachrániť** *v.t.* rescue
**zachrípnutý** *a.* husky
**záchvat** *n* fit
**záchvev** *n.* tremor
**začiatočník** *n.* learner
**začiatočný** *a.* initial
**začiatok** *n.* beginning
**zacítiť** *v. t* cense
**zacítiť čuchom** *v.t.* smell
**začleniť** *v.t.* incorporate
**záclona** *n* curtain
**začuť** *v.t.* overhear
**zadebniť** *v. t.* board
**zadĺžený** *a.* indebted
**zadný zub** *n.* molar
**zadok** *n* buttock
**zadováženie** *n.* procurement
**zadovážiť** *v.t.* procure
**zadrhnutie** *n.* hitch
**zadržať** *v. t* detain
**zadubený** *a.* witless
**zadusiť** *v.t* suffocate
**zafajčený** *a.* smoky
**zafarbenie** *n.* tinge
**zafarbiť** *v. t* dye
**zafír** *n.* sapphire
**záhada** *n.* mystery
**záhadný** *a.* mysterious
**zahál'ať** *v.i* mess
**zahaliť** *v.t.* veil
**zahanbený** *a.* ashamed
**zahanbiť** *v.t.* abash

**zahasiť** *v.t* extinguish
**zahĺbiť sa** *v.t* engross
**zahliadnutie** *n.* glimpse
**zahnať sa kriketovou pálkou** *v. i* bat
**zahodiť** *v. t* discard
**záhrada** *n.* garden
**záhradníctvo** *n.* horticulture
**záhradník** *n.* gardener
**zahŕňať** *v.t.* include
**zahrnutie** *n.* inclusion
**zahrnutý** *a.* incorporate
**zahrotiť** *v.t.* tip
**zahustiť** *v.i.* thicken
**záhyb** *n* crease
**zahynúť** *v.i.* perish
**zajac** *n.* rabbit
**zajakávanie** *n* stammer
**zajakávať sa** *v.i.* stammer
**zajať** *v. t.* capture
**zajatec** *n.* captive
**zajatie** *n.* captivity
**zajatý** *a.* captive
**zajtra** *n.* tomorrow
**zajtra** *adv.* tomorrow
**zajtrajšok** *n.* morrow
**zakaliť** *v. t* blear
**zákaz** *n.* prohibition
**zákaz vychádzania** *n* curfew
**zakázať** *n* ban
**zákazník** *n* customer
**základ** *n.* basis
**zakladateľ** *n.* founder
**základňa** *n.* base
**základná vlastnosť** *n.* hallmark
**základný** *adj.* constituent
**základný** *a* elementary
**základy** *n.* foundation
**zákon** *n.* statute
**zákonnosť** *n.* legality
**zákonný** *a.* lawful
**zákonodarca** *n.* legislator
**zákonodarný** *a.* legislative
**zákonodarný zbor** *n.* legislature
**zákonodarstvo** *n.* legislation
**zakopnúť** *v.i.* stumble
**zakopnutie** *n.* stumble
**zakoreniť** *v.i.* root
**zakotvenie** *n* anchorage
**zakotviť** *v.t* moor
**zakrádať sa** *v. i* creep
**zákruta** *n* bend
**zakryť** *v.t.* obscure
**žalárnik** *n.* jailer
**zalesniť** *v.t.* afforest
**záležitosť** *n.* matter
**zálievka** *n* dressing
**záliv** *n* bay
**žalm** *n.* psalm
**žalobca** *n.* counsel
**záloha** *n.* deposit
**žalostný** *a.* lamentable
**žalovať** *v.t.* sue
**založenie** *n* establishment
**založený** *a.* base
**založiť** *v. t.* establish
**záložka** *n.* book-mark
**záľuba** *n.* pastime
**zaľúbenosť** *n.* infatuation
**žaluď** *n.* acorn
**žalúdkový** *a.* gastric
**zaľudnený** *a.* populous
**žalúdok** *n.* stomach
**zamaskovať** *v. t* bemask
**zamat** *n.* velvet
**zamatový** *a.* velvety
**zamazať** *n* blur
**zamazať** *v. t.* daub
**zámena** *n.* interchange
**zámeno** *n.* pronoun
**zámer** *n.* aim
**zamerať sa** *v.t* focus
**zámerne** *adv.* purposely
**zámerný** *a* deliberate

**zamestnanci** *n.* staff
**zamestnanec** *n* employee
**zamestnanie** *n* employment
**zamestnať** *v. t* employ
**zamestnávateľ** *n* employer
**zametač** *n.* sweeper
**zametanie** *n.* sweep
**zametať** *v.i.* sweep
**zámienka** *n* pretext
**zamiesť chlieb** *v. t. & i* breaden
**zamietnuť** *v.t.* overrule
**zámka** *n.* lock
**zamknúť** *v.t* lock
**zamotať** *v. t* entangle
**zámožný** *a.* well-to-do
**zamračený** *a.* overcast
**zamračený výraz** *n.* frown
**zamraziť** *v.i.* freeze
**zamýšľať** *v.t.* intend
**zamyslený** *a.* thoughtful
**zanechať jamky** *v.t.* pit
**zanedbanie** *n* neglect
**zanedbanosť** *n.* squalor
**zanedbaný** *a.* squalid
**zanedbať** *v.t.* neglect
**zanedbateľný** *a.* negligible
**zanedlho** *adv.* presently
**zaneprázdnený** *a* busy
**zaniesť sa** *v.t.* silt
**zaobstaranie** *n.* provision
**zaostávať** *v.i.* lag
**zápach** *n.* stench
**Západ** *n.* occident
**západ** *n.* west
**západne** *adv.* west
**zapadnúť** *v.t* fit
**zapadnúť do blata** *v.t.* mire
**západný** *a.* west
**zápal** *n.* inflammation
**zápal kĺbov** *n* arthritis
**zápal pľúc** pneumonia
**zapálený** *a.* inflammable
**zápalistý** *a.* mettlesome
**zapáliť** *v.t.* kindle
**zápalka** *n* match
**zapaľovač** *n.* lighter
**zápas** *n.* match
**zápasiť** *v. i* contend
**zápasník** *n.* wrestler
**zápästie** *n.* wrist
**zápästný** *adj* carpal
**zápcha** *n.* constipation
**zapchať** *v.t.* plug
**zapchať ústa** *v.t.* gag
**zapísanie** *n.* registration
**zapísať** *v. t* enrol
**zapisovateľ výsledkov** *n.* scorer
**zaplátať** *v.t.* patch
**zaplatenie** *n.* repayment
**záplava** *n* flood
**zaplaviť** *v.t* flood
**zapliesť** *v.t.* involve
**zaplniť sadzou** *v.t.* soot
**zapnúť na gombík** *v. t.* button
**zapochybovať** *v.t* query
**zápor** *n.* negative
**záporný** *a.* negative
**zapôsobiť** *v.t.* impress
**zapriahnuť** *v.t.* yoke
**zapríčiniť** *v.t.* incur
**zaprisahať** *v.i.* conjure
**zaprisahať sa** *v.t.* forswear
**zaprisahávať** *v.t.* implore
**zaradenie** *n.* incorporation
**zarastený** *a* rank
**zaregistrovať** *v.t* file
**zárez** *n.* notch
**žargón** *n.* jargon
**zariadenie** *n.* apparatus
**zariadiť** *v.t.* furnish
**zarmútený** *a.* wretched
**zarmútiť** *v.t.* sadden
**zarobiť si** *v. t* earn
**zárodok** *n* embryo

**zarovnanie** *n* trim
**zarovnaný** *a.* trim
**zarovnať** *v.t.* trim
**žart** *n.* joke
**žartík** *n.* prank
**žartovanie** *n.* banter
**žartovať** *v.i.* joke
**zaručiť** *v. t* ensure
**záruka** *n.* warranty
**zásada** *n.* principle
**zasadanie** *n.* session
**zásadný** *a* consistent
**zásadovosť** *n.* consistence,-cy
**zásah** *n.* intervention
**zasahovanie** *n.* interference
**zasahovať** *v.i.* interfere
**zasiahnuť** *v.i.* intervene
**zásielka** *n.* consignment
**zaslepiť** *v.t.* infatuate
**zaslúžene** *adv.* justly
**zaslúžiť si** *v. t.* deserve
**záslužný** *a.* meritorious
**zasnežený** *a.* snowy
**zasnúbenie** *n.* engagement
**zasnúbiť** *v. t* betroth
**zásnuby** *n.* betrothal
**zašnurovať** *v.t.* lace
**zásoba** *n* supply
**zásobiť sa** *v.t.* store
**zašpiniť** *v.t.* soil
**zastaraný** *a.* outdated
**zástava** *n* flag
**zástava dychu** *n* apnoea
**zastávať** *v.t* uphold
**zastavenie** *n.* standstill
**zastavenie sa** *n* stop
**zastaviť** *v.t.* stop
**zastaviť sa** *v.i.* stagnate
**zastávka** *n* halt
**zástera** *n.* apron
**zastrašiť** *v.t.* intimidate
**zastrašovanie** *n.* intimidation
**zastrešiť** *v.t.* roof
**zastrieť** *v.t.* screen
**zástupca** *n* deputy
**zastupovať** *v.t.* temper
**zásuvka** *n.* socket
**zasvätenie** *n* dedication
**žať** *v.t.* mow
**záťah** *n.* spree
**zatajiť** *v. t.* conceal
**zatarasenie** *n.* obstruction
**zatarasiť** *v.t.* obstruct
**zaťatý** *a.* mulish
**zaťažiť** *v. t* burden
**zaťažiť hypotékou** *v.t.* mortgage
**zatiaľ** *adv.* meanwhile
**zatieniť** *v.t.* overshadow
**zátka** *n.* plug
**zatknúť** *v.t.* arrest
**zatknutie** *n.* arrest
**zatmenie** *n* eclipse
**zátoka** *n.* creek
**zatuchnutý** *a.* musty
**zatúlané zviera** *n* stray
**zatúlaný** *a* stray
**zatúlať sa** *v.i.* stray
**žatva** *n.* harvest
**zatvorenie** *n.* closure
**zatvoriť** *v.t.* shut
**zátvorka** *n.* parenthesis
**zátylok** *n.* nape
**zaujať** *v.t.* intrigue
**zaujatosť** *n.* partiality
**záujem** *n.* interest
**zaujímajúci sa** *a.* interested
**zaujímavý** *a.* interesting
**zavádzajúci** *a.* mendacious
**zavárať** *v.t.* condite
**závažnosť** *n.* severity
**závažný** *a.* severe
**záväzný** *a* binding
**záväzok** *n.* liability
**záver** *n* finish

**zavesiť** *v.t.* hang
**zaviazať oči** *v. t* blindfold
**zaviazať sa** *v. t* contract
**závideniahodný** *a* enviable
**závidieť** *v. t* envy
**závisieť** *v. i.* depend
**závislá osoba** *n* dependant
**závislosť** *n.* addiction
**závislý** *a* dependent
**závisť** *v* envy
**závistlivý** *a* envious
**zavlažiť** *v.t.* irrigate
**zavlažovanie** *n.* irrigation
**závoj** *n.* veil
**závoj mníšok** *n.* wimple
**zavolať** *v. t.* call
**závora** *n.* latch
**závratný** *a.* giddy
**zavraždenie dieťaťa po narodení** *n.* infanticide
**zavraždiť** *v.t.* murder
**zavrhnúť** *v. t.* dismiss
**zavrieť** *v. t* close
**zavrieť do ohrady** *v.t.* pen
**zavrieť na závoru** *v.t* bar
**zavýjanie** *n* howl
**zavýjať** *v.t.* howl
**zazeranie** *n.* glare
**zazerať** *v.i* glare
**zažiť** *v. t.* experience
**záznam** *n.* record
**zaznamenať** *v.t.* record
**zázračný** *a.* miraculous
**zázrak** *n.* miracle
**zazrieť** *v.t.* sight
**zázvor** *n.* ginger
**zbabelec** *n.* coward
**zbabelosť** *n.* cowardice
**zbabrať** *v. t* bungle
**zbadať** *v.t.* spot
**zbaliť** *v.t.* nab
**zbaštiť** *v.i.* scoff
**zbavenie viny** *n.* vindication
**zbaviť** *v. t* deprive
**zbaviť biedy** *v.t.* depauperate
**zbaviť kontroly** *v.t.* decontrol
**zbaviť sa bremena** *v.t.* unburden
**zbaviť viny** *v.t.* vindicate
**zbehlosť** *n.* proficiency
**zbehlý** *a.* proficient
**zberať** *v.t.* reap
**zbežný** *a* cursory
**zbierať** *v.t.* gather
**zbierka** *n.* portfolio
**zbiť** *v.t.* lambaste
**zbohatlík** *n.* croesus
**zbohom** *n.* adieu
**zbohom** *interj.* farewell
**zbor** *n* choir
**zbožnosť** *n.* piety
**zbožňovanie** *n.* adoration
**zbožňovať** *v.t.* adore
**zbožný** *a.* godly
**zbraň** *n.* gun
**zbroj** *n* blindage
**zbrojnica** *n.* armoury
**zbytočnosť** *n.* futility
**zbytočný** *a.* futile
**zdanenie** *n.* taxation
**zdanie** *n.* inkling
**zdaniť** *v.t.* tax
**zdaniteľný** *a.* taxable
**zdanlivý** *a.* imaginary
**zdarma** *adv.* gratis
**zdať sa** *v.i.* seem
**zdedený** *a.* ancestral
**zdesený** *a.* aghast
**zdĺhavosť** *n.* verbosity
**zdĺhavý** *a.* interminable
**zdokonalenie** *n.* refinement
**zdokonaliť** *v.t.* perfect
**zdolať** *v.t.* tackle
**zdôrazniť** *v. t* emphasize
**zdôveriť sa** *v. i* confide

**zlepiť sa** *v.t.* conglutinat
**zlepšenie** *n.* improvement
**zlepšiť** *v.t.* improve
**zlepšovať** *v.t.* uplift
**zlí** *a.* wicked
**zliatina** *n.* alloy
**zlievareň** *n.* foundry
**zlikvidovať** *v.t.* liquidate
**zlo** *n* evil
**zloba** *n.* malignity
**zločin** *n* crime
**zločinec** *n* criminal
**zločinný** *a* criminal
**zlodej** *n* burglar
**zlomenie** *n* breakage
**zlomenina** *n.* fracture
**zlomiť** *v.t* fracture
**zlomok** *n.* fraction
**zlomyseľnosť** *n.* malice
**zlomyseľný** *a.* malicious
**zlosť** *n.* rage
**zlostiť sa** *v.i.* rage
**zlosyn** *n.* villain
**zlovestný** *a.* nasty
**zložený** *a* compound
**zložiť** *v. t* compose
**zložiť zálohu** *v. t* deposit
**zložitý** *a* complex
**zložka** *n* compound
**žltá farba** *n* yellow
**žltačka** *n.* jaundice
**žltkastý** *a.* yellowish
**žltnúť** *v.t.* yellow
**žĺtok** *n.* yolk
**žltý** *a.* yellow
**zlúčenie** *n* amalgamation
**zlúčenina** *n* compound
**zlúčiť** *v. t* combine
**zlúčiť sa** *v.t.* amalgamate
**zľutovanie** *n* compassion
**zlý** *a.* bad
**zlý básnik** *n.* poetaster
**zlý sen** *n.* nightmare
**zlý žiak** *n* dunce
**zlyhanie** *n* lapse
**zlyhať** *v.i* fail
**zmačkať** *v.t.* crimple
**zmasakrovať** *v.t.* slaughter
**zmätenosť** *n.* perplexity
**zmätok** *n* confusion
**zmätok** *n.* fuss
**zmena** *n.* change
**zmeniť** *v.t.* alter
**zmeniť na trosky** *v.t.* wreck
**zmenšenie** *n* decrease
**zmenšiť** *v. t* decrease
**zmenšiť na polovicu** *v.t.* halve
**zmenšiť sa** *v.t.* abate
**zmenšovanie sa** *n* wane
**zmenšovať sa** *v. t* dwindle
**zmes** *n* blend
**zmiasť** *v. t* confuse
**zmieniť sa** *v.t.* mention
**zmienka** *n.* mention
**zmierenie** *n.* acquiescence
**zmieriť sa** *v.i.* acquiesce
**zmiernenie** *n.* alleviation
**zmierniť** *v.t.* alleviate
**zmiešanie** *n.* concoction
**zmiešať** *v.i* mix
**zmietať sa** *v.i.* writhe
**zmiznúť** *v. i* disappear
**zmiznutie** *n* disappearance
**zmluva** *n* contract
**zmluva o prenájme** *n.* lease
**zmonopolizovať** *v.t.* monopolize
**zmrzačiť** *v. t* disable
**žmurkať** *v. t. & i* blink
**zmysel** *n.* sense
**zmyselník** *n.* sensualist
**zmyselnosť** *n.* sensuality
**zmyselný** *a.* sensual
**značka** *n* brand
**značný** *a* aconsiderable

**znak** *n.* sign
**znalec práva** *n.* jurist
**znalý** *a.* versed
**znamenať** *v.t* mean
**znamenie** *n.* signal
**známka** *n.* stamp
**známosť** *n.* acquaintance
**známy** *a* familiar
**znárodnenie** *n.* nationalization
**znárodniť** *v.t.* nationalize
**znásilnenie** *n.* rape
**znásilniť** *v.t.* rape
**žnec** *n.* haverster
**znečistenie** *n.* pollution
**znečistenosť** *n.* impurity
**znečistený** *a.* impure
**znečistiť** *v.t.* contaminate
**znehodnotiť** *v.t.* invalidate
**znemožňujúci** *a.* prohibitive
**znepokojenie** *n* disquiet
**znepokojený** *a.* uneasy
**znepokojiť** *v.t.* unsettle
**znervózňovať sa** *v.i* fuss
**znesiteľný** *a* endurable
**zneužitie** *n* mistreat
**znevážiť** *v.t.* profane
**znevýhodniť** *v.t.* penalize
**zničenie** *n.* obliteration
**zničiť** *v. t* destroy
**zniesť** *v.i* abide
**znieť** *v.i.* sound
**zníženie** *n.* reduction
**znížiť** *v.t.* reduce
**znova** *adv.* again
**znovu uviesť** *v.t.* reinstate
**znovu vydať** *v.t.* reprint
**znovuprijatie** *n.* reinstatement
**zobák** *n* beak
**žobrák** *n* beggar
**žobrať** *v. t.* beg
**zobraziť** *v. t.* depict
**zobudený** *a* awake
**zobudiť** *v.t.* wake
**zobudiť sa** *v.t.* awake
**zočiť** *v. t* behold
**zodiak** *n* zodiac
**zodpovednosť** *n.* responsibility
**zodpovedný** *a.* responsible
**zohavenie** *n.* mutilation
**zohaviť** *v.t.* mutilate
**zohnúť** *v.t* fold
**zohnúť sa** *v.i.* stoop
**zohriať** *v.t* heat
**žolík** *n.* rummy
**zóna** *n.* zone
**žonglér** *n.* juggler
**žonglovať** *v.t.* juggle
**zoo** *n.* zoo
**zoológ** *n.* zoologist
**zoológia** *n.* zoology
**zoologický** *a.* zoological
**zopakovanie** *n.* reiteration
**zopakovať** *v.t.* reiterate
**zopnúť** *v.t.* pin
**zoradenie** *n.* array
**zoradiť** *v.t.* rank
**zoradiť do systému** *v.t.* systematize
**zosadiť** *v. t* depose
**zosadiť panovníka** *v. t* dethrone
**zosilnenie** *n.* reinforcement
**zosilnieť** *v. t.* consolidate
**zosilniť** *v.t.* strengthen
**zosilňovač** *n* amplifier
**zoškliviť** *v.t.* uglify
**zoskupenie** *n* coalition
**zoskupiť sa** *v.t.* group
**zosobášiť** *v.t.* wed
**zošrotovať knihu** *v.t.* pulp
**zostať** *v.i.* remain
**zostavovať** *v. t* compile
**zostúpiť** *v.i.* alight
**zostupovanie** *n.* descent
**zostupovať** *v. i.* descend

**zoštvornásobil** *v.t.* quadruple
**zoťať** *v.t* fell
**zotročiť** *v.t.* enslave
**zotrvačnosť** *n.* inertia
**zotrvať** *v.i.* persist
**žoviálnosť** *n.* joviality
**žoviálny** *a.* jovial
**zovňajšok** *n.* guise
**zovrieť** *v. t* clutter
**zoženštený** *a* effeminate
**zoznam** *n.* list
**zoznámenie** *n.* introduction
**zoznámiť** *v.t.* introduce
**zpáriť** *v.t.* pair
**zrada** *n* betrayal
**zradca** *n.* traitor
**zradiť** *v.t.* betray
**zrak** *n.* sight
**zrakový** *a.* visual
**žralok** *n.* shark
**zraniť** *v.t.* injure
**zrast** *n.* concrescence
**zrastať** *v.t.* accrete
**žravý** *a.* voracious
**zrazenie** *n.* shrinkage
**zrazenina** *n.* clot
**zraziť** *v. t* clot
**zraziť sa** *v. t.* clash
**zrážka** *n* collision
**zrážka** *n.* rabate
**žrebec** *n.* stallion
**zrejmý** *a.* manifest
**zrelosť** *n.* maturity
**zrelý** *a.* mature
**zremý** *a.* palpable
**zriadenie** *n.* regime
**zriecť sa** *v.t* forgo
**zriedený** *a* dilute
**zriediť** *v. t* dilute
**zriedkakedy** *adv.* seldom
**zriedkavo** *adv.* scarcely
**zriedkavý** *a.* scarce
**zrieknutie sa** *n.* renunciation
**zrieť** *v.i* mature
**zrkadlenie** *n.* reflection
**zrkadliť sa** *v.t.* mirror
**zrkadlo** *n* mirror
**zrno** *n.* grain
**zrod** *n.* inception
**zrovnať** *v.t.* level
**zrozumiteľnosť** *n.* lucidity
**zrozumiteľný** *a.* intelligible
**zručnosť** *n.* skill
**zručný** *a.* skilful
**zrušenie** *v* abolition
**zrušenie** *n* cancellation
**zrušiť** *v.t* abolish
**zrútiť sa** *v. i* collapse
**zrýchlenie** *n* acceleration
**zrýchliť** *v.t* accelerate
**zub** *n.* tooth
**zub múdrosti** *n.* wisdom-tooth
**zubár** *n* dentist
**zúčasnenie** *n.* participation
**zúčasniť sa** *v.t.* attend
**žumpa** *n.* cesspool
**zúrivosť** *n.* fury
**zúrivý** *a.* furious
**zušľachiť** *v. t.* ennoble
**žuť** *v. t* chew
**zúžiť** *v.t.* narrow
**zužovanie sa** *n* taper
**zužovať** *v.i.* taper
**zväčšenie** *n.* augmentation
**zväčšiť** *v. t* enlarge
**zväčšovať** *v.t.* magnify
**zvádzanie** *n.* temptation
**zvádzať** *v.t.* tempt
**zvaliť** *v.i.* topple
**zvar** *n* weld
**zvárať** *v.t.* weld
**zväz** *n.* union
**zvážiť** *v. t* consider
**zväzok** *n* bunch

**zvažovať sa** *v.i.* slope
**zvažujúci sa** *adj.* declivous
**zvedavosť** *n* curiosity
**zvedavý** *a* curious
**zveličiť** *v. t.* exaggerate
**zveličovanie** *n.* exaggeration
**zveličovať** *v.t.* overact
**zverejniť** *v.t.* publicize
**zverolekársky** *a.* veterinary
**zveršovať** *v.t.* versify
**zverstvo** *n* atrocity
**zviazať** *v.t.* tie
**zviera** *n.* animal
**zvieratko** *n.* pet
**zviesť** *n.* seduce
**zvíjať sa** *v.t.* agonize
**zvinúť** *v.t.* furl
**zvinúť sa** *v.t.* convolve
**zvíťaziť** *v.i.* triumph
**zvitok** *n.* scroll
**zvládnuteľný** *a.* manageable
**zvláštnosť** *n.* peculiarity
**zvláštny** *a.* extraordinary
**zvodný** *a* seductive
**zvolanie** *n.* convocation
**zvolať** *v.t.* convoke
**zvolať** *v.i* exclaim
**zvolávateľ** *n* convener
**zvoliť** *v. t* elect
**zvon** *n* bell
**zvonenie** *n* toll
**zvonku** *adv.* without
**zvracať** *v.t.* vomit
**zvrat** *n.* reversal
**zvratky** *n* vomit
**zvratný** *a* reflexive
**zvrchovanosť** *n.* sovereignty
**zvrchovaný** *a* sovereign
**zvrhnúť** *v.t.* overthrow
**zvrhnutie** *n* overthrow
**zvučnosť** *n.* sonority
**zvučný** *a.* resonant
**zvuk** *n* sound
**zvuk trúbky** *n.* clarion
**zvukomaľba** *n.* onomatopoeia
**zvukový** *a.* sonic
**zvyčajne** *adv.* usually
**zvyčajný** *a.* usual
**zvýhodniť** *v.t.* advantage
**zvyk** *n.* custom
**zvyknúť si** *v.t.* accustom
**zvyknutý** *a.* accustomed
**zvýšená cesta** *n* causeway
**zvýšenie** *n* boost
**zvýšiť** *v.t.* intensify
**zvyškový** *a.* residual
**zvyšky** *n.* remains
**zvyšok** *n.* remainder